MARKETING **DIGITAL** 360

TÍTULO ORIGINAL
Marketing Digital 360

AUTOR
Vasco Marques

REVISÃO
Noémia Guerra Margarido e Cátia Loureiro

ILUSTRAÇÕES
Inês Barracha (www.modo.pt)

CONJUNTURA ACTUAL EDITORA
Sede: Rua Fernandes Tomás, 76-80, 3000-167 Coimbra
Delegação: Avenida Engenheiro Arantes e Oliveira, 11 - 3.° C - 1900-221 Lisboa
www.actualeditora.pt

DESIGN DE CAPA
FBA

PAGINAÇÃO
Rosa Baptista

IMPRESSÃO E ACABAMENTO
PAPELMUNDE

Janeiro, 2019

DEPÓSITO LEGAL
438518/18

GRUPO**ALMEDINA**

BIBLIOTECA NACIONAL DE PORTUGAL – CATALOGAÇÃO NA PUBLICAÇÃO

MARQUES, Vasco

Marketing digital 360. - (Extra-coleção)
ISBN 978-989-694-294-6

CDU 658

VASCO MARQUES

MARKETING **DIGITAL** 360

Índice

Clique aqui para Iniciar

Iniciou agora uma viagem digital! Prepare-se para uma imersão 360 no mundo dos bits que vão fazer girar mais rápido os átomos do seu negócio.

Este livro é o culminar de um percurso de muitos anos de experiência em formações, em consultorias e do trabalho diário no mundo digital. Realizei e participei em centenas de eventos em todos os distritos e em todas as regiões de Portugal, mas também em outros países. Conheci a realidade das empresas e as necessidades das pessoas: as suas dificuldades e as suas especificidades.

Veja informação sobre os eventos realizados e a realizar em: *www.vascomarques.com* e acompanhe-me nas diversas redes sociais: *www.vascomarques.com/redes-sociais*. Veja também a agenda dos próximos eventos presenciais e online: *www.vascomarques.com/agenda*.

É um livro de compreensão fácil, prático e orientado para resultados. Está preparado para quem quiser dar os primeiros passos neste mundo digital, mas também está suficientemente detalhado para os mais experientes que pretendam aperfeiçoar técnicas nas diversas áreas.

O livro pode ser lido em sequência ou, se preferir, pode consultar no índice os temas que lhe interessem e atalhar para as áreas em que deseje obter mais conhecimento. No início de cada capítulo existe um modelo gráfico que resume e representa o respetivo tema. Durante a leitura, vai encontrando caixas que auxiliam a rápida assimilação, segmentadas em três níveis de conhecimento: FAQ (inicial), TOP (intermédio), e PRO (avançado). No fim de cada capítulo existe uma checklist com as ações práticas que deve realizar para cumprir todos os requisitos do tema em causa. Pode assinalar as que já estão concluídas e tem um espaço disponível para acrescentar mais alguma que considere importante.

Existe um website com conteúdos complementares em: *www.mktdigital360.net* e pode encontrar atualizações a este livro em: *www.mktdigital360.net/update*. Selecionei um conjunto de ofertas em: *www.mktdigital360.net/ofertas* e junte-se à comunidade em: *www.mktdigital360.net/leitores*.

Para testar os seus conhecimentos aceda a: *www.mktdigital360.net/quiz* e veja a sua pontuação.

Por fim, o Hugo Veiga prefacia este livro. Lembra-se do famoso vídeo «Dove Real Beauty Sketches», que foi o anúncio mais visto de sempre? É apenas um dos grandes projetos (pode ver mais em: *www.diegodelaveiga.com*) que este profissional de referência concebeu e que foi o responsável pela sua distinção – em Cannes – como o melhor Criativo e Copywriter do mundo. Veja uma conversa informal que tivemos no formato entrevista: *http://youtu.be/EgomPJbKZp0*.

Agradecimentos

Existem muitas pessoas e organizações que contribuíram para esta obra, direta e indiretamente: os amigos, os seguidores nas redes sociais, os formandos e os clientes.

Sem eles, nunca teria sentido necessidade de publicar este livro. São também eles quem me incentiva a aprender mais e a estar sempre atualizado, para poder prestar o melhor serviço possível.

Agradeço especialmente a: Ana Gouveia, Ana Mendes, André Novais de Paula, André Zeferino, Beatriz Casais, Carolina Afonso, Célia Simões, Emanuel Grilo, Filipe Carrera, Hugo Pascoal, Ivo Madaleno, João Ferreira Pinto, João Miguel Lopes, João Pico, Jorge Cunha, Jorge Landau, José Cardoso, Miguel Brandão, Miguel Crespo, Miguel Fernandes, Paulo Morais, Pedro Caramez, Sandra Vale e Ulisses Lopes, por terem colaborado com recomendações e contribuições valiosas, fruto da sua grande experiência e conhecimento nas diversas áreas do Marketing Digital.

À Noémia Margarido, pelo trabalho profissional de revisão deste livro.

Agradeço especialmente à minha esposa, pela sua paciência e dedicação, que muito admiro – e também aos nossos filhos.

Agradeço ao leitor, por estar a investir o seu tempo a adquirir mais conhecimentos! Afinal, este livro é para si!

Prefácio

«Parem o comboio, que eu quero entrar!» Este poderia ser, perfeitamente, o título deste livro. Mas, podia gritar a plenos pulmões, porque o Marketing Digital não ia esperar por si. Esperar é-lhe contranatura. Por isso, estimado leitor, não considere este livro um bilhete de primeira classe. Não haverá ninguém para lhe carregar as malas, nem para lhe estender a mão e o ajudar a subir a bordo. Quando muito, este livro diz-lhe onde se agarrar com segurança na hora em que, depois de correr esbaforido pela plataforma da estação, saltar para o comboio em andamento.

É, por isso, um livro para quem deseja começar ou aprofundar conhecimentos. *P'ró menino e p'rá menina* – graúdo e graúda – que desejem iniciar uma startup, uma pequena ou média empresa, estudar ou simplesmente curtir a viagem.

E viagens é o que não falta no currículo do Vasco. Um bom exemplo de quem não fica na janela a soltar *bitaites*, mas que tira a *bunda* da cadeira para fazer. E é com base no seu trabalho, feito de palestras, *hangouts*, consultoria e formação que ele organizou este livro. Um livro que não aborda tudo desse vasto assunto, mas que o explica e que dá as coordenadas essenciais para uma viagem de sucesso. Que entende que este é o marketing do imediato. Onde o que é verdade, hoje, pode ser mentira, amanhã. Onde o que parece certo, agora, pode revelar-se um tremendo erro em poucos minutos.

E, assim, tal qual o seu corpo de estudo, este livro é uma metamorfose ambulante. Existe um link em que podem ver atualizações sobre o assunto. Em que podem comentar e interagir com outros leitores que vão subindo a bordo. Em que podem fazer algo que não é possível fazer agora, mas, quem sabe, daqui a algumas semanas.

Preparados? Então corram. Apanhem esse comboio e boa viagem.

Hugo Veiga, Diretor Criativo da AKQA – São Paulo.

Índice de Figuras

1
Estratégia Marketing Digital

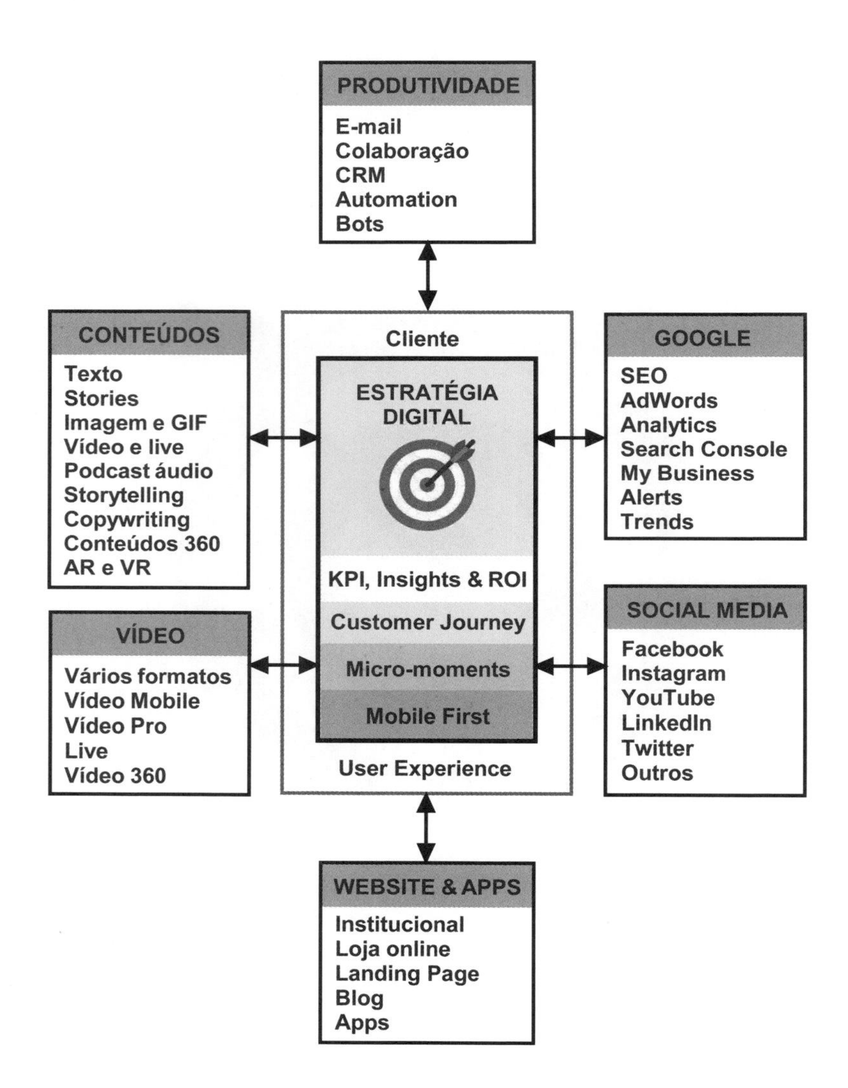
PRODUTIVIDADE
E-mail
Colaboração
CRM
Automation
Bots
CONTEÚDOS
Texto
Stories
Imagem e GIF
Vídeo e live
Podcast áudio
Storytelling
Copywriting
Conteúdos 360
AR e VR
Cliente
ESTRATÉGIA DIGITAL
KPI, Insights & ROI
Customer Journey
Micro-moments
Mobile First
User Experience
GOOGLE
SEO
AdWords
Analytics
Search Console
My Business
Alerts
Trends
VÍDEO
Vários formatos
Vídeo Mobile
Vídeo Pro
Live
Vídeo 360
SOCIAL MEDIA
Facebook
Instagram
YouTube
LinkedIn
Twitter
Outros
WEBSITE & APPS
Institucional
Loja online
Landing Page
Blog
Apps

Defina Uma Estratégia de Marketing Digital

Numa empresa é habitual planear; no Marketing Digital não é diferente. O que mudou nos últimos anos é que, devido à natureza dos negócios, à efervescência das alterações e à velocidade com que tudo acontece, se torna mais eficiente não perder demasiado tempo com planos de algo que poderá nunca acontecer, pelo menos da maneira prevista. Assim, o comportamento a adotar é planear, sim, mas com rapidez, e estando sempre preparado para ajustar o que for necessário.

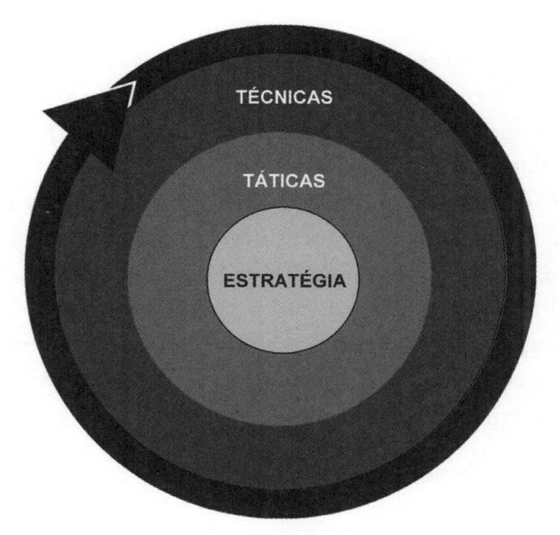

Figura 1 – Estratégia, táticas e técnicas no Mkt Digital 360.

Quais são os objetivos?

De acordo com o meio em que estiver inserido, devem ser específicos, mensuráveis, realistas e com prazo definido. Podem ser, por exemplo: a venda de x produtos, aumentar o tráfego, notoriedade da marca, gerar contactos, subscrições e outros.

Quem deseja alcançar?

Alcance amplo ou segmentado? Quais são os segmentos que deseja alcançar? Que ações deseja que eles tomem?

Como pode atingi-los?

Como pode alcançá-los da forma mais eficiente? Através de: tipo de publicidade, *landing page*, website, conteúdos e vídeo.

Como pode medi-lo?

Através de: Google Analytics, estatísticas, apps, definição de métricas e KPI.

O processo da transformação digital permite proporcionar uma melhor experiência ao cliente e obter todo o potencial do Marketing Digital. Consiste numa mudança estratégica, com impacto na estrutura, na cultura e nos processos da organização, através de tecnologias e da Internet.

O Customer Journey consiste no mapeamento de todos os pontos de contacto entre o cliente e a marca. Considerando todo o percurso realizado em diversos canais e em vários dispositivos, a informação libertada pela pegada digital é valiosa para poder ajustar a sua comunicação e a experiência para o cliente, por exemplo, com: formulários, comentários nas redes sociais, visitas a website ou a loja, comportamentos online e outras informações. Assim, poderá conhecer melhor o que o cliente deseja a cada passo que dá nesta jornada digital. O mapa deve ser construído com base nos dados de que dispõe, para criar uma visão 360 graus do cliente, satisfazendo as suas expectativas de forma eficiente.

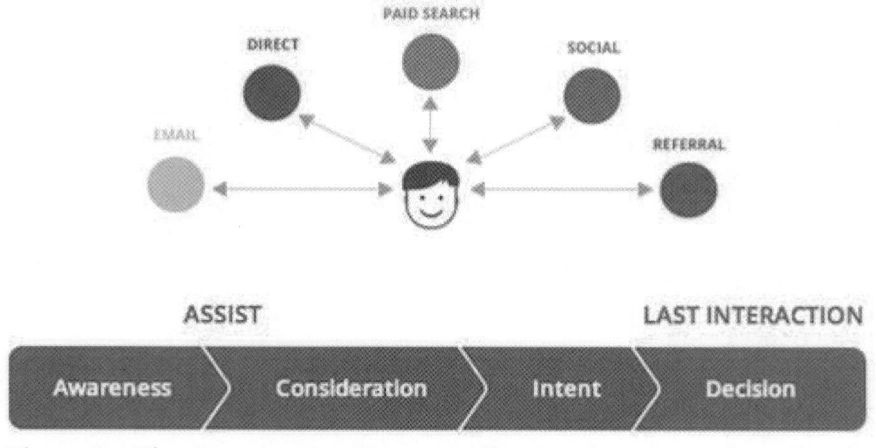

Figura 2 – The Customer Journey to Online Purchase, segundo a Google.

A criação da Persona – para representar de uma forma mais segmentada o seu cliente – permite facilitar todo o processo de comunicação ao longo da jornada digital. Este caminho vai dos Micro-Moments ao Customer Journey, com o Automation Marketing para aumentar a eficiência dos pontos de contacto.

Considere o LTV (*Lifetime value*) do cliente. Este indicador calcula o potencial de receitas que o ciclo de vida de um cliente pode trazer à sua organização.

Método Mkt Digital 360

O método Mkt Digital 360 é o resultado de anos de experiência. Quando se aplica numa organização, acelera o processo de obtenção de resultados, recorrendo a metodologias e a instrumentos específicos, em função das necessidades da organização. Acabou por dar origem a este livro e a marca registada. Implemento-o regularmente nas empresas, com excelentes resultados.

Para o ajudar a implementar corretamente a melhor estratégia digital, recomendo os seguintes procedimentos:

- Efetuar diagnóstico inicial e compará-lo com a concorrência;
- Definir a estratégia inicial;
- Encontrar os parceiros certos para implementação: colaboradores internos, consultores, formadores ou contratação de serviços;
- Adquirir conhecimento: formação dos colaboradores para o digital;
- Implementar;
- Monitorizar e otimizar.

O QUE É O MKT DIGITAL 360?
O Mkt Digital 360 é um encadeamento de técnicas, táticas e estratégias, com uma visão integrada e abrangente. Recorre, especialmente, a ferramentas online para comunicar, interagir, relacionar e entregar valor ao cliente.

Este livro está preparado para lhe dar uma visão estratégica a 360 graus, orientações táticas para seguir o melhor caminho e indicações técnicas para executar com sucesso. Para isso, estão disponíveis vários níveis de leitura e instrumentos, para o auxiliar neste percurso do método Mkt Digital 360.

Capítulos e percurso	Sequência dos temas do livro	
Capítulos e percurso Mkt Digital 360	Sequência dos temas do livro	ESTRATÉGICO
Modelo estratégico Mkt Digital 360	Integração dos temas	ESTRATÉGICO
Estrutura e métricas Mkt Digital 360	Definição estrutural, objetivos e parceiros	ESTRATÉGICO
Diagnóstico web Mkt Digital 360	Compare a sua presença online com os concorrentes	TÁTICO
Matriz Mkt Digital 360	Necessidades e prioridades de implementação	TÁTICO
Checklists	Plano de ações a realizar	TÁTICO
Caixas com destaques	Cuidados na execução	TÉCNICO
Índice detalhado	Coordenadas de orientação	TÉCNICO
Conteúdos dos capítulos	Indicações detalhadas de procedimentos	TÉCNICO

Figura 3 – Sequência Mkt Digital 360.

Percurso Mkt Digital 360

Esta proposta de percurso ajuda-o a seguir uma sequência lógica de aquisição de conhecimentos, de implementação e de atenção à sua interação com fatores internos e externos, relacionados com clientes, tecnologia e objetivos desejados.

No entanto, pode optar por outro percurso não linear, em função do que a sua organização já tem implementado, ou estabelecer prioridades em função dos seus objetivos. Repare que, à medida que vai avançando no seu percurso, sempre que a curva lhe indicar outro patamar, o grau de exigência aumenta.

O percurso pode e deve ter ações não lineares em paralelo. Por exemplo: pode avançar com o website e o Facebook, no primeiro patamar.

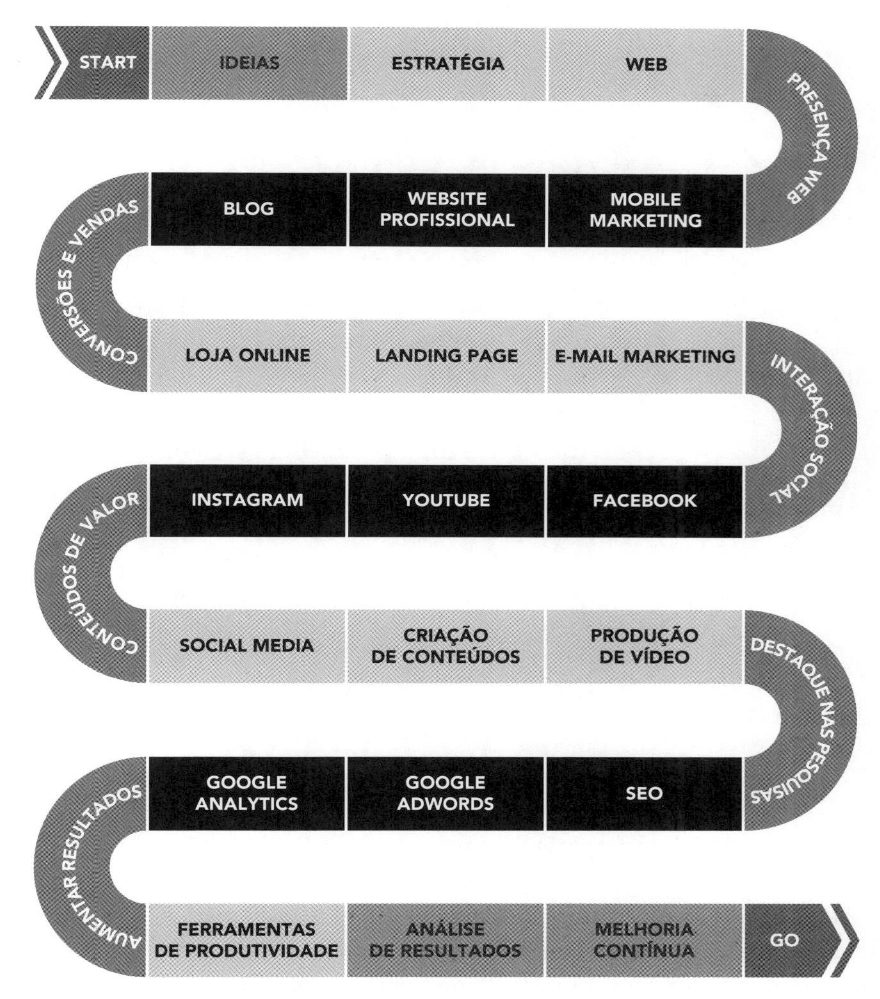

Figura 4 – Percurso Mkt Digital 360.

Modelo Estratégico Mkt Digital 360

Quando estiver a definir a sua estratégia digital, será necessário considerar vários fatores nas várias camadas de atuação: estratégico, tático e técnico. Deverá escolher as ferramentas a utilizar dentro de cada área de atuação.

Deve ter o cuidado de estar adaptado tecnologicamente à realidade, bem como às expectativas dos utilizadores e à experiência proporcionada.

Além disso, deve estar sempre atento aos resultados que cada ferramenta vai gerar, para poder aferir o retorno dos recursos alocados.

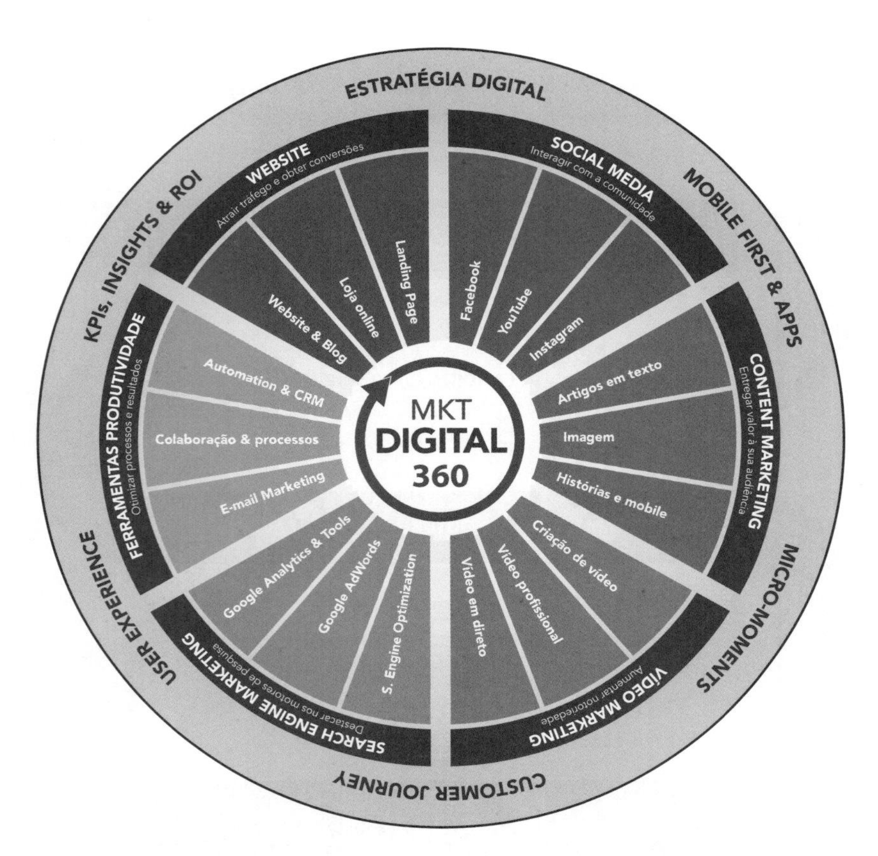

Figura 5 – Modelo estratégico do método Mkt Digital 360.

De seguida, avance para o modelo estrutural Mkt Digital 360. São sugeridos blocos de ferramentas, onde pode anotar as que fazem mais sentido para o seu projeto. Siga a lógica da numeração, pois é, normalmente, a que faz mais sentido quando está a estruturar a sua presença online. Assim, numa folha, fica com uma estrutura do que precisa implementar, podendo ajustá-la a qualquer momento.

Modelo Estrutural Mkt Digital 360

Projeto:

Tempo: 6m – 12m – outro

<table>
<tr>
<td rowspan="2">4 – Social Media
- Facebook
- Instagram
- YouTube
- Twitter
- LinkedIn
- Google Plus
- Pinterest
- Outros Social Media
- Definir Hashtag do projeto
- Username nos Social Media idealmente deve ser igual. Verificar disponibilidade em www.namechk.com</td>
<td rowspan="2">5 – Google Marketing
- Google AdWords
- Google Analytics
- Google My Business
- Google Merchant Center
- Google Suite
- Google Docs
- Google Classroom
- Search Engine Optimization
- Google Search Console
- Google Trends
- Google Market Finder
- Defina as principais expressões de pesquisa que deseja posicionar-se
- Se aplicável, deve também otimizar presença no Bing, Yandex e Baidu
- Google Datastudio
- Google Optimize</td>
<td rowspan="2">6 – Mobile
- Website mobile
- App
- SMS
- QR Code
- Realidade Virtual (VR)
- Realidade Aumentada (AR)
- AMP
- Instant Articles
- Mobile first</td>
<td rowspan="2">7 – Publicidade
- Google AdWords:
  - Search
  - Display
- Facebook
- Instagram
- YouTube
- LinkedIn
- Twitter
- Possibilidade de utilizar códigos de conversão e remarketing</td>
<td>8 – Analítica e ROI
- Métricas
- KPI
- Medir conversões de objetivos</td>
</tr>
<tr>
<td>9 – Ferramentas de Produtividade
- Plataforma de e-mail marketing
- Colaboração
- CRM
- Chatbot
- Integração de meios digitais (Zapier e outros)</td>
</tr>
<tr>
<td colspan="2">3 – Conteúdo
- Artigos
- Imagens
- GIF ou cinemagraphs
- Áudio/podcast</td>
<td colspan="3">- Vídeo
- Transmissões em direto
- Fotografia, vídeo e direto 360
- Stories, conteúdos verticais, conteúdos autênticos com o smartphone</td>
</tr>
<tr>
<td colspan="5">2 – Website
- Website empresa
- Blog
- Loja online
- Landing Page
- Registar outros domínios? Registar novos gTLD?
- Otimização das páginas web e testes A/B</td>
</tr>
<tr>
<td colspan="5">1 – Projeto
- Recursos e orçamento – que serviços vai contratar, que parceiros vai escolher
- Público-alvo
- Proposta de valor e diferenciação
- Objetivos (quais são, definidos no tempo, indicadores): venda, lead, inscrição newsletter, visitas ou outros
- Diagnóstico ao seu projeto e comparação com concorrência</td>
</tr>
</table>

Figura 6 – Modelo estrutural Mkt Digital 360.

Para ajudar a preencher o modelo estrutural Mkt Digital 360, eis alguns pontos-chave para reflexão:

- **Descrição do seu projeto** – apresente a sua ideia de negócio;
- **Tempo para implementação** – é, normalmente, de 6 a 12 meses;
- **Orçamento e recursos necessários** – qual é o orçamento que pode disponibilizar e que outros recursos tem disponíveis (equipamento, conhecimento, profissionais e outros);
- **Palavras-chave principais** – que *keywords* são importantes para as suas pesquisas no Google;
- **Público-alvo** – a quem quer comunicar;
- **Objetivos principais (Notoriedade, Visitas, Vendas, Interação)** – dentro das quatro principais categorias, que objetivos procura atingir;
- **Análise da concorrência** – analise todos os indicadores possíveis da concorrência, para poder delinear uma estratégia para os superar;
- **Métricas principais e KPI** – defina quais são as métricas importantes;
- **Domínios** – que endereços são necessários registar para website, blog, loja ou *landing pages*;
- **Hashtag** – qual é a *hashtag* oficial do seu negócio e outras a utilizar;
- **Definir presença nos diversos Social Media** – utilize username consistente nos diversos Social Media em: *www.namechk.com*;
- **Que ferramentas vai utilizar** – que ferramentas de marketing digital fazem mais sentido para o seu negócio;
- **Tipos de conteúdo** – que tipos de conteúdo vai produzir;
- **Campanhas de publicidade a realizar** – em que plataformas vai realizar campanhas de publicidade.

Definição da Presença Online

Para definir a sua presença online, seja para o seu atual projeto ou para um novo negócio em mente, sugiro que siga estes passos:

1. Analise a disponibilidade de um ou de vários domínios;
2. Veja a disponibilidade do nome nas redes sociais: *www.namechk.com*;
3. Defina a *hashtag* do negócio, pesquisando no: *www.tagboard.com*.

Adicionalmente, pondere a possibilidade de registar a marca a nível nacional, europeu ou mundial, para proteger a sua escolha.

Registo de Marca Nacional: *https://novosservicosonline.inpi.pt/sp-ui-tmefiling/wizard.htm?execution=e1s1*.

Mais em: *https://servicosonline.inpi.pt/registos/main/start.jsp?timo=M*.

Registo de Marca Europeia: *https://euipo.europa.eu/ohimportal/pt/apply-now*.
Mais em: *www.marcasepatentes.pt/index.php?section=139*.

Registo de Marca Mundial (Registo Internacional), efetuado pela INPI, na OMPI: *www.wipo.int/madrid/en/forms*.

Mais em: *www.marcasepatentes.pt/index.php?section=140*.

Matriz Mkt Digital 360

X		M1	M2	M3	M4	M5	M6	T	D	O
	WEBSITE PROFISSIONAL							3	3	3
	BLOG							2	2	1
	LOJA ONLINE							4	4	4
	LANDING PAGE							1	1	2
	E-MAIL MARKETING							1	2	1
	FACEBOOK							4	3	4
	FACEBOOK ADS							4	3	4
	YOUTUBE							4	3	4
	INSTAGRAM							2	2	2
	INSTAGRAM ADS							3	3	4
	LINKEDIN							3	3	2
	TWITTER							3	3	2
	GOOGLE PLUS							1	2	1
	OUTROS SOCIAL MEDIA							2	2	1
	CONTEÚDOS							5	4	5
	CONTEÚDOS 360							2	2	2
	VÍDEO							3	3	3
	LIVE VÍDEO							3	3	3
	SEO							4	5	3
	GOOGLE ADWORDS							4	5	5
	MOBILE MARKETING							3	3	3
	APP MOBILE							5	5	5
	GOOGLE ANALYTICS							1	3	1
	FERRAMENTAS PRODUTIVIDADE							2	2	1
	CRM							2	2	2
	CHATBOTS							3	3	1

Figura 7 – Matriz Mkt Digital 360.

Neste quadro pode assinalar as ferramentas que vai utilizar. Os M1 a M6 representam os momentos, que podem ir de 1 semana até 3 meses. Apesar de já estar em cinzento, uma proposta de implementação temporal deve ajustar os momentos, de acordo com a prioridade ou a sequência. As colunas seguintes representam o tempo, a dificuldade e o orçamento, correspondentemente para cada ferramenta. Deve ter em atenção que algumas implicam a implementação antecessora ou sucessora de outras.

Poderá ajustar a prioridade de implementação em função de:

- Tempo;
- Recursos ou custos;
- Impacto nos objetivos.

Métricas Essenciais Mkt Digital 360

FERRAMENTA	MÉTRICA
WEBSITE	Visitas
BLOG	Visitas
LOJA ONLINE	Vendas
LANDING PAGE	*Leads*
E-MAIL MARKETING	Aberturas
FACEBOOK	Alcance
FACEBOOK ADS	Cliques
YOUTUBE	Visualizações
INSTAGRAM	Alcance
INSTAGRAM ADS	Cliques
LINKEDIN	Seguidores
TWITTER	Seguidores
GOOGLE PLUS	Seguidores
OUTROS SOCIAL MEDIA	Seguidores
CONTEÚDOS	Visualizações
VÍDEO	Visualizações
SEO	Tráfego orgânico
GOOGLE ADWORDS	Cliques
MOBILE MARKETING	Tráfego mobile
GOOGLE ANALYTICS	Visitas

Figura 8 – Tabela de métricas essenciais Mkt Digital 360.

Neste quadro, pode analisar as principais ferramentas e a métrica correspondente mais importante. Naturalmente, é redutor ter apenas uma métrica para cada ferramenta, mas é um ponto de partida para começar a analisar o desempenho de cada ferramenta. A métrica, isoladamente, não fornece muita informação. É fundamental definir as métricas de desempenho (KPI) que, normalmente, têm por base a métrica associada à taxa de crescimento, para ser facilmente comparável e observável o seu desempenho.

Todos os dados que recolher das estatísticas devem ser transformados em informação, que, por sua vez, dá origem ao conhecimento para o ajudar a ajustar a sua estratégia.

Diagnóstico Web Mkt Digital 360

DIAGNÓSTICO	1	2	3
Desempenho, SEO, segurança e otimização: *www.dareboost.com*			
Velocidade: G Page Speed Insights, GTMetrix e Webpagetest.org			
Links quebrados: *https://validator.w3.org/checklink*			
Nível de internacionalização: *https://validator.w3.org/i18n-checker*			
Experiência Mobile: *http://material.io/resizer* e *https://testmysite.withgoogle.com*			
Compatibilidade Mobile: *www.google.com/webmasters/tools/mobile-friendly*			
Popularidade e visitas: *www.similarweb.com* e *www.alexa.com*			
Tecnologia: *www.similartech.com* ou *www.wappalyzer.com*			
SEO: Woorank e Opensiteexplorer.org			
Lista Negra: *www.mxtoolbox.com/blacklists.aspx*			
Segurança: *https://sitecheck.sucuri.net*			
E-mail: *www.mail-tester.com*			
Hashtag: Tagboard			
Facebook: Likealizer ou Fanpage Karma			
YouTube: TubeBuddy			
Instagram: *http://picstats.com/u/danzarrella* ou *https://www.socialbakers.com/free-tools/tracker/*			
LinkedIn: Social Sales Index: *https://www.linkedin.com/sales/ssi*			
Twitter: *https://moz.com/followerwonk/*			
Google+: *www.steadydemand.com/Google-Plus-Brand-Audit-Tool.php*			
Conteúdos: buzzsumo.com			
Tag Assistant: validar instalação de Google Analytics, códigos de conversão do Google AdWords e Facebook Ads.			
Análise *Landing Page*: *www.leadpages.net/landing-page-grader*			
SEM e *Keywords*: *www.semrush.com* e *www.kwfinder.com*			

Figura 9 – Matriz de diagnóstico web Mkt Digital 360.

Faça um diagnóstico à sua presença online nos aspetos que fazem sentido. Registe o valor na coluna 1. Depois, analise os seus dois principais concorrentes e anote os valores nas colunas 2 e 3. Assim, terá uma matriz com os seus pontos fortes e fracos, comparativamente à concorrência.

Estar bem ou mal no mundo digital é relativo, tendo em conta a forma como está a concorrência. Por isso, este diagnóstico técnico é fundamental, porque permite extrapolar o respetivo desempenho no negócio.

Plano Marketing Digital

Em alguns negócios, uma estrutura de modelo mais simples permite definir uma estratégia. Noutros negócios, poderá ser necessário desenvolver um plano mais detalhado.

Proposta de estrutura de um Plano de Marketing Digital:

- **Introdução** – faça o enquadramento do seu plano com o seu projeto;
- **Análise interna e externa** – considere o histórico da sua empresa: a procura e a oferta, a concorrência e os fatores do ambiente externo em que o negócio está inserido;
- **Objetivos** – defina objetivos específicos, mensuráveis, alcançáveis, realistas e definidos no tempo;
- **Segmentação e posicionamento** – defina qual é a segmentação, o posicionamento, o tipo de presença online e offline, que conteúdos produzir e como comunicar. Defina quais são as conversões importantes e como integrar as diversas ferramentas;
- **Ferramentas** – defina as plataformas que vai utilizar e como as vai implementar;
- **Medir** – defina métricas e indicadores de performance (KPI), para analisar o desempenho das suas táticas;
- **Resumo** – utilize as páginas necessárias para descrever a sua estratégia, mas certifique-se de que consegue resumi-las em apenas uma, para as tornar mais simples para si e para a sua equipa.

Introdução

Deve escrever uma breve introdução sobre o que pretende para este plano de Marketing Digital orientado para resultados, mas focado no cliente e não em tecnologias. Neste ponto, vai perceber se a sua organização tem recursos para poder implementar as ações, ou se terá de subcontratar algumas tarefas.

Defina quais são as atividades da empresa – em que a Internet deve ter um papel relevante – e como vai articulá-las com a forma tradicional de fazer negócio (complementando-a ou substituindo-a). Assim, estará a definir a sua estratégia de *Blended Marketing* (tradicional + digital).

Na definição do plano inclua a visão estratégica do negócio: os ativos relevantes que a sua empresa já detém e o contexto em que a Internet pode ter produzido um novo paradigma.

Seja suficientemente flexível para ter de se ajustar em função das variáveis que, neste momento, não consegue prever (novidades, tecnologias, alterações de mercado, contexto externo ou outras).

Não espere pelo plano perfeito. Faça agora o que for possível, com mais ou menos nível de detalhe em relação a esta proposta, de acordo com a realidade do seu negócio. Implemente, aprenda e ajuste rapidamente.

Blended Marketing

O *Blended Marketing* é a integração do Marketing tradicional com o digital. Normalmente, devemos ter abordagens no mundo real e no mundo digital. Portanto, a sua estratégia *Blended Marketing* pode ser totalmente online, pode ser online e offline nas três vertentes, ou pode ter uma distribuição apenas offline. Aqui ficam as possibilidades que cada uma das áreas pode permitir:

ATIVIDADES \ PRESENÇA	Online	Offline	Online e offline
Comunicação			
Venda			
Distribuição			

Figura 10 – Estratégia *Blended Marketing*.

Defina de que maneira vai estar em cada área (assinale com um visto ou insira a percentagem no quadro que vai criar), de modo a refletir a sua estratégia para comunicação, venda e distribuição. É mais comum ser online e offline nas duas primeiras linhas e na última ser offline. Mas são as características do seu negócio que o determinam.

O Marketing Mix é tipicamente definido pelos 4P: Produto (Product), Preço (Price), Distribuição (Place) e Promoção (Promotion). Defina para cada um deles (ou para outros P) como será transposto para o mundo online.

Análise Interna e Externa

A análise interna (empresa) e do contexto externo (mercado e concorrência) é fundamental, pois vai permitir conhecer melhor a sua realidade e a realidade envolvente; de outro modo, pode ter uma ideia brilhante, mas implementá-la de forma desfasada. Por isso, apresento aqui alguns instrumentos que lhe permitem fazer essa análise:

SWOT – o termo SWOT é um acrónimo de Forças (Strengths), Fraquezas (Weaknesses), Oportunidades (Opportunities) e Ameaças (Threats).

A análise SWOT é uma forma muito difundida de fazer o diagnóstico estratégico da empresa. O que se pretende é definir as relações existentes entre os pontos fortes e os fracos da empresa, e as tendências mais importantes que se verificam na sua envolvente global;

Strengths – pontos fortes: vantagens internas da empresa em relação às empresas concorrentes;

Weaknesses – pontos fracos: desvantagens internas da empresa em relação às empresas concorrentes;

Opportunities – oportunidades: aspetos positivos do ambiente externo, com o potencial de fazer crescer a vantagem competitiva da empresa;

Threats – ameaças: aspetos negativos do ambiente externo, com o potencial de comprometer a vantagem competitiva da empresa.

A ideia é avaliar, através de uma reflexão aprofundada, quais são estes elementos.

Preencha o quadro que vai criar com estes quatro elementos:

	Fatores positivos	Fatores negativos
Interna (Organização)	**Pontos fortes** (**S**trengths)	**Pontos fracos** (**W**eaknesses)
Externa (Ambiente)	**Oportunidades** (**O**pportunities)	**Ameças** (**T**hreats)

Figura 11 – Análise SWOT.

BCG (ou GE/McKinsey) – a Matriz BCG consiste numa análise gráfica, desenvolvida por Bruce Henderson para a empresa de consultoria empresarial americana Boston Consulting Group. O objetivo é suportar a análise de portefólio de produtos ou de unidades de negócio, baseada no conceito de ciclo de vida do produto. É utilizada para alocar recursos para atividades de gestão de marcas e de produtos (marketing), para planeamento estratégico e para análise de portefólio. Esta matriz é uma das formas de representação da integração da empresa mais usada nas envolventes externas e internas.

Alternativas que pode utilizar: Matriz Ansoff, Balanced Scorecard e outras.

Análise Interna

- Consultar o histórico de objetivos;
- Analisar taxas de sucesso;
- Ver o que correu bem e o que correu menos bem em determinadas ações;
- Analisar relatórios de estatísticas web;
- Analisar orçamentos.

Análise Externa

- PEST – Análise Política, Económica, Social e Tecnológica;

- Ver procura e tendências (utilize o Google Trends para determinar e prever procura, baseando-se nos termos de pesquisa dos utilizadores);
- Analisar a oferta;
- Analisar a concorrência – *benchmarking*;
- Analisar parceiros – identifique influenciadores e parceiros que o possam ajudar no mundo digital a potencializar ainda mais o seu plano de marketing. Por vezes, vemos organizações quase como concorrentes, quando, na verdade, com abordagens inteligentes e estratégias win-win, podem transformar-se em fortes aliados.

DOWNLOAD GRATUITO DE MODELO DE PLANO DE MARKETING DIGITAL

Faça download gratuito de um modelo de plano de Marketing Digital em: *www.cursomarketingdigital.pt/plano*.

Objetivos

Defina vários tipos de objetivo, mas alinhados com a realidade e com a estratégia atual da empresa. Pode definir um nível mais abrangente e estratégico, e outro nível a curto prazo, com objetivos específicos e diretamente quantificáveis.

A técnica SMART (termo creditado a Peter Drucker, no seu livro de 1954 *The Pratice of Management*) defende que cada objetivo deve ser:

Specific – específico – determine de forma clara o que deseja fazer;

Measurable – mensurável – quantifique o que pretende;

Attainable – alcançável – seja realista, estabeleça metas a que seja possível chegar na atual conjuntura;

Realistic – realista – estabeleça objetivos realistas em função dos recursos de que dispõe;

Time – definido no tempo – defina o intervalo temporal para cada objetivo.

Exemplo: aumentar 200 % o tráfego do website em 3 meses, recorrendo a técnicas de *Search Engine Marketing*, a fim de obter, como meta, mais conversões de *leads* e alinhado com o objetivo estratégico de conquistar mais quota de mercado.

Exemplos de objetivos:

- Visitas ao website;
- Número de páginas vistas;
- Obter *leads* (contactos qualificados);
- Aumentar lista de e-mails;
- Aumentar vendas;
- Tempo médio despendido no website;
- Receber pedidos de orçamentos.

Segmentação e Posicionamento

É fundamental definir com quem quer comunicar e como deseja posicionar-se. Se não fizer isso, o mercado fá-lo-á automaticamente – nem sempre da maneira que desejaria.

Segmentação
Tem que ver com critérios demográficos, geográficos, sociais, económicos, estilo de vida, gostos e comportamentos. De acordo com a segmentação, enviará mensagens diferentes, criará conteúdos e ajustará táticas.

Posicionamento
Como posiciona os seus serviços e produtos online na mente do cliente?

Defina a sua proposta de valor online:

- Identificação – identificar uma oportunidade, para servir um determinado alvo melhor do que qualquer outra empresa;
- Diferenciação – que características distintivas estão associadas à marca, aos produtos ou aos serviços?

Analítica e ROI

É importante alocar o orçamento correto, defini-lo no tempo e ter indicadores simples e concretos que façam sentido para a sua organização. Crie uma folha de cálculo (em MS Excel ou outro) com todos os indicadores de que necessite e crie, noutra folha, um painel de controlo que resuma e mostre gráficos dos indicadores mais importantes.

Algumas ferramentas que ajudarão na recolha de elementos estatísticos:

- Google Analytics;

- Google AdWords;
- YouTube Analytics;
- Facebook Insights;
- Facebook Ads;
- Instagram for Business;
- LinkedIn Analytics;
- Twitter Analytics;
- Pinterest Business;
- Google Trends;
- Plataforma de e-mail marketing;
- Relatórios do servidor web.

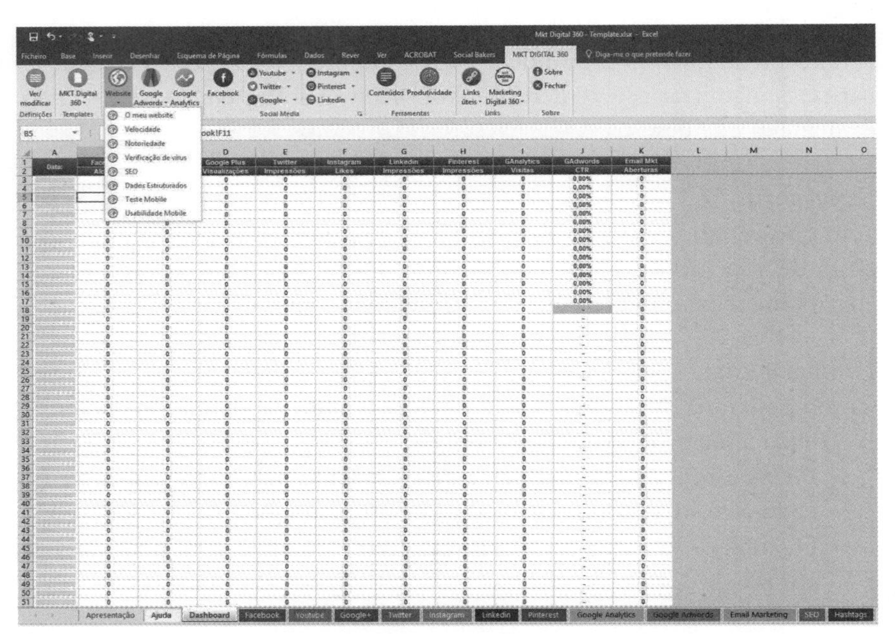

Figura 12 – Modelo MS Excel com Add-in, Mkt Digital 360 para gerir métricas.

Ajuste o seu modelo ao longo do tempo para que, de uma forma simples e visual, tenha acesso às métricas mais importantes do seu negócio e, em função disso, possa ajustar a estratégia. Em alternativa, pode utilizar o Google Datastudio para construir *dashboards* personalizados.

Resumo Executivo

Faça um resumo de meia página (uma página no máximo) do seu plano de Marketing Digital e dê-o a ler a colegas de trabalho e a profissionais experientes nas diversas áreas do Marketing. Analise o *feedback* que receber.

Este resumo deverá apresentar a análise, a estratégia, os objetivos, as ferramentas, o orçamento, os recursos e outros elementos importantes. Poderá ter de fazer uma apresentação numa reunião empresarial ou, em poucos minutos, passar a mensagem a alguém na empresa. Reparará que, para si, as coisas se tornam também mais claras. Em alternativa, pode apresentá-lo num formato de estrutura, como a proposta apresentada neste capítulo.

Dicas Finais

Para ajudar na gestão do seu plano de Marketing Digital:

- Planear é importante, mas não torne o processo rígido: esteja preparado para atualizar e para ajustar. Existem mudanças de variáveis que não controla;
- Esteja preparado para pensar «fora da caixa» com ideias inovadoras, diferentes das da concorrência. Por vezes, existem coisas simples que ainda ninguém executou. Fazer igual aos outros não é suficiente;
- Tente que o plano seja o mais curto e simples possível para consumir menos tempo a repensá-lo e a comunicá-lo na sua organização;
- Imprima-o, afixe-o no quadro, mantenha-o aberto no seu segundo monitor ou no *tablet*, ou encontre outra forma de o ter facilmente visível. As ideias começarão a ir ter consigo;
- Não se esqueça de que o Marketing Digital é dirigido às pessoas. É na relação com os seus clientes que se deve focar: o digital e a web são apenas canais;
- Explore o potencial da Internet para proporcionar experiências personalizadas aos seus clientes;
- Aposte em nichos e na «cauda longa»;
- Utilize ferramentas ou uma folha de cálculo para ajudar a recolher e a tratar dados;
- Leia livros (ou ouça *audiobooks*) regularmente e veja vídeos sobre temas relacionados com: Marketing, Gestão, Digital, e-Business, Liderança e desenvolvimento pessoal. Pessoas melhores conseguem gerir e liderar melhor os negócios. Pouco a pouco, a sua base de conhecimento mais diversificada ajudá-lo-á a tomar melhores decisões.

A Sua Checklist Estratégia Marketing Digital

N	✓	TAREFAS A IMPLEMENTAR
1		Defina a estratégia de Marketing Digital para o seu negócio
2		Implemente o método Mkt Digital 360 com os respetivos instrumentos de apoio
3		Defina a sua presença online e proteja a sua marca
4		Defina quais são os seus objetivos
5		Defina as métricas, os KPI e as conversões
6		Defina as ferramentas que vai utilizar
7		Crie um plano detalhado de marketing digital
8		Faça um diagnóstico à sua presença digital e compare-o com a concorrência

2

Web

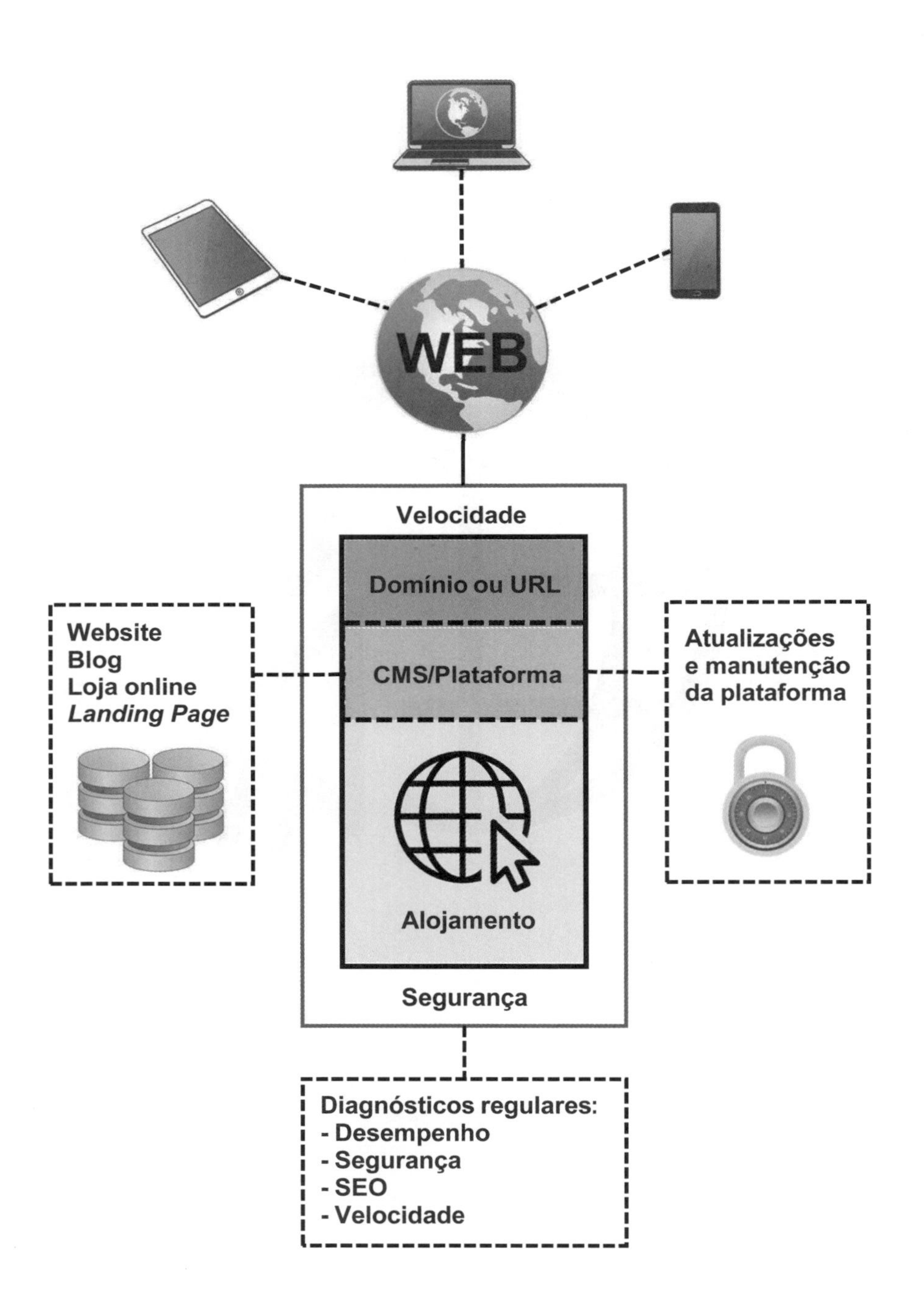
WEB
Velocidade
Domínio ou URL
Website
Blog
Loja online
Landing Page
CMS/Plataforma
Atualizações
e manutenção
da plataforma
Alojamento
Segurança
Diagnósticos regulares:
- Desempenho
- Segurança
- SEO
- Velocidade

WWW: World Wide Web

A Internet surgiu no final da década de 1960, pela ARPANET. No entanto, Internet e WWW são coisas diferentes: Internet permite vários tipos de comunicação (e-mail, FTP, WWW e outros), enquanto a WWW está associada à nossa navegação em websites e nos seus derivados.

O inglês Tim Burners-Lee inventou a World Wide Web (WWW), em 1989, no CERN, na Suíça. O primeiro website foi publicado em agosto de 1991. Pode visitá-lo em: *http://info.cern.ch*. Em 1994, Tim Burners-Lee fundou o World Wide Web Consortium (W3C) para desenvolver padrões de tecnologia web. No ano 2000, atingiu o auge da bolha das empresas .com (Bolha da Internet).

Mas voltando um pouco atrás. Lembro-me de, em finais da década de 1980, ter utilizado um computador pela primeira vez. Era um Sharp MZ-700. Funcionava com linguagem Basic e com um leitor de cassetes, na era dos Spectrum. Nessa altura, era incrivelmente sofisticado, mas hoje seria ridículo aquilo que então se podia fazer.

Mais tarde, vieram os computadores pessoais de disquetes de 5 e ¼ e, poucos anos depois, os de disquetes 3 e ½ (que ainda hoje são responsáveis pelo ícone de guardar documentos). Surgiu entretanto o MS-DOS e, mais tarde, o Windows, começando, assim, o império Microsoft a dominar o mundo dos computadores.

Os CD e o CD-RW vieram algum tempo depois, ainda na década de 1990, sendo um salto muito grande em armazenamento. Nessa altura, os computadores passaram a ter disco rígido e o processamento passou a permitir fazer coisas mais interessantes.

Entretanto, surgiu a WWW, mas só começou a estar disponível para o público em geral no final da década de 1990, através de *dial-up*, pela ligação telefónica. Tinha a estonteante velocidade de 56 kbits/s, que era 2000 vezes mais lenta do que a velocidade da Internet do seu *smartphone* de hoje.

ACEDA À MÁQUINA DO TEMPO DA INTERNET

O Internet Archive Wayback Machine permite retroceder quase aos primórdios da web e ver como eram os websites naquela altura. Talvez consiga ver como era o seu website há cinco ou há dez anos! Experimente em: *https://web.archive.org*.

O MIRC (*Internet Relay Chat*) conquistou o mundo no final da década de 1990, sendo um fenómeno equivalente ao do Facebook dos dias de hoje. Veio a onda do Napster (hoje temos o Spotify, com uma evolução natural) para download de música e surgiram empresas tecnológicas para explorar todo o potencial da web (dot com). Foi por esta altura que os telemóveis começaram a massificar-se e a ter uma espécie de acesso à Internet, através da tecnologia WAP (acesso muito básico a websites apenas com texto). Acedi pela primeira vez à Internet em 1995 e criei o primeiro website no ano de 2000.

O DVD e o DVD-RW vieram depois do ano de 2000, aumentando consideravelmente o espaço de armazenamento físico. Só alguns anos depois, uma pen-drive conseguiu superar os típicos 700 MB do CD e os 4,4 GB do DVD.

Surgiram os blogs, os fotoblogs e, depois, as redes sociais, a par da Internet de banda larga (mais rápida e sem ocupar a ligação telefónica); deu-se outra revolução por volta do ano de 2005, para democratizar o acesso e fazer aumentar o número de utilizadores da Internet. O formato físico Blu-ray, sucessor do DVD, adaptado ao vídeo Full-HD, não se disseminou, devido ao aumento de velocidade da Internet.

A partir do ano de 2010, as coisas começaram a ser mais a sério, e as empresas demonstraram cada vez mais interesse em ter uma presença online profissional, utilizando as ferramentas certas, tendo vindo a aumentar este interesse nos últimos tempos.

Com os *smartphones* e os *tablets*, com a Internet 3G e 4G, a revolução mobile e o acesso à Internet em qualquer lado, aumentou ainda mais a procura de conteúdos online.

É o momento de viragem. Quem não apanhar o comboio do digital arrisca-se a ficar preso no passado.

Com um crescimento acelerado, num mundo de 7,5 mil milhões de pessoas, cerca de metade já tem acesso à Internet. Ainda falta outra metade e muito potencial de crescimento. Será que já está a utilizar todo o potencial da web?

Website: o Ponto de Partida

O Website é o meio mais importante no Marketing Digital. Concorda? Ora vejamos: é um dos poucos meios que controlam totalmente a plataforma e os dados; aparece nos resultados de motores de pesquisa; é otimizável para motores de pesquisa (*Search Engine Optimization*); tem a possibilidade de organizar e de publicar mais informação; transmite maior credibilidade e é onde, normalmente, ocorre a conversão de objetivos definidos para a sua organização.

Na sua estratégia digital, de algum modo, está tudo integrado com o website. Podemos estar a falar do típico website de uma empresa, de um portal informativo, de um blog, de uma loja online ou de uma *landing page*. Naturalmente, todas as outras áreas são importantes, tendo um papel mais ou menos relevante na concretização dos objetivos, em função do tipo de projeto. O desafio é integrá-las corretamente para que, durante todo o percurso com os diversos meios, exista uma boa experiência do utilizador.

É importante, para que uma empresa, negócio local, startup, organização sem fins lucrativos, pequeno projeto, presença pessoal ou outro tipo de projeto tenham presença online sob o formato de website.

Se ainda não tem website, não há dúvida de que essa deve ser a sua prioridade; se já o tem, deve avaliar se tem ou não uma boa presença online. A questão que deve colocar é: será que o meu website é realmente bom? Para ajudar a responder a essa questão, faça um diagnóstico a fatores fundamentais de qualidade: desempenho, SEO, segurança e otimização em: *www.dareboost.com*.

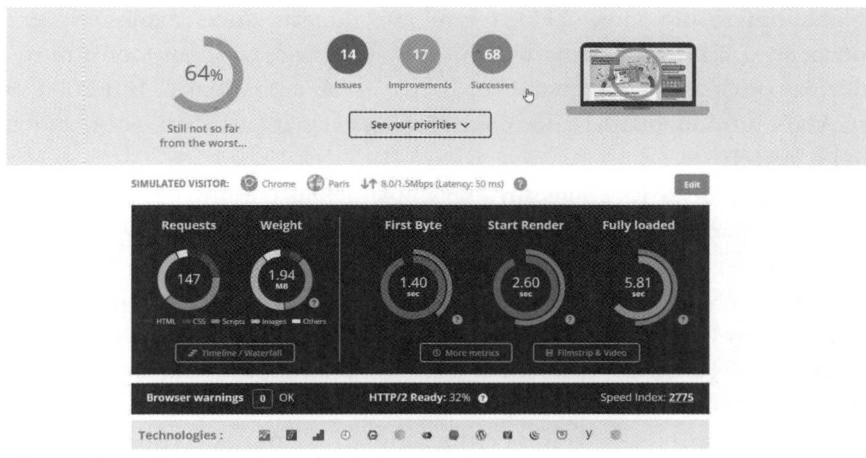

Figura 13 – Diagnóstico geral do website.

Algumas curiosidades interessantes:

- WordPress é a plataforma de websites mais utilizada;
- WordPress surgiu em 27 de maio de 2003;

- Mais de trinta anos de existência de domínios .com;
- Mais de 1,1 mil milhões de websites ativos.

Domínio

O domínio é o endereço do seu website, do mesmo modo que para chegar à sua empresa física existe uma morada. Por exemplo, um dos meus domínios é: *www.vascomarques.com*, sendo a extensão .com (ou TLD – *Top Level Domain*) a mais conhecida; portanto, a mais interessante. Mas pode utilizar outras, como: .net, .eu, .pt, .es, .com.br e ainda muitas outras possibilidades.

Existem as novas terminações de domínio para todos os tipos de necessidade, como: .digital, .video, .bike, .taxi, .wine, .web, .hotel, .sport, .music, .app, .free, .eco e centenas de outras opções. Os domínios .com já ultrapassaram os trinta anos de vida. Por isso, como deve imaginar, não será muita a disponibilidade de nomes, levando-o a ter de escolher outras opções. Consulte aqui os novos tipos de domínio: *https://ptisp.pt/#domains/ngtld*.

No final da década de 1980, existiam sete gTLD (.com, .edu, .gov, .int, .net e .org). É possível registar, sem restrições, o .com, o .net e o .org. Por isso, ainda hoje são os tipos de extensão mais conhecidos, pois surgiram nos primórdios da web.

No início dos anos 2000, foram introduzidas novas extensões, sem restrições (.biz, .info, .name e .pro). Por acréscimo, também foram introduzidas novidades, com restrições (.aero, .coop e .museum). Em 2003, o ICANN introduziu novos domínios, com restrições (.asia, .cat, .jobs, .mobi, .tel e .travel).

Em finais de 2013, começam a ser implementadas as mais de 1000 novas extensões, para dar mais possibilidades de registos, já que os gTLD se encontram cada vez mais difíceis de registar, especialmente o .com.

A ICANN (Internet Corporation for Assigned Names and Numbers) é a entidade responsável por criar e gerir os domínios de topo (TLD).

A Verisign, além de ser líder em serviços de segurança, também está associada a alguns dos principais TLD, nomeadamente o .com, o .net e o .name. Esteve, também, envolvida nos certificados SSL e noutras certificações.

Consulte a lista de algumas das principais terminações dos novos domínios, organizadas por categorias de atividade:

Empresarial	.business, .marketing, .global, .moda, .news;
Comércio	.photo, .promo, .shop, .shoes, .taxi, .gift, .free;
Educação	.courses, .school, .science, .university, .training;
Alimentos e bebidas	.cafe, .coffee, .club, .recipes, .restaurant, .wine;
Geral	.events, .expert, .flights, .holiday, .pro, .social;
Geografia	.town, .place, .world, .vegas, .tokyo, .paris;
Governo	.airfare, .army, .democrat, .navy, .republican;
Saúde	.clinic, .dentist, .diet, .doctor, .health, .hospital;
Indústria	.auto, .bio, .cara, .hotel, .consultam, .design;
Estilo de vida e identidade	.band, .fashion, .life, .live, .luxury, .pet, .vet;
Meios de comunicação	.art, .audio, .media, .radio, .show, .video, .tips;
Dinheiro e finanças	.analytics, .bank, .capital, .cash, .credit, .gold;
Profissional	.careers, .expert, .lawyer, .MBAs, .engineer;
Imóveis	.casa, .build, .rent, .sale, .house, .property;
Desporto	.bike, .run, .fitness, .football, .game, .golf, .surf;
Tecnologias	.app, .blog, .digital, .hosting, .online, .site, .tech;
IDN internacional	Árabe, cirílico, caracteres chineses e outros.

Mais informações: *https://newgtlds.icann.org/en.*

Particularidades dos TLD:

- **Unsponsored TLD** – pode registar livremente, seguindo as normas gerais do ICANN.
- **Sponsor TLD** – aplicam-se restrições, de acordo com a especialização da extensão ou do grupo que representa. Por exemplo, para registar .edu, tem de apresentar provas de que é uma instituição de ensino (uma universidade, uma escola, etc.).
- **Branded TLD** – algumas grandes marcas têm uma terminação específica, como: .google, .apple, .seat, .bmw, .audi e outras.
- **Internationalized domain name** (**IDN**) – alguns domínios permitem utilizar acentuação, cirílico, caracteres chineses e outros alfabetos.
- **Emojis** – é possível registar domínios com emojis. É uma realidade para a extensão .ws, como: 🍕😺.ws, 🍟👻.ws, 🐸👾.ws, ⭐🐮.ws, 🍟✊.ws. Pode saber mais em ❤❤❤.ws, acedendo com o seu *smartphone* e pesquisando se está disponível a sua ideia visual ☺.

Algumas extensões de domínios genéricas e de países podem ter restrições ou requisitos específicos. Para mais informações, poderá consultar a entidade competente, de acordo com a extensão desejada: *www.iana.org/domains/root/db*.

Categorias de domínios de topo:

Generic Top-Level Domains (gTLD) – o clássico .com é, sem dúvida, o mais conhecido, o mais interessante e o mais fácil de memorizar. No entanto, é mais difícil de existir disponível para registo, pelo menos para o nome que poderá ter em mente. Ainda nesta categoria, existem o .net, o .org, o .info e outros.

New gTLD – mais de 1000 novos tipos de terminação, ajustados a atividades, a regiões, a objetivos ou a tipos de negócio, como: o .sport, o .taxi, o .company.

Country Code Top-Level Domains (ccTLD) – são associados a países, como .pt, .ao, .es, .mz, .cv e outros. Têm interesse para se posicionar nos diversos países, no âmbito da internacionalização do seu negócio.

Generic Country Code Top Level Domains (GccTLD) – domínios que a Google considera genéricos (para efeitos de SEO), apesar de serem de países (ccTLD): .ad, .as, .bz, .cc, .cd, .co, .dj, .fm, .io, .la, .me, .ms, .nu, .sc, .sr, .su, .tv, .tk e .ws. Os *generic regional top-level domains*, apesar de estarem associados a uma região geográfica, também são tratados pela Google como genéricos, como: o .eu, o .asia e outros.

Existem ainda os *second level domains*, como: o .gov.uk, o com.pt ou com.br.

Principais possibilidades de escolha de domínios:

.com – é, normalmente, o que tem mais interesse e o mais conhecido;

.net – é uma boa segunda escolha para alguns projetos;

.pt ou outra extensão de país (ccTLD) – uma boa escolha para empresas ou para projetos em que se pretenda ter uma conotação a Portugal (uma escola, uma associação, um negócio local);

.eu – é um domínio associado à União Europeia;

.tv – para uma web TV ou canal de televisão, é uma boa escolha (apesar de ser uma terminação do país Tuvalu, tem como principal conotação TV);

.org – é para organizações não governamentais;

Outras possibilidades: .pro, .me (ccTLD), .biz;

Em alternativa ou cumulativamente, registe novas extensões de domínios.

DESCUBRA OS CONTACTOS DO PROPRIETÁRIO DO DOMÍNIO

Apesar de ser possível tornar a informação confidencial, por defeito, é pública, bastando utilizar o serviço: *www.who.is*. É útil para compra e venda de domínios, para websites ou para questões legais, permitindo ter acesso aos contactos do seu proprietário.

Se um domínio já estiver registado, poderá saber quais são os contactos associados, para, se tiver interesse, tentar negociar a revenda desse domínio, se ele for mesmo importante para o seu negócio. Utilize o serviço: *www.who.is* para identificar contactos do proprietário. No entanto, se não desejar que saibam que é proprietário de alguns domínios, é possível tornar essa informação confidencial, mediante uma subscrição e pagamento do respetivo custo adicional. Mais informações em: *https://archive.icann.org/en/tlds*.

Normalmente, o registo e a manutenção de um domínio custa de 10 € a 20 € por ano. No entanto, se forem novas terminações (.digital, por exemplo), os valores podem variar entre 30 € e 90 € anuais, mais caro, portanto. Apesar de os domínios normais serem mais conhecidos e mais baratos, é mais difícil registar o nome que procura. Os mais especializados podem ser mais caros, mas dão-lhe mais probabilidades de conseguir o endereço que pretende.

É normal – e uma boa prática – uma organização ter vários domínios registados. Tem interesse para se proteger, antes que outros o registem primeiro, para poder ter vários tipos de presença (diversos websites, blogs, *landing pages*, etc.) ou, no limite, para aplicar redirecionamentos de um endereço para outro.

Características técnicas dos domínios:

- Podem conter letras, algarismos e hífenes (-). Podem começar ou terminar com algarismos. Não podem começar ou terminar com hífen, nem ter dois hífenes seguidos;
- Podem ter acentuação e cedilha, como: *www.antónio.com*. No entanto, é mais fácil e mais eficiente comunicar sem acentuação;
- Não podem ter pontuação ou espaços;

- O nome, sem extensões, pode conter de 1 até 63 caracteres; o endereço completo não pode exceder os 255 caracteres.

Aspetos a considerar nos domínios:

- Alguns podem ter restrições (ofensivo, proteções, ilegal, etc.);
- Podem ser revendidos, não existindo limite de quantidade de registos;
- Podem ser renovados por 1 ano a 10 anos;
- O registo é normalmente imediato (para domínios genéricos);
- O seu nome não é sensível a maiúsculas (mas um URL pode ser).

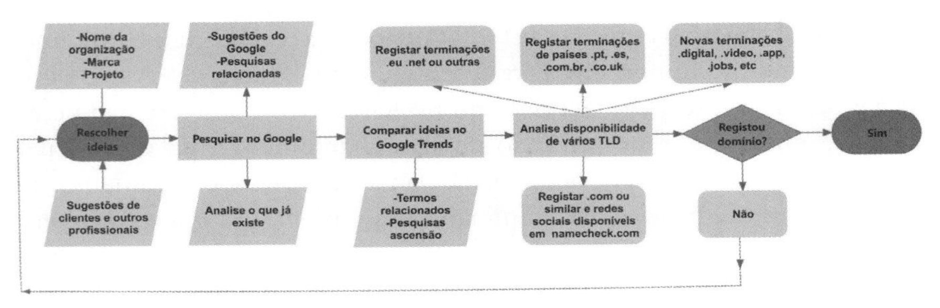

Figura 14 – Procedimentos para encontrar um bom domínio para o seu website.

Como definir o nome do seu domínio?

1. Anote várias ideias, incluindo o seguinte:
   a. O nome da organização, da marca ou do projeto já está definido?
   b. Como é que o visitante irá associar a ideia ao seu website?
   c. Solicite sugestões de nomes a várias pessoas de áreas profissionais diferentes.
2. Aceda ao Google e comece a pesquisar pelo tema para ver o que já existe. Pode viajar no tempo e ver versões anteriores do website de concorrentes em: *http://web.archive.org/web.* Como complemento, observe as sugestões na pesquisa e veja as pesquisas relacionadas.
3. Aceda a: *www.google.pt/trends* e adicione algumas das ideias que já tem e analise o volume de pesquisa e os termos relacionados. Pode filtrar por categoria, por país, ou selecionar intervalo temporal.

Já tem uma lista com possíveis nomes para o seu domínio?

Então, vamos passar à fase do registo:

1. Faça uma análise preliminar de disponibilidade do nome em várias terminações e nas redes sociais (importante para manter a coerência do nome, se for possível). Para ajudar utilize: *www.namecheck.com*.
2. Verifique a disponibilidade do domínio:
   a. Terminação .com;
   b. Outras terminações relevantes: .eu, .net e outras;
   c. Terminações de países: .pt, .es, .com.br, .co.uk e outras relevantes;
   d. Novas terminações: .digital, .video, .jobs, .app e outras relevantes.
3. Encontrou um domínio que lhe agrade numa destas opções, ou, cumulativamente, nas diversas propostas? Registe-o!
4. Se nenhuma das opções lhe agradou, e se registar uma terminação mais específica não é solução, então volte ao processo de *brainstorming* de ideias de nomes, para recomeçar a captação de ideias.

Normalmente, os bons domínios já estão registados. Mas, se exercitar esta sequência, acabará por descobrir nomes fantásticos.

Depois de ter o seu domínio e website funcionais, experimente digitar no browser o endereço do seu website com e sem os WWW. Por exemplo, vascomarques.com e www.vascomarques.com. Se não abrir numa das formas, deve contactar o responsável técnico do alojamento web.

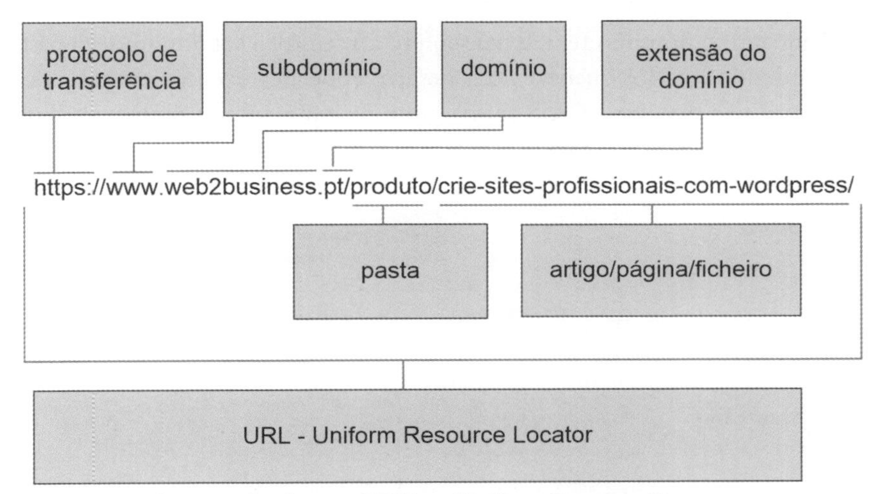

Figura 15 – Anatomia de um URL – *Uniform Resource Locator*.

Um URL (*Uniform Resource Locator*) é um endereço de um website ou de uma página específica.

Veja a anatomia deste URL, que aponta para um produto na loja online: *https://www.web2business.pt/produto/crie-sites-profissionais-com-wordpress/*

https:// = protocolo de transferência
web2business = domínio
.pt = extensão do domínio
/produto = pasta/subpasta
/crie-sites-profissionais-com-wordpress = artigo/página/ficheiro

O endereço vascomarques.com é considerado domínio, embora possa digitar *www.vascomarques.com* como uma das formas de utilizar o domínio (pode ser ftp.vascomarques.com, email, etc.).

Domínio, subdomínio e pastas: custo e benefício

DOMÍNIO	SUBDOMÍNIO	PASTA
www.vascomarques.com	*http://video.vascomarques.com*	*www.vascomarques.com/livros*
Tem custos	Sem custos	Sem custos
Website principal	Nova secção, idioma	Blog, loja, *landing page*
Registar domínio	Configurar no servidor	Configurar no servidor
Para registar um nome diferente	Uma presença diferenciada, mas mantém o domínio principal	Fora do website principal, mas mantém o domínio principal

Enquanto o domínio representa sempre um custo, o subdomínio e a pasta não, podendo criá-los quantas vezes desejar. Pode, por exemplo, instalar outro WordPress ou outro CMS numa pasta ou num subdomínio, para blog, para loja, para secção de vídeos ou para outro tipo de presença online.

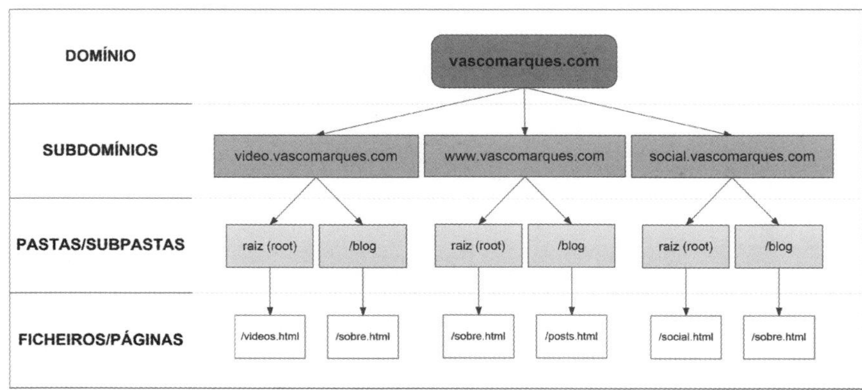

Figura 16 – Organização hierárquica do domínio, do subdomínio, da pasta e do ficheiro.

Tudo fica sob a alçada do domínio, podendo, cada um, ramificar em pastas, que, por sua vez, geram novas páginas.

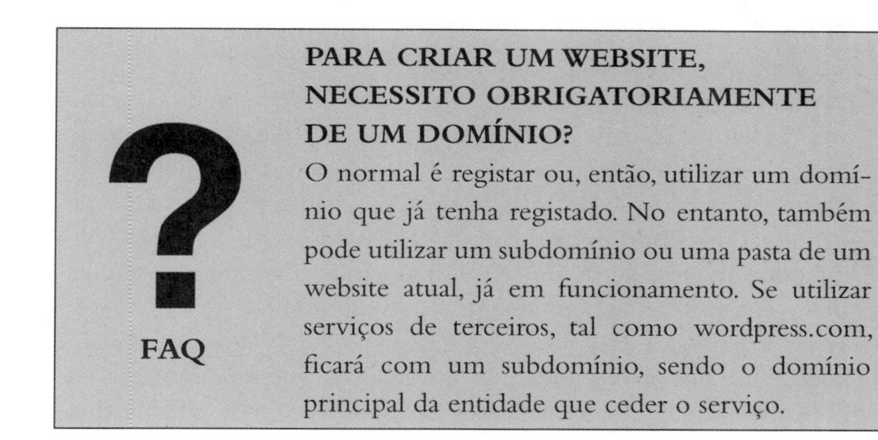

PARA CRIAR UM WEBSITE, NECESSITO OBRIGATORIAMENTE DE UM DOMÍNIO?

O normal é registar ou, então, utilizar um domínio que já tenha registado. No entanto, também pode utilizar um subdomínio ou uma pasta de um website atual, já em funcionamento. Se utilizar serviços de terceiros, tal como wordpress.com, ficará com um subdomínio, sendo o domínio principal da entidade que ceder o serviço.

Alojamento

Se o domínio representa a morada, o alojamento é a casa. Portanto, um sem o outro não nos leva a lado nenhum.

É fundamental optar por um alojamento de qualidade e por um plano adequado às suas necessidades. É prudente aconselhar-se com um fornecedor credível, para saber qual é a melhor solução, de acordo com as especificidades do seu projeto, para que tenha um serviço com velocidade, especialmente no principal país onde vai obter tráfego. Para projetos que estão a começar, os custos anuais não deverão ultrapassar os 100 €. Normalmente, as possibilidades de alojamento são: partilhado, VPS, dedicado ou cloud. É fundamental optar por um serviço com suporte de qualidade 24h/dia, 365 dias/ano, para que, precisando de apoio urgente, não tenha de esperar muito e para evitar que traga prejuízos.

É mais prático contratar um alojamento já com WordPress instalado, como este: *https://wordpress.ptisp.pt*. No entanto, se precisar de um alojamento para vários websites e que esteja preparado para escalar com vários projetos – com tecnologias diferentes e para receber muitas visitas –, aconselho este plano cloud: *https://ptisp.pt/#virtual/cloud/cslinuxmanaged*. Em alternativa pode utilizar um alojamento partilhado *https://hosting.ptisp.pt*. ou VPS *https://vps.ptisp.pt*.

Existem, normalmente, estes tipos de solução:

- **Partilhado** – é o mais barato. Por norma, serve para quem está a começar. Custa, apenas, algumas dezenas de euros por ano;
- **VPS** – é o passo a seguir para websites com mais tráfego, que pode custar algumas dezenas de euros por mês;
- **Dedicado** – é uma solução robusta, capaz de dar resposta a vários websites alojados, com milhares de visitas por dia, mas requer um investimento que começa em algumas centenas de euros mensais;
- **Cloud** – é uma solução mais flexível, pois permite aumentar facilmente a capacidade física do servidor, dando, assim, resposta fácil a grandes aumentos de volume de visitas, sem ter de mudar de equipamento e sem sofrer as consequências que isso implica.

Qualquer um dos planos pode permitir mais do que uma instalação de WordPress ou outro CMS (se aplicável), de acordo com as características de cada proposta. Além disso, existem outras variáveis que têm impacto no custo: espaço de armazenamento, limite de tráfego e características técnicas do servidor (memória, CPU, disco SSD, etc.).

Para ficar mais claro, consulte esta tabela com valores indicativos, de acordo com o número de visitantes diários:

PLANO DE ALOJAMENTO	VISITANTES/DIA	CUSTO ANUAL ESTIMADO
Plano WordPress	Até 5000	Desde 160 €
Partilhado	Até 1000	Desde 25 €
VPS	Até 10 000	600 €
Dedicado	+ de 10 000	+ de 2500 €
Cloud	Flexível	Variável

Qual É a Estrutura do Website?

Existem diversos tipos de website: uns minimalistas; outros com uma arquitetura mais complexa. Seja como for, é fundamental definir uma estrutura.

Para ter um ponto de partida, veja esta proposta de estrutura do menu de navegação de um website genérico. Pode optar por retirar os itens que não fazem sentido para o seu projeto ou acrescentar novos.

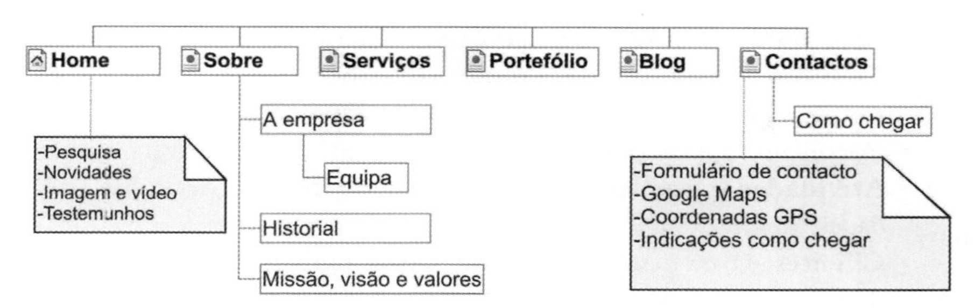

Figura 17 Estrutura de menu de navegação de um website.

Para desenhar a estrutura do seu website, pode recorrer a uma destas ferramentas:

- *www.mindmeister.com/pt*;
- *www.cacoo.com*;
- *www.quirktools.com/smaps ou www.quirktools.com/wires*;
- *www.draw.io*;
- *www.smartdraw.com*;
- Adobe Experience Design.

Pode, também, utilizar ferramentas do dia a dia, como: o MS Word, o MS PowerPoint (com ligações entre slides, que correspondem às páginas), o Google Docs ou outras. E o papel? Claro! Se se sentir mais criativo, nada substitui uma folha de papel e uma esferográfica. Depois de começar, verá que as ideias fluirão!

Considere, também, esta lista mais alargada, de uma possível estrutura do menu principal. Deverá retirar o que para si não se aplica, ou acrescentar novos itens:

- **Home** (página principal) – para novidades, destaques ou *slider*;
- **Quem Somos** (sobre ou empresa) – para a apresentação da empresa, que pode conter um vídeo e um texto atrativo. Neste menu também pode apresentar a equipa. Se for necessário, ramifique noutros itens de menu:
  - Historial
  - Missão
  - Visão
  - Valores
- **Serviços** (ou Produtos) – para os diversos tipos de serviço ou de produto que a sua empresa disponibiliza;

- **Loja online** – para vender produtos (físicos ou digitais) e serviços. Com categorias, marcas ou fornecedores, recomendações, comentários, mais vistos, mais comprados, relacionados e top de vendas;
- **Portefólio** – para galerias de imagens ou catálogo folheável;
- **Atividades** – para agenda de eventos e de informações sobre atividades;
- **Clientes** – para destaque de clientes, testemunhos em texto e em vídeo;
- **Suporte** – para serviço de *helpdesk*, fórum, *tickets*, formulário ou similar;
- **Onde estamos** – inserir Google Maps, coordenadas GPS e indicações;
- **Blog** – é recomendável que exista um blog em que publique conteúdos com interesse sobre a sua empresa, setor e interesses do seu público;
- **Contactos** – para formulário, outros contactos e informações adicionais.

Menu secundário (topo ou rodapé). Este menu é mais discreto. Normalmente, está localizado no topo do website, do lado direito, ou no rodapé. Permite aceder facilmente a opções complementares:

- **Mapa do website** – onde é fácil perceber a estrutura de conteúdos, se for um website mais complexo;
- **Recrutamento** – para candidaturas ou anúncios de emprego;
- **Newsletter** – apresentar formulário de inscrição da newsletter, que pode estar também na parte lateral do website;
- **Sugestões** – recolha de ideias para o website ou para a própria empresa, que o utilizador pode submeter num formulário devidamente categorizado;
- **FAQ** – com as questões mais frequentes, relacionadas com a sua atividade;
- **Contactos** – é muito procurado quando alguém acede ao seu website.

Claro que não tem de ter todas estas opções (mas pode ter mais). É uma proposta genérica, mas está mais ou menos alinhada com a maioria das necessidades; basta escolher os itens de que necessita.

O menu poderá ser horizontal (ou vertical, em websites *responsive*, quando está oculto por defeito) e deve ter entre 5 itens e 10 itens, mas cada um deles pode ser ramificado em mais subitens: de 2 níveis ou 3 níveis. O menu secundário pode estar no topo ou no rodapé. Normalmente, é mais pequeno e apresenta links menos relevantes para a maioria dos visitantes, mas fica sempre visível quando chega ao fim da leitura da página.

Interface e Experiência do Utilizador

Quando está a estruturar e a projetar o website, deve ter em consideração a interface do utilizador e a respetiva experiência.

User interface (UI) – são os ecrãs, as páginas, os elementos visuais, as cores, os botões, os ícones, os formulários, o *slider*, os menus, a pesquisa, a paginação, as tags, as categorias, as notificações e tudo aquilo com que o utilizador interage.

User experience (UX) – é a experiência que o utilizador tem, quando interage com a interface. Se é considerado útil, valioso, desejável (brand experience), acessível, credível, se tiver boa usabilidade e se for fácil de encontrar.

Durante o desenvolvimento do website – e mesmo depois de estar online –, existem procedimentos para melhorar a experiência do utilizador e, com isso, conseguir servir melhor os interesses do visitante e os da sua organização.

Desafios para criar um website atrativo:

- **Simples** – não tenha demasiadas opções, menus, blocos informativos. Simples é melhor, para uma boa usabilidade;
- **Rápido** – a velocidade tem um grande impacto na experiência do utilizador, no SEO e também em toda a estratégia digital;
- **Mobile** – é fundamental uma versão mobile ou *responsive*, para estar preparado para funcionar corretamente nos *smartphones* e nos *tablets*;
- **Atrativo** – escolha bem o layout, as cores e o tipo de letra, para ser mais funcional, facilitar a legibilidade e cumprir critérios de usabilidade;
- **Coerência** – crie uma experiência consistente de padrões, de linguagem, de layout e de design, não só no website, como também em todos os meios digitais que utilizar na sua estratégia digital;
- **Conteúdo** – crie conteúdo original, importante, relevante, contextualizado e atualizado;
- **Técnicas de escrita** – domine o copywriting para escrever de forma atrativa, conquistando o utilizador;
- **Social** – é importante permitir comentários, partilhar nas redes sociais, destacar artigos mais vistos e outras funções interativas;

- **Formulário** – tenha sempre um formulário na zona de contactos para pedidos de informações de produtos ou de serviços;
- **Menos de 3 cliques** – quantos mais cliques forem necessários para atingir um objetivo, menor será a taxa de conversão. Por isso, prepare a página para que a conversão ocorra com o menor número de cliques;
- **Layout F** – a linha horizontal superior do website é a que recebe mais destaque, seguindo-se a que está na vertical e, por fim, mais uma que está na horizontal. O menu principal deve estar na parte superior e as informações mais importantes devem estar nas zonas de maior destaque. Este padrão varia e existem ferramentas para analisar comportamentos;
- ***Call-to-action*** – tenha sempre uma chamada para a ação. Quando desejar que o utilizador se inscreva, compre, peça informações ou preencha um formulário;
- ***Landing pages*** – crie páginas específicas, preparadas para receber visitas de tráfego qualificado ou de anúncios, convertendo mais eficazmente;
- **Teste e otimize** – existe sempre potencial para melhorar. Por isso, pode fazer testes A/B com: imagens ou vídeos, cores, tipos de letra, disposição, tamanho e cores dos botões, densidade do texto e outras variáveis, para que possa obter melhores conversões.

Criar uma boa experiência para o utilizador traduz-se em mais conversões de objetivos para o negócio, existindo um trabalho de fundo que tem de ser feito. Com esta lista, poderá, ao longo do tempo, aprimorar todo o processo.

Como Criar Um Website?

Atualmente, a solução mais prática para a maioria dos negócios passa por utilizar um CMS (Content Management System), permitindo, com este Gestor de Conteúdos instalado no servidor (ou localmente), desenvolver a sua presença online, ajustada às necessidades da empresa.

Alguns dos CMS mais conhecidos são: WordPress, Joomla, Magento e Drupal. O WordPress é o mais utilizado em todo o mundo. É simples – mesmo para quem nunca fez websites – e apresenta uma curva curta de aprendizagem. Além disso, integra todos os tipos de plataforma de que vai precisar na sua estratégia digital.

A plataforma base é gratuita, mas não significa que não tenha custos. Ou vai despender tempo a aprender e a personalizar para o seu projeto, ou terá de contratar um profissional. Se tem interesse em aprender, siga em frente! Qualquer pessoa o consegue fazer, se se predispuser a mergulhar neste mundo e se tiver vontade de descobrir como funciona. Passará a ter o prazer (prazer para uns, dor para outros) de criar o seu próprio website ou de o desenvolver para terceiros, quando adquirir a maturidade certa para isso.

Conteúdos

Se sabe trabalhar num processador de texto, sabe escrever artigos no WordPress ou noutra plataforma de gestão de websites. Naturalmente, será necessário utilizar técnicas de copywriting e de otimização para motores de pesquisa, para o fazer com mais eficiência.

Uma parte dos conteúdos que vai publicar será relacionada com o próprio negócio; a outra, com o setor ou com a área profissional. Mas o ideal é dinamizar uma área de blog, com atualizações semanais, no mínimo. A melhor forma de obter visitas e de manter os utilizadores atentos às suas publicações é gerar conteúdo realmente importante para eles.

Quanto ao formato, além do texto, deve, naturalmente, utilizar imagens, vídeo, GIF, *podcasts* e outros formatos que sejam do interesse do público-alvo. Os conteúdos são o combustível do marketing digital.

Interagir com os Visitantes

Se existir disponibilidade para conversação pelo chat no seu website, será uma ferramenta que irá ajudar muito na relação com o cliente e que terá grande impacto em conversões e em vendas. Recomendo o: *www.jivochat.com*, podendo utilizar a conta gratuita. Veja exemplo em funcionamento em: *www.web2business.pt*.

Velocidade

Este é um pormenor técnico que passa muitas vezes despercebido a quem está a gerir o website, mas com muito impacto para o utilizador e para toda a estratégia digital. Os principais fatores que influenciam a velocidade são:

Imagens – é fundamental que as imagens publicadas estejam otimizadas para a web. Isto significa que devem ter as dimensões exatas do local a que se destinam (em pixéis). Se for fotografia, deve estar em JPG (60 % de qualidade); se forem formas, cores ou elementos similares, devem estar em PNG;

Tecnologia – deverá ser analisado tecnicamente, podendo ser otimizado na plataforma ou na programação;

Alojamento – analisar se o plano de alojamento é adequado e, se for necessário, contratar um serviço de CDN para acelerar a distribuição de conteúdos. Consulte: *www.mog-technologies.com/cloud/bundle-plans/hospitality*.

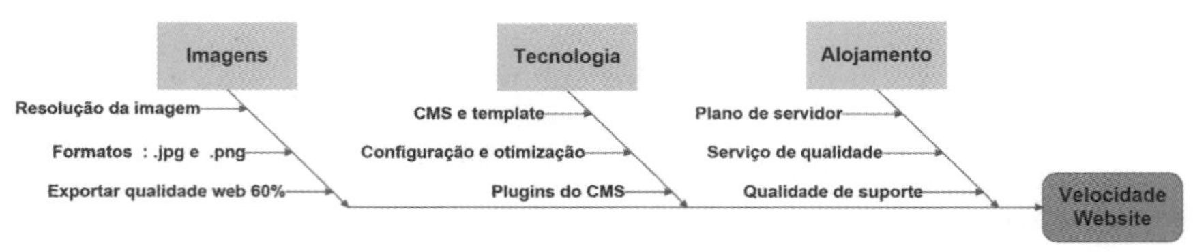

Figura 18 – Aspetos importantes na otimização da velocidade de um website.

Diagnósticos

Depois de ter o seu website terminado, é fundamental realizar alguns diagnósticos, para ver o que pode melhorar e para prevenir problemas no futuro. Pode avaliar – com um diagnóstico geral – velocidade, interface e experiência do utilizador, mobile, popularidade, SEO e segurança.

Esta lista é fruto de anos de experiência e sei que, provavelmente, vai precisar de realizar alguns destes diagnósticos, mais cedo ou mais tarde.

DIAGNÓSTICO GERAL
Ferramentas simples, abrangendo vários critérios fundamentais a avaliar, antes de lançar um website e para quando já estiver online.
Dareboost: permite fazer uma análise do desempenho, da qualidade e do SEO, produzindo um relatório visual fácil de perceber, incluindo adicionalmente detalhes técnicos: *www.dareboost.com*. **Website grader:** analisa a velocidade, o mobile, a segurança e o SEO: *https://website.grader.com*.

VELOCIDADE
Para medir a velocidade do seu website e efetuar ajustes para conseguir uma boa pontuação. O ideal é comparar resultados das várias ferramentas.
Google Page Speed: é uma ferramenta da Google para medir a velocidade: *https://developers.google.com/speed/pagespeed/insights*. **Google Testmysite:** analisa a quantidade de visitas mobile que está a perder: *https://testmysite.withgoogle.com*. **GT Metrix:** para análise mais detalhada e técnica: *www.gtmetrix.com*. **Pingdom:** para efetuar teste de velocidade com outros parâmetros e para ser notificado quando o website estiver offline: *https://tools.pingdom.com*. **Webpage teste:** permite efetuar testes de velocidade com mais variáveis, tais como: localização, browser e ligação: *www.webpagetest.org*.

INTERFACE E EXPERIÊNCIA DO UTILIZADOR
Melhore a experiência do utilizador nas diversas plataformas e de acordo com o objetivo.
Verificar links quebrados: com o tempo, existem links que deixam de funcionar, por inúmeras razões. Analise se existem links que deixaram de funcionar e corrija-os em: *https://validator.w3.org/checklink*. **Nível de internacionalização:** avalia o modo como o seu website está preparado para internacionalização: *https://validator.w3.org/i18n-checker*. **Compatibilidade de browsers:** de acordo com o explorador de Internet, o seu website poderá ter comportamentos diferentes, ou funcionalidades limitadas. Por isso, deve testá-los, pelo menos os mais utilizados, em: *www.browsershots.org* ou em: *www.browserling.com*. **Teste de eficácia e usabilidade de uma Landing Page:** para avaliar aspetos técnicos e de melhoria de conversão de uma página de destino: *www.leadpages.net/landing-page-grader*.

MOBILE
Avalie em que medida o seu website proporciona uma boa experiência mobile e se está devidamente otimizado.
Teste mobile: verifique se é compatível com dispositivos móveis: *https://search.google.com/search-console/mobile-friendly*. **Google Resizer:** verifique como é visto o seu website nos diversos dispositivos: *http://material.io/resizer*. Pode utilizar, também, o: *www.quirktools.com/screenfly*.

POPULARIDADE
Permite analisar uma estimativa de visitas de outros websites e compará-la com a sua.
Similarweb: para comparar as visitas do seu website com as da concorrência. Também consegue obter dados de: tempo médio de visita, páginas por visita, taxa de rejeição, tráfego por países, fontes de tráfego e interesses da audiência. Visite: *www.similarweb.com*. **Alexa:** conheça os websites com mais tráfego, por país e por atividade, em: *www.alexa.com/topsites*. Disponibiliza ainda outras ferramentas de auditoria. **Valor do website:** se quiser vender o seu blog com conteúdo valioso, caso tenha muitas visitas, esta ferramenta pode ajudar a determinar o valor total do projeto ou quanto poderá gerar de receitas mensalmente; seja um projeto seu ou da concorrência: *www.worthofweb.com/calculator*.

SEO
Faça diagnóstico de SEO, para analisar o que pode melhorar para aumentar a relevância nos motores de pesquisa.
Woorank: permite realizar um diagnóstico preliminar de como o seu website está otimizado para motores de pesquisa (SEO). **Dados estruturados:** teste de dados estruturados para o motor de pesquisa: *https://search.google.com/structured-data/testing-tool*.

SEGURANÇA
Analise se o seu website está vulnerável ou referenciado como inseguro em relação a ataques, *trojans* e vírus.
MxToolbox: para avaliar se o seu servidor está numa lista negra. Com esta ferramenta, consegue saber em qual delas está e tomar as medidas necessárias em: *www.mxtoolbox.com/blacklists.aspx*. **Virustotal:** permite analisar se o seu website (ou ficheiro) está catalogado como fonte de vírus numa listagem de inúmeras entidades que reportam a existência de código malicioso: *www.virustotal.com*. **Sucuri:** para verificar se o seu website contém *malware*, se está numa lista negra ou se tem falhas de segurança: *https://sitecheck.sucuri.net*.

SERVIDOR
É expectável que o seu website esteja sempre online, mas na verdade podem existir quebras de acesso, por isso deve monitorizá-lo.
Pingdom: monitoriza quando o website fica offline: *www.pingdom.com/free*. **Is it down right now:** um serviço que permite verificar se, efetivamente, o seu website está online ou offline. Apesar de não conseguir aceder, não quer dizer que esteja offline. Por exemplo, o seu IP pode ter sido bloqueado. Com este serviço fica sem dúvidas para qualquer website: *www.isitdownrightnow.com*.

Lançamento

Como vê, tem aqui todas as orientações de que precisa para criar uma presença web profissional com uma amplitude de orçamento, de acordo com os recursos disponíveis. À medida que a obra for ganhando dimensão no mundo dos bits, tudo ficará mais claro, conseguindo trazer resultados para o mundo dos átomos.

Não se esqueça de que o website por si só não chega. Agora, deve aplicar técnicas de SEO, produzir conteúdos, dinamizar as redes sociais, investir em publicidade, se for relevante, e integrá-lo noutras ferramentas digitais. Torne o seu website público, desativando o *plugin* de manutenção (do WordPress ou outro CMS), se for o caso. Verifique que está validado no Google Search Console e divulgue-o em todos os meios digitais. Fique atento ao *feedback* para possíveis ajustes, pois os utilizadores são os melhores consultores para afinar a respetiva experiência.

Dependendo do tipo de website, pode realizar também outras ações para dar mais ênfase ao momento de lançamento: vídeo em direto, evento presencial, evento Facebook, página de manutenção com *teaser*, vídeo de lançamento, passatempos e outras iniciativas criativas para captar mais atenção.

Pronto para o lançamento?

3 - Revisão final de conteúdos: deve ser efetuada uma revisão cuidada por uma pessoa diferente daquela que produziu os conteúdos.

2 - Diagnósticos: teste a velocidade, a experiência do utilizador e o SEO.

1 - Lance online: partilhe nas redes sociais, por e-mail, publicidade e outros meios.

Segurança

É cada vez mais uma preocupação de todos: segurança online. Deve ter vários tipos de preocupação: logins de redes sociais, gestão de websites, serviços e ferramentas, os seus dados armazenados na cloud, base de dados da empresa, dispositivos (computadores e mobile) e navegação na web.

Principais riscos online:

- Vírus, *Malware* e Spyware;
- Roubo de identidade;
- Phishing;
- Sexting;
- Cyberbullying.

Se quiser limpar a sua pegada digital (informação sua que fica na web), existem alguns serviços que o podem ajudar, tais como: Account Killer, Namechk, Peekyou e pesquisas no Google.

Para mais detalhes sobre segurança online, visite: *www.internetsegura.pt*.

Teste Se já Foi Pirateado

O primeiro passo é analisar se alguns dos seus e-mails estão associados a alguma conta ou login que tenham sido comprometidos – e é bem provável que isso já tenha acontecido. Não tenha medo, aceda a: *www.haveibeenpwned.com* e teste com o seu e-mail pessoal e o da empresa, para verificar se, em algum serviço, o seu login ficou comprometido (como: Adobe, LinkedIn, Dropbox ou outro). Se isso tiver acontecido, deve mudar os dados de acesso de todos os outros serviços que usem o mesmo login que tenha ficado comprometido.

SABIA QUE PODE SER PROVÁVEL QUE OS SEUS DADOS ESTEJAM COMPROMETIDOS?

Verifique se algum dos seus serviços já foi pirateado, para poder agir em conformidade. Faça o diagnóstico em www.haveibeenpwned.com.

Gestão de Passwords

É fundamental que utilize passwords complexas, que contenham letras maiúsculas e minúsculas, números e caracteres especiais. Idealmente, deveria ter uma password diferente para cada serviço, mas isso só será possível se utilizar um gestor de passwords (como o Lastpass, 1password ou o Microsoft Authenticator).

Se não utiliza um gestor de passwords, divida-as em, pelo menos, dois grupos: acesso a serviços não sensíveis (registos em websites sem importância, serviços que não tenham informação sensível, etc.) e a serviços sensíveis (website, e-mail, servidor, cloud da empresa, redes sociais, etc.). E defina passwords complexas, diferentes para, pelo menos, estes dois grupos. o caso de ataque a uma conta – e os seus dados ficarem vulneráveis –, pelo menos não fica com todos os acessos comprometidos. Não é perfeito, mas é melhor do que usar a mesma password para tudo.

Regras para criar uma password segura:

- Nunca utilizar passwords com menos de 6 caracteres;
- Criar uma password complexa, com pelo menos 8 caracteres, combinando letras, algarismos e símbolos;
- Utilizar diferentes passwords para diferentes plataformas;
- Optar por senhas que não sejam óbvias;
- Evitar utilizar: nomes próprios, datas de eventos, nomes de familiares, 123456, etc.

Mesmo que a password seja complexa, o username deve ser algo fora do normal. Por exemplo, usar um login do tipo «admin» ou similar é meio caminho andado para que a sua conta fique comprometida. Nos websites WordPress é esse o username por defeito, como em tantos outros serviços.

Mobile

Ao utilizar o *smartphone*, deve estar consciente de que, se o perder, o acesso a inúmeros serviços podem ficar expostos a terceiros. Como é o caso: do e-mail, gestão de redes sociais, ferramenta de colaboração e outros. Por isso, é fundamental definir um código de acesso para entrar no *smartphone*. Além disso, deve instalar uma app, para que a política de segurança possa ser gerida remotamente e apagar o conteúdo em caso de roubo.

Algumas medidas de prevenção no seu *smartphone*:

- Proteger o telemóvel com uma password;
- Ativar o autobloqueio para quando o telemóvel estiver inativo;
- Nunca fazer download de aplicações fora das lojas próprias dos sistemas operativos (Google Play, App Store, Microsoft Store), uma vez que estes têm um controlo rigoroso sobre as aplicações distribuídas;
- Utilizar um antivírus no telemóvel e fazer análises ao *smartphone*;
- Ative o *backup* automático de todos os dados;
- Verificar se existem atualizações para o sistema operativo do telemóvel e para as aplicações instaladas;
- Não utilizar a aplicação de notas para guardar informação sensível, como: passwords, dados bancários ou outro tipo de informação pessoal.

Computador

O seu portátil ou computador fixo merecem também cuidados de segurança. Primeiro, o básico: utilizar a palavra-passe para entrar no sistema. Depois, o importante: deve ter sempre um *backup* atualizado de todos os dados importantes (Google *Backup* and Sync, Dropbox, Google Drive ou outro).

Mantenha o sistema operativo atualizado, bem como todo o software que utiliza, especialmente o antivírus. Se tiver *webcam* integrada ou externa, deve tapar a lente com fita ou algo similar quando não está a utilizá-la, para que, numa eventualidade de ataque, a imagem não fique acessível. O mesmo se aplica para o microfone.

SABIA QUE DEVE TAPAR COM FITA A SUA *WEBCAM*?

Se quiser ter a certeza de que a sua *webcam* não mostra o que se passa no seu espaço físico, a melhor solução é tapá-la com alguma proteção ou fita. Em caso de ataque ao seu computador, é possível ter acesso a imagens e ao som do seu equipamento.

E-Mail

Quando recebe os e-mails também precisa de ter cuidado. A regra principal é: se recebeu um e-mail suspeito, não clique. Mesmo que venha de um remetente conhecido, a caixa de e-mail do remetente pode ter ficado comprometida. Se estiver no computador, pode passar o rato por cima do link e, se verificar que não corresponde ao URL que está a visualizar ou o link é algo estranho, provavelmente é um ataque de phishing.

No Gmail, utilize o serviço de verificação de segurança: *https://myaccount.google.com/secureaccount*, para garantir que os procedimentos básicos de segurança estão assegurados.

Ainda sobre o Google, existe um link privado onde pode ver o histórico de todas as suas pesquisas, e pode ouvir todas as pesquisas de voz que efetuou nos dispositivos móveis em: *https://myactivity.google.com/myactivity*, onde, naturalmente, tem possibilidade de limpar tudo, se desejar.

Redes Sociais

As redes sociais são uma coisa boa, mas expondo-se de mais podem ser nefastas. Deve usar o bom senso e seguir algumas regras de segurança. Isto ainda é mais importante tratando-se de menores, que devem ser monitorizados pelos pais.

Algumas regras de segurança nas redes sociais:

- Antes de publicar pense: este conteúdo pode ficar online e disponível para o mundo inteiro?
- A partir do momento em que publica o conteúdo, deixa de ter controlo sobre ele e poderá ficar para sempre na web;
- Não partilhar publicamente dados sensíveis (morada, telefone, onde está, dizer que está de férias, etc.);
- Aceite pedidos de amizade apenas de pessoas que conheça e que saiba que o respetivo perfil é autêntico;
- Não responda a comentários ofensivos;
- Utilize o perfil como privado, bem como a sua informação no perfil.

Saiba mais: *www.internetsegura.pt/riscos-e-prevencoes/foruns-e-redes-sociais*.

Facebook

É a rede social mais utilizada, por isso deve ter cuidados redobrados. O primeiro passo é efetuar uma verificação de privacidade no Facebook, para poder controlar quem pode ver os seus conteúdos, quem o pode contactar e outros aspetos de segurança. Aceda à configuração em: *www.facebook.com/settings*.

Faça download automático de todos os conteúdos da sua conta, para ter uma cópia de segurança de todos os conteúdos e publicações do seu perfil. Saiba mais sobre privacidade: *www.facebook.com/about/basics/manage-your-privacy*.

Pode controlar a sua privacidade em relação a:

- **Publicações** – escolher quem pode ver conteúdos que publica;
- **Eliminar publicações** – como eliminar alguma publicação;
- **Perfil** – ver como os outros visualizam o seu perfil;
- **Lista de amigos** – quem pode ver os seus amigos ao visitar o seu perfil;
- **Gostos e comentários** – quem pode visualizar os seus comentários e gostos nas publicações de outras pessoas;

- **Comentários e gostos de outras pessoas** – quem pode gostar e comentar aquilo que publica;
- **Identificação** – quem pode visualizar uma fotografia que publica no Facebook quando outra pessoa está identificada;
- **Remover identificações** – como proceder, se não pretende ser identificado numa fotografia;
- **Fotos e vídeos em que apareço** – como controlar se o Facebook o reconhece em fotografias ou em vídeos;
- **Cronologia** – gerir o que outros podem publicar na sua cronologia;
- **Pesquisa** – o que é visto pelas pessoas que não fazem parte da sua lista de amigos quando pesquisam por si: Mais > Gerir Secções > Desmarcar as secções que pretende ocultar;
- **Feed de notícias** – é diferente para todas as pessoas, porque é baseado nas suas atividades, mas pode alterar o que surge no seu *feed*.

Saiba como controlar os anúncios que são apresentados para serem mais úteis: *www.facebook.com/about/basics/advertising*.

Para os pais, é recomendável visitar: *www.facebook.com/safety/parents*, para poderem acompanhar melhor os seus filhos no Facebook. E também a central de prevenção de bullying em: *www.facebook.com/safety/bullying*.

Navegar e Comprar na Web

Ao navegar na web, tenha sempre precaução com websites que não conheça. Para compras online, nunca o faça em websites desconhecidos, sem primeiro pesquisar para aferir a credibilidade. Se na sua pesquisa não aparecem *reviews* nem comentários sobre aquele website, então não arrisque.

Numa loja online, compre apenas se tiver o SSL (certificado de segurança, com o endereço https), para garantir que os seus dados são protegidos.

Quanto a métodos de pagamento, o PayPal é seguro, e o cartão de crédito também. Se não tiver cartão de crédito, pode gerar um virtual, em MBNet, podendo definir limite de utilização e validade, sendo ainda mais seguro.

NÃO TENHO CARTÃO DE CRÉDITO. COMO POSSO COMPRAR ONLINE?

Se não existir alternativa para outros métodos de pagamento, pode gerar um cartão de crédito virtual, com o serviço MBNet.

2FA

Two Factor Authentication é uma camada de segurança adicional para proteger o utilizador. Além do nome de utilizador e da password, um terceiro elemento é solicitado, que tem de estar na posse física do utilizador, sendo, normalmente, enviada uma SMS para o respetivo *smartphone*.

Ative 2FA para todos os seus serviços: Facebook, Gmail, Google, Dropbox, redes sociais, administração de website e todos os serviços empresariais.

Segurança e Gestão de Website

Um dos aspetos muito importantes a ter em consideração é a segurança do seu website. Alguns cuidados minimizam as probabilidades de o seu website ficar vulnerável e de ser atacado. Se tiver problemas de segurança, conduzindo a um ataque, acarreta, normalmente, grandes prejuízos para o seu negócio: perda de tráfego, deixam de existir conversões e vendas, deteriora o SEO e tem um impacto negativo em toda a estratégia digital.

Considere incluir serviços de manutenção de segurança do seu website junto da empresa ou do profissional responsável.

Siga estes passos:

- Fazer *backups* diários e alojamento de qualidade;
- Manter o WordPress ou outro CMS atualizado;
- Mantenha os *plugins* e temas atualizados;
- Utilizar password forte (letras maiúsculas, minúsculas, algarismos e caracteres especiais);
- Ativar o limite de logins falhados (no WordPress, utilizar o *plugin* Loginizer);
- Utilizar *plugin* para aumentar e auditar segurança, como o Wordfence;
- Fazer diagnósticos regulares de segurança no Sucuri e no Virustotal.

Deve ter cuidados especiais ao instalar *plugins*. Verifique:

- Se foi atualizado recentemente ou pelo menos nos últimos meses;
- Se é compatível com a versão mais recente do WordPress;
- Se o autor do *plugin* tem estado ativo a dar suporte;
- Se existe um número considerável de downloads, comentários de outros utilizadores e uma boa avaliação.

Ainda que o *plugin* cumpra todos estes requisitos, se for possível implementar diretamente com um programador competente as funcionalidades de que precisa, evita adicionar um *plugin*, poupando assim recursos do seu servidor.

O Que Fazer no Caso de Ataque ao Website

Mesmo implementando todas as medidas de segurança, o pior pode acontecer. Por isso, o primeiro passo é saber como foi atacado o seu website.

Como sei que o meu website foi atacado?

- Foi bloqueado no Google (surge um aviso nos resultados e verá um ecrã vermelho);
- Recebeu uma mensagem pelo Google Search Console a informar de que o seu website foi comprometido;
- Comportamento estranho do website;
- Resultado de diagnóstico (Antivírus, Sucuri ou outro).

Procedimentos em caso de ataque:

1. Aceder ao Google Search Console e analisar a mensagem do Google;
2. Contactar o fornecedor do alojamento para o ajudar a avaliar a situação;
3. Proceder à remoção do vírus, *malware* ou similar (poderá necessitar de ajuda técnica), ou repor uma cópia de segurança que não esteja infetada;

Procedimentos para mitigar reincidência de ataque:

1. Apagar *backups* infetados, mudar password do WordPress, Cpanel, base de dados, FTP ou outros logins importantes. Atualizar WordPress, tema e *plugins*;
2. Fazer diagnóstico Sucuri e Virustotal. Fazer uma análise ao seu computador, para verificar se existem vírus ou outros problemas de segurança.

Saiba, ainda, mais informações sobre segurança em: *https://safebrowsing.google.com*, *www.antiphishing.org* e *www.stopbadware.org*.

A Sua Checklist Web

N	✓	TAREFAS A IMPLEMENTAR
1		Defina domínio para website, blog, loja online ou *landing page*
2		Contrate alojamento web
3		Defina estrutura do website
4		Escolha plataforma para criação de website
5		Defina conteúdos
6		Otimize velocidade
7		Efetue diagnósticos de desempenho, segurança, SEO e outros
8		Implemente procedimentos de segurança
9		Teste velocidade, usabilidade e outras funcionalidades no computador e no mobile
10		Lance o website
11		Depois de lançar, teste e audite regularmente o website

3
Mobile Marketing

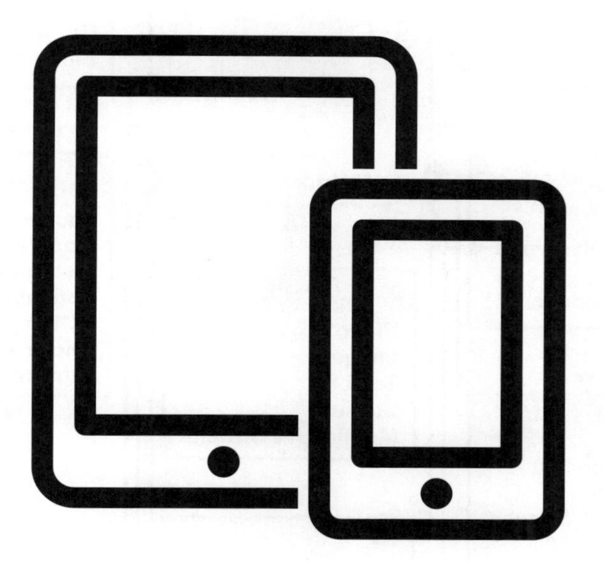

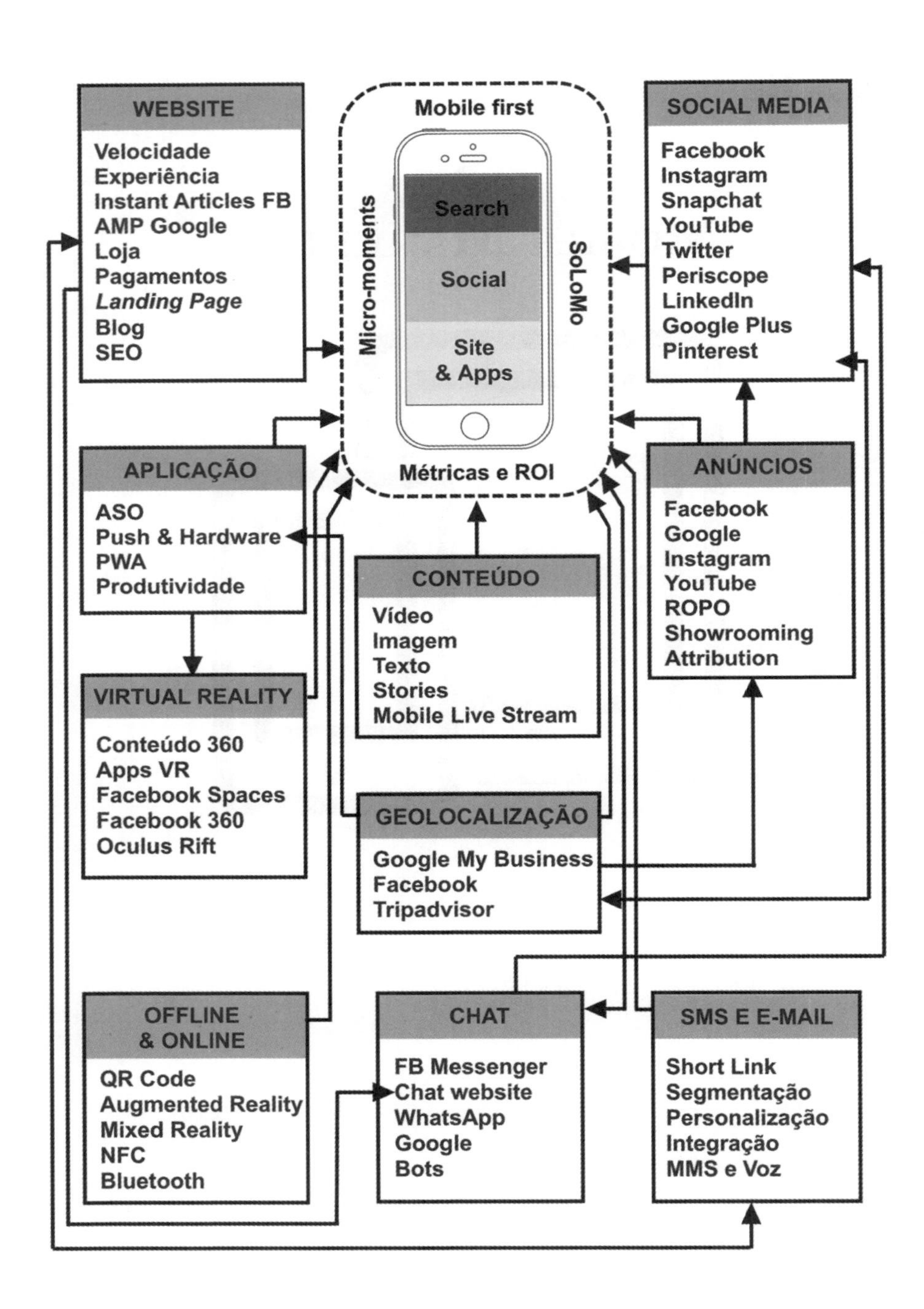
WEBSITE
Velocidade
Experiência
Instant Articles FB
AMP Google
Loja
Pagamentos
Landing Page
Blog
SEO
Mobile first
Search
Social
Site & Apps
Micro-moments
SoLoMo
Métricas e ROI
SOCIAL MEDIA
Facebook
Instagram
Snapchat
YouTube
Twitter
Periscope
LinkedIn
Google Plus
Pinterest
APLICAÇÃO
ASO
Push & Hardware
PWA
Produtividade
ANÚNCIOS
Facebook
Google
Instagram
YouTube
ROPO
Showrooming
Attribution
CONTEÚDO
Vídeo
Imagem
Texto
Stories
Mobile Live Stream
VIRTUAL REALITY
Conteúdo 360
Apps VR
Facebook Spaces
Facebook 360
Oculus Rift
GEOLOCALIZAÇÃO
Google My Business
Facebook
Tripadvisor
OFFLINE & ONLINE
QR Code
Augmented Reality
Mixed Reality
NFC
Bluetooth
CHAT
FB Messenger
Chat website
WhatsApp
Google
Bots
SMS E E-MAIL
Short Link
Segmentação
Personalização
Integração
MMS e Voz

Realidade Mobile

O Mobile Marketing consiste na realização de ações de marketing através de dispositivos móveis, nomeadamente *smartphone*, *tablet*, smartwatches e wearables.

O Android e o iOS (Google e Apple) são os Sistemas Operativos Móveis que dominam este mundo. A maioria dos conteúdos é consumida em dispositivos móveis, pois é o primeiro dispositivo que utilizamos para aceder à web, nomeadamente para consultar e-mails, Social Media e pesquisas. É por isso que o Mobile First deve ser uma preocupação de qualquer negócio, de modo a pensar primeiro no mobile. O fenómeno SoLoMo (Social, Local, Mobile) está intimamente ligado ao mobile, pela componente das redes sociais, pela geolocalização e pela mobilidade.

Para compreender melhor o comportamento na web e, particularmente, o mobile, a Google disponibiliza vários estudos de comportamento, em que poderá cruzar dados e chegar a uma conclusão, em: *www.consumer barometer.com*.

Descubra mais informações na Mobile Marketing Association, onde poderá encontrar relatórios, estudos e tendências em: *www.mmaglobal.com*.

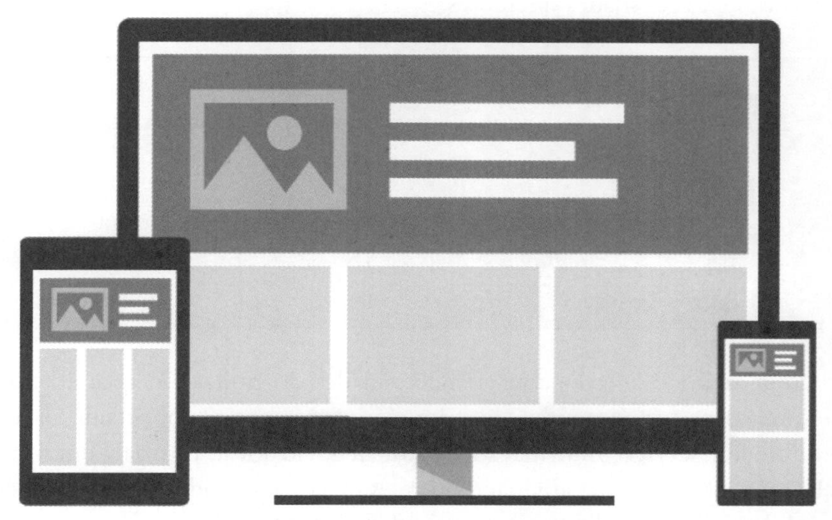

Figura 19 – O Website *responsive* permite funcionar de forma adaptada em qualquer dispositivo.

Micro-moments

A vida é feita de pequenos momentos, e o mundo digital também! Ao longo de toda a Consumer Journey, vai tendo vários pontos de contacto com a marca no mundo digital. Com os dispositivos móveis damos uso a curtos espaços de tempo, disponíveis para fazer uma pesquisa, ver vídeos, consultar redes sociais ou aceder ao e-mail.

É importante pensar primeiro no mobile: dos conteúdos ao website. Por isso, o Mobile First deverá ser uma metodologia a implementar quando for desenvolver o seu website, para que pense logo em criar a experiência no dispositivo que o utilizador usar primeiro e mais vezes. A partir daí, comece a adaptar progressivamente a experiência para outros dispositivos.

Esteja presente: faça algumas pesquisas no seu *smartphone* e verifique os resultados. Analise as expressões de pesquisa que faz sentido aparecer em destaque, para implementar técnicas de SEO para mobile e para campanhas de publicidade no Google AdWords, otimizadas para dispositivos móveis. Lembre-se de que, quando alguém faz uma pesquisa, pode não ser para comprar, mas para aprender mais, para desfrutar de uma experiência, para descobrir a morada de um local ou para, simplesmente, ter alguma informação preliminar sobre um determinado assunto. Esteja preparado para estas fases e necessidades diferentes.

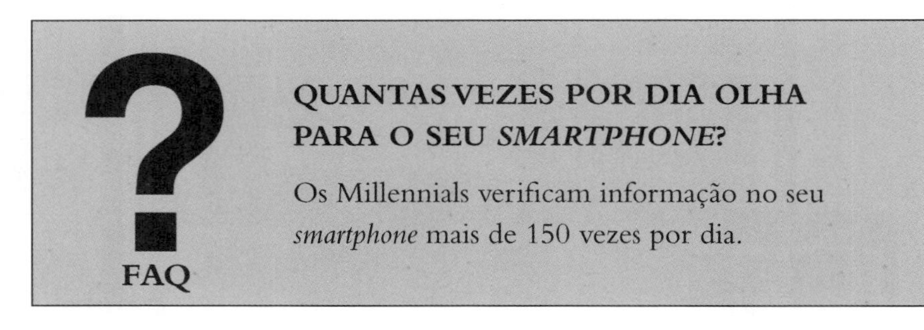

QUANTAS VEZES POR DIA OLHA PARA O SEU *SMARTPHONE*?

Os Millennials verificam informação no seu *smartphone* mais de 150 vezes por dia.

Seja útil: de acordo com as necessidades do utilizador, quando faz a pesquisa deve ter conteúdos de valor, com informação importante de um produto ou serviço, informação de um negócio local, tutoriais em vídeo relacionados com a sua atividade ou relevância para vender o produto pelo canal desejado pelo cliente: loja, app, telefone ou loja física.

Velocidade: verifique se o utilizador consegue aceder rapidamente ao website mobile, aos menus e à informação. Reduza todos os passos ou cliques desnecessários e adicione botões CTA para o levar à ação necessária.

Se for possível, carregue informação do utilizador de uma visita anterior, para ajudar a prever o comportamento e a mostrar o que ele procura.

Medir nos dois mundos: meça o impacto do investimento no mobile, no computador, nos websites, nas apps, nas chamadas telefónicas, nos e-mails, nas visitas à loja e noutras ações que levem à conversão. Crie mecanismos para medir o impacto no offline e as suas ações online. As equipas offline e online devem partilhar informação e KPI, alinhados em objetivos comuns.

Website Mobile

Assumindo que já tem um bom website, deve analisar se proporciona uma boa experiência em dispositivos móveis. Se tiver websites que não estejam preparados para mobile, são altamente penalizados pelo Google, como seria de esperar.

Aceda ao Google Analytics e veja a percentagem de visitas originadas por dispositivos móveis (*Smartphone* e *Tablet*), para ter uma perceção do tipo de público que visita a sua página web.

É fundamental que proporcione uma boa experiência no website mobile, por isso, o uso de interstitials (*pop-ups* que ocupam todo o ecrã), que bloqueiem o acesso ao conteúdo, faz que o website seja penalizado nas pesquisas do Google.

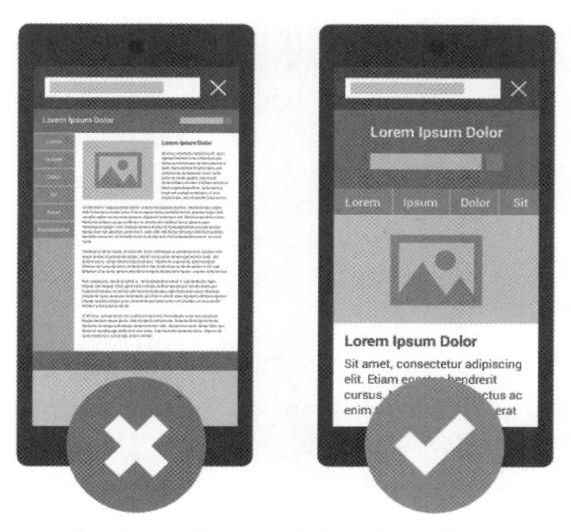

Figura 20 – Exemplo de um bom website adaptado para *smartphone*.

Boas práticas num website mobile:

- Proporcionar uma experiência otimizada para mobile em todas as páginas do website;
- Ser rápido;
- Apresentar um menu curto e simples;
- Ter a página inicial fácil de compreender e simples de voltar à home page através de qualquer outra página;
- Ter conteúdos fáceis de compreender e informação essencial acima da linha de *scroll* (*above the fold*);
- Ter botões *call-to-action* grandes;
- Não utilizar *pop-ups*, interstitials ou anúncios que prejudiquem a navegação ou provoquem distração;
- Ter um campo de pesquisa relevante e facilmente filtrável;
- Não obrigar a registar ou a criar conta para comprar;
- Ter um botão *click-to-call*, para fazer facilmente uma chamada;
- Mostrar mapa e informação de morada otimizada, para obter facilmente direções com o GPS do *smartphone*;
- Ter possibilidade de começar compra em mobile e terminar no computador, através de um registo fácil (por exemplo, registo via Facebook ou via Google);
- Ter formulários simples e fáceis de preencher;
- Apresentar imagens facilmente expansíveis para ver melhor;
- Se for necessário, obtenha a localização do utilizador, para que os conteúdos do website sejam ajustados de acordo com essa informação;
- Proporcionar uma boa experiência ao utilizador, através de uma interface gráfica adaptada e considerando as boas práticas de usabilidade.

O WEBSITE MOBILE É O PRIMEIRO PASSO E O MAIS IMPORTANTE

Verifique se o seu website mobile proporciona uma boa experiência adaptada a dispositivos móveis. É o aspeto mais importante no mobile marketing.

Como Tornar Um Website Mobile?

Existem várias possibilidades de ter um website preparado para dispositivos móveis. O mais comum é um website *responsive*, sendo a solução mais simples e indicada para pequenos websites de empresas onde se procure a solução mais eficiente. Outra possibilidade é um website mobile, que, apesar de ser mais eficiente, requer mais recursos – portanto mais indicado para casos mais específicos.

Como criar um website preparado para dispositivos móveis:

Utilize um tema *responsive* – por exemplo, se está a usar o WordPress, o Joomla, o Magento, ou outro CMS, existem temas *responsive*, que tornam o website preparado automaticamente para dispositivos móveis. É a solução mais simples, adaptando-o para a resolução do dispositivo que o está a visitar;

Utilize um *plugin* – qualquer CMS tem *plugins* disponíveis, que permitem estender funcionalidades do website. Existem *plugins* para criar uma versão do website mobile, estando disponíveis soluções gratuitas e pagas com muito interesse. O WordPress Mobile Pack é gratuito e dos mais utilizados: *www.wordpress.org/plugins/WordPress-mobile-pack*, ou pode optar por uma solução com opção paga, mas muito boa: WP Touch Pro, que permite uma experiência mobile realmente fantástica. Veja em: *http://wordpress.org/plugins/wptouch*;

Converta o seu website em mobile – para quem tem um website mais antigo, em que as técnicas anteriores não são viáveis, poderá utilizar serviços de conversão para mobile. Existem vários serviços disponíveis, alguns com plano gratuito: *www.dudamobile.com* ou *www.gomobi.info*.

Consulte o website da Google, com inúmeros recursos e estudos sobre o tema: *www.themobileplaybook.com*, onde poderá fazer download do Mobile Playbook e compreender o consumidor mobile.

Faça Diagnósticos ao Seu Website

Sabia que pode estar a perder visitas, devido ao fraco desempenho de velocidade do website mobile? Veja quantas visitas está a perder em: *https://testmysite.withgoogle.com*. Saiba a pontuação do seu website mobile em: *www.mobiready.com* e receba dicas técnicas.

Com o Responsinator: *www.responsinator.com*, veja o seu website em vários dispositivos, resoluções, na vertical e na horizontal. Pode também aceder a um emulador de dispositivo, que lhe proporciona uma experiência mais completa: *www.mobilephoneemulator.com*. O Google Resizer permite ver nos vários dispositivos. Teste em: *http://design.google.com/resizer*.

Se quiser saber a opinião do Google sobre a compatibilidade do seu website com dispositivos móveis, basta inserir o seu link nesta ferramenta: *https://search.google.com/test/mobile-friendly*. Deve analisar também a usabilidade em: *www.google.com/webmasters/tools/mobile-usability*.

Visite também o Google Page Speed Insights, para testar velocidade, em: *https://developers.google.com/speed/pagespeed/insights*.

Analise como está o mobile SEO do seu website em: *www.varvy.com/mobile*.

PRO

DIAGNÓSTICO MOBILE COM ATALHO NO CHROME

Para ver como se comporta o seu website em qualquer dispositivo mobile, utilize o atalho CTRL+SHIFT+I no Google Chrome, para aceder às ferramentas de programador e ativar a opção mobile (canto superior esquerdo da consola). Assim, conseguirá ver como o website é apresentado em diferentes dispositivos e resoluções, através do emulador.

Não se esqueça de se colocar no lugar do utilizador e de experimentar nos seus dispositivos móveis a experiência do seu website: no Facebook, nas redes sociais, na app e noutros canais.

Teste a visibilidade dos conteúdos: imagens (*smartphones* e *tablets*), vídeos e textos no Facebook, mas também noutras redes sociais.

Em menos de 5 minutos, pesquise a sua empresa e os seus serviços no smartphone e veja como é a experiência. Registe aspetos a melhorar.

Páginas Instantâneas

Um website deve abrir num máximo de três segundos. Mas melhor do que abrir rápido é abrir instantaneamente. Por isso, a Google e o Facebook criaram tecnologias para o permitir, integrando as suas plataformas, através do pré-carregamento dos websites. Ao obter um melhor desempenho da página, conseguirá um melhor posicionamento e mais conversões.

AMP: O Accelerated Mobile Pages é uma tecnologia open source da Google, que permite simplificar e acelerar o carregamento das páginas em dispositivos mobile. Assim, ao clicar num resultado no Google, assinalado com o ícone AMP, significa que a página abrirá quase instantaneamente, proporcionando uma melhor experiência em resultados de pesquisa e em anúncios. Se o seu website é em WordPress, tem o trabalho de implementação facilitado. Ao implementar esta tecnologia, criará uma versão mais simples do seu website, contendo apenas o essencial. Assim, entrega mais velocidade, em detrimento de artefactos desnecessários que não trazem valor acrescentado para a experiência do utilizador. Saiba mais em: *www.ampproject.org*.

Instant articles: é uma tecnologia do Facebook que faz que as suas páginas abram 10 vezes mais rápido, quando alguém clica através do Facebook em dispositivos móveis. Aumenta 20 % a leitura de artigos do seu website, dentro do Facebook, e diminui 70 % a probabilidade de abandonar a página. Tem também características imersivas, com a janela a ocupar toda a área, com o giroscópio a interagir com os conteúdos, com imagens mais fáceis de ver, com vídeos autoplay e com maior facilidade em ver mais conteúdos sem sair da mesma aba. Para a implementar, deverá aderir ao serviço gratuitamente e seguir os passos em: *https://instantarticles.fb.com*.

Aplicação Mobile

Criar uma aplicação para Android ou para iPhone (ou outros SO) não é algo que tenha de ser feito obrigatoriamente na sua estratégia mobile. Só deve fazê-lo se for necessário. E como sabe se é necessário? Normalmente, uma aplicação tem os seguintes objetivos:

- **Envolvimento dos clientes com a marca** – com descontos especiais e campanhas, acesso a informação específica, comunicação segmentada e outras ferramentas para melhorar a relação com o cliente;
- **Diversão** – com um jogo ou outra atividade que divirta o utilizador;
- **Utilidade** – com algo que ajude o utilizador num assunto específico do seu dia a dia, como um GPS, um tradutor, cotações, etc.

Não interessa criar uma app com o website só para dizer que tem uma app. Veja um exemplo da aplicação que desenvolvemos em: *www.marketingdigital360.net/appmobile*.

Existem vários tipos de app, nomeadamente a app nativa (para cada sistema operativo) e a web app (funciona em ambiente web em qualquer dispositivo).

Veja em detalhe as características dos principais tipos de app:

App nativa: a aplicação é desenhada para cada Sistema Operativo, com integração total e com distribuição na loja de aplicações. Mas como depende de cada Sistema Operativo, tem custos de desenvolvimento superiores.

App web: é cross-platform, com um custo de desenvolvimento mais baixo, com mais facilidade de manutenção, com liberdade de sistemas operativos e com atualizações automáticas. No entanto, tem menor integração com os Sistemas Operativos e com equipamentos, interface mais limitada e depende sempre da web para funcionar.

Progressive Web App (PWA): é uma forma mais económica de ter uma app, pois funciona no browser e em qualquer sistema operativo. Não requer instalação e também pode funcionar offline. Adicionalmente, pode ser acrescentado o ícone da web app ao seu dispositivo, como de uma app nativa, sem que isso ocupe espaço. Tem a vantagem de ser *responsive* em qualquer dispositivo, pode funcionar sem Internet, parece uma app nativa, está sempre atualizado, é seguro, com notificações *push* e pode instalar-se ícone de app. Mas tem as desvantagens: não é amplamente utilizado, tem limitações de acesso ao hardware e outras permissões.

Instant Apps: funciona como uma app nativa, no entanto, pode utilizar a aplicação sem a instalar, para executar a ação desejada. Se for realmente importante, pode instalá-la no seu *smartphone*.

Crie a Sua App

Geralmente, uma app exige um orçamento de milhares de euros, o que é desencorajador. Mas existem soluções mais simples para quem quer começar e não sabe programar nem tem conhecimentos técnicos. Uma solução simples é o Swiftic, que lhe permite construir a sua aplicação com um plano gratuito, dando a oportunidade de testar a sua ideia. Se tiver sucesso, pode avançar para um plano pago. E se tiver muito sucesso, pode contratar o desenvolvimento de algo mais personalizado e completo.

Aceda a: *www.swiftic.com* e crie conta gratuita. O próximo passo será construir automaticamente a sua aplicação, com base no link da sua página do Facebook ou do seu website, de acordo com o que preferir fornecer.

No passo seguinte, tem a possibilidade de editar funcionalidades e de personalizar o estilo para ficar alinhado com o *branding* da sua empresa.

Num emulador mobile visualizará como está a ficar a sua aplicação para ir ajustando numa interface totalmente visual e intuitiva.

Algumas das funcionalidades disponíveis: e-commerce, reservas, cupões, agenda, programa de fidelização de clientes, contactos, *click-to-call*, mapas, *reviews*, eventos, *feeds* de redes sociais, galeria de vídeos, fotografias, música, analítica, monetização, mensagens *push*, formulários e outras funcionalidades. Tudo isto numa interface muito simples e agradável, que permite a qualquer pessoa criar a aplicação.

Depois de concluída, pode pré-visualizar online ou fazer download do ficheiro para testar no seu *smartphone*. De seguida, será necessário criar uma conta developer no Google Play (Android) e na App Store (iPhone e iPad). Existem custos associados à criação de contas para poder disseminar nas respetivas lojas Android e iOS.

O Swiftic pode submeter automaticamente para as respetivas lojas de apps, depois de criar as suas contas e de fazer a ligação. Deste modo, sempre que atualizar a sua aplicação com novas funcionalidades, irá repercutir-se automaticamente na app que os utilizadores têm instalada, através de atualizações.

Depois de a publicar, ficará disponível para download a todos os utilizadores do mundo, mas com limitações no plano gratuito.

Para promover a sua app, pode criar uma Universal App Campaign, no Google, para fazer chegar o seu anúncio às pesquisas no Google (Search Network), *banners* em websites de conteúdos relevantes (Display Network), YouTube e Google Play – tudo isto numa só campanha.

Deve também fazer promoção noutras plataformas, com campanhas de instalação ou de interação em app, por exemplo: no Facebook, no Instagram, no Twitter e outros.

Se procura uma solução mais avançada, então experimente o Goodbarber em: *www.goodbarber.com*, permitindo construir uma app nativa, ou o Progressive Web App, com uma lista extensa de funcionalidades.

Se utiliza o Google Suite, tem disponível a ferramenta Google App Maker, para criar aplicações integradas com a *suite* profissional da Google. Saiba mais em: *https://developers.google.com/appmaker*.

Se tem uma ideia para uma app, mas tem dúvidas sobre o preço, coloque a sua ideia à prova e obtenha uma estimativa de custo em: *www.howmuchtomakeanapp.com*.

Notificações *Push*

As Notificações *Push* são mensagens enviadas através de uma App mobile ou através do browser do seu computador.

No mobile tem um impacto muito grande, pois é o local onde vemos com frequência as novidades de todas as apps, mas também porque a notificação vem normalmente acompanhada de vibração ou de aviso sonoro. Também, ao contrário do e-mail, não vão para o spam, e a atenção dada e a taxa de abertura são muito superiores. Estas notificações aparecem, normalmente, na parte superior do dispositivo ou no ecrã inicial, quando este está bloqueado.

As mensagens são enviadas através da interface de gestão da app (do CMS do website ou do serviço *push*, no caso de notificação para browser).

Podem ter vários objetivos, nomeadamente:

- Novos conteúdos;
- Promoções;
- Convites especiais;
- Informação de proximidade geográfica;
- Melhorar a experiência com o cliente;
- Lembrete para completar uma ação (concluir uma compra).

É importante salientar que recebe estas notificações mesmo que a app não esteja aberta. No entanto, apenas pode enviá-las para quem instalou a sua app. Por analogia, pode enviar SMS e e-mails, bastando ter os respetivos contactos. São por isso ações complementares e para objetivos diferentes.

Como é uma forma de comunicar mais direta, deve fazê-lo de forma moderada, relevante e segmentada; de outro modo, pode levar à desinstalação da app, se o utilizador não se contentar com a desativação das notificações.

Application Store Optimization – ASO

Depois de ter criado, chega o momento de lançar a sua aplicação. Além de campanhas de publicidade, deve ter todos os cuidados necessários, para que possa estar otimizada para aparecer nas pesquisas das respetivas lojas de aplicações e nos motores de pesquisa.

Algumas das técnicas que deve ter em consideração:

- Compreenda o utilizador e a concorrência;
- Escolha um bom nome para a app;
- Crie uma descrição atrativa;

- Otimize *keywords*;
- Crie um ícone que se destaque;
- Capte bons *screenshots* e vídeos demonstrativos;
- Traduza *screenshots*, título e descrição para os mercados desejados;
- Capte tráfego, através de referências de outros websites, Social Media e campanhas;
- Atualize a app com frequência, com base no *feedback* dos utilizadores;
- Estimule a avaliação da aplicação.

Além destas técnicas, deve ainda fazer as suas experiências e observar resultados. E não se esqueça de que é um trabalho contínuo de otimização.

Website vs. Aplicação

Um website Mobile não é o mesmo que uma aplicação. Tem objetivos distintos. Um website mobile é obrigatório para uma boa presença na Internet; já a app deve ser considerada só em casos específicos.

Características do Website Mobile:

- Permite saber a origem do tráfego;
- Funciona em qualquer dispositivo e Sistema Operativo;
- Tem mais informação;
- Requer Internet para funcionar;
- É necessário pesquisar ou introduzir URL;
- Beneficia de SEO (resultados orgânicos);
- Permite perceber melhor o comportamento do utilizador;
- Pode analisar e otimizar o website.

Características da App Mobile:

- Tem um carácter de diversão, de utilidade ou de relação;
- Permite um maior envolvimento da marca com o cliente;
- Normalmente é específico para cada plataforma, sendo necessário criar uma aplicação para cada SO;
- Pode funcionar offline, sem Internet;
- Tem sempre o ícone no *smartphone* ou no *tablet*, mas ocupa espaço;
- Permite enviar mensagens *push* (diretamente para o dispositivo);
- Dá acesso a informação do utilizador;

- Permite ter acesso ao hardware, para expandir funcionalidades e para experiência mais abrangente (GPS, câmara, acelerómetro, sensores e outros).

Pondere se precisa realmente da aplicação. Tem vantagens e desvantagens (custo, principalmente). Já o website mobile é obrigatório para qualquer tipo de presença na Internet.

SMS

Usamo-lo desde a década de 1990, mas não está ultrapassado. Ainda damos muita atenção às mensagens que recebemos. Tem interesse utilizar este formato para comunicar ou para vender. Por exemplo, se vai realizar um evento, poderá comunicar com os inscritos em relação à proximidade do acontecimento, com link para informações essenciais. Além de diminuir a taxa de desistência (principalmente no caso de eventos gratuitos), permite proporcionar uma melhor experiência.

Mas pode usá-lo também para vendas, se existirem campanhas especiais e produtos ou serviços com interesse para o segmento da sua base de dados.

Existe também a possibilidade de o integrar com e-mail marketing. Por exemplo, o E-goi tem um serviço de SMS, que integra e-mail e chamadas de voz. Permite enviar SMS aos inscritos na lista ou apenas a quem não abriu o e-mail. Não esquecer que qualquer link enviado na SMS, seja de newsletter ou de website, deve estar otimizado para mobile, logicamente.

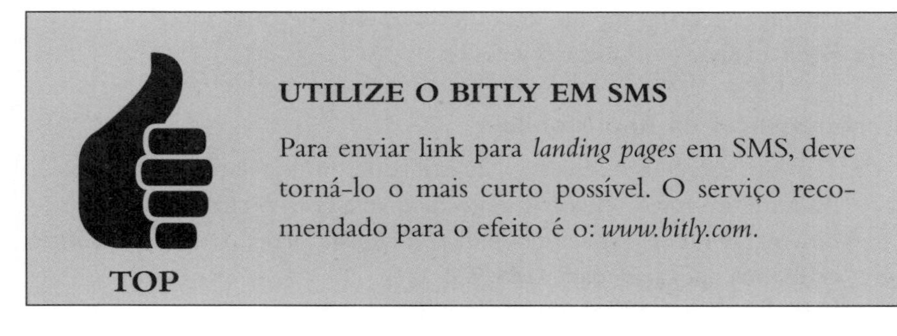

UTILIZE O BITLY EM SMS

Para enviar link para *landing pages* em SMS, deve torná-lo o mais curto possível. O serviço recomendado para o efeito é o: *www.bitly.com*.

Ao enviar SMS, é muito provável que seja necessário um serviço de encurtador de links. O melhor é o: *www.bitly.com*, pois permite personalizar o endereço e obter estatísticas detalhadas.

Convém notar que deve cumprir a legislação em vigor em relação ao tratamento de dados, incluindo os números de telefone.

QR Code

É o sucessor do antigo código de barras. Podemos vê-lo em todo o lado: de produtos no hipermercado a *flyers* com campanhas e outros meios.

Apesar de ainda não ter a adesão esperada, a verdade é que é muito simples e útil. Se ainda não tem leitor de QR Code, basta aceder à sua loja de aplicações, pesquisar por «QR Code» e instalar a primeira app gratuita. É provável que a câmara do seu *smartphone* já leia nativamente, ou já tenha alguma aplicação idêntica instalada. Além disso, algumas redes sociais já leem e funcionam com QR Codes, como o Facebook e o Snapchat.

Para criar os seus próprios códigos bidimensionais, é mais simples do que imagina. Aceda a: *http://qrcode.kaywa.com* e siga os passos. Faça download da imagem gerada e estará pronto a utilizar. Neste website, também pode instalar um bom leitor de QR Codes gratuito.

A grande vantagem, em relação ao antigo código de barras, é que não precisa de estar associado a uma base de dados para que o número faça corresponder a informação. Agora, temos logo toda a informação necessária diretamente no código. O QR Code permite incluir links, mensagens, texto, cartão de visita e outros conteúdos.

Existe também o: *www.qrhacker.com*, com funcionalidades mais avançadas. Por exemplo, pode colocar o logótipo da sua empresa como imagem de fundo do QR Code e alterar cores ou outras opções de layout.

É possível criar um QR Code dinâmico, que permite alterar posteriormente o conteúdo. É útil, se previr que pode vir a precisar de alterar a informação ou o link, quando alguém ler o código.

Existem mais alguns tipos de código bidimensional – o QR Code não é o único –, mas este é o mais popular, portanto, no que deve focar-se.

Vamos fazer agora uma experiência! Instale o leitor de QR Code – se ainda não o tiver –, aponte para este código e veja o que acontece.

Figura 21 **Exemplo de QR Code.**

Showrooming e ROPO

Muitas vezes, visitamos as lojas físicas para ver e para conhecer melhor um produto, para que, depois de devidamente informados, compremos online ao melhor preço. É uma realidade. Mas há formas de conquistar, na loja física, o cliente que traz consigo o seu *smartphone* e vê imediatamente os melhores preços online.

Algumas ideias:

- Melhorar experiência na loja;
- Venda online assistida pelos colaboradores da loja (quando tem melhores condições);
- Diferenciar pela assistência;
- Apresentar produtos e packs exclusivos;
- Criar anúncios mobile, para captar o cliente do concorrente, com texto apelativo (oferta da instalação, dos portes ou outras ofertas);
- Ter serviços e vantagens associados: crédito, seguro e desconto em cartão.

Apesar de as vendas online estarem a subir muito, as vendas nas lojas físicas ainda representam a esmagadora maioria das transações. O desafio é saber o que pode oferecer ao cliente para o cativar, podendo passar por motivos racionais ou emocionais. Mas também é possível pelo preço. Por vezes, as lojas físicas apresentam preços melhores do que as lojas online.

Research online, purchase offline (ROPO) é o fenómeno inverso, que consiste em pesquisar informações online sobre o produto, para depois decidir em que loja física se efetivará a compra. Por isso, neste processo é fundamental que existam conteúdos com informações relevantes e campanhas ajustadas, para captar o interesse do utilizador.

Criar Locais

Para existir fisicamente no mundo virtual, tem de deslocar o seu rato a alguns websites e verificar se já existe. Acompanhe a interação dos utilizadores para estar ciente das suas opiniões. Crie o seu local no Facebook, no Foursquare, no Google My Business, no TripAdvisor, no Bing Places, no Yahoo local e no Yelp.

O seu negócio local deve estar devidamente configurado na página do Facebook, para que apareça com mapa e para que seja possível aos utilizadores fazerem *check-in* como local. Para que a sua localização apareça no Instagram, deve ser criada no Facebook.

O Foursquare (Swarm) – Rede Social dos locais – é também importante, onde deve criar e configurar o local e acompanhar comentários.

Estar no Google Maps é fundamental e tem uma ampla integração com o mobile: Google Maps, pesquisas, anúncios e serviços de terceiros. Aceda ao Google My Business e crie o seu local (ou edite conteúdos, se já tiver local criado), adicionando a morada correta. Receberá uma carta da Google no prazo de uma semana, com um código de validação para inserir no Google My Business. Em alguns casos, esta validação pode ser feita através de uma chamada telefónica.

Anúncios e Monetização Mobile

Se quiser monetizar um projeto com base em conteúdos (blog, portal ou app), existem soluções importantes para rendibilizar:

- **AdMob** – plataforma Google para rendibilizar App;
- **AdSense** – plataforma Google para rendibilizar websites desktop e mobile;
- **Adnow** – publicidade nativa para desktop e para mobile;
- **Afiliados** – plataforma de afiliados de acordo com o nicho.

Para a realização de campanhas, embora quase todos os tipos de anúncio funcionem em mobile, existem alguns que foram particularmente pensados para estes dispositivos:

- **Facebook Canva** – anúncio mobile vertical, que pode ser composto por texto, imagem, vídeo, carrossel e botão com CTA. Assume o formato de uma página interativa;
- **Facebook Leads** – embora também funcione em desktop, a sua essência é mobile, permitindo preencher automaticamente um formulário numa micro landing page dentro do Facebook;
- **Extensão de chamada** - tipicamente em anúncios Google, permite clicar para fazer chamada telefónica;
- **Instalação e interação de App** – para instalar ou para interagir com App;
- **Search Ads (Apple)** – para promover a app na App Store (iPhone e iPad).

Mixed Reality

O dispositivo contemporâneo mais associado ao Mixed Reality é o Microsoft HoloLens. A tecnologia consiste em fundir o mundo físico com o mundo virtual, sobrepondo informação digital ao mundo físico, mas sem que isso impeça de ver tudo o que se passa à sua volta. Assume assim um formato holográfico, através da utilização de óculos especiais. Além disso, permite-lhe interagir com os elementos digitais sobrepostos no mundo real, como: chamadas de vídeo, projetar e compreender objetos 3D, acelerar processo de aprendizagem, reuniões ou entretenimento.

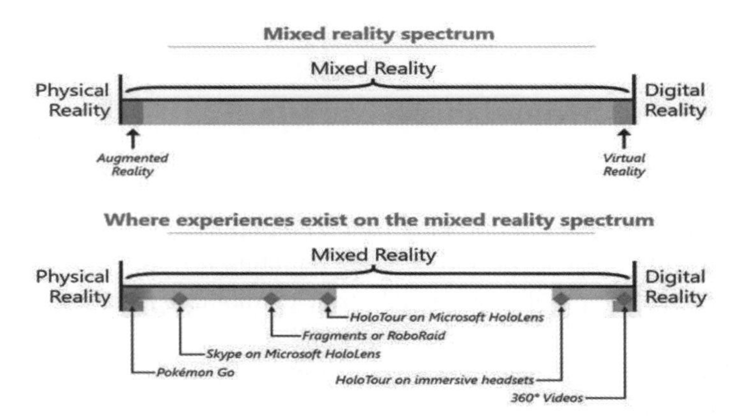

Figura 22 Espectro de utilização do Mixed Reality, segundo a Microsoft.

Realidade Aumentada (AR)

A realidade aumentada (*Augmented Reality*) consiste em adicionar camadas de informação digital à imagem que está a ver através da câmara do seu *smartphone*, do seu *tablet* ou de outro dispositivo. E não é assim tão novo. As consolas de jogos já utilizam esta tecnologia há anos, sendo possível adicionar elementos digitais à imagem real, e vice-versa.

Por vezes, é confundida com o QR Code ou com a Realidade Virtual, mas são tecnologias diferentes. O QR Code é um conjunto de caracteres, acessíveis através de um leitor (até uma caixa de hipermercado o lê), que se traduz, normalmente, em texto ou num link a direcionar para onde desejarmos. A Realidade Virtual consiste em mergulhar totalmente num mundo digital.

Vou mostrar-lhe uma ferramenta que permite criar facilmente uma campanha de realidade aumentada. Aceda a: *www.layar.com* e crie uma conta gratuita. Agora, carregue uma imagem ou PDF, por exemplo, de um *flyer* ou do seu cartão de visita. De seguida, adicione os recursos com os quais quer proporcionar interatividade: imagens, vídeos, website, redes sociais, *click-to-call*, mapas, votação, comprar produtos, download, aplicação mobile, enviar e-mail, áudio, tornar fã da página Facebook, seguir no Twitter e outros recursos. Depois de a publicar, instale a app e aponte para o respetivo *flyer* e observe a interatividade.

Experimente também o: *www.blippar.com*, sendo igualmente uma excelente solução.

Outra solução para criar experiências de realidade aumentada é o: *www.zap.works*, permitindo-lhe também criar experiências de realidade virtual. Através de um assistente, pode adicionar *widgets* de vídeo, álbuns de fotografias, cartões de visita virtuais, botões para ação, integração Social Media, tracking de imagens, analítica e modelos 3D.

Nas histórias do Instagram, do Facebook e do Snapchat, poderá experienciar as tecnologias de realidade aumentada, quando são adicionados elementos visuais em tempo real à pessoa presente na câmara.

Realidade Virtual (VR)

A Realidade Virtual (*Virtual Reality*) consiste em mergulhar totalmente no mundo digital. Requer equipamento extra, compatível, e conteúdos preparados para esta tecnologia. Por oposição à realidade aumentada, que mostra camadas de informação digital sobrepostas ao mundo físico, esta é, normalmente, utilizada com óculos ou *smartphones*. A VR coloca-nos em qualquer lado; o AR traz até nós todo o tipo de informação adicional contextualizada, que parece fazer parte da realidade. Em VR, pode visitar um museu, mergulhando totalmente num local onde não está fisicamente. Em AR, pode deslocar-se ao museu e ver informação adicional sobre a obra de arte para a qual está a olhar. Ambos fazem parte da computação imersiva.

A ideia-base consiste em colocar na sua cabeça lentes especiais para captar conteúdo que pode ser visto em todas as direções – no formato 360. Ao movimentar a cabeça, verá o conteúdo que é suposto estar na direção para a qual aponta e o som ganha um formato espacial para aumentar a sensação tridimensional. A imagem pode ser projetada de um *smartphone* ou de um ecrã dedicado.

Imagine poder criar um mundo virtual em torno de uma marca, para que o utilizador possa entrar e interagir de uma forma mais intensa do que o habitual – o *storytelling* ganha outra dimensão.

A VR é diferente de fotografia e de vídeo 360. Embora existam pontos de contacto, a VR apresenta diferenças significativas:

- Explora e faz imersão (que pode assumir formato jogo);
- Interage com o ambiente;
- É mais complexo criar conteúdos para VR do que criar conteúdos 360;
- Requer óculos VR para consumir conteúdos VR, enquanto os conteúdos 360 podem ser consumidos nos óculos VR, numa app, no browser do *smartphone* ou no computador;
- É não linear. O 360 é linear, pois avança no tempo em apenas um caminho. No VR, podemos escolher a interação que desejamos obter;
- Apresenta mais liberdade de movimento, em vez de ficar preso ao movimento da câmara 360.

É difícil explicar a sensação de estar fisicamente em imersão num mundo virtual. Não deixa ninguém indiferente. Esta experiência é emocionalmente intensa, criando mais interação e momentos marcantes – que têm interesse para a notoriedade, para a afinidade e para a ligação com a marca. A experiência têm uma nova camada de estímulos, numa tecnologia que nos permite estar noutro local, sem que ninguém consiga ver de fora, necessariamente.

Mais importante do que usar VR é ter uma boa história e uma experiência para envolver o utilizador. Para isso, pode criar uma app VR e produzir conteúdos 360 para fazer o utilizador mergulhar na nova realidade.

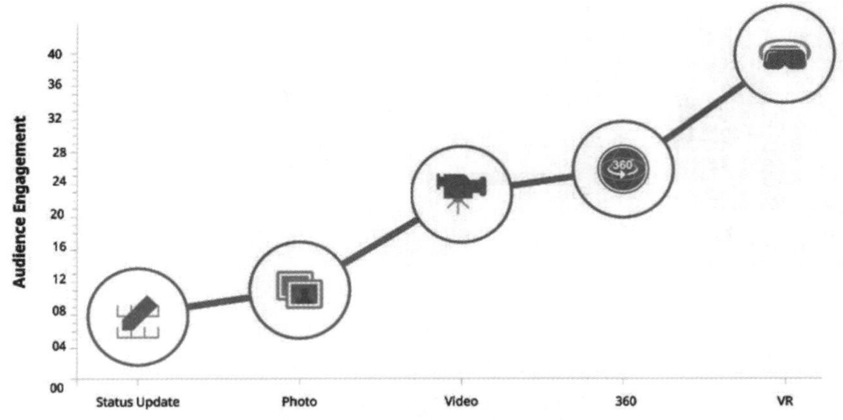

Figura 23 – Interação com o tipo de conteúdo.

A evolução dos conteúdos remete para experiências mais interativas e imersivas.

Texto: tem de imaginar o cenário.

Imagem: consegue ver o cenário, mas não faz parte dele.

Vídeo: pode ver e ouvir o cenário, mas não faz parte dele.

Realidade Virtual: mergulha no cenário e faz parte dele.

Os anúncios em VR, se forem bem feitos, podem ser muito mais eficientes do que os do desktop ou do mobile, apresentando taxas de interação e de conversão muito superiores.

Existem inúmeros casos de sucesso. Por exemplo, a McDonald's lançou uma campanha em que a caixa do Happy Meal se transforma nuns óculos VR (do tipo Google Cardboard), para se poder entrar numa experiência virtual. A cadeia de hotéis Marriot criou um teletransporte virtual, no qual usou como base óculos VR e outros elementos sensoriais (movimento, vento, aroma e temperatura), para aumentar a intensidade da experiência de fazer uma viagem a outro local. Nestes casos, verificou-se uma experiência emocionalmente intensa, que resultou numa maior ligação à marca.

A VR pode ser utilizada em vários cenários: jogos, entretenimento, visita virtual a um imóvel, *test drive* a um automóvel, medicina, militar, educação, visitar um destino turístico ou local, restaurantes (conhecer a cozinha), recrutamento (conhecer o ambiente de trabalho), eventos e retalho.

Os principais equipamentos para VR são: Google Cardboard, Google Daydream, Samsung Gear VR, Oculus Rift, Oculus Go, HTC Vive e Playstation VR.

FACEBOOK 360 E FACEBOOK SPACES

Aceda ao Facebook 360 e ao Facebook Spaces, para descobrir redes sociais paralelas ao Facebook. Para isso, utilize o Samsung Gear VR ou Oculus Rift.

A forma mais acessível de o fazer é através dos óculos Google Cardboard, podendo adquiri-los por menos de 10 €, ou até pode construí-los. Permite utilizar qualquer *smartphone* para mergulhar na experiência.

Outra forma de o fazer é através de óculos num formato mais robusto, como os Samsung Gear VR, que lhe permitem mergulhar numa experiência mais intensa e aceder também ao Facebook 360. Necessita de um *smartphone* compatível. A Google tem também uma alternativa importante neste patamar: o Google Daydream.

Num nível acima, estão os Oculus Rift, que dispensam *smartphone*, mas requerem um computador poderoso e com placa gráfica compatível com VR. Neste caso, a experiência é ainda mais realista, sendo auxiliada por dois comandos com vibração, que o transportam com intensidade para o mundo digital. Os sensores e os auscultadores incorporados tornam a viagem ainda mais real. Tem acesso ao Facebook Spaces – o Facebook em VR.

Figura 24 – Realidade Virtual no Facebook Spaces com Oculus Rift.

Está disponível, em qualquer um dos equipamentos, uma longa lista de aplicações neste formato, como: jogos, aplicações educativas, YouTube VR, entre outras.

Alguns dos fatores para tornar a experiência VR impactante são: ser o utilizador o centro da experiência, em vez de um mero espectador; levar o utilizador a experiências incríveis e improváveis; oferecer perspetivas únicas, em que o 360 faz toda a diferença.

Para se lançar a criar a própria app, aceda a: *www.instavr.co*, permitindo funcionar online ou offline.

Algumas das características que uma app VR pode ter:

- História imersiva;
- *Branding* nos conteúdos;
- Áudio espacial, para uma experiência mais realista;
- Interação do utilizador através dos sensores, comandos ou *smartphone*;
- Vibração dos comandos;
- Interação com hardware adicional, para maior *feedback* físico (luvas, colete, roupa e outros);
- Funciona online ou offline;
- *Streaming*;
- Analítica com heatmap, para saber que zonas despertam mais interesse;
- Anúncios normais e anúncios 360.

Depois de ter a sua aplicação pronta, ela pode ser publicada para Android, iOS, Samsung Gear VR, Google Daydream, Oculus Rift, PSVR, Vive e web.

Se pretender criar um website 3D em VR, também é possível. Utilize o serviço: *www.doublx.com*, para criar uma versão de realidade virtual da sua página web.

Se desejar espelhar a sua experiência para quem estiver consigo, pode utilizar o Chromecast, para transmitir sem fios para a sua TV tudo o que se passa no seu mundo virtual, nos Oculus Rift.

Apesar de a tecnologia ainda ter muito para evoluir e estar a dar os primeiros passos, sem dúvida será muito promissora como uma forma mais rica de interação e de envolvimento com os utilizadores, que duplicam todos os anos.

Se desejar oferecer aos seus clientes óculos de realidade virtual Google Cardboard, existem serviços acessíveis de modo a proporcionar experiências incríveis. O custo será idêntico aos típicos brindes publicitários.

Desafio-o a obter um Google Cardboard e a começar a explorar este mundo virtual. Comece por utilizar o próprio Google Chrome com experiências VR em: *http://vr.chromeexperiments.com*. Aceda também a projetos experimentais da Google VR em: *www.webvrexperiments.com*. Mesmo sem óculos VR, conseguirá desfrutar da experiência. Mais informações das soluções VR da Google em: *https://vr.google.com*.

Medir

Naturalmente, no mobile também é possível medir resultados. Deve utilizar o Google Analytics, e na secção Público-alvo > Dispositivos móveis, consulte o número de visitas que está a receber por estes dispositivos. É uma métrica importante saber a percentagem de visitas por esta via e o respetivo comportamento.

Para saber a percentagem de visitas vindas do Facebook via mobile, basta clicar em: Aquisição > Redes Sociais > Referências da Rede > Facebook > Adicionar segmento > Tráfego dos Dispositivos Móveis. Uma análise mais minuciosa, mas interessante, pois certamente será um número elevado, considerando que a maioria dos utilizadores Facebook acede via mobile. Compare o tráfego mobile vindo do Facebook e o geral. Por isso, pense – quando partilhar um link no Facebook – se aponta para um website bem otimizado para mobile.

Outras ferramentas de analítica, que lhe dão informação importante para:

- **Plataforma de analítica da app** – Google Analytics ou outra;
- **Plataforma de e-mail marketing** – utilizadores e comportamento mobile;
- **Encurtador de links bit.ly** – saber informação de cliques em campanhas SMS;
- **Plataforma de QR Codes** – relatórios detalhados da sua utilização, normalmente nos planos pagos;
- **Social Media** – onde, de uma forma geral, as redes sociais apresentam sistema de analítica detalhado sobre o comportamento mobile.

O modelo de atribuição de conversões mobile deve considerar ações online e offline que tenham impacto direto e indireto nos objetivos da organização.

Algumas das ações possíveis que devem ser quantificadas para medir o ROI:

- Visitas, tempo médio, páginas vistas e taxa de rejeição no website;
- Conversões no website;
- Conversões ao longo de múltiplos dispositivos;

- Mensagens;
- Vendas online;
- Vendas na loja física;
- Pedidos de informação;
- Obter direções para loja física;
- Instalação de App;
- Interação na App;
- *Click-to-call* para chamadas telefónicas.

Mecanismos para controlar conversões e ROI:
- Código de conversão do Google AdWords;
- Píxel do Facebook;
- CRM;
- Sistemas de analítica da app e outras plataformas;
- Códigos de desconto e *vouchers* exclusivos para utilizar na loja;
- Google AdWords call reporting.

Posto isto, pense no mobile como uma realidade transversal em toda a estratégia de Marketing Digital, dos *micro-moments* até a toda a *consumer journey*. Comece pelo essencial, passando por técnicas mais sofisticadas, e não se esqueça de acompanhar o desempenho, para efetuar os ajustes necessários.

A Sua Checklist Mobile Marketing

N	✓	TAREFAS A IMPLEMENTAR
1		Defina a sua estratégia Mobile
2		Crie, diagnostique e otimize Website e *Landing Pages* para Mobile
3		Implemente páginas instantâneas (Instant Articles e AMP)
4		Crie e promova aplicação Android e iOS, se for necessário
5		Utilize o SMS, para complementar a comunicação
6		Crie QR Code, para meios de comunicação físicos
7		Crie campanhas de publicidade, preparadas para mobile
8		Crie presença virtual como local físico
9		Utilize a realidade aumentada ou realidade virtual no seu negócio
10		Analise métricas e estatísticas, para ajustar a estratégia

4
Website Profissional

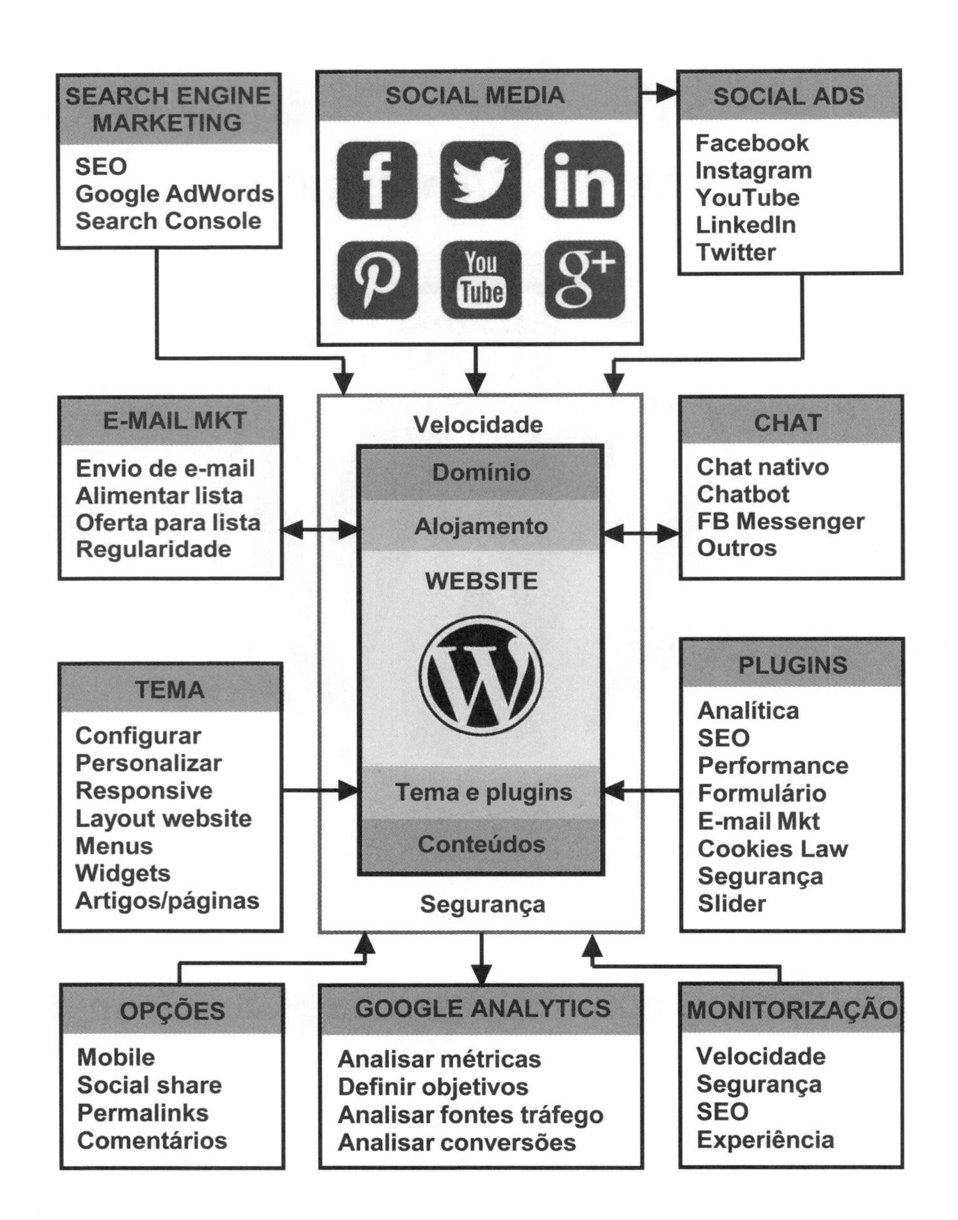
SEARCH ENGINE MARKETING
SEO
Google AdWords
Search Console
SOCIAL MEDIA
You Tube
SOCIAL ADS
Facebook
Instagram
YouTube
LinkedIn
Twitter
E-MAIL MKT
Envio de e-mail
Alimentar lista
Oferta para lista
Regularidade
Velocidade
Domínio
Alojamento
WEBSITE
Tema e plugins
Conteúdos
Segurança
CHAT
Chat nativo
Chatbot
FB Messenger
Outros
TEMA
Configurar
Personalizar
Responsive
Layout website
Menus
Widgets
Artigos/páginas
PLUGINS
Analítica
SEO
Performance
Formulário
E-mail Mkt
Cookies Law
Segurança
Slider
OPÇÕES
Mobile
Social share
Permalinks
Comentários
GOOGLE ANALYTICS
Analisar métricas
Definir objetivos
Analisar fontes tráfego
Analisar conversões
MONITORIZAÇÃO
Velocidade
Segurança
SEO
Experiência

Porquê WordPress?

É muito simples criar e gerir presença na web com o WordPress. Tem uma grande diversidade de temas e de *plugins*, para personalizar o aspeto gráfico e para expandir funcionalidades. Existe muita informação disponível em toda a Internet, formações ou profissionais qualificados para o ajudar com esta plataforma. É o CMS (*Content Management System*) mais utilizado em todo o mundo e com uma ampla integração em serviços de terceiros. Corresponde às necessidades atuais: criar rapidamente um website mobile, simples, atrativo e a baixo custo. Existe uma comunidade online muito ativa – mas também offline, através de Meetups e de WordCamps – em todo o mundo.

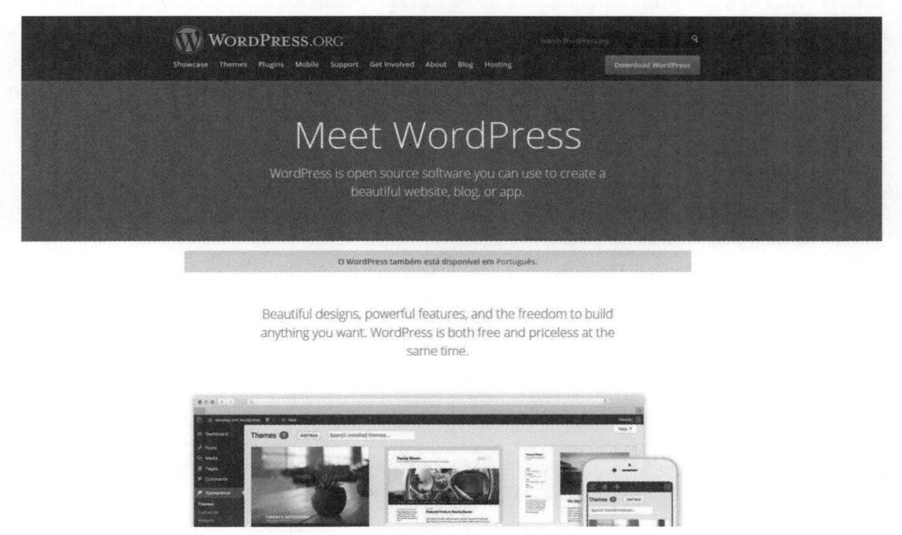

Figura 25 – Website oficial do WordPress.org.

O WordPress é um software livre para a criação e para a gestão de conteúdos web que lhe permite criar e atualizar facilmente qualquer tipo de website. É considerada uma das maiores e mais dinâmicas ferramentas do género, sendo utilizada por grandes empresas, como o WSJ, The New York Times, a Nasa, a Microsoft, a TechCrunch, o TED, a CNN e outros. Estima-se que cerca de 30 % do top dos 10 milhões de websites utilizem WordPress.

Além de ser uma excelente ferramenta de base, as suas funcionalidades podem ser estendidas através de dezenas de milhares de *plugins*. Pode também mudar facilmente o aspeto gráfico, através dos inúmeros *themes* (temas) disponíveis. Está preparado para otimizar o seu website para motores de pesquisa, podendo expandir este potencial com *plugins* específicos.

É distribuído de forma livre e gratuita sob a licença GNU GPL, o que significa que pode utilizar, estudar, alterar e partilhar sob a mesma licença e nas mesmas condições.

Existem duas formas de utilizar esta plataforma: WordPress.com e WordPress.org. A primeira é mais simples; a segunda é mais completa, que recomendo para este propósito.

Comparação entre WordPress.org e WordPress.com:

WordPress.org	WordPress.com
Para download grátis, mas requer instalação e manutenção.	De criação grátis e de forma simples (também existem planos pagos).
Permite desenvolver ou instalar qualquer tema grátis ou pago. É possível personalizá-lo.	Tem lista limitada de temas gratuitos, com opção de comprar temas adicionais.
Permite desenvolver ou instalar qualquer *plugin*, grátis ou pago.	Não se pode instalar nenhum *plugin*, mas existem alguns já disponíveis.
Tem a possibilidade de alterar o código de temas e de *plugins*.	Não se pode alterar o código no plano grátis.
É totalmente personalizável. Controlo da plataforma, de dados e analítica.	A personalização é limitada, com menos controlo e analítica limitada.
Permite publicar qualquer tipo de conteúdo.	Podem aparecer anúncios e alguns limites do tipo de conteúdos.
Permite colocar anúncios (Google AdSense, vender espaços e outros).	Com limitações nos anúncios e partilha de receita.
É necessário registar domínio e contratar alojamento.	Com alojamento e subdomínio do WordPress.com, sem preocupações.
É necessário otimizar velocidade, gerir segurança e atualizações.	As questões técnicas são da responsabilidade da Automatic.
É recomendado para websites profissionais.	É recomendado para quem quiser criar rapidamente o seu website.
Não faz parte da rede WordPress.com, não beneficiando do respetivo tráfego.	Obtenção de tráfego, interação e seguidores da rede WordPress.com.
Custos: domínio, alojamento, manutenção e desenvolvimento.	Sem custos, ou planos pagos desde 36 € anualmente.
Deixando de pagar, o website desaparece (é possível fazer *backups*).	O website fica online para sempre, sem responsabilidades.
Para empresas, bloggers profissionais, projetos de maior dimensão.	Para blogs pessoais, iniciantes; para partilhar conhecimento e novos projetos.

Figura 26 – Vantagens e desvantagens das soluções WordPress.

Existe ainda o WordPress.com VIP para websites com volumes de tráfego gigantes, com necessidades específicas. Nestes casos, precisa de outro tipo de serviço, com orçamentos de largos milhares de euros anuais. Mais informações em: *https://vip.wordpress.com*.

O WordPress.com é uma boa opção, se quiser começar rapidamente, sem nenhum tipo de custo ou de responsabilidades. Não fica com domínio próprio (a não ser que pague), não pode instalar *plugins* para estender funcionalidades ou mais opções de temas para maior liberdade criativa. Mas não tem de se preocupar com nada, pois o seu website está sempre online e atualizado. Mais tarde, se desejar, poderá migrar o seu domínio e alojamento para a versão WordPress.org. É o melhor caminho para criar uma presença pessoal ou para pequenos negócios sem capacidade técnica e sem recursos. Como exemplo de WordPress.com veja o blog do livro Redes Sociais 360, que pode consultar em: *https://redessociais360.wordpress.com*.

A solução mais profissional, escalável e completa é o WordPress.org. Necessita de registar um domínio e de contratar alojamento. Dá-lhe liberdade total para moldar a solução às suas necessidades. Terá responsabilidades mensais de manutenção, de segurança e de custo com o seu fornecedor de alojamento. É o melhor caminho para empresas, permitindo uma presença mais profissional.

Para aprender mais sobre WordPress visite: *https://codex.wordpress.org/pt*, ou veja mais informações em: *www.web2business.pt*, que, aliás, foi criado nesta plataforma, servindo de website institucional, de loja online e de blog da minha empresa.

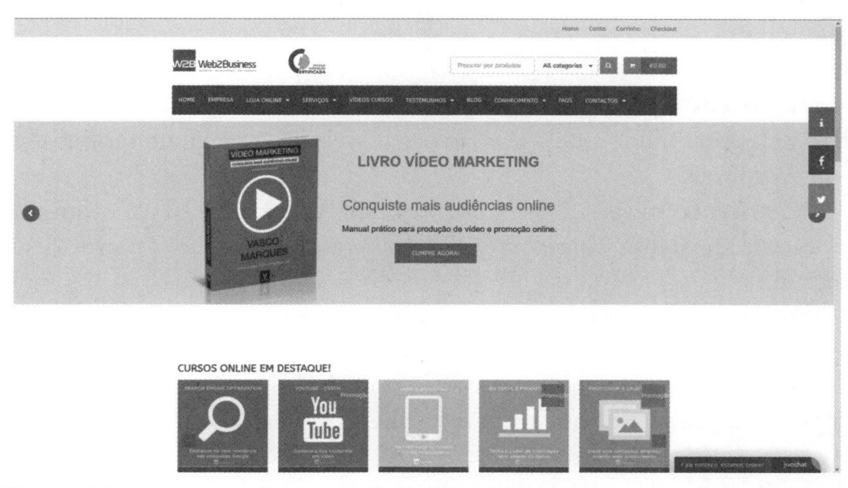

Figura 27 – Exemplo de um website WordPress em *www.web2business.pt*.

Como seria expectável, é importante pensar no planeamento. Para isso, reflita nas questões sobre cada aspeto, podendo avançar com o que já é conhecido.

PLANEAMENTO DO WEBSITE	
Domínio(s)	Que extensões de domínio(s) vai registar?
Alojamento	Que tipo de alojamento, considerando a previsão de visitas?
Principais objetivos	Notoriedade, interação, tráfego, vendas ou outro?
Tipo de website	É institucional, blog, loja, portal informativo, comunidade ou outro?
Fontes de tráfego	Google orgânico e pago, redes sociais, e-mail marketing, referências de outros websites, publicidade, outras?
Tipos de conteúdo	Artigos, imagens, vídeos, GIF, *podcasts*, conteúdos 360?
Integração com outros meios	Quais são os outros meios digitais que vai utilizar e que integração vão ter com o website?

O orçamento é sempre uma questão importante. Pode oscilar entre um valor muito reduzido e orçamentos preparados para uma presença online mais robusta.

Previsão de custos de desenvolvimento de website:

Domínio	Alojamento	Desenvolvimento	Temas e *plugins*
10 € a 100 €	25 € a 160 €	0 € a 3000 €	0 € a 300 €

Orçamento mínimo – 50 € por ano (domínio e alojamento pago anualmente), presumindo que vai criar o seu website, aprendendo a trabalhar com WordPress.

Orçamento base – 200 € por ano + 150 €, valor inicial para aquisição de tema e de alguns *plugins* importantes, presumindo que constrói o seu website.

Orçamento normal – 200 € por ano + 1000 €, para um profissional desenvolver.

Orçamento pro – 600 € por ano + 3000 € (para desenvolvimento) + 150 € de mensalidade, para: segurança, SEO e gestão do website.

Crie o Seu Website

O primeiro passo é instalar o WordPress. Pode fazê-lo de várias maneiras:

- Efetuar download em: *www.wordpress.org*, permitindo-lhe instalá-lo localmente no seu computador através do XAMP ou do Bitnami;
- Enviar (upload via FTP) o WordPress para o seu servidor, criar base de dados e instalá-lo;
- Instalá-lo no seu alojamento com um clique, através da ferramenta Softaculous ou similar;
- Contratar um alojamento já com o WordPress instalado (a opção mais fácil e rápida).

TOP

SE TEM DÚVIDAS, ESCOLHA ALOJAMENTO JÁ COM WORDPRESS

Se tiver dúvidas sobre a melhor opção de alojamento para o seu projeto, escolha uma opção de alojamento com WordPress já instalado. Torna tudo mais simples para si.

Instalação Via Softaculous

Se o seu alojamento já vier com WordPress instalado, perfeito. Se tiver um alojamento livre para utilizar com qualquer outro CMS, provavelmente tem a ferramenta Softaculous no painel de controlo do servidor (o seu fornecedor de alojamento facultou o acesso).

Com o Softaculous tem a possibilidade de instalar centenas de ferramentas, nomeadamente o WordPress. Basta executar o Softaculous e escolher o WordPress. De seguida, surge um assistente, onde apenas precisa de alterar estas opções:

- **Folder/Diretório** – deixe em branco. Normalmente aparece «wp», que deverá apagar para poder instalar na raiz do servidor;
- **Site Name** – defina o nome do seu website (pode alterá-lo mais tarde);
- **Site Description** – descreva o seu website com um *slogan*;
- **Enable Multisite** – apenas para utilizadores avançados, que queiram gerir vários websites WordPress através de uma única interface;
- **Admin Username** – escolha um utilizador diferente de «admin» e que não seja fácil de descobrir;

- **Admin Password** – uma password forte constituída por letras, algarismos, maiúsculas e minúsculas e caracteres especiais. O username e password serão utilizados para fazer login na administração do seu WordPress;
- **Choose language** – pode alterar para outro idioma, se for necessário;
- **Limite Login Attempts (Loginizer)** – é recomendável ativar, para aumentar segurança e para minimizar tentativas de login indevidas;
- **Advanced Options** – se for necessário, ative a opção «Automated backups», «Once a day», para ter um *backup* adicional do seu website;
- **Select Theme** – se não selecionar nenhuma opção, ficará com o tema por defeito. Se preferir, escolha um tema ao seu gosto;
- **Email installation details to** – coloque um e-mail para receber todos os dados da sua instalação.

Figura 28 – Interface de instalação do WordPress no servidor com Softaculous.

A parte visível aos seus visitantes são os artigos, as páginas e os menus de navegação, podendo interagir com comentários. Na administração poderá gerir utilizadores, ferramentas, opções, *widgets*, gestão de ficheiros e multimédia. Pode, também, instalar temas para personalizar o aspeto visual e *plugins* para estender funcionalidades. De uma forma simplificada, esta é a estrutura do WordPress.

Se preferir, pode contratar um alojamento já com WordPress instalado, como este: *https://wordpress.ptisp.pt*.

Personalize o Layout e o Aspeto Gráfico

Existem milhares de temas gratuitos que vão conferir um aspeto gráfico diferenciado, com a possibilidade de, adicionalmente, personalizar esse tema. Para isso, basta pesquisar diretamente na administração do WordPress, na respetiva secção, ou aceder ao diretório oficial com milhares de temas gratuitos: *https://wordpress.org/themes*. Se preferir, também pode *googlar* com a palavra-chave relacionada com o que procura.

Se puder investir algumas dezenas de euros, existem os temas pagos, disponíveis no ThemeForest, WooThemes, MOJO Themes, Elegant Themes ou outros websites similares.

Siga estes procedimentos, para o ajudar a encontrar o que procura:

- Pesquise em: *https://wordpress.org/themes*, com a palavra-chave relacionada com o que pretende: restaurant, fashion, store, agency, blog. Ou na administração do seu website, em «Apresentação», «Temas»;
- Pode *googlar* por palavras-chave relacionadas com a sua ideia. Por exemplo: «restaurant wordpress theme»;
- Se viu um website e gostou do layout, poderá utilizar esta ferramenta para detetar qual é o CMS: *http://guess.scritch.org*. Se for WordPress, ficará mais simples descobrir o tema;
- Para detetar o tema WordPress utilize o: *www.wpthemedetector.com*. Isto não quer dizer que vai copiar ideias dos outros, mas pode inspirar-se naquilo de que gosta e depois personalizar e adaptar à sua realidade;
- Pesquise por temas pagos em: *www.themeforest.net* ou em *https://pt.wordpress.org/themes/commercial* ou pode *googlar* para descobrir outros.

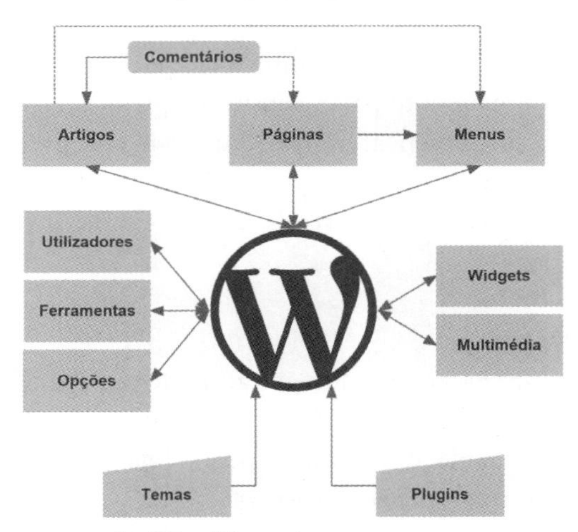

Figura 29 – Estrutura do WordPress.

Para os temas do ThemeForest, aconselho que, depois de efetuar a pesquisa, ordene pelos mais populares: com mais downloads ou com melhor pontuação. Desta forma, poderá cruzar resultados diferentes e chegar facilmente ao ideal.

Se depois destes procedimentos ainda não encontrou o seu tema e está a ficar sem tempo, utilize o tema que vem por defeito com o WordPress (ou outro tema simples disponível) e avance. Mais tarde, poderá alterá-lo, já com estrutura definida e com conteúdos.

Veja inúmeros exemplos de websites muito conhecidos que foram criados em WordPress: *www.wordpress.org/showcase*. Para ter uma ideia, enumero alguns deles: Angry Birds, Walt Disney, Toyota, Microsoft, Bloomberg, MIT, Mercedes, Vogue, Ariana Grande, Kylie Minogue, Time, Fortune, Beyoncé, Facebook, Sony, New York Times, LinkedIn... e a lista poderia continuar.

Para ter um ponto de partida, deixo algumas sugestões de temas, de acordo com os principais tipos de website: uma página, blog, loja, empresa, portefólio, portal de notícias ou website pessoal.

Formato: uma página.

Tema: One Page.

Características: com a simplicidade presente e com uma navegação fácil, basta fazer *scroll* para ver todos os conteúdos de uma página.

Link: *www.wordpress.org/themes/one-page.*

Formato: blog.

Tema: Vega.

Características: um tema minimalista que resulta bem num blog, mas pode ser utilizado igualmente para: website empresarial, landing page, portefólio, outro tipo de presença criativa. Também está preparado para loja online e para traduções.

Link: *www.wordpress.org/themes/vega.*

Formato: loja online.

Tema: Storefront.

Características: apresenta uma integração perfeita com o WooCommerce (desenvolvido pela mesma empresa), e tem possibilidades de personalização de cores e de funcionalidades adicionais para a loja (*plugins* e *widgets*).

Link: *www.wordpress.org/themes/storefront.*

Formato: empresa.

Tema: Twenty Seventeen.

Características: com possibilidade de colocar imagens ou vídeo no topo do website para criar uma dinâmica atrativa. É um tema-padrão do WordPress, muito simples de utilizar e com resultados profissionais.

Link: *www.wordpress.org/themes/twentyseventeen*.

Formato: portefólio.

Tema: Portfolio Press.

Características: tem interesse para mostrar fotografia, arte, websites ou outros tipos de projeto desenvolvidos num formato muito visual. Também funciona bem como blog.

Link: *www.wordpress.org/themes/portfolio-press*.

Formato: portal de notícias.

Tema: MH Newsdesk lite.

Características: um tema moderno e dinâmico para notícias com *flat* design e com grande flexibilidade. É ideal para blog de atualidade, para jornais e para revistas online.

Link: *www.wordpress.org/themes/mh-newsdesk-lite*.

Formato: website pessoal.

Tema: Sparkling.

Características: com um *slider* atrativo na Home Page e com um design minimalista, é uma boa escolha para qualquer tipo de website, mas resulta bem para fins pessoais.

Link: *www.wordpress.org/themes/sparkling*.

Mobile

Ao criar um novo website, deve pensar primeiro em mobile (mobile first), para proporcionar uma experiência ajustada a *smartphones* e a *tablets* através do tema e dos conteúdos. Para um novo website, normalmente o tema já será *responsive*. Se já tiver um website e precisar de o tornar mobile, pode optar por um *plugin*, por contratar um programador ou por um serviço de terceiros para o converter (dudamobile e outros).

CRIE UMA EXPERIÊNCIA MOBILE INSTANTÂNEA

Implemente o Instant Articles no Facebook e o AMP no Google, para que os conteúdos do seu website abram instantaneamente em cada uma destas plataformas.

Torne a experiência mobile ainda mais imersiva através dos Instant Articles para o Facebook e do AMP para o Google. Estas tecnologias permitem que as páginas e os artigos do seu website sejam pré-carregados para abrirem instantaneamente quando alguém clicar no link.

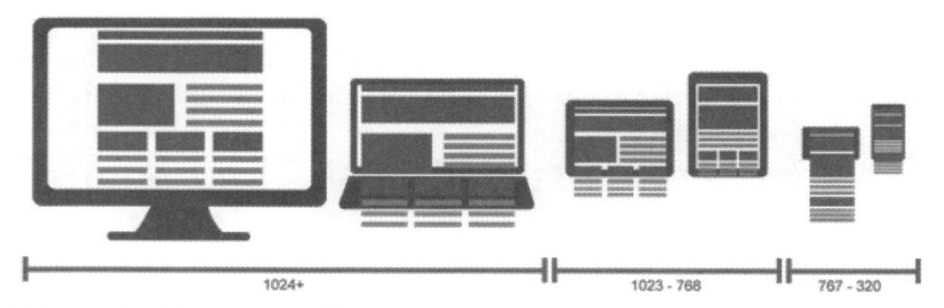

Figura 30 – Representação conceptual de um *website responsive*.

Existe a aplicação gratuita para Android e para iOS que lhe permite gerir com muita facilidade os conteúdos dos websites wordpress.com ou do wordpress.org. Basta adicionar as credenciais de acesso dos vários websites e, numa só aplicação, consegue adicionar ou editar conteúdos de artigos e de páginas. No entanto, deverá ter procedimentos de segurança no *smartphone*, se adicionar acesso aos seus websites através da app, pois, na eventualidade de alguém obter acesso inadvertidamente ao seu *smartphone*, poderá ter acesso à gestão de todos os seus websites, a não ser que tenha um código de acesso inicial.

Também existe a aplicação para computador, disponível para Windows, Mac e Linux. Faça download gratuito em: *https://apps.wordpress.com/desktop*. Deste modo, conseguirá ter acesso facilitado no seu computador, sendo toda a gestão mais simples e mais rápida. Terá acesso à gestão de websites

WordPress.com e, se instalar o *plugin* JetPack nos respetivos websites, poderá também gerir WordPress.org self hosted.

Que Funcionalidades Deve Ter?

Depois de ter o seu WordPress devidamente instalado e configurado, é importante analisar que *plugins* fazem sentido para o seu projeto, de modo a disponibilizar as funcionalidades aos utilizadores. Poderá ver os mais populares e pesquisar, de acordo com o que deseja, em: *www.wordpress.org/plugins/browse/popular*, para *plugins* gratuitos. Ou para *plugins* pagos em: *www.codecanyon.net*. Para o instalar, aceda ao separador «Plugins», onde pode pesquisar e instalar diretamente no diretório de *plugins*, ou carregar o ficheiro, se tiver efetuado download.

É tentador instalar *plugins* para as mais variadas funções, mas faça-o com assertividade; de outro modo, sobrecarrega o WordPress com *plugins* desnecessários, tendo impacto no desempenho e na velocidade do website. Aliás, quantos mais *plugins* tiver, mais terá de atualizar ao longo do tempo para manter bons níveis de segurança.

Se o público do seu website se encontra na União Europeia, é obrigatório mostrar uma mensagem de aceitação e de compreensão da utilização dos *cookies*. Mais informação em: *www.cookielaw.org/the-cookie-law*.

Para facilitar a tarefa, pode consultar esta lista por prioridades e por objetivos:

MANUTENÇÃO E ADMINISTRAÇÃO
Para uma correta manutenção (antes e depois de lançar o website) e para ferramentas de administrador.
WP Maintenance Mode: serve para colocar o website em modo de manutenção. É útil quando ainda está em desenvolvimento ou se deseje fazer grandes alterações. Dá possibilidade de configurar funcionalidades adicionais. Em alternativa, pode ser utilizado o **Coming Soon Page & Maintenance Mode by SeedProd.** **Google Analytics by Yoast:** serve para obter estatísticas detalhadas do website. Opcionalmente, pode utilizar-se o **Google Analytics Dashboard for WP** ou o **Google Analytics by MonsterInsights**. **TinyMCE Advanced:** é um editor avançado, com mais funcionalidades. **Duplicator:** serve para duplicar, clonar, efetuar *backup* ou migrar um website de uma localização para outra.

SEO
Melhore e monitorize o *Search Engine Optimization.*
WordPress SEO Yoast: tem inúmeras opções de otimização para motores de pesquisa, nomeadamente um assistente para monitorizar as boas práticas, quando está a preparar a sua publicação. No âmbito do SEO é um *plugin* obrigatório.
Google XML Sitemaps: aconselhável para utilizadores mais avançados que procuram mais controlo no Sitemap, pois o Yoast já o gera para submeter nos motores de pesquisa (Google Search Console e outros).
Redirection: permite fazer redirecionamento de links e monitorizar erros 404.

DESEMPENHO E OTIMIZAÇÃO
Aumente a velocidade do seu website.
WP Super Cache: torna o website mais rápido através da utilização da cache e de outras técnicas. Os utilizadores mais avançados devem escolher o **W3 Total Cache**.
WP Optimize: faz otimização da base de dados.
Cloudflare: aumenta o desempenho e a segurança, atuando como CDN.
AMP (Acelerated Mobile Pages)**:** permite abrir instantaneamente links do website na listagem de resultados de pesquisa do Google.
Instant Articles: abre instantaneamente links do website dentro do Facebook.
Imagify: reduz as imagens, melhorando o desempenho do website.
Jetpack by WordPress.com: melhora o desempenho do website, protege-o e permite obter tráfego adicional.
Lazy Load: só carrega imagens quando estão visíveis para o utilizador, aumentando a velocidade da página.

SEGURANÇA E *BACKUPS*
Minimize ataques e faça cópias de segurança.
Wordfence Security: aumenta a segurança perante ataques.
Sucuri Security: faz auditoria de segurança, *scan malware* e melhora a segurança.
Loginizer: minimiza ataques de tentativa de login indevido (*bruteforce attacks*).
UpdraftPlus WordPress Backup: permite fazer cópia de segurança e restaurar o *backup*. Dá a possibilidade de o fazer para o Dropbox ou para o Google Drive.

LOJA ONLINE, DIRETÓRIOS E *E-LEARNING*
Crie e personalize uma loja online.
WooCommerce – excelling e-Commerce: é o *plugin* mais popular para a criação de uma loja online.
WooCommerce PayPal Express Checkout Payment Gateway: para aceitar pagamentos por PayPal e por cartão de crédito na sua loja online.
Multibanco (IfthenPay) WooCommerce: para pagamentos com referências multibanco.
YITH WooCommerce Wishlist: adiciona a uma lista os produtos mais desejados.
Easy Digital Downloads: para vender bens digitais de uma forma simples.
LifterLMS: é uma opção gratuita para plataforma *e-learning*. Existem, também, soluções pagas com interesse, como o LearnDash e o Sensei.
AffiliateWP: para atribuir recompensas automáticas com um sistema de afiliados, integrado com loja online ou com outro sistema.
Business Directory Plugin: para criar qualquer tipo de diretório, por exemplo, de negócios locais ou de setor de atividade.

INTERFACE E EXPERIÊNCIA DO UTILIZADOR
Melhore o aspeto gráfico, a usabilidade e a experiência.
NextGEN Gallery: é uma galeria atrativa de imagens.
Yet Another Related Posts: propõe artigos relacionados para reter o utilizador.
Contact Form 7: permite criar formulário de contacto para vários tipos de utilização.
Cookie Law Info: para informar o utilizador de que o website utiliza *cookies*.
Meta Slider: para criar um *slider* atrativo, com imagens na página principal.
Revolution Slider: é um *slider* atrativo para a página inicial (pago).
YouTube Playlist: para adicionar playlists e categorias de vídeos.
Tubepress: para adicionar categorias de vídeos do YouTube (pago).
PowerPress Podcasting: para criar um *podcast* e promover de forma eficiente.
Page Builder by SiteOrigin: para criar layouts atrativos para as páginas.
SiteOrigin Widgets Bundle: para adicionar botões, *call-to-action*, imagens, vídeos, ícones, carrossel e outros elementos.
Visual Composer: para construir qualquer tipo de layout (pago).
WPtouch Mobile Plugin: para criar uma versão mobile do website.

SOCIAL
Integre funcionalidades de redes sociais.
Sharebar ou ShareThis: são botões para partilha nas redes sociais.
Sumome: são botões para partilha nas redes sociais e para outras funcionalidades.
Facebook Like Box: é uma caixa para atrair novos fãs (em alternativa, pode ser utilizado o código do Facebook num widget de texto).
Plugin Facebook: para integrar o website com o Facebook.
BuddyPress: para criar comunidades, com funcionalidades sociais.
bbPress: é um fórum para estimular interação entre utilizadores.

COMUNICAÇÃO
Estimule e filtre a interação com os visitantes.
JivoChat: para dispor de um *chat* e comunicar facilmente em tempo real.
Disqus: é um sistema profissional universal de comentários.
WP Mail SMTP: para garantir que os e-mails enviados do WordPress chegam ao destinatário (formulários e outras notificações). Em alternativa, para mais opções: **Postman SMTP Mailer/Email Log.**
Ninja Forms: para criar formulários para contacto, subscrição, encomendas, pagamentos, pedidos de informação e outros.
Smart Marketing for WP: é um *plugin* do E-goi, para sincronizar e-mails com lista, subscrição nos comentários e com integração com Contact Form 7 e com WooCommerce. Existe também o *plugin* **e-goi Mail List Builder.**
MailChimp List Subscribe Form: para criar um widget, com formulário para inscrição na respetiva lista no Mailchimp.
MailPoet Newsletters: para criar newsletters, e-mails automatizados e widget de subscrição, para comunicar de forma simples.
Akismet: é um serviço para identificar comentários spam.
Really Simple CAPTCHA: permite adicionar uma validação, para minimizar spam em formulários ou *plugins* similares (útil para Contact Form 7).

MULTILANGUAGE
Prepare-se para públicos internacionais.
WPML: faz tradução profissional para websites multilingue, sendo esta uma das opções mais utilizadas e mais fiáveis (pago).
qTranslate X: faz tradução para websites multilingue, com *plugin* para Yoast (permite melhorar SEO em outros idiomas). É a opção gratuita mais popular. Em alternativa, pode experimentar o Polylang ou Transposh.
Gtranslate: é uma solução simples e gratuita para tradução automática. A versão paga permite que os conteúdos sejam indexados pelos motores de pesquisa nas várias traduções.
Loco Translate: permite traduzir *plugins* e temas.

Consulte esta matriz para o ajudar a escolher os tipos de funcionalidade, aspeto gráfico e solução de alojamento, de acordo com o tipo de website que deseja criar.

Legenda:
● - Essencial
○ - Opcional

	Landing Page	Institucional	Blog	Loja	Portal notícias	Comunidade	Pessoal	Portefólio	Diretório	e-Learning
PLUGINS										
Google Analytics by Yoast	●	●	●	●	●	●	●	●	●	●
WordPress SEO Yoast	●	●	●	●	●	●	●	●	●	●
WP Super Cache/W3TC	●	●	●	●	●	●	●	●	●	●
Wordfence Security	●	●	●	●	●	●	●	●	●	●
WooCommerce		○	○	●	○	○				○
Yet Another Related Posts		○	●		●	○	●	○		
Contact Form 7		●	●	●	●	●	●	●	●	●
Cookie Law Info	●	●	●	●	●	●	●	●	●	●
Meta Slider		○	○	○	○	○	○	○	○	○
YouTube Playlist		○	○		○	○	○	○		○
Page Builder by SiteOrigin	●	○		○	○	○	○	○		○
Sumome		○	○	○	○	○	○	○	○	○
Plugin Facebook			○		○		○	○		
BuddyPress			○		○	●			○	○
bbPress		○	○		○	●	○		○	○
JivoChat	●	●		●			○	○		●
Disqus		○	●	○	●		○	○	○	○
WP Mail SMTP	○	●	●	●	●	●	○	○	●	○
Smart Marketing WP	○	○	○	○	○	○	○	○	○	○
WPML ou qTranslateX	○	○	○	○	○	○	○	○	○	○
LifterLMS ou LearnDash		○	○	○	○	○	○			●
Business Directory Plugin			○		○	○			●	
TEMAS										
One Page	●	○					○			
Vega	○	○	●	○			○	○		
Storefront		○		●						
Twenty Seventeen		●	○		○	○	○	○	○	○
Portfolio Press			○				○	●		
MH Newsdesk lite			○		●					
Sparkling		○	○	○		●	●		○	○
ALOJAMENTO										
Partilhado	●	●	●	○			●	●		
VPS				●	●	●			●	○
Dedicado			○	○	○	○			○	○
Cloud						○			○	●
CDN		○		○	○	○			○	●

Figura 31 – Matriz de seleção de *plugins*, de temas e de alojamento.

Administração do WordPress

A partir do momento em que aceder à interface de administração, é mais produtivo ter dois separadores abertos no seu explorador de Internet. Um com o website, por exemplo: *www.vascomarques.com* e outro com a interface de administração: *www.vascomarques.com/wp-admin*. Assim, para implementar alterações, basta aceder ao outro separador e atualizar a página para ver os ajustes refletidos.

COMO ACEDO À INTERFACE DE ADMINISTRAÇÃO DO WORDPRESS?

A maneira mais fácil é através do endereço do seu website, seguido de /wp-admin.
Exemplo: *www.vascomarques.com/wp-admin*, bastando substituí-lo pelo seu domínio.

Painel

Em «Início», tem acessos rápidos à personalização do website, podendo: personalizar o seu website ou mudar de tema, escrever o primeiro artigo, adicionar páginas, ver o aspeto do website, gerir *widgets* e menus, ligar ou desligar comentários e aprender mais sobre o WordPress. Pode ainda ver atividade recente, comentários, criar um rascunho rápido de uma ideia para artigo e ler notícias do WordPress.

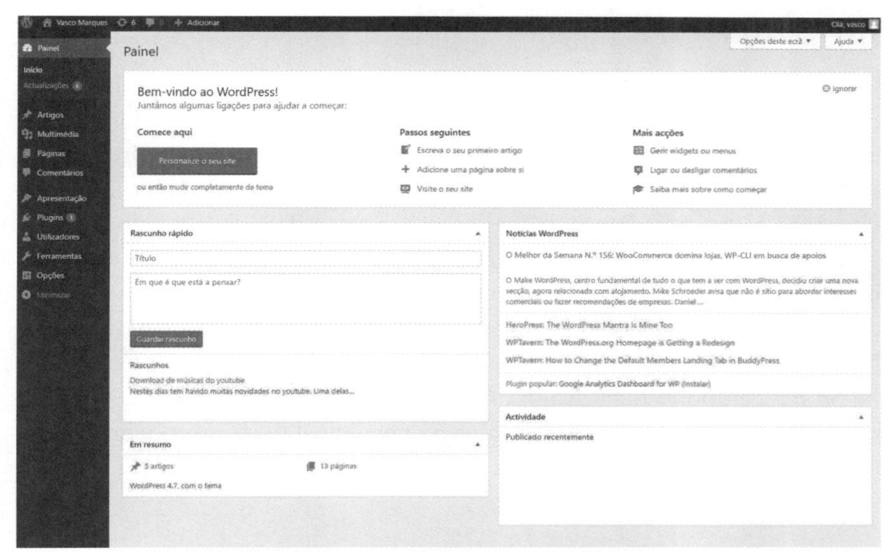

Figura 32 Painel de administração do WordPress.

Existe outro separador, onde pode consultar todas as atualizações disponíveis para o WordPress, traduções, temas e *plugins*. É muito prático, especialmente porque pode selecionar logo para atualizar todos os *plugins* com atualizações disponíveis. Mas é importante efetuar *backup* antes de proceder a atualizações, na eventualidade de incompatibilidades ou de outros imprevistos.

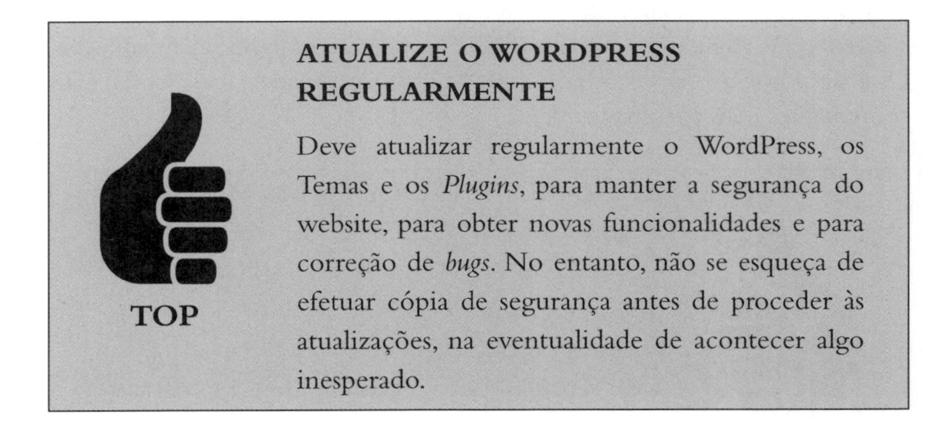

TOP

ATUALIZE O WORDPRESS REGULARMENTE

Deve atualizar regularmente o WordPress, os Temas e os *Plugins*, para manter a segurança do website, para obter novas funcionalidades e para correção de *bugs*. No entanto, não se esqueça de efetuar cópia de segurança antes de proceder às atualizações, na eventualidade de acontecer algo inesperado.

Criar Artigos

Os artigos aparecem, normalmente, na página principal. Mas também podem estar ligados através do menu diretamente a artigos, a categorias ou a etiquetas (*tags*). São criados e publicados com regularidade, de preferência semanalmente (ou diariamente, para projetos de maior dimensão). Podem ser organizados por data, autor, etiquetas e categorias. Facilitando a navegação, para encontrar rapidamente o que pretende. Habitualmente, os comentários estão ativos para gerar interação. É importante que aceda à secção de comentários, para os poder gerir e para interagir. É aconselhável ter os botões de partilha social ativados.

Se desejar, pode fixar artigos. Assim, mesmo que surjam novas publicações, estes ficam sempre visíveis na página principal (para promoções, informações importantes, anúncios, etc.).

Figura 33 – Fixar artigo no topo do website WordPress.

Os *Plugins* e os *Widgets* dão tratamentos diferentes aos artigos em relação às páginas. As páginas têm uma missão mais estática, embora sejam editáveis. Os artigos podem ser vistos por: mês, artigos relacionados, mais vistos, mais comentados, mais partilhado, etc.

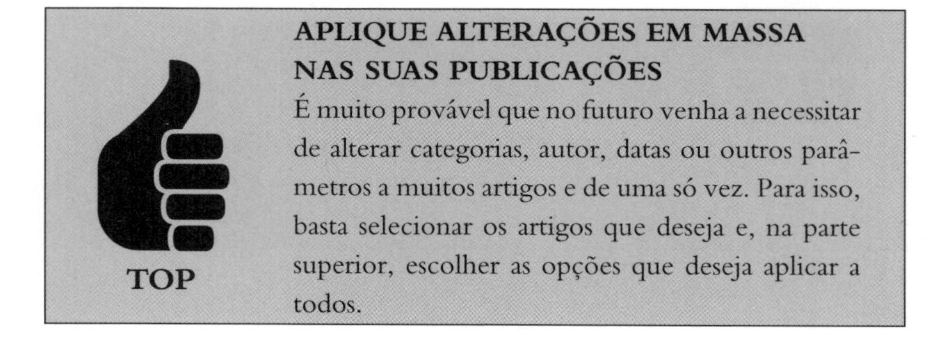

APLIQUE ALTERAÇÕES EM MASSA NAS SUAS PUBLICAÇÕES

É muito provável que no futuro venha a necessitar de alterar categorias, autor, datas ou outros parâmetros a muitos artigos e de uma só vez. Para isso, basta selecionar os artigos que deseja e, na parte superior, escolher as opções que deseja aplicar a todos.

Para publicar o seu artigo, clique em «Artigos» e depois em «Novo artigo». Comece por escrever título, inserir imagem e redigir um texto, que poderá ser formatado. Repare que, do lado direito, pode aceder a algumas funcionalidades do artigo: se está publicado, visibilidade e data de publicação. Pode também definir o formato do artigo, as etiquetas e as categorias. Por fim, adicione uma imagem de destaque, que ficará visível na listagem de artigos. Assim que estiver pronto, clique em «Publicar».

ANATOMIA DE UM ARTIGO	
Título	Atribua um bom título ao seu artigo: que resuma bem o conteúdo e que contenha boas palavras-chave. Não deve ultrapassar os 60 caracteres (ou 600 pixéis), para poder ser totalmente visível nos motores de pesquisa.
Link	Depois de escrever o título, será gerada a «ligação permanente», portanto o link para o artigo, podendo alterá-lo antes ou depois de o publicar.
Conteúdo	Deve escrever no mínimo 300 palavras (ver contador do editor, no rodapé). Adicione pelo menos um subtítulo e, justificando-se, adicione mais, considerando que não deve ultrapassar 300 palavras para cada texto dos subtítulos. Enumere ou liste assuntos, para permitir leitura diagonal. Ao mesmo tempo, utilize negritos para destacar palavras importantes e crie links internos e externos. Utilize pelo menos uma imagem no artigo, devidamente otimizada e com o «Texto alternativo» corretamente preenchido. Os parágrafos não devem ser muito longos. As frases devem ter menos de 20 palavras. Se for necessário, passe para o modo HTML, para poder inserir o código de conteúdos Social Media.
Formato	Escolha o formato adequado (Standard, nota, imagem, vídeo, citação, ligação, galeria ou áudio).
Categorias	Associe uma ou mais categorias (podem ter hierarquia), que pode criar no gestor de categorias ou diretamente no artigo.
Etiquetas	Associe a pelo menos três etiquetas de palavras-chave para organizar o artigo. Basta separar por vírgulas.
Imagem destaque	Escolha a imagem que irá aparecer na listagem no website e nas redes sociais.
Resumo	Defina um texto-resumo, para aparecer no seu website, nos motores de pesquisa e nas redes sociais.

Otimize-o para as redes sociais: ajuste-o e certifique-se de que tem um bom título, uma boa descrição e uma boa imagem, associado à partilha (utilize o *plugin* Yoast).

Vá mais além e utilize técnicas de *Search Engine Optimization*. Utilize o *plugin* Yoast para mais opções.

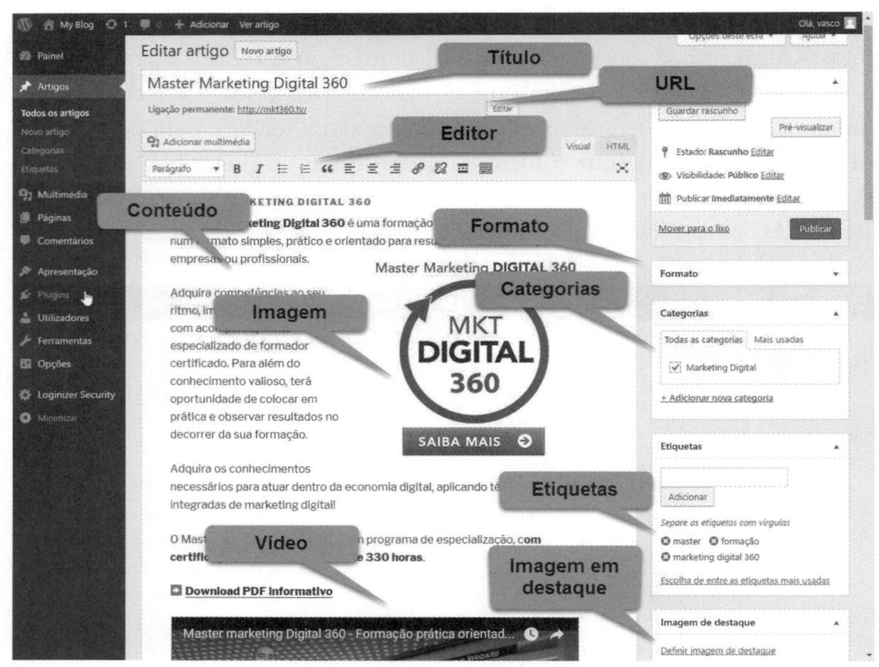

Figura 34 – Anatomia de um artigo no WordPress.

Veja exemplo: *www.vascomarques.com/livro-redes-sociais-360*

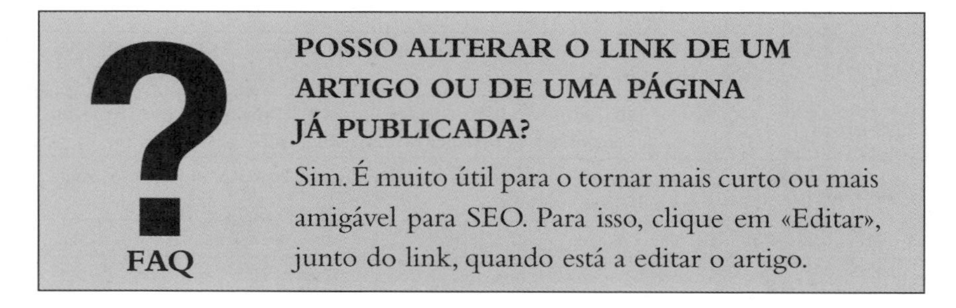

?
FAQ

POSSO ALTERAR O LINK DE UM ARTIGO OU DE UMA PÁGINA JÁ PUBLICADA?

Sim. É muito útil para o tornar mais curto ou mais amigável para SEO. Para isso, clique em «Editar», junto do link, quando está a editar o artigo.

Opções Adicionais nos Artigos

No painel superior, em «Opções deste ecrã», pode ativar a opção «Excerto», que permite ativar o campo correspondente por baixo do artigo. Este será um texto de introdução, que aparece antes de ler o artigo completo, arquivos, RSS *feed* e também será visível nos motores de pesquisa. Pode ser útil quando quer controlar o texto que quer mostrar, que pode ser diferente do início do texto completo.

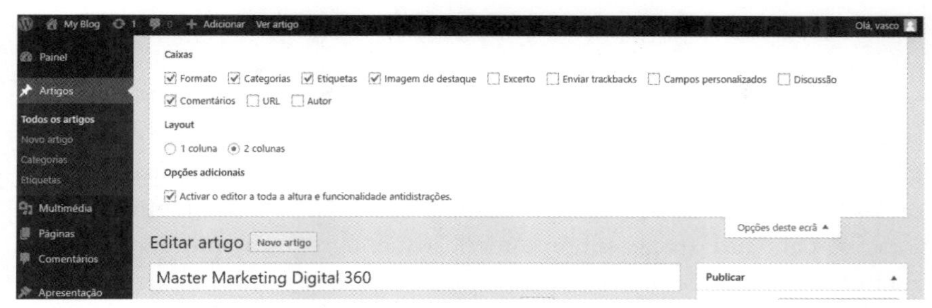

Figura 35 – Opções adicionais nos artigos, para mais funcionalidades.

Depois, tem outras possibilidades, relacionadas com: comentários, autor, campos personalizados, layout e outras opções adicionais. Esteja atento a estas opções adicionais noutras zonas do WordPress, que lhe darão possibilidades complementares de funcionalidades.

Categorias e Etiquetas

As categorias e as etiquetas são atributos dos artigos. Quanto às categorias, permitem associar artigos a uma organização de conteúdos, o que faz mais sentido em assuntos mais abrangentes, permitindo criar uma determinada hierarquia e podendo haver subcategorias. Já as etiquetas são palavras-chave associadas que revelam mais especificidade dos temas, possibilitando uma organização adicional (assuntos relacionados com o tema central). É possível adicionar *widgets* de etiquetas e de categorias, existindo *plugins* para potencializar ambos, dando-lhes tratamentos diferentes. Pode gerir etiquetas e categorias na respetiva opção, dentro do menu de artigos, ou adicionar diretamente nos artigos quando está a editar. É possível alterar em massa a atribuição destes dois parâmetros, o que é bastante prático e útil.

Um artigo tem de estar associado a, pelo menos, uma categoria, mas poderá ser incluído em mais de uma, se for relevante. Apesar de não ser obrigatório utilizar etiquetas, é aconselhável que associe 3 a 5 assuntos específicos de que o artigo trate.

Tanto as categorias como as etiquetas geram um link específico para cada uma delas. Pode gerar esse link, clicando numa e noutra ao visualizar o artigo. É possível associar estas ligações a itens de menu, para ajudar a organizar o conteúdo. Não são sensíveis a maiúsculas, por isso escreva de forma normal, capitalizando apenas quando fizer sentido.

Ao clicar numa categoria, fica com este tipo de link: *www.vascomarques.com/category/livro-redes-sociais-360* e, ao clicar numa das etiquetas, o link gerado é este: *www.vascomarques.com/tag/redes-sociais*. Neste caso, é um artigo que aborda o livro *Redes Sociais 360*, que está na categoria «Livro Redes Sociais 360», na qual estão mais artigos que tratam deste assunto. No entanto, as etiquetas utilizadas são: «redes sociais», «Lisboa», «livro». Já noutros artigos, apesar de o tema central ser o mesmo, terá outras, de acordo com os assuntos mais específicos, por exemplo, «TV», «press clipping», «redes sociais», para um artigo sobre a menção ao livro num programa de TV. Esta organização será útil para, posteriormente, listar todos os artigos sobre este assunto específico no subitem de menu «Press Clipping».

Multimédia

Permite ver, no alojamento do website, toda a biblioteca de imagens, de vídeos, de áudios, de PDF e de outros ficheiros disponíveis. Se aceder a «Adicionar ficheiro», poderá enviar ficheiros compatíveis, a fim de que fique disponível para utilizar nos artigos e nas páginas. Nas imagens, é possível cortar ou redimensionar, para que obtenha o tamanho que pretende.

É possível ver em modo de lista ou de galeria. Pode, ainda, aplicar filtros, para ver imagens, áudios, vídeos ou desanexados (recursos que não estão a ser utilizados em nenhuma publicação). Poderá, opcionalmente, filtrar por datas.

Páginas

As páginas são úteis para conteúdos estáticos que, normalmente, ficam associados aos itens do menu (quem somos, serviços, produtos, galeria, contactos...). Estático não significa que não possa atualizar, mas, por norma, não está a criar páginas regularmente. É criado inicialmente ou quando fizer sentido.

Pode ser definida uma página para Home Page, em vez da listagem de artigos, dando um aspeto mais típico de website do que de blog, configurando em «Opções», «Leitura». Por defeito, quando publica uma página, ela não aparece na página principal, pois tem de ser associada ao menu ou ligada a outra página ou artigo. É possível atribuir uma hierarquia entre páginas, que poderá ficar automaticamente associada a menus e a submenus. Normalmente, não têm os comentários ativos, fazendo mais sentido nos artigos.

CRIE UMA HOME PAGE PROFISSIONAL E ATRATIVA

Impressione os visitantes com uma página criativa. Utilize o Page Builder para desenhar à sua medida a experiência que deseja proporcionar. Estão disponíveis packs prontos a utilizar, já com um layout de base.

Para criar a Home Page do seu website, basta publicar conteúdos na página que ficou atribuída para abertura inicial. Mas seria bom ir mais além e impressionar os visitantes. Para isso, utilize o *plugin* Page Builder, com a possibilidade de obter packs prontos a utilizar, com um layout já definido. Também estão disponíveis temas, *widgets* e outros extras, para estender as funcionalidades desta ferramenta.

Figura 36 – Exemplo de várias Home Pages criadas no Page Builder.

Tanto as páginas como os artigos dão a possibilidade de ser definida uma senha para acesso privado a casos mais específicos (clientes, acessos pagos, dados privados, etc.).

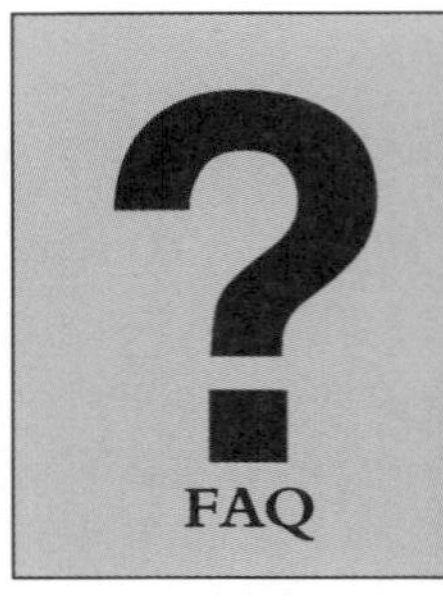

COMO DESATIVAR COMENTÁRIOS DE TODAS AS PÁGINAS?

Se tiver os comentários ativos nas páginas, poderá efetuar uma operação em massa para os desativar. Desative também nas opções, para evitar que, a partir desse momento, fiquem ativos, por defeito, em novas páginas.

Para adicionar conteúdos a uma página, faz-se exatamente da mesma maneira como para artigos.

	ARTIGOS (*POSTS*)	PÁGINAS
Editor de conteúdos	✓	✓
Categorias	✓	
Etiquetas	✓	
Formato de artigos	✓	
Imagem em destaque	✓	✓
SEO	✓	✓
Partilhar nas redes sociais	✓	✓
Associar aos menus	✓	✓
Hierarquia		✓
Modelos de páginas		✓
Widgets específicos	✓	
Comentários	✓	✓
Fixar	✓	
Excerto	✓	
Trackbacks e Pingbacks	✓	
Alterar autor	✓	✓
Proteger com senha	✓	✓
Listado por ordem cronológica inversa	✓	
RSS *Feed*	✓	

Quando estamos a criar um artigo ou uma página, aparentemente não há muitas diferenças, mas, como pode ver na tabela, têm objetivos diferentes. Por exemplo, os artigos recentes podem estar visíveis logo na página inicial (configurar em» Opções», «Leitura»). Os artigos fixos aparecem antes de outros, mesmo com datas mais recentes. Podem aparecer em arquivos, categorias, artigos recentes e outros *widgets*. São visíveis no RSS *Feed*, que permite alimentar outros websites ou outras aplicações. Permitem controlar o número de artigos listados na página principal, no arquivo ou num item do menu. Mais informações sobre *posts* e páginas em: *https://en.support.wordpress.com/post-vs-page*.

Formatação e Edição de Conteúdos

O editor de conteúdos é comum para os artigos e para as páginas. Além da formatação básica, se clicar no último ícone, pode expandir mais ferramentas de edição, tais como: estilo do texto, alinhamentos, avanço, etc. No botão «Adicionar multimédia» pode adicionar imagens, criar galerias, criar listas de reprodução de áudio e de vídeo ou inserir URL dos recursos. Normalmente, o tamanho está limitado a 20 MB, dependendo da configuração no alojamento.

Explore também a opção para continuar a ler mais e colar o texto sem formatação (do MS Word, por exemplo). Não vai encontrar a opção de mudar o tipo de letra, como estaria à espera de encontrar num editor de texto, porque esse estilo é definido globalmente no tema, para garantir coerência em todo o texto do website – e ainda bem que é assim!

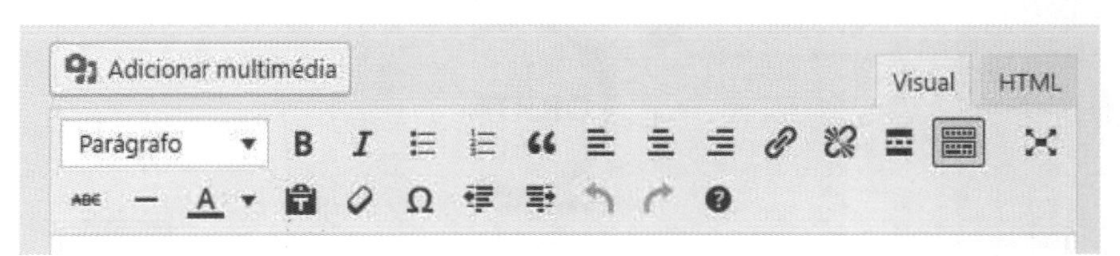

Figura 37 – Formatação e edição de conteúdos de um artigo ou página no WordPress.

O modo HTML é útil para poder colar código *embed* (incorporar) de alguns Social Media, como do LinkedIn, do Scribd, do Pinterest ou outros, permitindo enriquecer a sua publicação com conteúdos adicionais. Serve também para utilizadores mais avançados que desejem colocar outro tipo de código ou ajustar em função das necessidades.

Existe um conjunto de Social Media em que basta publicar o link ou o *permalink* no modo visual para que o conteúdo fique logo disponível, como: YouTube, Facebook, Instagram, SoundCloud, Issuu, SlideShare ou Twitter. Saiba mais em: *https://codex.wordpress.org/Embeds*.

Hiperligações em Imagens e Texto

Adicionar ligações no seu texto para outros conteúdos relacionados é uma boa prática. A melhor forma de o fazer é selecionar a palavra-chave (que pode ser constituída por mais de uma palavra, por exemplo, «Redes Sociais 360») e ligá-la a um artigo ou a uma página que aprofunde o assunto.

Também pode fazê-lo em imagens, já que a tendência do utilizador é clicar em fotografias, ícones, botões ou no que for mais visual.

Insira uma imagem no editor de artigos, clique na imagem e adicione hiperligação, que poderá remeter para: outros websites, artigos, páginas, downloads ou qualquer outro recurso. Se remeter para fora do seu website, deve ativar a opção de abrir em nova janela, para que o utilizador tenha uma melhor experiência. O mesmo pode fazer para uma ou para várias palavras do texto, adicionando, assim, interação com conteúdo relacionado.

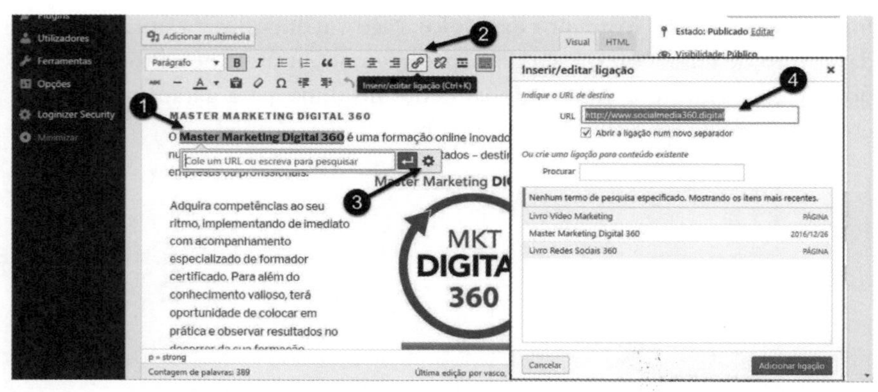

Figura 38 – Adicionar links a texto e imagem em artigos ou páginas no WordPress.

Uma forma simples de adicionar um botão clicável – por exemplo, para uma landing page, para um formulário de inscrição ou para outra referência externa – é adicionar uma imagem clicável. Para isso, insira uma imagem de um botão, que pode pesquisar nos diversos websites de imagens gratuitas – e adicione um link (a abrir numa nova janela). Assim, chamará mais a atenção para esta ligação.

Deve ativar a opção «Abrir» numa nova janela, sempre que remeter o utilizador para outro domínio. Se o estiver a remeter para dentro do seu próprio website, deixe a opção, por defeito, abrir na própria janela.

Comentários

Como é natural, num website com vida é bom que existam comentários. O gestor de comentários permite-lhe visualizá-los todos, incluindo os pendentes, os aprovados, o spam e o lixo. Portanto, pode aprovar, apagar ou marcar como spam. Normalmente, é notificado quando existem novos, mas nesta secção é simples de gerir todo este fluxo.

Apresentação

O aspeto gráfico é fundamental. Por isso, estão ao seu dispor inúmeras opções de personalização. As opções gerais disponíveis são: temas, personalizar, *widgets*, menus, cabeçalho e editor.

Temas

É onde permite instalar novos temas, ou personalizar o atual, depois de ativar o que instalou. Clique em «Adicionar novo» para pesquisar temas gratuitos, com a possibilidade de filtrar os mais populares, recentes, favoritos ou filtro de características (layout, funcionalidades e assunto). Se os tiver adquirido em websites de terceiros (ThemeForest ou outros), pode fazer upload do ficheiro zipado através da opção »Carregar tema».

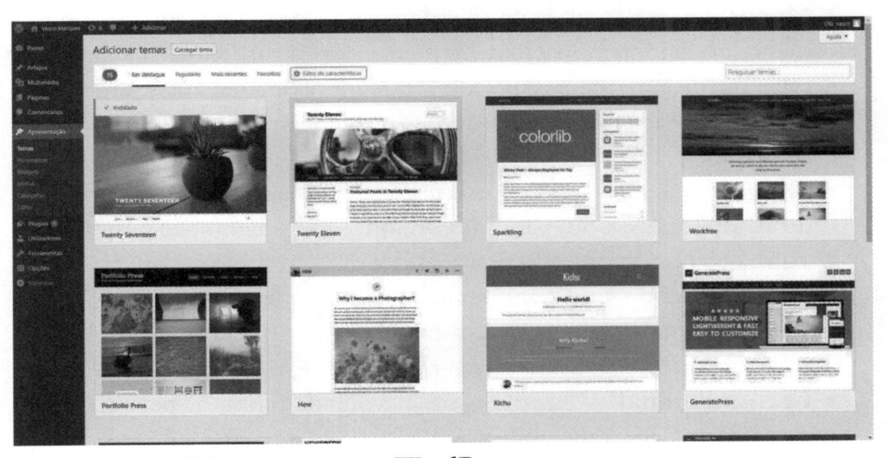

Figura 39 – Adicionar temas no WordPress.

Personalização

Quanto à personalização, terá a possibilidade de ajustar a identidade do website, as cores, o cabeçalho, os menus, os *widgets*, a página inicial e o CSS adicional. Se preferir, pode clicar no ícone do lápis que está sobreposto nos vários pontos editáveis do tema, para ser redirecionado para a respetiva opção. Ao ajustar do lado esquerdo, vê os resultados em tempo real do lado direito. No canto inferior esquerdo, tem opções para ativar a pré-visualização nos três principais ecrãs: computador, *tablet* e *smartphone*.

No entanto, estas opções podem variar de acordo com o tema, existindo alguns com uma amplitude enorme de personalização.

Os principais aspetos de personalização são:

- **Identidade do website** – permite adicionar logótipo, alterar título e descrição, possibilidade de desativar o texto do título e da descrição, ícone do website para ser utilizado no explorador web e na app do website;
- **Cores** – para alterar a paleta de cores para claro, escuro, ou para escolher uma cor personalizada. Também pode alterar a cor do texto do cabeçalho;
- **Multimédia do cabeçalho** – para adicionar várias imagens, para que apareçam aleatoriamente no topo do website. Também pode ser publicado diretamente vídeo ou link do YouTube, sendo apresentada a imagem enquanto o vídeo estiver a carregar;
- **Menus** – para definir atribuição de posição de menus, adicionar novos menus e adicionar novos itens de menus. Tem a particularidade de poder criar imediatamente páginas ou artigos e preencher mais tarde, reordenar e aplicar indentação e outras operações, para criar, gerir e editar os menus;
- ***Widgets*** – para personalizar os *widgets* visíveis na barra lateral (Sidebar), no rodapé um e dois, para proporcionar uma melhor experiência ao utilizador com o que faz mais sentido;
- **Página inicial** – para configurar, quando se quiser que a página inicial seja apresentada com os artigos mais recentes (típico de um blog) ou com uma página estática, criada previamente;
- **CSS adicional** – sentindo-se à vontade com a personalização do código CSS, aqui podem ser vistas as alterações em tempo real. Pode saber-se mais sobre o assunto em: *https://codex.wordpress.org/CSS*.

Figura 40 – Personalização de tema WordPress.

Widgets

Permitem criar blocos laterais (também podem ser criados no topo ou no rodapé), que ficam, por norma, presentes ao longo de toda a navegação do seu website. Esta barra lateral é designada por Sidebar. Para os adicionar, basta aceder a «Apresentação» e em «Widgets» poderá mover, da esquerda para a direita, para o seu Sidebar, aqueles que achar mais relevantes. Também está acessível na opção «Personalização», com a particularidade de ver em tempo real as alterações que está a executar.

Alguns exemplos que pode utilizar para adicionar *widgets*:

- Arquivo;
- Artigos recentes;
- Calendário;
- Categorias;
- Comentários recentes;
- Menu personalizado;
- Nuvem de etiquetas;
- Procurar (caixa de pesquisa);
- Páginas;
- Leitor de RSS *feed* de conteúdos de outros websites relevantes;
- Fotografias do Instagram;
- A caixa gosto do Facebook;
- Texto simples ou código HTML (gerar no editor de texto dos artigos);
- Inscrição na newsletter;
- Links úteis de ligações relacionadas com parceiros;

- Estatísticas do website;
- Imagens ou *banners*;
- Outros recursos com a instalação de *plugins* ou de temas com *widgets*.

Menu de Navegação

Além do menu, que é criado por defeito, baseado nas páginas, também pode criar um menu personalizado, que permite maior controlo e personalização. Possibilita criar um menu baseado em: páginas, categorias de artigos, artigos, etiquetas, formatos e links. É possível mover facilmente os itens do menu, para ficarem de acordo com a ordem desejada. Se mover um item do menu um pouco para a direita, fica com indentação, que corresponde a um submenu.

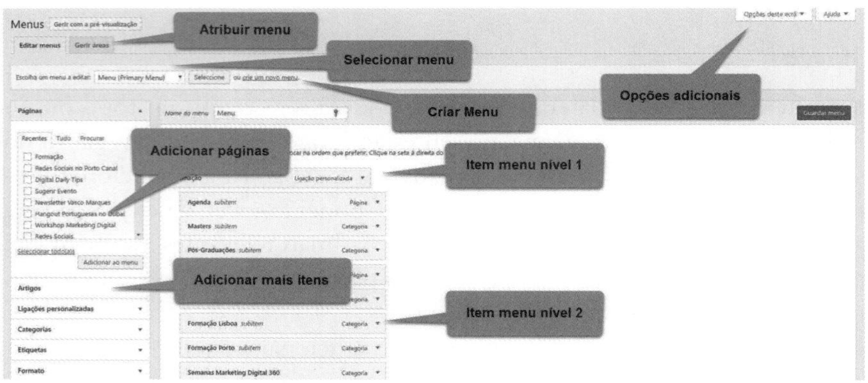

Figura 41 – Interface de criação, gestão e edição de menus.

Aceda a «Aparência», depois a «Menu» e crie um novo menu, para o poder gerir. É importante aceder ao separador «Gerir áreas», para se certificar de que o seu menu está devidamente atribuído a uma área de menu. Normalmente, existe um menu de topo e um de rodapé. Se fez tudo bem, aparentemente, mas se o seu menu não aparece no website, o mais provável é que não tenha sido atribuído o menu que criou a uma área.

Do lado esquerdo, pode selecionar o que deseja. Depois, clique no botão «Adicionar ao menu», para passar para o menu do lado direito, bastando depois arrastar para a ordem ou indentação que desejar.

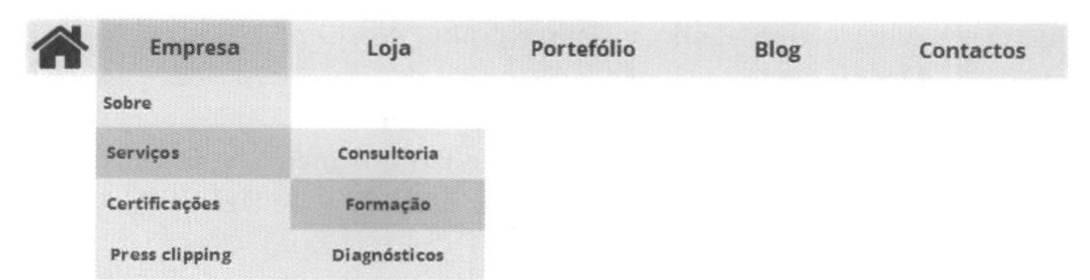

Figura 42 – Exemplo de estrutura de menu de navegação do website.

Os tipos de item que pode adicionar são:

- **Páginas** – é a opção mais frequente para adicionar as páginas que criou;
- **Artigos** – pode ser necessário adicionar artigos diretamente ao menu;
- **Ligações personalizadas** – permite adicionar links externos ou internos ao menu. Se adicionar links para outros websites fora do seu domínio, deve ativar a opção para abrir a ligação num novo separador (aceda a opções de ecrã para ativar). É util, por exemplo, para ligar a *landing pages* suas ou direcionar para websites de parceiros;
- **Categorias** – para evocar todos os artigos que estão numa determinada categoria. É também interessante para ter vários submenus com as diversas categorias do blog;
- **Etiquetas** – se preferir, pode adicionar ao menu etiquetas, em vez das categorias, de acordo com a organização e com a ramificação de menus que pretenda estruturar;
- **Formato** – em alguns casos, é útil ligar ao menu por tipo de conteúdo do blog: standard, nota, imagem, vídeo, citação, ligação, galeria e áudio.

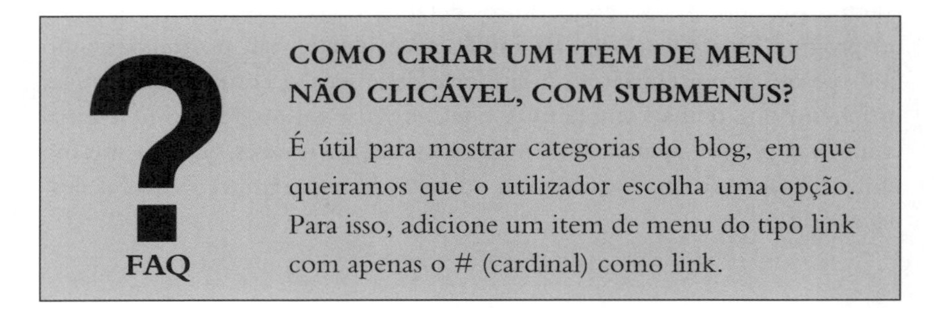

COMO CRIAR UM ITEM DE MENU NÃO CLICÁVEL, COM SUBMENUS?

É útil para mostrar categorias do blog, em que queiramos que o utilizador escolha uma opção. Para isso, adicione um item de menu do tipo link com apenas o # (cardinal) como link.

É frequente questionarem como se pode criar um item de menu que não seja clicável e que permita aceder à lista de artigos de cada uma das categorias. A solução mais simples passa por criar um novo item de menu, escolher o tipo «Link» e definir nome. No campo «Link», colocar apenas #. Depois, basta adicionar as categorias de artigos desejadas e associar os submenus a este item.

A qualquer momento, pode voltar à gestão dos menus e alterar o que desejar, refletindo-se no seu website. Ou, se preferir, pode fazê-lo através da opção de personalização.

Cabeçalho

É um atalho para a opção do «Multimédia do cabeçalho», na secção «Personalizar». Permite personalizar a componente visual do topo do website e o seu comportamento. Normalmente, pode carregar uma imagem ou várias imagens, para rodar aleatoriamente. Permite optar por carregar vídeo ou link do YouTube. Existem muitas possibilidades para tornar o seu website mais atrativo. No entanto, estas opções podem variar em função do tema que estiver ativo.

Editor

Para utilizadores com mais experiência em programação ou em edição de código, existe a possibilidade de alterar os ficheiros do tema atual ou de outros para um nível avançado de personalização, mas não é recomendado para iniciantes ou sem experiência nesta área.

Plugins

Pode gerir os *plugins* instalados, permitindo «Ativar», «Editar» ou «Eliminar». Além disso, pode ver a versão, outros detalhes e visitar o respetivo website do programador. O método de instalação é idêntico ao dos temas: tanto pode pesquisar por gratuitos no diretório desta secção, como pode carregar o ficheiro que tenha comprado (CodeCanyon e outros). Tanto nos temas como nos *plugins*, apenas deve manter instalados aqueles que vai mesmo utilizar. Apague os que estiverem desativados, para não utilizar recursos desnecessários.

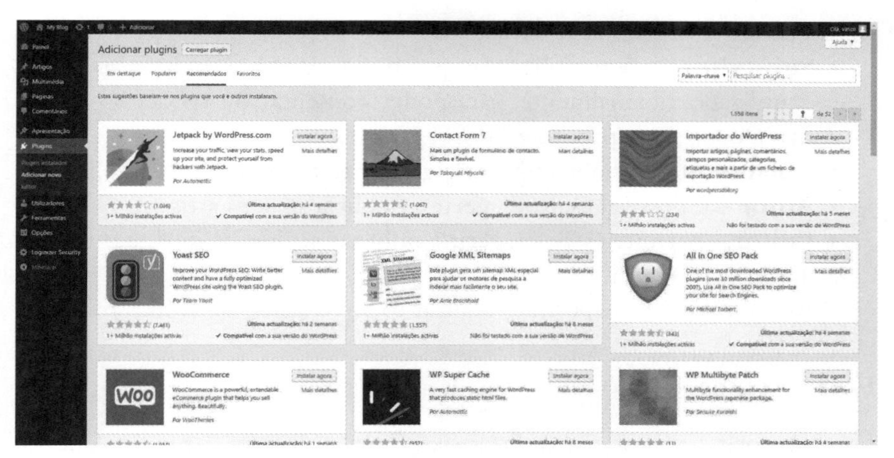

Figura 43 – Interface de instalação de *plugins* no WordPress.

Quando pesquisar por *plugins*, poderá analisar na galeria a relevância para o seu projeto, através da descrição, da imagem e de mais detalhes.

Para ajudar a escolher os *plugins* de acordo com as necessidades do tipo de projeto, veja as recomendações na matriz de funcionalidades deste capítulo.

Mais uma vez, os utilizadores avançados podem editar os ficheiros dos *plugins*, com orientações concretas do programador que o desenvolveu, para ajustar alguma funcionalidade, caso se sinta à vontade nesta área mais técnica.

Utilizadores

Consulte a lista de todos os utilizadores registados e a respetiva informação, tal como o número de artigos publicados e o nível de acesso.

Se for administrador, além de poder editar o seu perfil, aplicável como o de qualquer outro, pode editar o de terceiros ou criar novas contas para colaboradores do website, que receberão por e-mail os dados de acesso.

Existem várias opções de personalização: adicionar website do utilizador, biografia, fotografia Gravatar. Também é possível mudar o idioma apenas da interface de administração para o respetivo utilizador.

A última opção permite fechar a sessão em todas as outras localizações, no caso de ter perdido o seu *smartphone* ou de ter deixado login efetuado num computador público. É uma funcionalidade de segurança que pode ser útil.

Os níveis de acesso da conta são:

- **Subscritor** – é o utilizador que pode gerir o seu próprio perfil. É utilizado, normalmente, para poder comentar ou ter acesso exclusivo a conteúdos para membros registados;
- **Colaborador** – pode escrever e gerir artigos, mas sem os publicar;
- **Autor** – é possível escrever, gerir e publicar os seus artigos;
- **Editor** – permite escrever, gerir e publicar artigos de qualquer utilizador;
- **Administrador** – permite realizar todas as ações da administração.

Ferramentas

Esta categoria costuma expandir as suas funcionalidades, à medida que vai instalando *plugins*. Vão surgindo algumas opções extras nesta categoria ou diretamente no menu de administração.

Ferramentas Disponíveis

Está disponível o «Press This», que é uma aplicação que funciona no browser e que lhe permite recolher informação da web para publicar depois no seu website.

Se for necessário, oferece também a possibilidade de converter categorias em etiquetas, e o inverso.

Importar

Existe a possibilidade de importar conteúdos de outras plataformas, como: Blogger, Blogroll, LiveJournal, Movable Type e TypePad, RSS, Tumblr e de outros websites WordPress. Este último é utilizado especialmente em alguns temas que já trazem dados que servem de exemplo (demonstração).

Exportar

Também pode exportar o website que criou, guardando, assim, artigos, páginas, multimédia, comentários, campos personalizados, categorias e etiquetas. Permite, por exemplo, importá-los para outra instalação WordPress.

Opções

Esta secção requer uma visita para alguns eventuais ajustes. Aqui, também podem aparecer opções de alguns *plugins* que eventualmente instale.

Geral

Permite definir o título do website, a descrição, o endereço do website, e-mail do *webmaster*, se aceita registos, idioma do website para os visitantes (diferente da escolha do idioma no perfil do utilizador, válido apenas para administração) e outras opções-base.

Escrita

Escolha, por defeito, a categoria atribuída a artigos e o formato. Adicionalmente, pode ajustar os serviços de notificação de websites de terceiros, que são comunicados depois de publicar conteúdos, como o Ping-o-Matic.

Leitura

Neste painel, a opção mais importante é «A página inicial mostra», que lhe permite escolher os artigos mais recentes ou uma página previamente criada. Assim assumirá um formato mais típico de blog ou de website.

ALTERE O ASPETO PARA BLOG OU PARA WEBSITE

Aceda a «Opções» e, em «Leitura», escolha o formato que mais se adeque ao seu projeto: o formato típico de um blog com artigos recentes ou o formato característico de um website clássico, que abre com uma página em que tem a informação que deseja que o visitante veja.

Se for necessário, pode alterar o número de artigos que quer mostrar de cada vez, na página principal ou noutras. Escolha no RSS *feed*, se deseja mostrar o texto completo ou o resumo.

Discussão

Permite gerir todo o comportamento dos comentários e *avatars* associados. Assim, pode definir se os comentários ficam retidos para aprovação, ou definir essas regras e como funcionará a discussão no sistema de comentários. Está disponível um bom nível de controlo de discussão.

Multimédia

Apesar de, normalmente, as opções por defeito resultarem, aqui poderá alterar a resolução das imagens para os tamanhos miniatura, médio e grande. Apenas se por alguma razão especial do tema for necessário. Além disso, é possível alterar também a opção de organizar as imagens em pastas por mês.

Ligações Permanentes

Por fim, «Ligações permanentes» permite-lhe definir o formato de URL personalizado para o seu website, em vez de ficar com um endereço ininteligível e pouco atraente na lista de resultados do Google e nas redes sociais. Por isso, ative a opção «Nome do artigo». Por defeito, o tipo de link ativado é dia e nome, que ficaria do tipo: *www.vascomarques.com/2017/12/31/master-marketing-digital-360*, a não ser que este tipo de estrutura tenha particular interesse para si (por exemplo, um blog com muitos conteúdos em que os links com cronologia sejam importantes). Contudo, na maioria dos casos, o ideal é passar para o tipo «Nome do artigo», saindo do URL a informação da data.

☒ Link mau: *http://www.vascomarques.com/?p=6902*

☑ Link bom: *http://www.vascomarques.com/master-marketing-digital-360/*

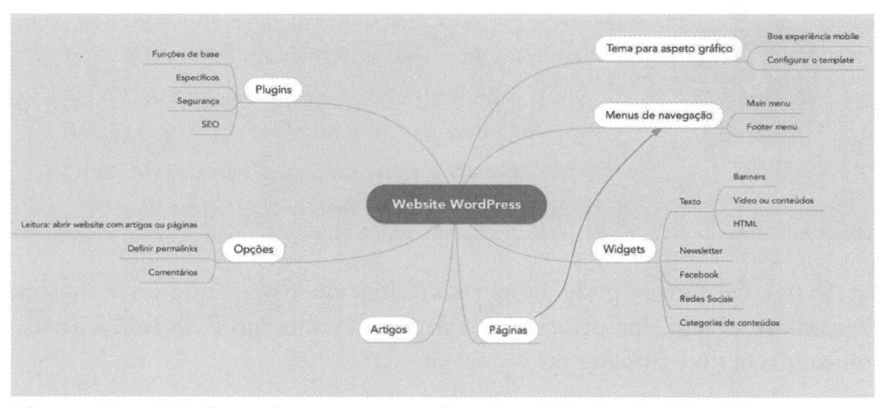

Figura 44 – *Mindmap* da estrutura e funcionalidades do WordPress.

Para terminar, analise o mapa mental, para mais facilmente conseguir idealizar o que pretende fazer e as possibilidades de estrutura que esta plataforma permite.

A Sua Checklist Website Profissional

N	✓	TAREFAS A IMPLEMENTAR
1		Defina um domínio ou vários domínios
2		Contrate um alojamento adequado
3		Desenhe a estrutura do seu website
4		Crie o website com WordPress
5		Personalize o layout e o aspeto gráfico com um tema
6		Adicione novas funcionalidades com *plugins*
7		Configure e personalize o seu website
8		Verifique compatibilidade mobile (*smartphones* e *tablets*)
9		Insira conteúdos atrativos
10		Implemente Google Analytics
11		Crie conta e valide website no Google Search Console
12		Implemente medidas de segurança
13		Execute diagnósticos mensais para monitorização
14		Melhore continuamente a usabilidade e a experiência do utilizador

5
Blog

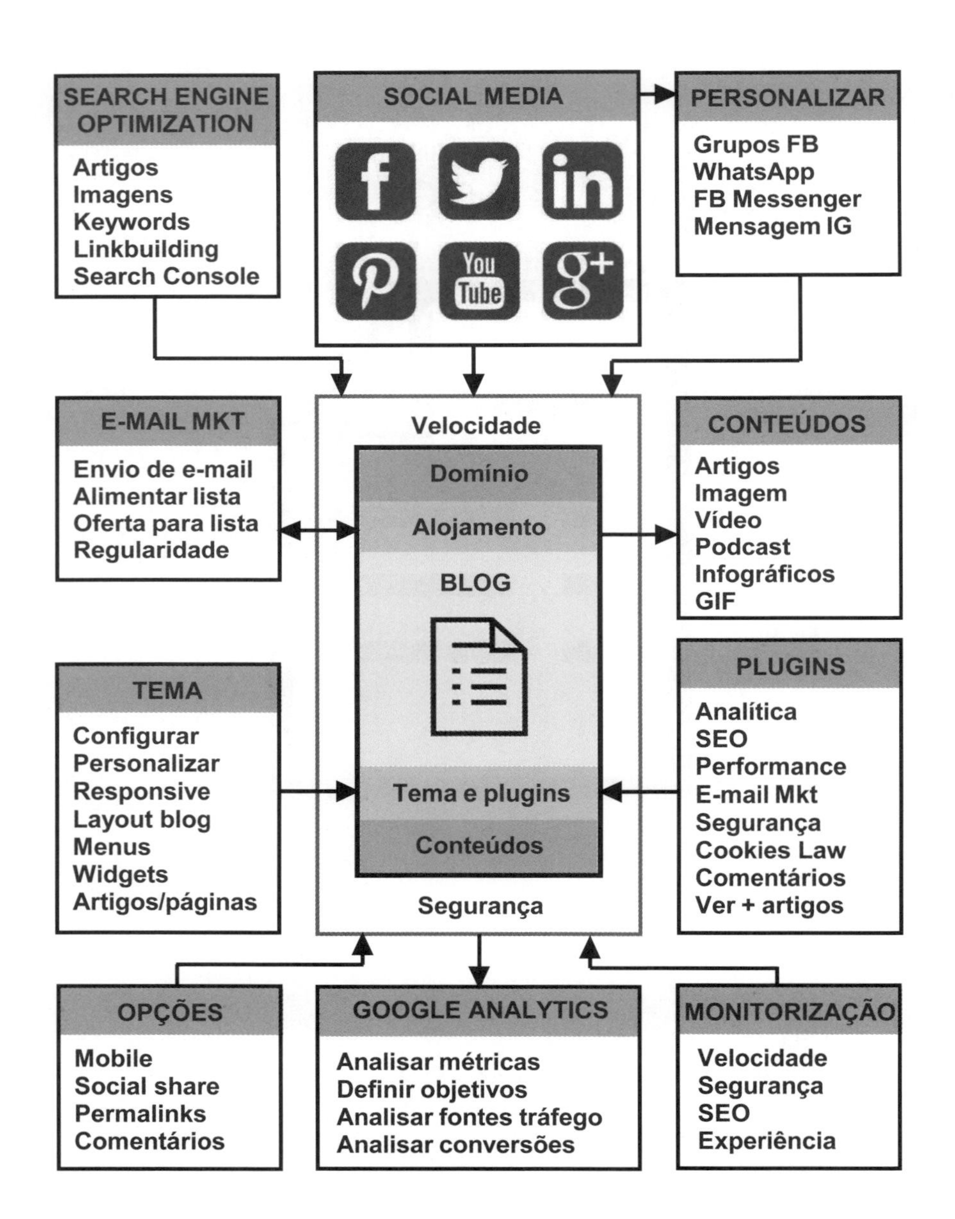
SEARCH ENGINE OPTIMIZATION
Artigos
Imagens
Keywords
Linkbuilding
Search Console
SOCIAL MEDIA
PERSONALIZAR
Grupos FB
WhatsApp
FB Messenger
Mensagem IG
E-MAIL MKT
Envio de e-mail
Alimentar lista
Oferta para lista
Regularidade
Velocidade
Domínio
Alojamento
BLOG
Tema e plugins
Conteúdos
Segurança
CONTEÚDOS
Artigos
Imagem
Vídeo
Podcast
Infográficos
GIF
TEMA
Configurar
Personalizar
Responsive
Layout blog
Menus
Widgets
Artigos/páginas
PLUGINS
Analítica
SEO
Performance
E-mail Mkt
Segurança
Cookies Law
Comentários
Ver + artigos
OPÇÕES
Mobile
Social share
Permalinks
Comentários
GOOGLE ANALYTICS
Analisar métricas
Definir objetivos
Analisar fontes tráfego
Analisar conversões
MONITORIZAÇÃO
Velocidade
Segurança
SEO
Experiência

Por Que Motivo É Importante Um Blog?

Desde o início dos anos 2000 que se passou a ouvir falar muito de blogs. Mas ainda não passaram de moda; pelo contrário, cada vez se ouve falar mais deles, que é proporcional à sua importância.

Um blog é um tipo de website, orientado para publicações regulares em torno de determinado tema. Como pressupõe esse carácter regular, desperta mais interesse no público e, portanto, também ao Google, que tenta entregar os resultados mais relevantes para os utilizadores. Pode ser mais centrado em texto, em imagem ou em vídeo (*vlog*).

Objetivos de um blog:

Blog da empresa – publicar conteúdos que sejam do interesse especial do seu público-alvo, relacionados com o setor, novidades da empresa e institucional;

Blog pessoal – partilhar conhecimento sobre áreas de interesse;

Blog temático – partilhar informação sobre viagens, passatempos ou outra atividade;

Blogger como atividade – obter rendimentos em atividade principal ou secundária. Neste caso, deve encontrar formas de rendibilização, como: AdSense, afiliados, vender espaço ou *posts* patrocinados.

Figura 45 – Estrutura de um blog.

Antes de começar, pense no seguinte:

- Quais são os objetivos que pretende com o blog;
- Escolha o tema ou o nicho;
- Escolha a plataforma;
- Registe um domínio. Ou escolha um subdomínio ou uma pasta no seu domínio;
- Escolha uma plataforma de e-mail marketing;
- Pense numa oferta para dar aos seus visitantes;
- Defina a periodicidade;
- Crie uma estrutura para as publicações;
- Inspire-se para a criação de conteúdos com o Buzzsumo, o Google Trends, o Ubersuggest e o Keyword.io.

DESCUBRA OS ARTIGOS MAIS PARTILHADOS

Para saber quais são os artigos que estão a ser mais partilhados nas redes sociais, no seu blog ou num concorrente, utilize o serviço: *www.buzzsumo.com.*

Alguns cuidados que deve ter:

- Não copie conteúdos;
- Se recolher dados em formulários, certifique-se de que cumpre a legislação;
- Se usar conteúdos de terceiros que deram consentimento (ou a licença o permite), indique a fonte;
- O seu conteúdo deve ser sempre revisto por terceiros;
- Tenha atenção a aspetos de usabilidade e de rapidez do blog.

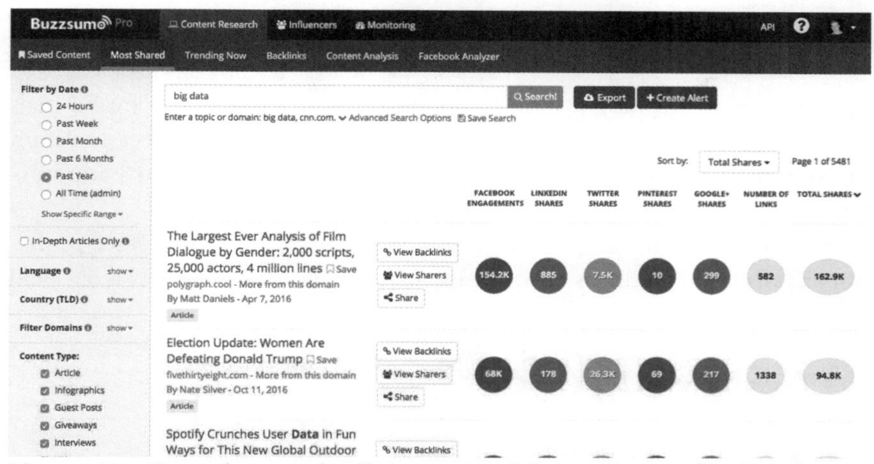

Figura 46 – Descubra quais são os conteúdos mais partilhados de um website ou de um blog.

Plataformas a Utilizar

Algumas das plataformas possíveis para blog:

- WordPress.com ou WordPress.org;
- Blogger;
- Sapo;
- Medium;
- LinkedIn Pulse;
- Tumblr;
- Google Sites.

São tantas as plataformas, que, provavelmente, não saberá por onde começar. Se ainda não é claro para si qual é a melhor opção, aconselho o WordPress.com, por ser gratuito, livre de preocupações e por poder avançar rapidamente. Se vier a entusiasmar-se mais com a ideia, e se for necessário expandir o projeto, pode migrar para o WordPress.org, onde terá liberdade total para fazer o que quiser.

Se desejar criar um blog no WordPress.com, poderá aceder a um curso, que disponibilizo gratuitamente em: *www.vascomarques.com/curso-wp-gratis*.

Utilize WordPress para o Seu Blog

Se quiser criar um blog a sério, aconselho o WordPress.org. A forma mais prática é comprar o domínio e o alojamento no mesmo fornecedor, num plano com o WordPress instalado. Assim, poderá aceder também à administração e começar a trabalhar no seu blog.

Aconselho-o que consulte o capítulo Web e o capítulo Website profissional, pois pode seguir os procedimentos, aplicando agora as variações pelo facto de ser um blog.

Algumas das funcionalidades que pode precisar para blog:

- *Posts* mais populares;
- Gestão de comentários e anti-spam;
- *Backup* regular automático;
- Otimização de imagens;
- Formulário para newsletter;
- Partilha nas redes sociais;
- Pop-up com oferta especial.

As funcionalidades de categorias e de *tags* são fundamentais para o blog, pois permitem arrumar conteúdos por temas e por assuntos. Pode igualmente atribuir ao menu a organização de temas. Utilize o truque de adicionar um item de menu do tipo link com um # (cardinal), para que obrigue o utilizador a selecionar uma categoria no submenu.

Em relação ao tema (aspeto gráfico), encontra inúmeras opções, gratuitas e pagas. Comece por pesquisar diretamente no diretório do WordPress. Mas se não quiser, por enquanto, perder tempo com isso, recomendo o tema gratuito para qualquer tipo de projeto: hueman, produzido pela Press Customizr.

Conteúdos

É fundamental planear as suas publicações: uma vez por semana ou diariamente. Pode executá-lo com o MS Excel, Google Docs ou com o Coschedule, para uma manutenção mais avançada.

Através do Google Analytics, analise quais são os conteúdos que geram mais interesse, com o intuito de poder divulgar ainda mais e talvez poder voltar ao tema com outra abordagem.

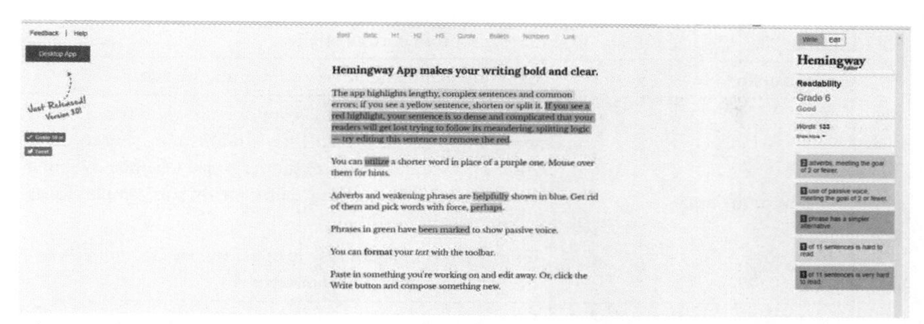

Figura 47 – Assistente para o ajudar a criar conteúdos mais facilmente.

Ferramentas importantes para o seu blog:

- Para otimizar imagens – utilize o: *www.optimizilla.com*, para otimizar múltiplas imagens para a web;
- Criar imagens atrativas – utilize o Canva.com, o Adobe Spark ou Adobe Photoshop;
- Para redirecionar o tráfego – permite redirecionar o tráfego, de acordo com diversas condições, nomeadamente com: dispositivo, país, sistema operativo, loja de app e outras variáveis. É útil, por exemplo, para redirecionar para plataformas de afiliados disponíveis no respetivo país do visitante, para venda de *e-books* ou de música e para mostrar lojas disponíveis na região do visitante. Utilize o: *www.smarturl.it* ou o: *www.geni.us*;
- Corretor ortográfico – utilize uma boa ferramenta, para o ajudar a escrever melhor. O Flip, da Priberam, é excelente e integra perfeitamente com o MS Office. Ao mesmo tempo, utilize o Grammarly, como extensão do Google Chrome, para o ajudar a escrever melhor inglês;
- Para melhorar o conteúdo – o Atomic AI ajuda a criar conteúdo, a partilhar e a interagir. Saiba mais em: *www.atomicreach.com*;
- Para criar conteúdo mais facilmente – o *www.hemingwayapp.com* é um assistente poderoso para o ajudar a criar conteúdos, destacando de forma colorida as várias partes do artigo, de acordo com a sua constituição e com os ajustes a fazer. Integra com o WordPress e com o Medium. Também pode descarregar a ferramenta para o seu computador.

Depois de descobrir o seu estilo de escrita e o tamanho ideal, poderá utilizar um modelo para o ajudar a escrever as publicações, de acordo com o público-alvo e a densidade que o assunto deve ter.

De 300 a 3000 palavras	**Título**	Crie um título curto e atrativo.
	Introdução	Explique sucintamente os assuntos que vai tratar.
	Desenvolvimento	Escreva parágrafos curtos, com três a seis frases. Utilize, sempre que for necessário, listas e numeração, para tornar a leitura mais atrativa. Utilize subtítulos para facilitar a leitura. Coloque palavras ou frases em negrito, para proporcionar leitura diagonal. Utilize várias imagens e, se for possível, vídeo com relevância, produzido por si ou por terceiros.
	Conclusão	Faça um resumo do assunto e estimule a interação.

Estrutura do Blog

Normalmente, surgem os *posts* recentes na página principal. Mas pode ajustar a estrutura em função do tipo de blog. Por exemplo, pode adicionar um *slider*, com destaques para *posts*, novidades, produtos ou serviços.

Do lado direito, tem, por norma, blocos com informação complementar: seguir nas redes sociais, *posts* recentes, *posts* mais vistos, inscrever na newsletter e, eventualmente, anúncios ou destaque para produtos ou serviços.

O menu de navegação deve ser simples, normalmente composto por:

- Sobre – pode ter informação sobre o autor ou sobre a organização associada ao blog;
- Categorias do blog;
- Contactos;
- Menus adicionais – produtos, serviços, loja, newsletter, portefólio e outros.

É importante que, em todos os *posts*, tenha uma fotografia e a biografia curta do autor. Caso seja o mesmo autor em todas as publicações, poderá ficar visível num bloco do lado direito.

Como Divulgar o Blog?

Depois de o criar, terá de o divulgar por todos os meios possíveis. Eis algumas das ferramentas que pode utilizar:

- Partilhe-o no Facebook, Twitter, LinkedIn, Google Plus, Pinterest e na descrição dos seus vídeos relacionados no YouTube;

- Envie as suas novas publicações, por e-mail, para a sua lista da newsletter;
- Envie os conteúdos, por plataformas de Instant Messaging, para pessoas ou grupos relevantes. Utilize o Facebook Messenger, as Mensagens Diretas do Instagram, WhatsApp e outros;
- Submeta o blog no Google Search Console e noutras plataformas de *webmasters* dos motores de pesquisa;
- Implemente técnicas de SEO.

Ganhar Dinheiro como Blogger

Apesar de o âmbito deste capítulo ser um blog para fins empresariais – como um complemento da comunicação –, é inevitável o assunto sobre rendibilização de blog. Se estiver motivado apenas pela componente financeira, desistirá rapidamente. Se está motivado para escrever sobre um assunto que domina e de que gosta, então avance.

Formas de ganhar dinheiro com o seu blog:

- Google AdSense;
- Anúncios negociados diretamente com empresas;
- Parceria com marcas;
- Conteúdos patrocinados;
- Afiliados;
- *E-books*;
- Cursos online (WordPress, Udemy ou Teachable);
- Área paga, reservada a membros;
- Consultoria.

Se quiser vender o seu blog, se tiver muitas visitas e se partilhar muito conhecimento, esta ferramenta pode ajudá-lo a determinar o valor total do projeto ou quanto poderá gerar de receitas: *www.worthofweb.com/calculator*. Também pode utilizá-la para avaliar um blog que tenha interesse em comprar ou em patrocinar. Note que é meramente indicativo e subjetivo. É como comprar uma empresa: há várias formas de chegar ao valor. Se desejar comprar ou vender domínios, um dos serviços que pode utilizar é: *www.namecheap.com*.

A Sua Checklist Blog

N	✓	TAREFAS A IMPLEMENTAR
1		Escolha o assunto e o objetivo do seu blog
2		Defina a plataforma que vai utilizar
3		Desenhe a estrutura e o layout
4		Adicione as funcionalidades desejadas
5		Inspire-se para criar conteúdos de interesse para o seu público
6		Crie conteúdos atrativos
7		Divulgue os conteúdos, recorrendo a várias ferramentas

6
Loja Online

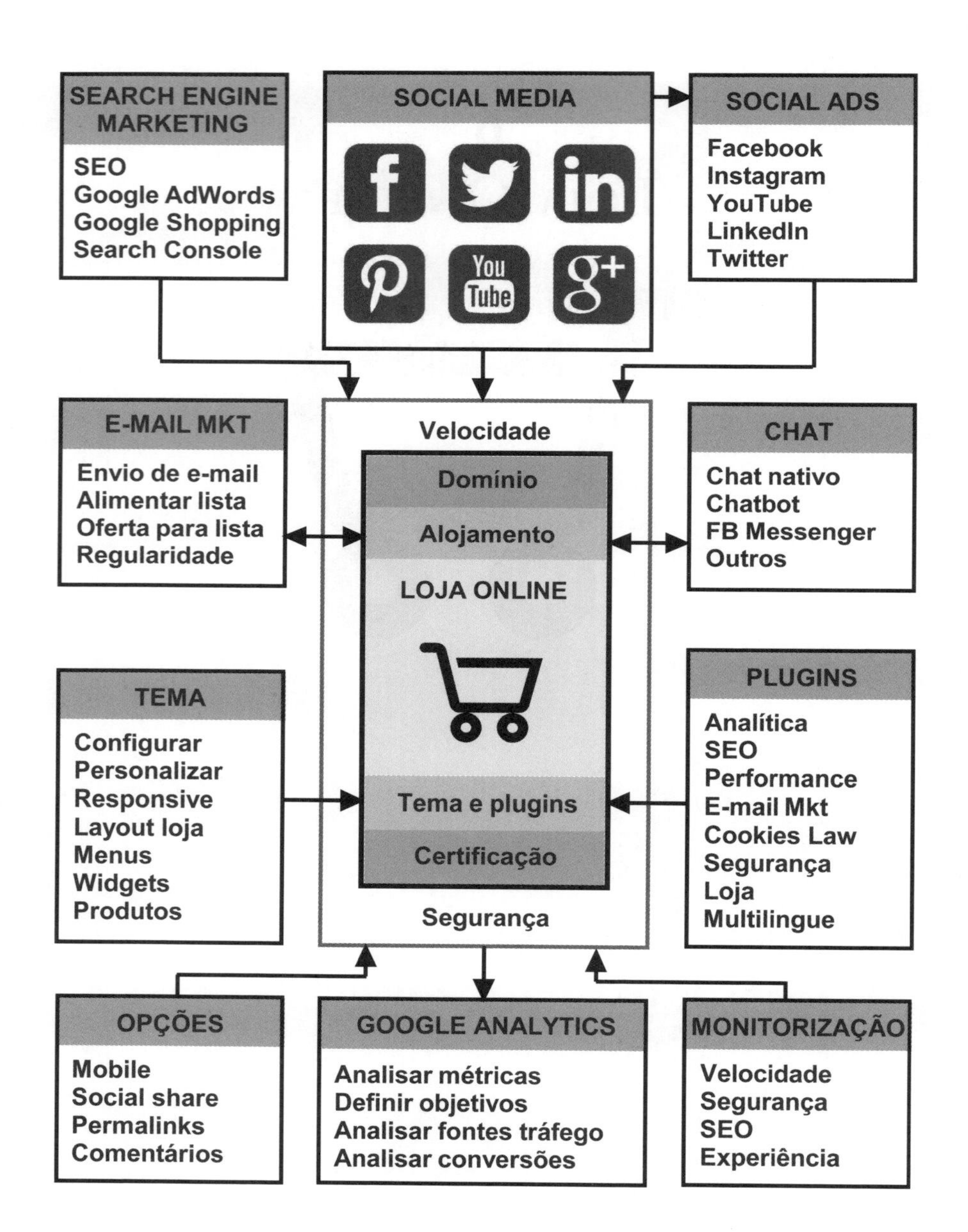
SEARCH ENGINE MARKETING
SEO
Google AdWords
Google Shopping
Search Console
SOCIAL MEDIA
You Tube
SOCIAL ADS
Facebook
Instagram
YouTube
LinkedIn
Twitter
E-MAIL MKT
Envio de e-mail
Alimentar lista
Oferta para lista
Regularidade
Velocidade
Domínio
Alojamento
LOJA ONLINE
Tema e plugins
Certificação
Segurança
CHAT
Chat nativo
Chatbot
FB Messenger
Outros
TEMA
Configurar
Personalizar
Responsive
Layout loja
Menus
Widgets
Produtos
PLUGINS
Analítica
SEO
Performance
E-mail Mkt
Cookies Law
Segurança
Loja
Multilingue
OPÇÕES
Mobile
Social share
Permalinks
Comentários
GOOGLE ANALYTICS
Analisar métricas
Definir objetivos
Analisar fontes tráfego
Analisar conversões
MONITORIZAÇÃO
Velocidade
Segurança
SEO
Experiência

Crie a Sua Loja Online

O e-commerce está em franca expansão, mas ainda assim a maioria das transações ocorrem offline. No entanto, existe uma grande oportunidade na onda de crescimento das vendas online. As maiores lojas online do mundo são: *www.alibaba.com* e *www.amazon.com*.

Uma loja online não serve só para vender produtos físicos. Também pode vender em formato digital ou vender serviços. Existem caminhos simples e rápidos e outros mais profissionais, exigindo mais recursos. Há soluções para todos!

Existe muito o hábito de pesquisar online e comprar offline (ROPO – *Research Online Purchase Offline*). Por isso, é importante encontrar mecanismos de medir o ROI deste comportamento (por exemplo, com códigos de desconto online para usar offline, dando uma perceção mais correta do retorno do investimento em publicidade online).

Pode também proporcionar, na sua loja, experiências de realidade aumentada, acrescentando camadas de informação digital (com vídeos e links) ao produto em que o consumidor está interessado. Outra possibilidade é utilizar QR Codes com link para produtos na loja online, onde será possível saber o número de pessoas que gostaram, que comentários fizeram e em que medida estão satisfeitos. É uma forma de aproveitar o potencial do *Showrooming*: pesquisa offline e compra online.

No mundo inteiro, o que se vende mais são livros, roupas, bilhetes de avião, equipamento eletrónico e reservas de hotéis. Isto, porque o que determina a compra de alguns artigos é o preço ou a disponibilidade. No entanto, no setor do turismo, vemos com facilidade muitas opções, e comparamos benefícios, experiências e preços, cruzando tudo com o fator social (opiniões e comentários), para termos uma escolha mais consciente.

Alguns dos aspetos diferenciadores podem ser: produto, preço, rapidez de entrega, atendimento ao cliente, diversidade de produtos, exclusividade de produtos, design da loja, facilidade de compra, portes grátis, métodos de pagamento ajustados ao mercado, detalhe de informação do produto, funcionalidades da loja, interação social e outros fatores.

Visite alguns exemplos de lojas online:

- Amazon.com – a mais conhecida;
- Zappos.com – uma loja especializada;
- Kobobooks.com – com *e-books* e descontos constantes;
- Thinkgeek.com – artigos de tecnologia;

- Web2business.pt – com cursos online de marketing digital;
- Veja também: Farfetch, Apple, Wook, Fnac, Worten e Pixmania.

Estrutura e Funcionalidades

Antes de começar, deve refletir sobre a maneira de como vai estruturar a sua loja online:

- Escolher domínio. Veja se alguns dos TLD associados à categoria loja estão disponíveis e se fazem sentido para o projeto: .store, .shop, .shopping, .cheap, .discount, .coupons, .club, .bargains ou .deals;
- Contratar alojamento de qualidade. Se previr muito tráfego, deve utilizar um serviço de CDN (*Content Delivery Network*), para acelerar a distribuição de conteúdos;
- Definir funcionalidades e público-alvo;
- Definir produtos (físicos ou digitais), categorias e subcategorias, gestão de *stocks* e de fornecedores;
- Definir filtros de produtos (marcas, preços e características);
- Definir os países para os quais vai vender;
- Definir métodos de pagamento e custos inerentes;
- Definir métodos de envio e os respetivos custos;
- Saber como vai diferenciar da concorrência;
- Definir como vai promover a loja online.

As funcionalidades que oferece aos visitantes podem ser um dos fatores diferenciadores da sua loja. Para quase tudo o que pensar integrar, é possível que já exista função na plataforma da loja online que escolher.

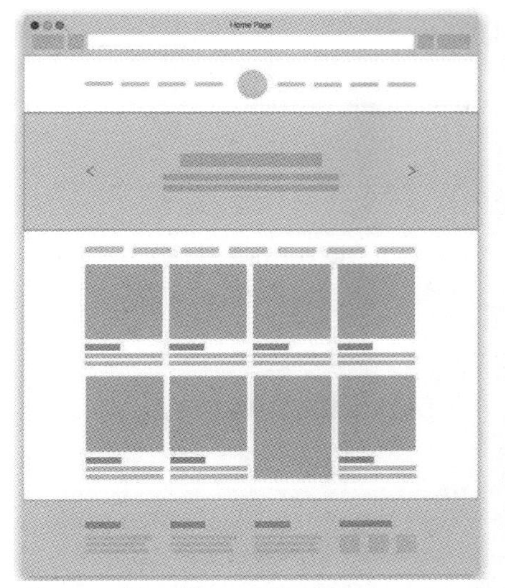

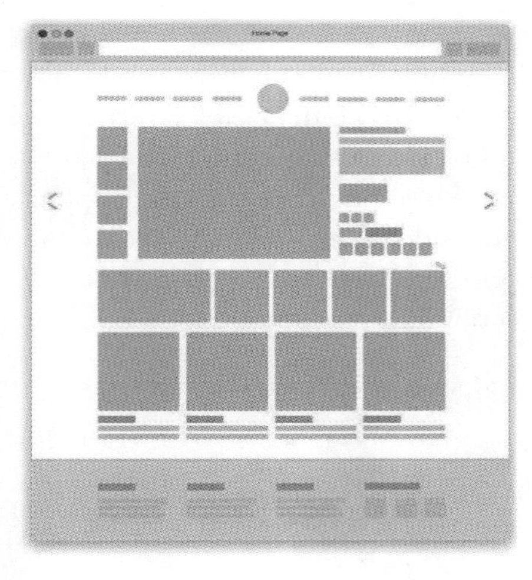

Figura 48 – Exemplo de layout para loja online.
(Fonte da imagem: Dribble por A. Yusuf Besim.)

Algumas das funções-base de uma loja online são:

- Partilhar produtos nas redes sociais;
- Possibilidade de receber comentários;
- *Wishlist* ou lista de favoritos;
- Códigos de desconto;
- *Vouchers* para oferecer;
- Recuperar clientes que não concluíram a compra;
- Social:
  - o Like do download;
  - o Partilhar, para obter desconto;
  - o Compras em grupo;
  - o Mostrar fotografias do Instagram do respetivo produto (através de *hashtag*);
- *Reviews* dos produtos por clientes;
- Produtos relacionados;
- Outras funcionalidades.

Deve escolher um domínio e um alojamento. Se for implementar uma loja no seu website, o assunto está resolvido. De outro modo, pode começar a pensar, pelo menos, no nome. Se previr muito tráfego, contacte o seu fornecedor de alojamento web, para lhe fazer uma proposta ajustada às suas necessidades.

Coloque botões das redes sociais, para que as pessoas (mesmo que não comprem) possam partilhar facilmente. Implemente funcionalidades que permitam comentários fáceis de publicar e, dessa forma, receber testemunhos, questões ou opiniões.

Possibilite compras em grupo e opção de partilha para obter desconto, atraindo, assim, os amigos para obterem melhores condições. Permita o registo no website, através do botão Facebook (ou de outra rede), para que o utilizador não perca tempo com a criação de mais uma conta.

COMO OBTER MAIS VENDAS?

Se dinamizar passatempos, planear promoções e emitir *vouchers* de descontos, tudo isso terá impacto positivo nas vendas. Pode também fazer campanhas com portes de envio grátis.

É fundamental ter uma presença nas redes sociais, onde comunique regularmente com os seus potenciais clientes, como: Facebook, YouTube, Instagram, Google Plus, Twitter, LinkedIn e Pinterest.

Investimento

Inicialmente, poderá ter de investir para fazer a sua loja. As opções disponíveis são: aprenda a criar a sua loja com uma plataforma, utilize um serviço online (gratuito ou pago) ou subcontrate, para criar a sua loja online à sua medida.

Custo inicial: criação da loja, *template* e *plugins*. Pode variar entre 0 € e 5000 €, dependendo do projeto desejado.

Custo anual: domínio, alojamento ou serviço, segurança, manutenção e SSL. A partir de 150 € por ano.

Em função das vendas: custos de envio, taxas *gateway* de pagamento, custos de plataforma proporcionais às vendas.

Requisitos Legais

Naturalmente, para iniciar uma atividade comercial terá de considerar os aspetos legais que deverá cumprir, que podem variar em função do país ou da região:

- Abrir atividade nas finanças, com o CAE correto para venda de produtos;
- Passar fatura (integrá-la na loja, se for possível);
- Cumprir a legislação dos países para os quais está a vender;
- Alguns produtos têm legislação específica, por exemplo, bebidas alcoólicas;
- Algumas atividades profissionais têm de seguir o código deontológico;
- Ter em conta os termos de utilização da loja, política de privacidade, aviso de utilização de *cookies* e contactos;
- Nomear o responsável pelo tratamento de dados pessoais, para cumprir e provar com documentação que segue o Regulamento Geral sobre a Proteção de Dados, podendo ser fiscalizado a qualquer momento pela Comissão Nacional de Proteção de Dados – CNPD;
- Dar informação e mecanismos para exercer prazos do direito de livre resolução (existem exceções para alguns tipos de produto e serviço): 14 dias em Portugal, 7 dias na Europa;
- Adesão aos Centros de Arbitragem na resolução alternativa de conflitos.

Aconselhe-se com o seu advogado e com o seu contabilista, para saber se está a cumprir todos os requisitos legais e fiscais.

Segurança

Este aspeto não pode ser ignorado. Tanto a segurança para que o utilizador possa introduzir os seus dados tranquilamente, como a segurança para que o gestor da loja possa manter a sua plataforma e os seus dados seguros.

Procedimentos de segurança importantes numa loja online:

- Certificado SSL (*https://*). Ver mais em *https://ssl.ptisp.pt*;
- Alojamento seguro e de qualidade;
- Fazer *backups* regulares;
- Atualizar regularmente a plataforma, os *plugins* e os temas;
- Ter password forte e limite de falhas de logins;

- Atualizar regularmente CMS e *plugins*;
- Monitorizar ataques (sucuri.net).

A sua loja contém informação sensível e valiosa; por isso, implemente todas as medidas de segurança para minimizar ataques.

Crie Uma Loja facilmente

Com o Tictail, tem possibilidade de criar uma loja online em poucos minutos e sem grande esforço. É fácil e rápido de configurar através de um assistente, permitindo carregar os seus produtos e publicá-los nos diversos meios digitais. O plano grátis serve para negócios que estão a começar, sendo das poucas plataformas de qualidade com um plano sem custos. Tem a particularidade de poder seguir produtos publicados por outras lojas, como uma rede social de produtos e lojas online.

Crie Uma Loja rapidamente

Se precisar de uma solução de e-commerce mais avançada, o Shopify pode ser uma boa aposta para utilizadores com poucos conhecimentos, mas com alguma folga no orçamento mensal. É uma solução paga, mas, em contrapartida, torna todo o processo simples e profissional, com uma extensa lista de funcionalidades disponíveis.

Por ser uma solução muito utilizada, tem uma estreita integração com inúmeras plataformas, nomeadamente com o Facebook, permitindo vender facilmente produtos nesta rede social.

Algumas das principais funcionalidades disponíveis:

- Tem mais de 100 *templates* e com possibilidade de personalização ou de contratar um profissional;
- Está otimizado para mobile;
- Inclui alojamento, domínio e certificado SSL;
- Está disponível em 50 idiomas;
- Faz gestão automática de custos de envio e impostos;
- Tem 70 *gateways* de pagamento;
- Faz a gestão de clientes, de *stocks* e de e-mails;
- Está preparado para: SEO, e-mail, marketing e integração com redes sociais;

- Faz emissão e gestão de códigos de desconto e de cupões;
- Faz gestão avançada de produtos: variações, organização e produtos digitais;
- Inclui suporte, analítica e app mobile para gestão da loja.

Torna-se, assim, uma solução muito apetecível, pois deixa de ser necessário preocupar-se com alojamento, manutenção ou atualizações de segurança, porque todas essas responsabilidades estão do lado da Shopify. Ao contrário, por exemplo, do WordPress, onde terá de assumir essas tarefas, com a contrapartida de redução de custos e de mais flexibilidade.

Crie Uma Loja no Facebook

Independentemente de criar uma loja numa plataforma de e-commerce, pode ter interesse em ter também uma loja no Facebook, com uma seleção de produtos que fazem mais sentido nesta rede social, beneficiando, assim, desta ferramenta nativa.

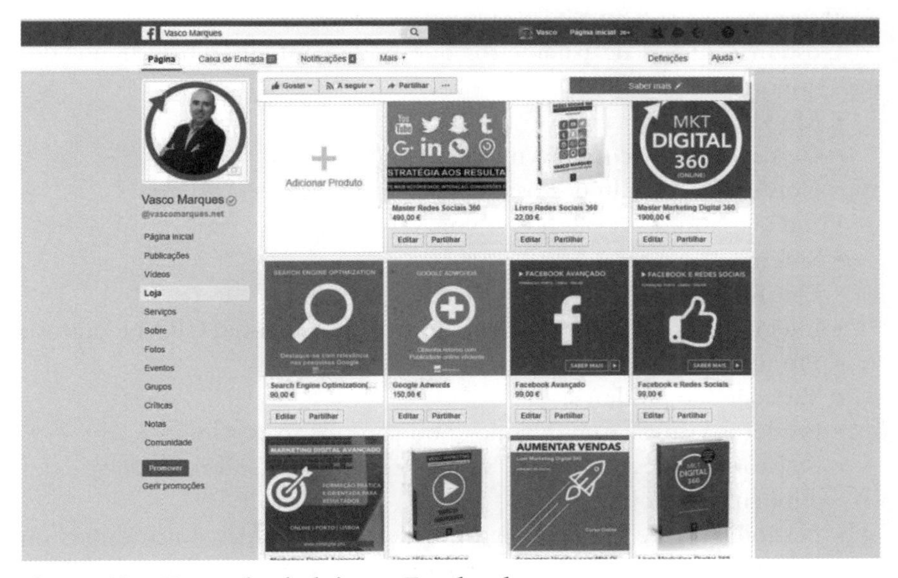

Figura 49 – Exemplo de loja no Facebook.

Para isso, basta aceder à sua página Facebook e, no fim do link, escrever /shop. Surgirá um assistente de configuração para ajustar parâmetros e adicionar produtos. Também pode adicionar a loja através das definições da página. Veja exemplo em: *www.facebook.com/pg/vascomarques.net/shop*.

Desta forma, ficará com um novo separador nas estatísticas com informação sobre os produtos. Poderá publicar produtos no seu mural e poderá utilizar a funcionalidade de identificação de produtos nas suas publicações.

Crie Uma Loja no WordPress

Se tiver um website, utilize a mesma plataforma que já tem, estendendo-a para loja via *plugin*.

Se ainda não estiver a utilizar um CMS (ou não estiver satisfeito), aponto o WordPress com o WooCommerce como a possibilidade mais indicada e mais profissional para a maioria dos projetos. É o CMS mais utilizado, menos dispendioso, menos complicado e mais fácil para elevar o seu negócio.

É simples de gerir e de atualizar produtos, e a manutenção do WordPress é algo que já será familiar para o responsável do website.

Para obter ainda mais funcionalidades, existem centenas de *plugins* para a loja, para poder fazer tudo o que quiser. Veja alguns deles em: *www.woothemes.com/product-category/woocommerce-extensions*.

Existem centenas de parâmetros que pode configurar, mas alguns dos mais importantes são:

- Modo catálogo;
- Gestão de *stocks* com inventário;
- Configuração de impostos;
- Envio gratuito, ou valores escalonáveis;
- Sistema de pagamentos;
- E-mails automáticos personalizados;
- Integração com diversos sistemas (e-mail, pagamentos, CRM e outros);
- Produtos ilimitados;
- Variações de produtos;
- Produtos virtuais para download ou para acesso por link;
- Relatórios de estatísticas de vendas, comentários, níveis de *stock* e desempenho da loja;
- Possibilidade de criar vários tipos de cupão de desconto (direto ou percentagem) de acordo com condições, limites e restrições.

Existem ainda outras soluções. Algumas delas são totalmente dedicadas ao e-commerce; outras integram com um típico CMS. Se tiver curiosidade sobre o assunto, poderá explorar e comparar outras soluções para venda online.

Algumas das principais plataformas para criar loja online:

- Demandware;
- Drupal Commerce;
- Facebook Shop;
- Facestore;
- Hybris;
- Jigoshop;
- Joomla + VirtueMart;
- Magento;
- OpenCart;
- OS-Commerce;
- Prestashop;
- Shopify;
- Shopkit;
- Tictail;
- Ubercart;
- WordPress + Easy Digital Downloads;
- WordPress + WooCommerce;
- Zen Cart.

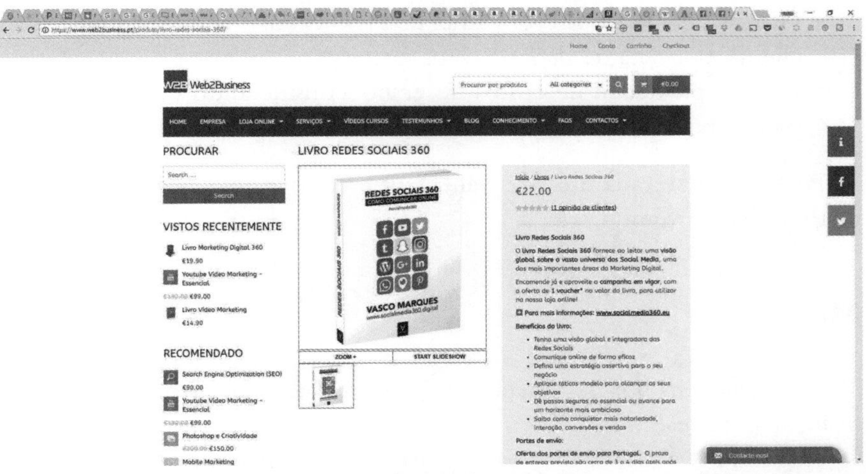

Figura 50 – Exemplo de página de produto na loja *www.web2business.pt*.

Dropshipping

Se quiser criar uma loja online, mas não quiser ter nenhum *stock*, também o pode fazer. A loja online, juntamente a uma boa estratégia de marketing digital, pode fazer que consiga vender muitos produtos através deste método. Quando recebe a encomenda e o respetivo pagamento, é feito o pedido para o seu fornecedor, que tratará de todo o processo logístico de envio diretamente para o seu cliente, não tendo de se preocupar com o processo a partir daí.

Vantagens:

- Não é necessário investir em *stocks*;
- O investimento para começar uma loja online é mais baixo;
- Os custos mensais são baixos;
- É mais fácil começar o projeto;
- Há flexibilidade de trabalho no local físico, já que não precisa de expedir encomendas;
- Há grande variedade de produtos;
- É fácil ganhar escala.

Desvantagens:

- As margens de lucro são pequenas;
- Há dificuldade em prever rutura de *stocks* e a não entrega atempada ao cliente, por falta de *stock* nos seus fornecedores;
- Há complexidade de custos de envio, considerando que uma encomenda pode ter pedidos de vários fornecedores.

Portanto, pese cada uma das vantagens e das desvantagens e veja se este método lhe convém.

Mobile

Tem de criar uma boa experiência de compra para dispositivos móveis: para *smartphone* ou *tablet*.

Além do website e das *landing pages* serem *responsive*, se o projeto ganhar uma escala grande, pode ser interessante criar uma versão mobile adaptada para *smartphone* e para *tablet*.

Se fizer sentido, crie uma aplicação móvel, para proporcionar uma experiência mais fácil ao utilizador. Pode ter interesse, especialmente para grandes marcas ou para compras recorrentes (livros, alimentação ou outros).

Compare as conversões de quem visita por mobile ou por computador, para obter conclusões com essa informação. Vá mais além e cruze referências de tráfego (SEO, Google AdWords, Facebook e outros) para o mobile e para o computador, comparando as que apresentem melhores resultados.

Métodos de Pagamento

Tenha os métodos de pagamento que o seu público-alvo privilegia. No seu país, é fácil de saber. Mas pense noutros mercados, especialmente naqueles que não usam regularmente o PayPal nem o cartão de crédito. Portanto, não parta do princípio de certezas; duvide e questione, sempre que entrar num mercado novo.

Eis os principais métodos de pagamento:

- **Transferência bancária com IBAN** – preferida pelos portugueses e por outros países;
- **Débito direto em conta** – a empresa que permite esta funcionalidade é a Easypay;
- **Referência MB (Portugal)** – uma das soluções disponíveis é Ifthen software;
- **Cartão de crédito** – é um método de pagamento muito utilizado em quase todo o mundo;
- **Paypal** – um dos métodos de pagamento mais utilizados em todo o mundo;
- **Pagseguro** – é dos mais utilizados no Brasil (mas tem de ter lá morada física, para poder criar a conta);
- **Real Transfer** – para países onde não é frequente utilizar cartão de crédito ou Paypal;
- **Hipay Mobile** – para micropagamentos via SMS;
- **Android Pay, Apple Pay, Google Wallet e Meo Wallet** – para pagamentos com app *smartphone*;
- **Lusopay** – permite fazer pagamentos por referência multibanco, payshop e Lusopay Wallet;
- **Eu pago** – sistema de pagamento para referências multibanco e para payshop;
- **Stripe** – *gateway* de pagamento muito popular e, normalmente, mais barato do que o PayPal. Aceita cartões de crédito e de débito, Apple Pay, Android Pay, Bitcoin, Allpay e Amex;

- **Skrill** – um sistema de pagamento popular em alguns países, especialmente na Europa;
- **Hipay** – com apenas um processo de integração, oferece-lhe as soluções locais e internacionais mais relevantes para cada mercado. Aceita pagamentos realizados em mais de 100 países. Alguns dos métodos de pagamento aceites: referência multibanco, payshop, débito direto, boleto bancário e HiPay Wallet;
- **Sumup** – é um terminal multibanco de baixo custo. É simples para lojas físicas.

Como vê, não faltam métodos para se adaptar às necessidades do mercado onde vai atuar; basta que os conheça, para estar preparado para receber as transações.

Paypal

O PayPal, sendo um dos métodos de pagamento mais utilizados, é um meio de pagamento incontornável, com inúmeras vantagens, nomeadamente, a universalidade de utilização. Tem mais de 200 milhões de utilizadores em 200 países e funciona em 25 moedas.

O cliente pode pagar em qualquer dispositivo (web ou mobile), com saldo PayPal, com cartão bancário de débito ou de crédito, sabendo que contará com as melhores proteções antifraude do mercado. Saiba mais sobre a proteção do PayPal: *www.paypal.com/pt/webapps/mpp/paypal-safety-and-security.*

Principais funcionalidades de uma conta PayPal profissional:

- Pode solicitar ou enviar dinheiro;
- Permite emissão de faturas personalizadas, com opção simplificada de pagamento;
- Tem um centro de resoluções;
- Permite pagamentos recorrentes (é útil para pagamentos mensais);
- Pode criar um botão personalizado para comprar;
- Permite adicionar um botão *express checkout*;
- Disponibiliza calculadora de envios e de impostos;
- Permite pagamentos em massa para múltiplas contas;
- Faz integração com inúmeras plataformas;
- É um pagamento seguro e fácil no *checkout*;
- Permite aceitar pagamentos PayPal ou de cartão de crédito, sem que o utilizador tenha de criar conta.

Outra grande vantagem é dar a possibilidade de poder devolver ou trocar qualquer produto sem custos de portes, desde que tenha pago com Paypal. Mas é necessário que primeiro ative gratuitamente o serviço em: *www.paypal.com/pt/webapps/mpp/refunded-returns*. Quem tiver loja online, também poderá anunciar esta vantagem de devolução grátis, bastando ativar noutro endereço: *www.paypal.com/pt/webapps/mpp/refunded-returns/business*.

DEVOLUÇÃO COM PORTES GRÁTIS

Seja como comprador ou como vendedor, poderá usufruir de portes gratuitos, para devolução ou troca de produto. Para isso, basta ativar o serviço, sem nenhum custo.

Em relação a custos, existe uma comissão fixa de 0,35 €, que acresce numa percentagem variável, entre 1,9 % e 3,4 %, de acordo com o valor faturado mensalmente. No entanto, consegue transferir para a sua conta sem custos.

Adicionalmente, é possível criar um link de perfil no PayPal (idêntico à possibilidade que tem nas redes sociais), para que qualquer pessoa possa aceder e escolher o valor que deseja pagar. Veja o exemplo do link da nossa empresa: *www.paypal.me/web2business.*

Conteúdos

Pode ter a melhor loja do mundo, mas, se não tiver bons conteúdos a ilustrar o produto, não vai resultar. Por isso, aposte em criar bom conteúdo para o seu produto.

Escolha um bom título para o produto e elabore uma descrição completa com dados técnicos, se aplicável. Conjugue com palavras-chave relevantes e explique claramente em que medida o seu serviço é melhor do que o da concorrência (se estiver a vender serviços), ou que serviços diferenciadores existem agregados ao produto que vende (assistência, devoluções, seguro, crédito, credibilidade ou outros). Realce aspetos diferenciadores, mesmo que sejam óbvios, apresentando os benefícios para o cliente. Se existirem muitas perguntas, pode organizá-las e criar um FAQ.

Estrutura para associar conteúdo a um produto numa loja online:

- Definir título, subtítulo e descrição curta;
- Elaborar descrição detalhada com pelo menos 300 palavras;
  - o Realçar aspetos diferenciadores;
  - o Mostrar benefícios para o cliente;
  - o Explicar porque este produto é melhor do que o da concorrência;
  - o A descrição deve responder às dúvidas do cliente;
  - o Pode conter links e vídeos, para saber mais, testemunhos e informações complementares;
- Adicionar várias imagens por produto, se possível pelo menos três;
- Apresentar um vídeo por produto.

Otimize para Motores de Pesquisa

O *Search Engine Optimization* (SEO) consiste em otimizar toda a sua presença web, para aparecer organicamente (sem fazer anúncios) no Google e noutros motores de pesquisa (Bing, Yahoo, Sapo, Baidu, Yandex e outros). Existem centenas de fatores que influenciam os resultados. Mas foque-se nos principais e fará um bom trabalho. Não traz resultados rápidos, mas são sustentáveis.

Aspetos essenciais de SEO para uma loja online:

1. Torne o seu website rápido (otimize a velocidade);
2. Crie uma versão mobile ou *responsive*, que proporcione uma boa experiência em *smartphones* e em *tablets*;
3. Utilize as palavras-chave importantes no texto e nos títulos e subtítulos;
4. Crie uma boa *meta description* (o texto que aparece por baixo do link no Google);
5. Otimize imagens em relação à resolução e ao tamanho;
6. Otimize o nome do ficheiro da imagem e do campo Alt Text (texto alternativo) relevante, com *keywords* associadas;
7. Desenvolva conteúdo de qualidade e original, layout apelativo e *landing pages* atrativas;
8. Conquiste links de qualidade de e para websites com autoridade;
9. Configure Search-friendly URL e defina links personalizados;
10. Crie um sitemap e submeta no Google Search Console;

11. Tenha uma presença ativa nos Social Media (Facebook, Google Plus, LinkedIn, Twitter e YouTube);
12. Crie um blog e atualize-o frequentemente.

É um trabalho diário, recorrente, que implica alocar tempo à otimização inicial e, depois, à sua manutenção.

Relação com o Cliente

Todo o esforço que desenvolva para melhorar a relação com o cliente terá um grande impacto nas vendas. Utilize um CRM, redes sociais e chat na sua loja.

Como pode melhorar a sua relação com o cliente:

- Com um CRM – Insightly, Prosperworks, Pipedrive ou outra solução;
- Com Chat – Jivochat ou Smarkio (chat com assistente automático);
- Monitorizar *hashtags*;
- Através de mensagens no Facebook (Messenger): responder rapidamente, configurar horários e respostas-modelo;
- Nas Redes Sociais e Social Media;
  - o Facebook
  - o Blog ou Tumblr
  - o YouTube
  - o Instagram
  - o Twitter
  - o Outros
- Através de atendimento telefónico ou por outros canais;
- Implementar um sistema de avaliações de terceiros, como por exemplo *www.trustpilot.com*, para opiniões isentas dos clientes;
- Responder a e-mails rapidamente.

Mesmo tendo o número de telefone bem visível e de estar contactável para qualquer questão, implemente um sistema de chat, para comunicar profissionalmente com os utilizadores.

Funciona em qualquer website. Pode ter vários operadores e configurar mensagens condicionais automáticas. Por exemplo, um utilizador de Portugal que esteja a ver uma página sobre o curso de Photoshop receberá uma mensagem específica para esse comportamento, e, após resposta da sua parte, continuará a conversa com o operador real. Fica tudo registado e pesquisável, permitindo melhorar a relação com o cliente, com a possibilidade de recuperar a informação da última conversa.

E tudo pode ser gerido através de uma única interface de administração, mesmo que tenha muitos websites associados. Melhor: pode fazê-lo também através da aplicação mobile, que lhe permite dar apoio a vendas, mesmo que esteja longe do computador, à noite ou no fim de semana.

AUMENTE AS VENDAS COM SISTEMA DE CHAT

Se implementar um chat na sua loja, terá um grande impacto nas vendas, pois facilita a comunicação com o potencial cliente. Naturalmente, só o poderá fazer se tiver alguém disponível e qualificado para atender o público em horário laboral.

Offline e Online

O online não veio acabar com o mundo físico, até porque a maioria das vendas ocorre no mundo dos átomos e o panorama irá continuar assim, ainda que as vendas online continuem a aumentar muito.

Seja como for, existem ações que unem os dois mundos:

- Forneça códigos de desconto online, para serem utilizados na loja física e para identificarem o retorno de campanhas efetuadas online;
- Existe o hábito de pesquisar online e de comprar offline, por isso fique atento a este fenómeno e utilize meios para que o online estimule as vendas na loja física;
- A realidade aumentada e a realidade virtual podem ser utilizadas a seu favor;
- Utilize QR Codes na loja física, com link para produtos na loja online;
- Esteja atento ao fenómeno de *Showrooming*, que consiste em ir à loja física e comprar online a preço mais baixo. Por isso, implemente procedimentos, para que, na loja, o assistente consiga conquistar o potencial cliente, através de diversos meios: aconselhamento, facilidade de troca, assistência, crédito, seguro, relação ou outros fatores;

- Coloque informação da sua loja online e das redes sociais nos seus suportes físicos: automóvel, faturas, sacos, cartazes, *flyers*, *merchandising* e outros canais.

Certificação da Loja Online

A certificação de uma loja não é obrigatória, mas é altamente recomendável, para conferir mais credibilidade e atestar que está a cumprir a legislação e as boas práticas. Podem candidatar-se à acreditação: lojas online, websites informativos e websites institucionais. No entanto, nem todos os tipos de website o podem fazer: serviços financeiros, jogos de azar, cuidados de saúde, venda de medicamentos, entre outros.

O Selo Digital CONFIO.pt: trata-se de um dos programas de acreditação a websites em Portugal e na Europa, resultando da parceria entre a ACEPI, a DNS e a DECO.

Benefícios do Selo Digital CONFIO.pt:

- Auditoria, em conformidade com a legislação e com as boas práticas nacionais e internacionais, nomeadamente, aferir se o tratamento de dados está a cumprir com o Regulamento Geral sobre a Proteção de Dados;
- Análise da forma como os dados são recolhidos, utilização de SSL e pagamentos;
- Aumento do nível de confiança dos consumidores nos serviços e nas transações;
- Adesão do website aos Centros de Arbitragem na resolução alternativa de conflitos: (*https://www.confio.pt/consumidores-seguros/resolucao-de-litigios/*);
- Possibilidade de adesão ao Selo Europeu – «Trust E-commerce Europe» – pela E-commerce Europe: (https://www.confio.pt/o-confio/selo-europeu), sem exigência e sem algum tipo de custo adicional;
- Disponibilidade de um sistema de tratamento e de encaminhamento das reclamações: (*www.confio.pt/consumidores-seguros/reclamacoes*).

O preço de adesão ao Selo Digital CONFIO.pt começa em 75 € por ano. Para aderir aceda a: *https://www.confio.pt/empresas-de-confianca/como-aderir*. Depois de preencher o formulário de adesão, deve anexar a documentação solicitada. Após adesão e auditoria, irá receber um relatório de avaliação de conformidade do website, que poderá ser a aprovação ou a indicação de ajustes a realizar para concluir a aprovação.

Será necessário criar as seguintes páginas na sua loja:

- Política de privacidade: *www.web2business.pt/politica-de-privacidade*;
- Termos e condições: *www.web2business.pt/termos-e-condicoes*;
- Aceitação de *Cookies*: *www.web2business.pt/saber-mais-cookies*.

Deve existir informação clara, ou cumprir legislação, em relação a:

- Mensagens publicitárias;
- Publicidade dirigida a menores;
- Spam;
- Informações pré-contratuais;
- Ordem da encomenda;
- Sistema de reclamações;
- Informação sobre centros de arbitragem.

No website: *www.confio.pt*, poderá encontrar toda a informação relativa ao Selo Digital CONFIO.pt.

Internacionalização

Internacionalizar é, para a maioria dos negócios, apetecível e um bom caminho, seja de início, seja depois de consolidar no seu mercado principal. Esta internacionalização tem de ser pensada e deve definir uma estratégia para seguir esse caminho, considerando os ajustes que terá de fazer na sua organização. Naturalmente, também terá de fazer ajustes no Marketing Digital. A boa notícia é que existem inúmeras ferramentas ao seu dispor, que facilitam a extensão da estratégia para o canal digital.

Com o Google Market Finder: *https://marketfinder.thinkwithgoogle.com*, encontre o seu público nos diversos mercados, planeie operações e implemente uma estratégia de internacionalização. Uma ferramenta incontornável para encontrar novas oportunidades internacionais.

Deve disponibilizar a sua loja nos idiomas dos países em que deseja posicionar-se, podendo estar tudo integrado no mesmo website, com domínios ou com subdomínios diferentes. Ao fazer uma tradução manual – que é o recomendado –, deve ter em consideração alguns aspetos: culturais, tipo de comunicação, realidades de cada região, tipo de vocabulário e outros fatores. Traduzir apenas as palavras não chega; torna-se necessário efetuar um trabalho de localização. Por exemplo, português do Brasil é diferente do português de Portugal, tal como o espanhol de Espanha e o do México, o inglês de Inglaterra e o dos Estados Unidos da América e outros casos. Se desejar experimentar a tradução automática para testar noutros mercados, existe uma ferramenta específica para websites, para mais de 100 idiomas, no Google Translator em: *https://translate.google.com/manager/website*. Pode, ainda, optar pelo caminho mais profissional com uma ferramenta de tradução manual, o Google Translator Toolkit: *https://translate.google.com/toolkit*. Analise, no Google Analytics, quais são as regiões geográficas de onde está a receber tráfego e o seu comportamento quanto ao volume e à qualidade, observando as respetivas métricas.

Utilize o Google Trends, para examinar o volume comparativo de pesquisas por setores e por países, para determinar o que tem mais procura no mercado que pretende atingir. Saiba mais em: *www.google.com/trends*. Ainda no âmbito das tendências e do comportamento, utilize também o Shopping Insights, que mostra o comportamento de pesquisa de produtos: *https://shopping.thinkwithgoogle.com*.

Com o Google Public Data Explorer, analise centenas de indicadores de dezenas de países, desde PIB, automóveis, custo de abrir uma startup e muitas outras informações valiosas. Saiba mais em: *www.google.com/publicdata*.

Aceda a um PDF com fichas técnicas de cerca de 50 países, através do Google Global Business Map. Os dados sobre o país e o mercado são apresentados graficamente, para ajudar a identificar oportunidades para o seu negócio. Saiba mais em: *www.thinkwithgoogle.com/research-studies/global-business-map.html*.

Consumer Barometer: apresenta informação detalhada sobre a forma como o consumidor utiliza os meios online e offline no seu percurso, da pesquisa até à compra. Permite ver tendências e comportamentos de compra em 39 países. Saiba mais em: *www.consumerbarometer.com*.

Visite o website Think with Google, para obter informação sobre diversos setores, tendências do consumidor e estudos de diversos países, onde fica a conhecer a fundo o mercado antes de entrar. Saiba mais em: *www.thinkwithgoogle.com*.

Deve ter a informação do prazo de entrega, a política de devolução e os custos de acordo com cada país. Considere ter a opção de seguro para encomendas de valor mais elevado que sejam expedidas para regiões onde é mais suscetível haver perda.

Informe-se sobre a legislação dos países onde deseja atuar. Alguns países podem ter restrições do idioma a usar nas etiquetas de envio, nos materiais amigos do ambiente utilizados na embalagem ou outras normas.

Pode existir taxas alfandegárias para algumas regiões, especialmente se está a expedir para outros continentes ou para outras regiões económicas. Além do custo acrescido para o cliente, o tempo de envio pode aumentar consideravelmente. Normalmente, para encomendas pequenas e de valor inferior a 15 €, não se aplicam taxas alfandegárias. Deve informar-se junto da transportadora que irá ser parceira da loja online. Para não defraudar expectativas, deve ter essa informação na sua loja.

Os CTT têm o serviço Express2Me, que permite a um cliente comprar produtos nos EUA quando são exclusivos para o mercado dos Estados Unidos, normalmente associados a «US customers only».

O e-segue é outro serviço dos CTT, que permite ao cliente alterar a morada de envio, hora e dia, mesmo depois de a encomenda já ter sido expedida, melhorando, assim, a experiência do cliente.

Outras fontes de informação que deve considerar para saber mais sobre os mercados onde deseja atuar:

- International Monetary Fund: *www.imf.org/external/data.htm*;
- CIA World Factbook: *www.cia.gov/library/publications/the-world-factbook/index.html*;
- eMarketer: *www.emarketer.com*;
- comScore: *www.comscore.com*;
- Euromonitor: *www.euromonitor.com*;
- Forrester: *https://go.forrester.com*;
- Nielsen: *www.nielsen.com*.

Aumentar Vendas

Toda a gente quer vender muito, não é verdade? Veem-se, com frequência, numa encruzilhada, em que tudo foi preparado, mas as vendas não se concretizam.

As variáveis que influenciam as vendas são muitas, mas comece por analisar o seguinte:

- Ter bons produtos com preço justo;
- Ter website rápido e com bom layout;
- Fazer promoções com *stock* ou com tempo limitado;
- Fazer packs de produtos, *cross-selling* e *up-selling*;

- Fazer campanhas de ofertas de portes;
- Ter conteúdos de qualidade (texto, imagem e vídeos) e criar blog;
- Utilizar e-mail marketing: criar uma lista e comunicar regularmente;
- Implementar técnicas de *Search Engine Optimization*;
- Fazer campanhas Google AdWords: Search, Display, anúncios dinâmicos, Merchant Center para Google Shopping, extensões de anúncios, anúncios locais e *Remarketing*;
- Implementar Rich Snipnets no Google, por exemplo, avaliação de produtos (estrelinhas nos resultados Google);
- Fazer campanhas Facebook e Instagram Ads, com publicidade segmentada;
- Dar credibilidade à loja, melhorando-a com: certificação, testemunhos, contactos, chat, *reviews*, referências nos *media* e presença ativa nas redes sociais;
- Monitorizar o que se pesquisa na loja, para perceber aquilo de que os clientes estão à procura;
- Implementar um sistema de chat ou de chatbot;
- Ter informação de contacto acessível e telefone;
- Dar garantias, devolução do dinheiro e do produto;
- Efetuar testes A/B, para determinar as alterações (cores, botão, títulos, texto ou imagens) que têm impacto nas vendas;
- Otimizar o processo de checkout;
- Registar em alguns serviços de comparação de preços, como o KuantoKusta;
- Vender através da Amazon (marketplace), do eBay, do Paypal (loja online) e do Facebook (loja e marketplace);
- Ter um programa de fidelização de clientes;
- Recuperar utilizadores que vão sair da loja, com exitbee ou sumome (*exit pop-up*);
- Internacionalizar o negócio;
- Instalar código de conversão (Google AdWords, Facebook Ads e outros), para medir com exatidão o retorno do investimento.

Vender na Amazon

A Amazon é das maiores lojas do mundo, por isso é uma boa montra para o seu negócio. Utilize o serviço para poder vender para os cinco mercados europeus com uma única conta: Amazon.co.uk, Amazon.de, Amazon.fr, Amazon.it e Amazon.es.

Se tem produtos físicos em que o potencial de venda por toda a Europa seja algo aliciante, esta opção tem muito interesse. Apresenta as seguintes vantagens:

- Os seus produtos são mais fáceis de encontrar online com a Amazon;
- Pode apresentar a sua marca a milhões de compradores Amazon;
- Pode vender, a partir de uma conta, para os 5 mercados europeus Amazon;
- Pode gerir facilmente o seu inventário numa plataforma para todos os mercados;
- Proporciona-lhe experiência segura de compras da Amazon;
- Dá-lhe proteção contra a fraude e dá-lhe segurança Amazon;
- Apoia-o como vendedor online e dá-lhe acesso a fóruns de vendedores;
- Carrega em massa o seu inventário e personaliza as taxas de envio;
- Tem acesso a relatórios de vendas;
- Pode vender mais de 30 categorias de produtos.

Naturalmente, existe um custo associado à obtenção desta conta e uma comissão de vendas, mas será uma questão de analisar se é benéfico para o seu caso. Para saber mais informações, ou para aderir, aceda a: *https://services.amazon.es/business/vender-online.html*. Se a ideia lhe agradar, também poderá fazer algo idêntico para vender no eBay.

Google Shopping

Através do Google Merchant Center, pode submeter produtos da sua loja online no Google Shopping. A partir desse momento, pode criar campanhas, em que serão selecionados produtos automaticamente e mostrados ao utilizador, de acordo com a relevância. Desta forma, evita ter de criar centenas de anúncios. Saiba mais em: *www.google.com/merchants*.

CRIE UMA CAMPANHA AUTOMATICAMENTE

Crie um *feed* de produtos para submeter no Google Merchant Center e no Facebook. Assim, poderá criar campanhas automáticas segmentadas, para que os seus anúncios apareçam a quem tiver interesse nos seus produtos.

Publicidade Online

É fundamental investir em Google AdWords e, dependendo do negócio, também em Facebook Ads e noutras plataformas. O *budget* a alocar a cada um destes meios e a outras possibilidades de anúncios (Mobile Ads, afiliados e outros) varia muito em função das especificidades do negócio.

No Google AdWords pode utilizar extensões de anúncios: mapas, *sitelinks* e chamadas. Assim, aumenta relevância, tirando partido de funcionalidades nativas de anúncios que, por vezes, ficam por explorar.

Nestes tipos de anúncio está subjacente o Índice Qualidade = CTR + *Keywords* + *Landing page*, privilegiando os mais eficientes a gerir campanhas e no marketing digital.

Ao anunciar para o motor de pesquisa, está a responder a uma intenção de compra. Mas faça também campanhas com *banners*, para corresponder a uma segmentação e para despertar a necessidade. Pode utilizar técnicas de *remarketing*, distribuindo anúncios de acordo com o comportamento do utilizador. Consegue medir eficientemente as conversões e as vendas, levando-o a conhecer o ROI com exatidão.

Para comparar as suas campanhas com valores-padrão da indústria, poderá utilizar a ferramenta da Google, Display Benchmarks. Assim, poderá analisar desempenho de formatos em diversos países. Visite: *www.richmediagallery.com/tools/benchmarks*.

O Facebook só permite fazer anúncios *display* (*banners*), mas tem um nível de segmentação ímpar, pois conhece os dados agregados dos seus utilizadores, permitindo canalizar o anúncio certo para o segmento certo. Adicionalmente, pode medir conversões e fazer *remarketing*, com acesso a vários tipos de anúncio.

No Facebook, pode também criar campanhas de anúncio de catálogo, permitindo importar um *feed* de produtos para criar anúncios automaticamente.

Os tipos de catálogo que pode criar são: produtos, hotéis, voos, destinos de férias e imóveis. Este catálogo de produtos contém informações de todos os artigos que pretende publicitar. Pode utilizar um catálogo de produtos com vários tipos e vários formatos de anúncio do Facebook: anúncios dinâmicos e o formato de anúncio de coleção.

Assim, terá facilidade de, através de um modelo, conseguir criar múltiplos anúncios e apresentá-los a um público que já tenha manifestado interesse, nomeadamente: visualizado ou adicionado ao carrinho, mas não comprou, *up-sell*, *cross-sell* ou uma combinação destas técnicas.

Se já tiver *feed* de produtos para Google Shopping, poderá reutilizar, com adaptações para o Facebook.

Estenda as suas campanhas a outras plataformas relevantes, como: YouTube, Instagram, LinkedIn ou Twitter.

Se pretender fazer publicidade para distribuição por correio, também existe uma solução simples. O CTTAds.pt é um serviço que lhe permite definir o objetivo da campanha, definir o público-alvo, criar a peça criativa e agendar o envio. Os canais disponíveis são: correio endereçado e não endereçado, e-mail e SMS.

Analítica

É fundamental instalar o Google Analytics, para obter informação detalhada do desempenho da sua loja. Se desejar ir mais além e analisar o comportamento mais detalhado dos utilizadores, pode utilizar o serviço Crazy Egg ou Hotjar, para obter *heatmaps* dos movimentos e cliques do rato.

Deve acompanhar pelo menos estas métricas:

- Visitas;
- Fontes de tráfego;
- Países e regiões;
- Pedidos de informações de produtos;
- Partilhas de produtos;
- Produtos mais vistos;
- Produtos mais vendidos;
- Principal página de entrada e de saída;
- Análise de funis, objetivos e conversões.

O Google Analytics está preparado para fornecer informação valiosa para e-commerce. Aceda ao separador «conversões» e escolha a opção «comércio eletrónico» para poder ter acesso a: desempenho do produto, desempenho de vendas, transações e tempo até à compra. Mas para isso, terá de colocar o código de controlo de comércio eletrónico no seu website. Se quiser obter ainda mais informação, existe outro código de controlo ainda mais avançado. Além disso, o Google Analytics disponibiliza modelos de relatórios para e-commerce.

ATIVE O CONTROLO DE DESEMPENHO DE E-COMMERCE

Utilize o Google Analytics para obter informação valiosa sobre o desempenho da sua loja online. Para isso, deve instalar na sua loja o respetivo código de controlo.

É importante fazer testes A/B para verificar as opções que têm melhor desempenho, como: cores ou ícone do botão comprar, disposição da página, densidade de informação ou tipos de fotografia. É fundamental acompanhar estatísticas, conversões (*landing pages*) e funis do Google Analytics, para melhorar continuamente a sua loja online.

Faça testes, colocando-se no lugar do utilizador. Navegue pelo website sem o login, em vários dispositivos e browsers (no Chrome, com o atalho CTRL+SHIFT+N consegue navegar no modo anónimo) e efetue compras. Verifique imagens, descrições e variações de produtos. Peça a outras pessoas que o façam também, especialmente se não tiverem relação com o projeto, para serem mais isentas. Registe as melhorias a efetuar e preveja os cenários possíveis.

As vendas online crescem e apresentam-se como um caminho com interesse para novas empresas ou para aquelas que querem diversificar e crescer. Mas, ao contrário do que muitos pensam, requerem trabalho, tempo, dedicação, paciência, conhecimento e estar rodeado das pessoas certas.

Propondo-se e trabalhando para isso, as coisas acontecem. Comece já! Não espere pelo momento em que tiver tempo, ou para quando encontrar alguém especial; isso pode nunca acontecer, se não fizer nada agora.

A Sua Checklist Loja Online

N	✓	TAREFAS A IMPLEMENTAR
1		Defina a estrutura da loja e o público-alvo
2		Certifique-se de que preenche os requisitos legais
3		Crie uma loja simples, ou opte por uma loja profissional, de acordo com o orçamento disponível
4		Implemente medidas de segurança
5		Escolha os métodos de pagamento que fizerem sentido
6		Crie conteúdos atrativos para os produtos
7		Aposte em ferramentas que facilitem a relação com o cliente
8		Una os dois mundos: online e offline
9		Certifique a sua loja
10		Internacionalize o seu negócio, se for importante
11		Aumente as suas vendas, promovendo-as nos canais certos
12		Crie campanhas de publicidade
13		Analise métricas, para acompanhar o retorno do investimento

7
LANDING PAGES

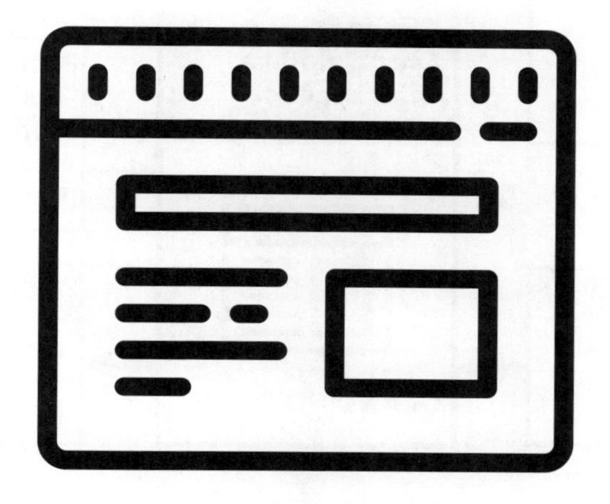

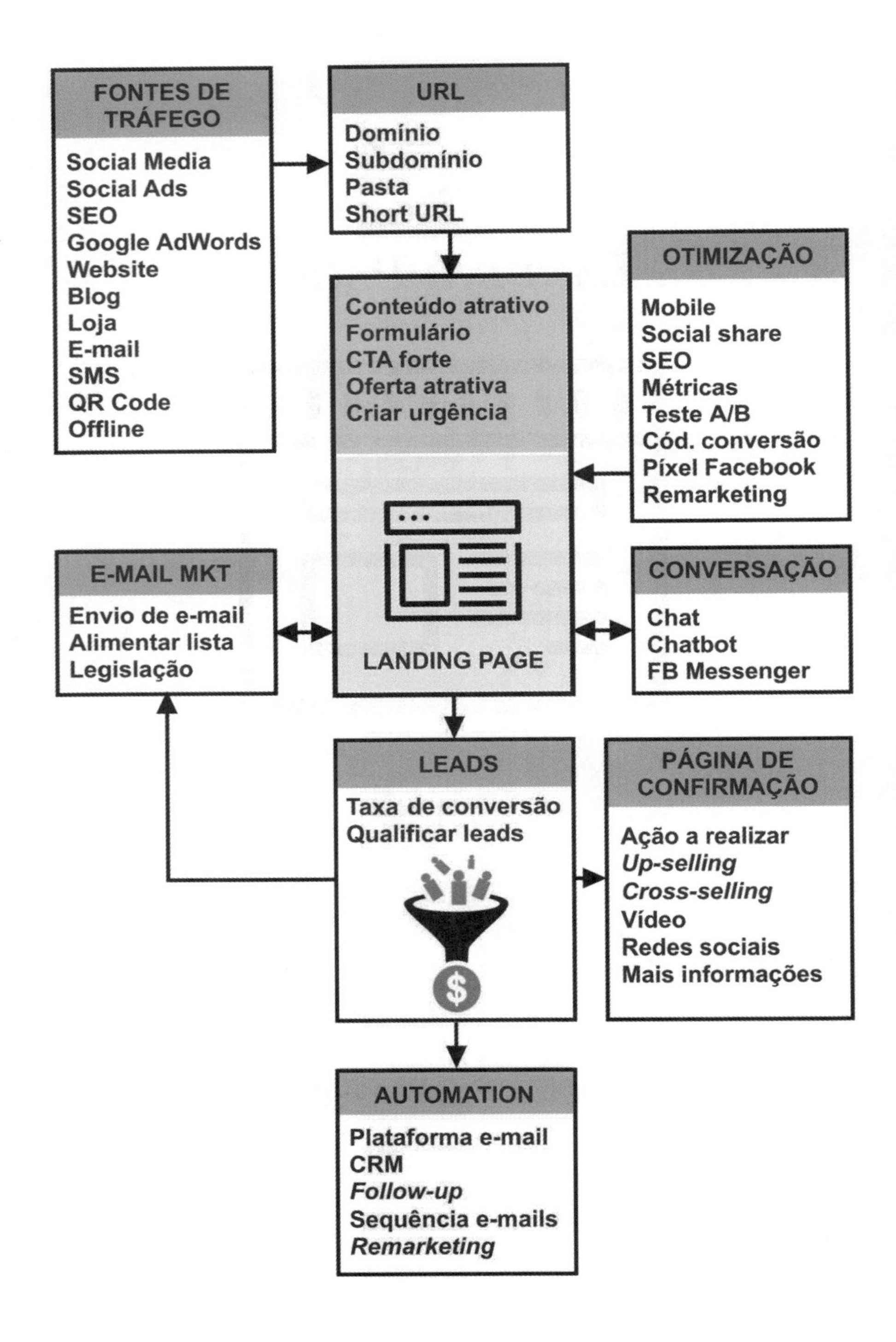
FONTES DE TRÁFEGO
Social Media
Social Ads
SEO
Google AdWords
Website
Blog
Loja
E-mail
SMS
QR Code
Offline
URL
Domínio
Subdomínio
Pasta
Short URL
OTIMIZAÇÃO
Mobile
Social share
SEO
Métricas
Teste A/B
Cód. conversão
Píxel Facebook
Remarketing
Conteúdo atrativo
Formulário
CTA forte
Oferta atrativa
Criar urgência
LANDING PAGE
E-MAIL MKT
Envio de e-mail
Alimentar lista
Legislação
CONVERSAÇÃO
Chat
Chatbot
FB Messenger
LEADS
Taxa de conversão
Qualificar leads
$
PÁGINA DE CONFIRMAÇÃO
Ação a realizar
Up-selling
Cross-selling
Vídeo
Redes sociais
Mais informações
AUTOMATION
Plataforma e-mail
CRM
Follow-up
Sequência e-mails
Remarketing

O Que É Uma *Landing Page*?

Uma *landing page* ou página de destino (também designada por página de aterragem) é a página de entrada num website ou uma página criada especificamente para um objetivo. Depois de clicar num resultado no Google, num anúncio, em redes sociais ou noutra origem de link, abrirá uma página com uma mensagem alinhada com o que foi visto anteriormente. É, tipicamente, uma página que contém as informações relacionadas com o produto ou com o serviço, cujo objetivo é vender ou captar contacto.

Exemplos de páginas que são, naturalmente, *landing pages*: página do produto de uma loja online, página sobre serviços da empresa no seu website, página com informações sobre um evento ou página com uma formação num blog. Por vezes, estas páginas não estão preparadas para converter, deteriorando os resultados esperados.

Sempre que pretenda criar uma campanha, fazer um lançamento, vender um produto ou serviço, é fundamental criar uma *landing page* específica.

O link da *landing page* pode ser um domínio ou um subdomínio, um URL de um website, de um blog ou de uma loja online, ou pode gerar um link curto, através do serviço bit.ly. Veja um exemplo em: *www.marketing digital360.eu*.

O link poderá abrir através de: computadores, mobile, TV, consolas de jogos, QR Code, realidade aumentada, realidade virtual, vídeo ou formato impresso.

Figura 51 – Exemplo de *landing page* com formulário para captação de *leads* para uma formação.

Características de Uma Boa Página

Existe um conjunto de características que determina uma boa *landing page* e que aumenta as probabilidades de ser mais eficiente. Não caia na tentação de tentar colocar muita informação, com menus de navegação, links desnecessários ou informações que vão fazer dispersar o utilizador. Utilize também a seu favor a psicologia das cores, para fazer despertar emoção e a sensação desejada, associada à mensagem principal.

- **Objetivo único:** deve focar-se apenas no objetivo que pretende que o utilizador execute;
- **Título atrativo:** pense num título que vá despertar mesmo interesse. Se combinar curiosidade, benefício para o utilizador e gratificação imediata, vai manter o interesse de quem visita a página;
- **CTA (*call-to-action*) forte:** desenhe um botão que se destaque, com um grande apelo à ação desejada. Por exemplo: «Obter oferta», «Download grátis» ou «Obter voucher»;
- **Técnicas de web copywriting:** utilize escrita curta, simples e atrativa. Influencie para que seja tomada uma ação;
- **Resolva um problema:** defina um problema do cliente e proponha-se a resolvê-lo;
- **Proposta de valor:** veja no que o seu produto ou serviço é realmente diferenciador em relação à concorrência;
- ***Above the fold*:** certifique-se de que a mensagem importante e essencial está acima da linha, antes de fazer *scroll* na página. A maioria das pessoas só vê o que aparece no primeiro ecrã;
- **SEO:** otimize a página para pesquisas, utilizando boas *keywords*;
- **Design atrativo:** desenhe um layout simples, com harmonia de cores, que proporcione prazer na visita;
- **Rápido:** a página tem de abrir rapidamente;
- **Mobile:** crie versão mobile e teste a experiência do utilizador;
- **Anti-spam:** ninguém gosta de spam, por isso, informe o utilizador sobre a política de privacidade, para que fique mais tranquilo e mais favorável a ceder os dados. Pode também considerar adicionar o certificado SSL, uma vez que está a recolher informação dos utilizadores.

A HOME PAGE É A PIOR *LANDING PAGE*

Normalmente, a página inicial do seu website é a pior página possível para associar a uma campanha de publicidade, pois o utilizador fica confuso e não sabe onde está a informação que procura, ou que ação tomar.

Como Criar Uma *Landing Page*

A página pode ser criada diretamente na sua plataforma de website, no entanto, pode não ser a forma mais rápida, mais atrativa e mais eficiente de o fazer.

Algumas das possibilidades para construção de uma *landing page*:

- HTML;
- WordPress;
- Instapage.com;
- Unbounce.com;
- Pagewiz.com;
- Landingi.com.br;
- Optimizepress.com;
- Leadpages.net;
- Landerapp.com.

No WordPress, existem *plugins* e temas específicos para criar *landing pages*; o Inbound Marketing for WordPress é um deles. Em relação a temas, poderá ver facilmente essa referência, quando consulta informação sobre o tema: no diretório oficial do WordPress e no Themeforest.

Crie a Sua *Landing Page*

Chegou o momento de criar a sua *landing page*. Não se assuste! Com a ferramenta e a metodologia certas, é mais fácil do que parece. Pode optar pela ferramenta que preferir, no entanto, recomendo que utilize o Instapage, por ser uma das ferramentas mais simples, mais rápidas e mais profissionais para o efeito.

O Instapage permite as seguintes funcionalidades:

- Escolher e editar *template*;
- Adicionar título, texto, imagens e secções de páginas;
- Inserir vídeo com possibilidade de *autoplay* e sem o *player*;
- Adicionar vários tipos de formulário, botão e forma;
- Receber *leads*, por e-mail, por download ou por outra plataforma;
- Integrar o formulário com plataformas de e-mail marketing ou CRM;
- Associar Google Maps, para localizar um evento ou uma empresa;
- Tornar a página mais social, com a opção de partilha nas redes sociais;
- Inserir um contador decrescente, para assinalar o fim de uma promoção;
- Adicionar código HTML personalizado, para expandir funcionalidades;
- Adicionar analítica, para determinar conversões;
- Criar testes A/B;
- Criar e otimizar a versão mobile;
- Configurar definições adicionais para fundo de página, tipos de letra, SEO, informação de partilha nas redes sociais, definição de objetivos de conversão, adicionar javascript e histórico de alterações.

Figura 52 – Esquema de como deve ser uma *landing page*.

Por isso, o primeiro passo é aceder a: *www.instapage.com* e criar uma conta de demonstração gratuita. Depois, escolha o *template* que mais se adeque ao tipo de páginas que deseja criar e efetue ajustes iniciais de layout ou de elementos.

Defina um título atrativo, adicione uma descrição curta e uma imagem ou um vídeo na parte superior. A imagem pode ser feita no Adobe Photoshop, no Canva ou noutra ferramenta de que disponha.

Se quiser inserir um vídeo em destaque, existem inúmeras ferramentas para o efeito: App Google Photos, Wideo.co, Goanimate, Flixpress, Placeit, Adobe Spark, iMovie, Windows Movie Maker, Pinnacle Studio, Sony Vegas, Adobe Premiere, Wevideo, Moovly e outras.

Ainda no ecrã inicial, sem obrigar o utilizador a fazer *scroll*, edite ou adicione um formulário com uma oferta que interesse, para estimular o utilizador a fornecer os seus dados – a venda virá depois, se tiver de acontecer. Edite o formulário, para ajustar os campos necessários. Aqui, pode também integrá-lo com a plataforma de e-mail marketing (E-goi, MailChimp ou outros) ou com o CRM que desejar.

O botão junto ao formulário deve ter um *call-to-action* forte e algo atrativo que incentive o utilizador a submeter o *lead*. A cor e o texto do botão devem criar contraste e ficar esteticamente em harmonia com o layout. Para saber as combinações de cores que resultam bem, visite: *http://color.adobe.com*.

Indique fatores de urgência: limitado no tempo, lugares limitados, *stock* limitado ou preço especial. Pode adicionar um contador decrescente para enfatizar a urgência de tomar uma ação, criando pressão adicional ao utilizador, para agir imediatamente, antes que seja tarde de mais.

Mais abaixo, na página, pode adicionar elementos complementares, tais como: testemunhos, empresa, explicação do produto, mais imagens, mapa, secções, botões de partilha nas redes sociais e código HTML.

A qualquer momento, pode adicionar ou remover secções para ajustar a altura da página. Também pode alterar a cor ou a imagem de fundo de cada secção, bastando passar o rato na respetiva parte lateral.

Se desejar adicionar um serviço de chat (Jivochat ou outro) ou Chatbot (Chatfuel ou outro), poderá fazê-lo através da inserção de código HTML na parte superior.

Agora, nas definições, pode aplicar as melhorias que considere relevantes: fundo da página, tipo de letra e outras opções.

Deve configurar corretamente os campos de SEO, com palavras-chave relevantes e com descrição. Deve, também, configurar o título, o texto e a imagem que aparecerão no Facebook e noutras redes sociais, sempre que a sua *landing page* for partilhada.

Vamos tratar agora da versão mobile. Clique na parte superior, para comutar para o modo mobile, e aplique os ajustes automáticos. Depois disso, pode ocultar ou redimensionar elementos, que apenas se refletirão na versão mobile.

Pode, a qualquer momento, pré-visualizar o trabalho que está a desenvolver, através da opção «Preview», que permite ver o aspeto e o funcionamento no computador e nos dispositivos móveis.

Agora, volte à página inicial do Instapage, para ver a listagem de páginas criadas. Clique no ícone envelope, do lado direito da página, para poder definir os e-mails que serão notificados quando alguém submeter um *lead*. Tem ainda a possibilidade de poder fazer download dos *leads* submetidos em MS Excel.

Na página inicial, tem um ícone, ao lado da página, para poder ver estatísticas do desempenho da sua *landing page*, por dispositivo, visualizações e conversões. Se efetuou testes A/B, consegue determinar as variações que trazem melhores resultados.

Agora, resta-lhe publicar a página, para que fique acessível.

Pode publicá-la de várias formas:

- **Domínio** – ficando do tipo: *www.marketingdigital360.eu*;
- **WordPress (instalar *plugin* no WordPress)** – o aspeto do URL será: *www.web2business.pt/mrs360*;
- **Facebook** – permite-lhe publicá-la num separador da página Facebook;
- **Demo page** – publicá-la, de modo a ficar com um link do tipo landingpage.instapage.com, podendo torná-lo mais curto e atrativo com ligação a um bit.ly personalizado.

Figura 53 – *Landing page* criada no Instapage: *www.web2business.pt/mrs360.*

Para terminar, deve criar outra página, mais simples, destinada à página de confirmação, onde irá apresentar: agradecimento, informação de próximos passos, conteúdos adicionais, ofertas, indicação para seguir nas redes sociais ou o que desejar que seja disponibilizado após receber os dados do utilizador. Deverá aceder à edição do formulário na *landing page* inicial, para personalizar mensagem temporária e para definir a página que vai redirecionar depois de receber os dados.

Numa fase posterior – num cenário mais avançado –, podem ser efetuados testes A/B, que pode integrar com Google Analytics e ainda adicionar códigos de conversão de campanhas de publicidade e de *remarketing*.

Promover

Pronto, já criou a sua página e já pode ficar descansado, certo? Ainda não! Seria como abrir um negócio e esperar que os clientes o descobrissem. Agora, precisa de publicar e promover a sua página para que a conheçam.

Ideias para aumentar a exposição da sua *landing page*:

- Fazer publicidade no Google, Instagram, Facebook, YouTube e outros;
- Partilhar nas redes sociais;
- Enviar por e-mail e por SMS;
- Divulgar em suporte físico;
- Associar a eventos no Facebook;
- Criar ligações no seu website ou no seu blog;

- Enviar link por plataformas Instant Messaging (Facebook Messenger, WhatsApp, Skype e outros).

Aumentar Conversões

Muito bem, agora a sua página recebe visitas e obtém resultados! No entanto, quer saber se pode fazer alguma coisa para aumentar as conversões.

Então, o primeiro passo é fazer um diagnóstico à sua página, para ver que aspetos técnicos podem ser melhorados. Pode utilizar esta ferramenta muito simples: *https://www.leadpages.net/landing-page-grader* ou pode experimentar outra ferramenta mais avançada: *www.vwo.com/landing-page-analyzer.*

Utilize *landing pages* diferentes, de acordo com o público-alvo, com o tipo de oferta e com as plataformas de publicidade, e compare conversões. No Instapage, pode duplicar facilmente uma página e fazer os ajustes necessários.

Pode utilizar ofertas *tripwire* (uma proposta muito boa a um valor muito acessível e irresistível), para começar a relação com o cliente e alcançar os seus *prospects* (contactos mais predispostos a comprar) para converter em venda. Mais tarde, depois da confiança e da satisfação obtida, poderá vender produtos e serviços de valor mais elevado.

Utilize um domínio próprio, para dar mais ênfase ao produto ou ao serviço. Se pretende mantê-lo mais associado à marca, utilize um subdomínio ou uma pasta. Exemplo de uma *landing page* com domínio próprio: *www.mkt360.digital.*

Figura 54 – *Landing page* com domínio próprio.

Crie vídeos realmente atrativos, para despertar mais interesse no tema. Transmite mais confiança, aumenta a retenção do utilizador e a sua mensagem é mais claramente difundida, perdurando mais tempo na mente do utilizador.

Crie autoridade, demonstrando o seu conhecimento. Complemente com testemunhos, com referências nos *media*, com certificações e com outras informações que considere relevantes. Se não existir Social Proof, terá muito menos conversões, por parecer menos credível.

Peça a um profissional que reveja o seu texto. Um texto mal escrito – com erros ou com pobreza de vocabulário – retira credibilidade rapidamente.

Forneça todas as condições de segurança, para que o cliente se sinta confortável para avançar: garantia de devolução do dinheiro se não ficar satisfeito; política de devolução; certificações da empresa; selo de segurança e outros indicadores de credibilidade e de segurança.

Depois de começar a obter *leads*, implemente técnicas para melhorar a taxa de conversão (CRO – *Conversion Rate Optimization*).

Faça vários testes A/B, mudando a cor do botão, os campos do formulário, o título, o texto, a imagem e o vídeo.

A Sua Checklist *Landing Pages*

N	✓	TAREFAS A IMPLEMENTAR
1		Defina as características da sua *landing page*
2		Escolha uma plataforma para criar a página
3		Crie uma *landing page* com URL de acordo com as suas necessidades
4		Crie conteúdo adaptado, com oferta atrativa e informação essencial acima da linha do primeiro ecrã visível (*above the fold*)
5		Ajuste a experiência para computador e para mobile
6		Otimize a página para redes sociais e para SEO
7		Promova a página que criou nos diversos canais
8		Otimize a página com testes A/B e outros ajustes

8
E-Mail Marketing

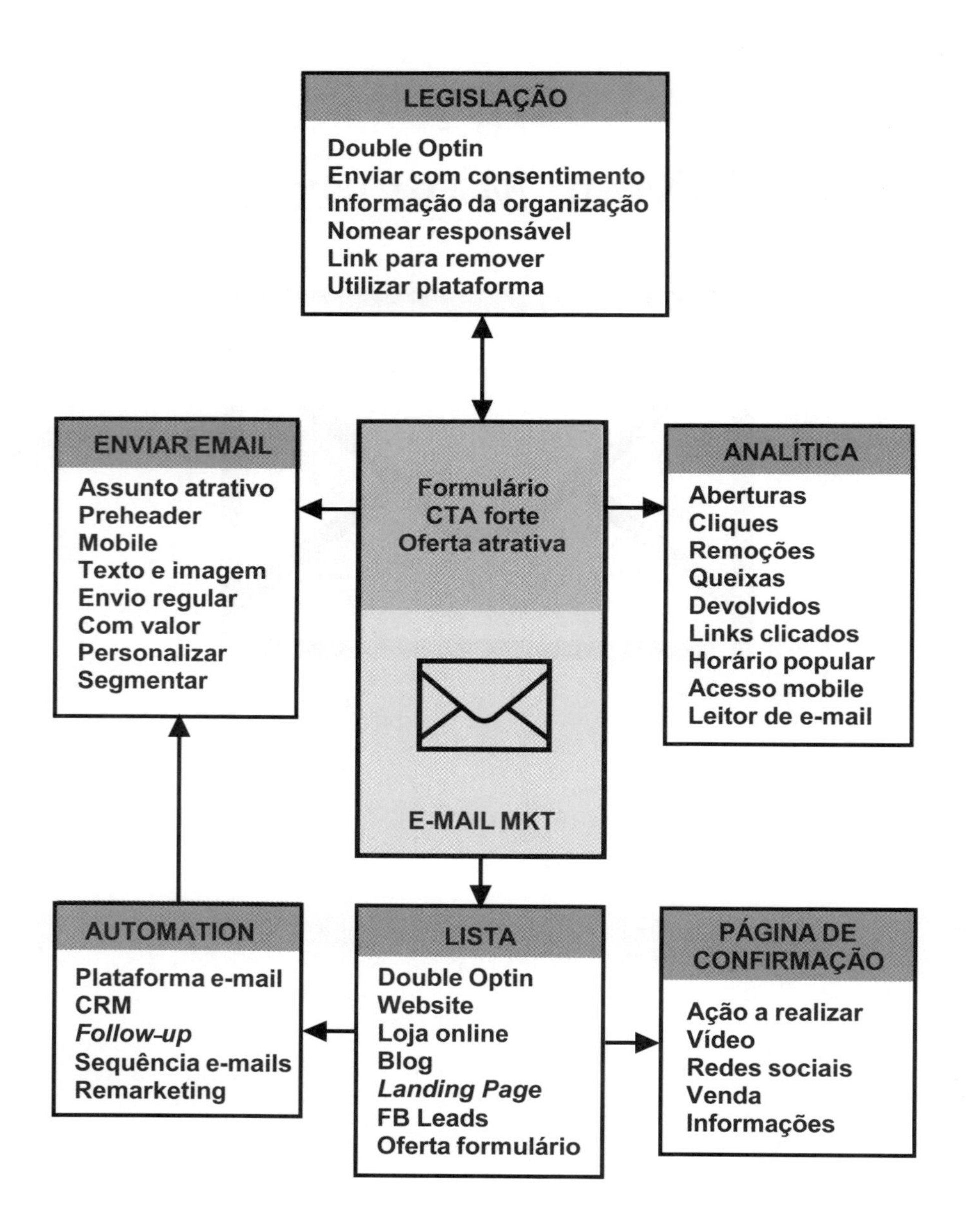
LEGISLAÇÃO
Double Optin
Enviar com consentimento
Informação da organização
Nomear responsável
Link para remover
Utilizar plataforma
ENVIAR EMAIL
Assunto atrativo
Preheader
Mobile
Texto e imagem
Envio regular
Com valor
Personalizar
Segmentar
Formulário
CTA forte
Oferta atrativa
E-MAIL MKT
ANALÍTICA
Aberturas
Cliques
Remoções
Queixas
Devolvidos
Links clicados
Horário popular
Acesso mobile
Leitor de e-mail
AUTOMATION
Plataforma e-mail
CRM
Follow-up
Sequência e-mails
Remarketing
LISTA
Double Optin
Website
Loja online
Blog
Landing Page
FB Leads
Oferta formulário
PÁGINA DE CONFIRMAÇÃO
Ação a realizar
Vídeo
Redes sociais
Venda
Informações

A Importância do E-Mail Marketing

O e-mail marketing existe há muito tempo. Apesar de ser bem utilizado por uns, também é mal utilizado por outros, dando origem ao spam e a envios abusivos, mas não faz dele uma ferramenta sem interesse. É o meio de comunicação digital universal para comunicar para qualquer parte do mundo. É o seu passaporte digital, pois sem e-mail não é possível sequer criar uma conta online na maioria das redes sociais ou dos outros serviços.

Continua a ser fundamental comunicar por e-mail, seja para entregar conteúdo de qualidade, seja para informar os seus clientes ou para automatizar vendas.

Exemplos de utilização do e-mail:

- Enviar e-mail com proposta a um cliente;
- Enviar uma resposta automática, após submeter um formulário ou uma *landing page*;
- Enviar e-mail de confirmação, após comprar um produto numa loja ou se registar num website;
- Envio regular de newsletter;
- Inserir a típica assinatura no rodapé do e-mail com informações da empresa;
- Criar automação, de acordo com o comportamento do utilizador.

O primeiro e-mail foi enviado no início da década de 1970, mesmo antes de existir a World Wide Web. Por isso, no âmbito do Marketing Digital, é o canal de comunicação mais antigo. No entanto, continua a ser muito importante.

Curiosidades sobre o e-mail:

- Existem cerca de 4,6 mil milhões de contas de e-mail, com cerca de 2,7 mil milhões de utilizadores;
- São enviados diariamente mais de 200 mil milhões de e-mails profissionais;
- Em média, são enviados e recebidos cerca de 130 e-mails profissionais por dia, por pessoa;
- Cerca de 91 % dos utilizadores abrem o e-mail diariamente;
- Mais de 66 % dos utilizadores efetuaram uma compra através do e-mail.

Fonte: *www.inc.com*

Razões para utilizar e-mail marketing:

1 – Universalidade;
2 – Popularidade;
3 – Facilidade;
4 – Ajuda a construir ligações e relações;
5 – Boa ferramenta para comunicação regular;
6 – Bom retorno do investimento.

Procedimentos habituais para comunicar com campanhas de e-mail marketing:

- Verificar que cumpre a legislação;
- Criar uma lista de e-mails;
- Escolher uma plataforma para e-mail marketing;
- Criar conteúdos com interesse para o seu público;
- Comunicar regularmente;
- Personalizar e segmentar;
- Acompanhar estatísticas.

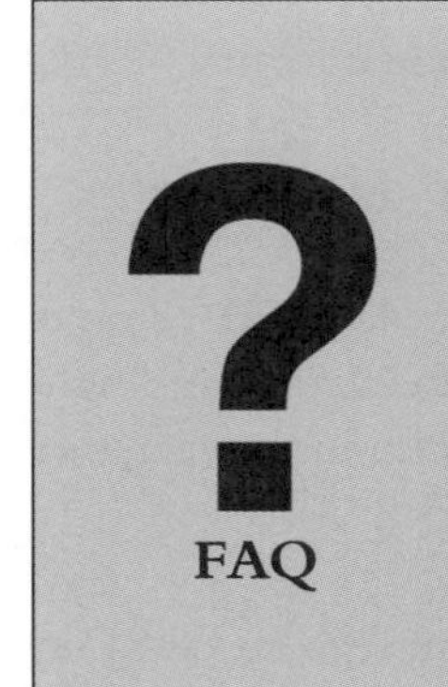

QUAL É A DIFERENÇA ENTRE NEWSLETTER E E-MAIL MARKETING?

O e-mail marketing é uma técnica que abrange a utilização do e-mail para comunicar, portanto, muito abrangente. A newsletter é uma forma de comunicar com notícias, muito associado ao típico envio semanal com as novidades da empresa, sendo um caso particular de e-mail marketing.

Para começar, faça um teste para determinar se os seus e-mails estão a ser entregues. Se enviou uma proposta comercial, deseja saber se o cliente a recebeu. Existem variáveis que podem influenciar negativamente a entrega.

Basta entrar em: *www.mail-tester.com*, enviar um e-mail para o endereço aleatório que foi gerado e, de seguida, ver a sua pontuação, que idealmente deve ser 10.

Figura 55 – Teste se os seus e-mails estão a ser entregues.

Se obteve 10, parabéns! De outra forma, precisa de pedir apoio técnico para resolver os itens a vermelho e conseguir ter maior taxa de entrega.

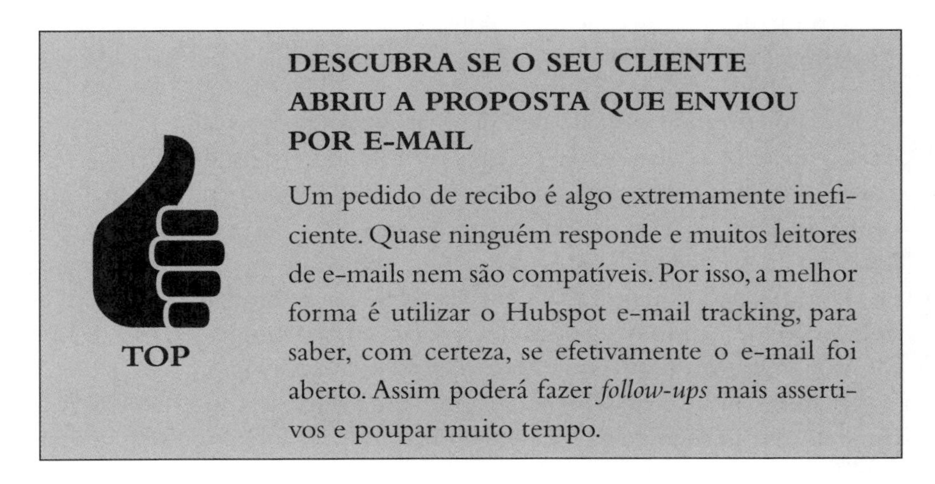

DESCUBRA SE O SEU CLIENTE ABRIU A PROPOSTA QUE ENVIOU POR E-MAIL

Um pedido de recibo é algo extremamente ineficiente. Quase ninguém responde e muitos leitores de e-mails nem são compatíveis. Por isso, a melhor forma é utilizar o Hubspot e-mail tracking, para saber, com certeza, se efetivamente o e-mail foi aberto. Assim poderá fazer *follow-ups* mais assertivos e poupar muito tempo.

Por outro lado, existe uma ferramenta que lhe permite saber se, ao enviar uma determinada proposta, o e-mail foi efetivamente aberto, quantas vezes e a que horas. Basta instalar a extensão gratuita Hubspot e-mail tracking, no Google Chrome: *www.hubspot.com/products/sales/email-tracking*.

Legislação

O uso não deve levar ao abuso. Por isso, certifique-se de que está a cumprir a legislação aplicável no país ou na região em causa, se não quiser estar sujeito a denúncias, coimas e sanções, extensíveis aos gestores da empresa. O incumprimento ou o abuso pode dar origem a reclamações e a uma má experiência com o cliente, podendo entrar numa lista negra.

Garanta que cumpre a legislação:

- Faça recolha de e-mails *double opt-in* para construir a sua lista;
- Envie apenas para quem aderiu: não envie para uma lista de contactos só porque dispõe dela, mas para aqueles que deram autorização de forma expressa, inequívoca, específica e informada;
- Insira informação da organização e morada, com contacto válido no rodapé;
- Nomeie um responsável para documentar o processo de tratamento de dados, disponibilizando o seu contacto válido, garantindo que cumpre os requisitos legais (responsabilidade proativa), sob pena de sanções;
- Insira link no rodapé, para remover automaticamente;
- Consulte «Lista Nacional de Não Receção de Comunicações Publicitárias», para saber se existem contactos que se opõem a receber comunicações eletrónicas.

Para poder enviar e-mails, tem de criar uma lista, normalmente através de um formulário no website, no qual os utilizadores têm de inserir o seu e-mail e efetuar validação *double opt-in* (validar, clicando num e-mail de confirmação). O consentimento tácito não é válido. Por exemplo, não está implícito que possa utilizar os dados que obteve de contactos realizados previamente, para comunicações em massa. Se for possível, registe a data, a hora e o IP de registo de entrada de cada e-mail que tem na sua lista. Desta forma, poderá provar quando cada e-mail validou o seu *opt-in*.

Quando enviar a newsletter, deve ter no rodapé um link bem visível para remover facilmente da lista quem deixou de ter interesse. Deve conter também o nome da empresa, morada e contactos.

SERÁ QUE ESTÁ NUMA LISTA NEGRA?

Se não estiver a seguir as boas práticas de e-mail marketing, o mais provável é que esteja numa lista negra e que a entrega dos seus e-mails seja reduzida. Confirme se está numa lista negra em: *www.mxtoolbox.com/blacklists.aspx.*

Cabe ao responsável pelo tratamento de dados pessoais cumprir e provar com documentação que segue o regulamento, podendo ser fiscalizado a qualquer momento pela Comissão Nacional de Proteção de Dados – CNPD – ou entidade equivalente, de acordo com o país. Também é importante documentar as medidas de segurança, segundo o risco do respetivo tratamento. Os dados devem ser tratados, para que o utilizador possa exercer o direito de portabilidade ou de esquecimento.

Em determinados casos (administração pública e grandes organizações), é obrigatório designar o *Data Protection Officer* (Encarregado de Proteção de Dados) – que pode ser interno ou externo –, que tem a função de fazer cumprir o Regulamento Geral sobre a Proteção de Dados (RGPD) na organização. Deve ter um perfil jurídico e de IT (Tecnologias de Informação) em dados pessoais, reportando à direção da organização.

É obrigatório notificar a entidade de supervisão, em caso de quebra de segurança, em 72 horas após ter tomado conhecimento. Em alguns casos, é obrigatório notificar os próprios titulares dos dados afetados.

Se for uma criança a fornecer dados, deverá ter a validação de um adulto – o encarregado de educação.

Como o RGPD se aplica aos 28 Estados-membros da União Europeia, só é necessário lidar com uma única entidade de supervisão nacional em matéria de proteção de dados, sendo igual e única em toda a UE.

Deve consultar a «Lista Nacional de Não Receção de Comunicações Publicitárias» em: *www.consumidor.pt*, para excluir contactos que tenham manifestado interesse em não receber comunicações eletrónicas.

Para o envio de SMS, também deverá obter o consentimento prévio expresso e dispor de opção de fácil remoção e sem custos.

Consulte também o website da AMD (Associação Portuguesa de Marketing Direto), que pode visitar em: *www.amd.pt.*

Se está a operar noutro país ou noutra região, informe-se sobre a legislação em vigor, pois podem existir variações, de acordo com o mercado.

No Brasil, é recomendável ser sócio e seguir as boas práticas da ABEMD (Associação Brasileira de Marketing Direto), que pode visitar em: *www.abemd.org.br*.

As transferências internacionais de dados dos titulares (por exemplo, para fora do Espaço Económico Europeu) só podem ser realizadas para locais com um nível de proteção igual ou superior ao que vigora na UE, com autorização expressa e explícita do titular. Aplica-se, por exemplo, a serviços cloud, plataformas de e-mail ou alojamento web.

Plataformas

É fundamental utilizar uma plataforma de e-mail marketing, para poder fazer facilmente toda a gestão da comunicação. Pode utilizar uma solução de terceiros ou implementar a sua própria solução. Vamos para a opção mais simples e frequente.

Existem inúmeras opções no mercado: Aweber, Constant Contact, GetResponse, DoctorSender, iContact, Mailchimp, Feedburner, E-goi, SMTP, Internet Marketer Inspire, PHPlist, Emailvision, ActiveCampaign, Benchmark E-mail, Mad Mimi, SendinBlue, entre outros.

O primeiro passo será definir um e-mail de envio, que deverá ser o que fizer mais sentido para o tipo de conteúdo. O pior que se pode fazer é utilizar um e-mail do tipo: *noreply@website.com*, pois, se alguém lhe quiser responder, não vai conseguir e não vai ter paciência para tentar descobrir outra forma de o fazer.

Pode utilizar um domínio diferente do da sua empresa, criado especificamente para envio de e-mails. Assim, protege os seus e-mails empresariais e o website, no caso de, inadvertidamente, acontecerem problemas relacionados com reputação ou spam.

O que a maioria das plataformas de e-mail marketing permite fazer:

- Criar vários remetentes;
- Criar listas e respetivos formulários;
- Importar e-mails (que deram autorização previamente);
- Enviar e-mails com modelo ou com texto simples;
- Inserir texto, imagens, links e outros elementos;
- Enviar e-mail otimizado para mobile;

- Envios automáticos, após inscrição na lista, depois de x dias e de acordo com variáveis;
- Configurar respostas automáticas;
- Personalizar o assunto e o corpo do e-mail;
- Personalizar conteúdos, de acordo com variáveis da lista;
- Fazer segmentação;
- Fazer *Split Test*;
- Acompanhar estatísticas detalhadas;
- Gerir remoção automática de e-mails da lista;
- Inserir a morada da empresa no rodapé;
- Personalizar a pré-visualização (*preheader*) do texto no e-mail;
- Criar versão web da newsletter, através de um link público;
- Integrar com CRM, redes sociais, website, blog e *landing pages*.

POSSO ENVIAR A NEWSLETTER PELO OUTLOOK OU PELO GMAIL?

Não. Tem mesmo de implementar ou de contratar uma plataforma de e-mail marketing. Se não o fizer, além de, implicitamente, não conseguir cumprir a legislação, é uma má prática, que trará consequências a toda a sua estratégia digital.

Mailchimp

O Mailchimp é muito conhecido, pela sua simplicidade e pela ampla integração com ferramentas de marketing digital. Tem a possibilidade de poder ter uma lista de até 2000 e-mails grátis e enviar até 12 000 e-mails por mês, incluindo a possibilidade de utilizar as ferramentas de automação, mesmo no plano gratuito. Funciona no idioma inglês, tal como o seu suporte. É muito comum os *plugins* do WordPress integrarem com esta plataforma, por ser bastante utilizada, muito madura e completa.

Está disponível uma aplicação mobile muito prática, em que pode consultar, em tempo real e logo após o envio, toda a informação essencial, para estar a par do desempenho da ação que acabou de realizar.

Uma das particularidades é a possibilidade de criar diretamente campanhas de anúncios para o Facebook e para o Instagram, a partir do Mailchimp.

Isto possibilita direcionar anúncios para utilizadores destas redes sociais que estejam nas suas listas de e-mails. Imagine que enviou a sua newsletter semanal e uma parte abriu o conteúdo, mas também quer impactar complementarmente este público no Facebook e no Instagram ou reforçar para quem, provavelmente, não tenha visto o e-mail. Além disso, permite ainda direcionar anúncios para públicos com características semelhantes aos que fazem parte da sua lista, expandindo o seu público. Também é possível executar estes tipos de campanha diretamente a partir do Facebook, com integração direta com Mailchimp. Em nenhum dos casos terá custo adicional.

Apresenta funcionalidades muito completas: *templates*, vários utilizadores, integração com loja online, segmentação, *marketing automation*, testes A/B, analítica, app mobile, integração com anúncios Facebook e Instagram e ampla integração com serviços de Marketing Digital.

E-goi

O E-goi, além de ter suporte em português para qualquer questão, integra com voz e com SMS, o que é interessante para enviar, por exemplo, a quem não abriu o seu e-mail com uma campanha especial, uma SMS a informar de que tem uma oferta por abrir, podendo incluir um link na mensagem. Ou, então, recebe uma chamada de voz gravada, de acordo com o comportamento que teve perante a campanha.

Está disponível a aplicação mobile Goimeup, que permite recolher e-mails, por exemplo, numa feira, numa reunião ou em qualquer outro evento empresarial. Basta inserir o nome e o e-mail da pessoa, que depois será sincronizado com a lista respetiva. Assim, já não precisa de levar formulários impressos de pedidos de informações ou de dispor de equipamento adicional para recolha de dados.

Para os utilizadores WordPress está disponível um *plugin* que permite adicionar facilmente um formulário de inscrição na respetiva lista de e-mails, com diversos parâmetros de personalização (cores, formatação, posição do formulário de subscrição). Também está disponível para WooCommerce (o *plugin* mais utilizado de loja online) e para Contact Form 7 (o *plugin* mais utilizado para formulário de contactos).

Outro aspeto muito útil é a possibilidade de programar uma resposta automática, passados três dias, por exemplo, permitindo definir apenas para quem não abriu o último envio de e-mail e onde pode preceder o título de «RE», dando a sensação de que alguém respondeu a um e-mail para o normal seguimento do assunto – esta técnica aumenta bastante a taxa de abertura e de respostas. Escreva um texto curto e muito simples, assemelhando-se a um e-mail muito personalizado. Resulta muito bem para chegar a mais pessoas, dando a sensação de estar a receber uma resposta. Utilize-o com moderação e quando for realmente relevante.

É grátis até 5001 e-mails, bastando fazer login com o Facebook ou com o Twitter para partilhar automaticamente na sua rede esta oferta. No plano grátis, terá também uma referência no rodapé para o E-goi, que no plano pago desaparece. Os preços são muito acessíveis para listas maiores. Crie uma conta em: *www.e-goi.pt* e comece a criar campanhas integradas de e-mail, de Smart SMS e de voz.

O primeiro passo é criar a conta e tratar das configurações iniciais. Depois, crie uma nova lista ou importe uma, se ainda a não tiver. De seguida, será necessário criar um formulário para alimentar essa lista, que pode ser publicado no seu website ou no seu blog, no Facebook, através de QR Code ou link, que pode partilhar onde desejar.

QUAL É A PLATAFORMA DE E-MAIL MARKETING QUE DEVO UTILIZAR?

Não existe uma resposta consensual e varia de acordo com as necessidades de cada utilizador. Mas se precisa de ajuda para escolher e para avançar, recomendo o E-goi. É uma solução portuguesa, simples de utilizar e com integração com SMS. Pode começar pela solução grátis, mas as opções pagas são económicas, comparadas com outras plataformas.

Uma das funcionalidades diferenciadoras é a possibilidade de poder criar *landing pages* que ficam logo integradas com o formulário que irá alimentar uma lista. Naturalmente, é uma solução muito simples, mas, se precisar de uma página e não quiser ter custos adicionais, pode ser uma solução.

Crie a sua campanha de e-mail, utilizando modelos existentes nas categorias: newsletter, e-commerce, comunicação, promoção, aniversário, autoresponder, e das diversas épocas festivas e comemorativas. Ou comece partir do zero e crie o seu modelo. Não se esqueça de verificar se a opção *responsive* está ativa, para ser otimizada em dispositivos móveis. Se for necessário, crie testes A/B, para determinar qual é a campanha com maior desempenho, em função das variáveis que definir.

Se desejar, configure respostas automáticas. Por exemplo, para alguém que se inscreva numa lista, receber um e-mail automático de boas-vindas com links e indicações de mais informação. Ou, então, passados cinco dias de alguém pedir informação de um produto, receber um e-mail automático de seguimento a perguntar se precisa de mais algum tipo de informação ou ajuda.

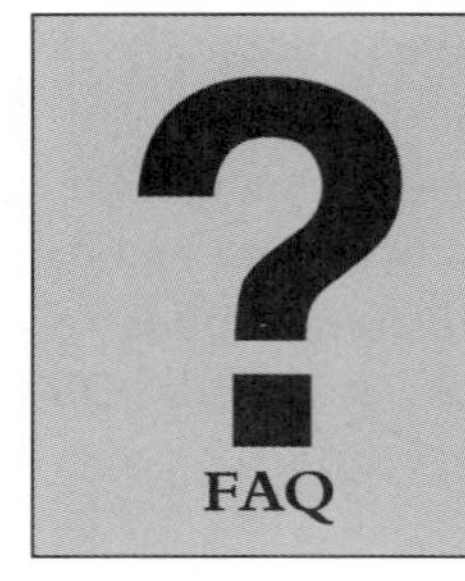

POSSO ENVIAR MENSAGEM DE ANIVERSÁRIO AOS CLIENTES?

Sim, poderá configurar para que seja enviada uma mensagem especial para os seus clientes no dia do aniversário deles. Personalize automaticamente o e-mail, para que tenha ainda mais impacto.

A componente de *marketing automation* permite-lhe escolher entre os modelos de ações ou a experiência que deseja configurar, como: desativar contactos desinteressados, recuperar contactos desinteressados, inquérito pós-compra, campanha de *cross-selling*, recuperação de carrinho de compras, recuperar clientes, pontuar *leads*, boas-vindas, clientes valiosos e aniversários. Pode automatizar campanhas, de acordo com datas, recorrente ou aniversários da sua lista. Com os autoresponder e os funis de vendas, poderá criar desde um e-mail de boas-vindas a uma sequência de relacionamento multicanal: e-mail, SMS, voz e mensagens *push*.

O Track & Engage é um serviço gratuito, que pode ser ativado, ficando com a possibilidade de monitorizar atividades dos utilizadores e de desencadear uma determinada ação ajustada às suas necessidades. Por exemplo: se um cliente adicionou ao carrinho de compras um produto, mas não concluiu o pagamento, esta ferramenta envia um e-mail ou um SMS com um desconto (ou outro estímulo) para concluir a compra – tudo automático. Se utilizar um dos *plugins* E-goi para e-commerce, apenas precisa de ativar este serviço adicional. Se não estiver a utilizar *plugin*, basta inserir um código na loja.

Utilize SMS ou Smart SMS para comunicar de uma das formas mais tradicionais, mas efetivas. Podem conter texto, links, imagens, questionários e documentos. Saiba quem recebe, quem clica ou quem faz download. Defina ações automáticas com base no comportamento. Ainda no âmbito mobile, utilize também as mensagens *push*, integrando-as com a sua app, ou criando uma com o Qero – uma solução do E-goi.

O TinyGoi é a app mobile do E-goi, para poder acompanhar no seu *smartphone* as principais métricas, listas, formulários, dados da conta e relatórios das campanhas. Uma ferramenta muito simples para estar a par do desempenho das suas campanhas de e-mail.

O E-goi permite integrar com várias apps, estendendo as funcionalidades com:

- Plataformas CMS, com e-commerce;
- CRM;
- *Landing pages* e *leads*;
- Gestão de eventos e redes sociais;
- Outras, através do Zapier (plataforma de integração com terceiros).

Está disponível um sistema de estatísticas, muito detalhado e completo, em que pode consultar, por exemplo: aberturas, cliques, remoções, aberturas únicas e cliques únicos.

Se não precisar de utilizar a plataforma E-goi, tem ainda a hipótese do serviço complementar Slingshot, que permite o envio de e-mail e SMS transacionais. É uma solução com interesse se já tem uma plataforma, mas precisa do serviço de envio, para não sobrecarregar o seu servidor.

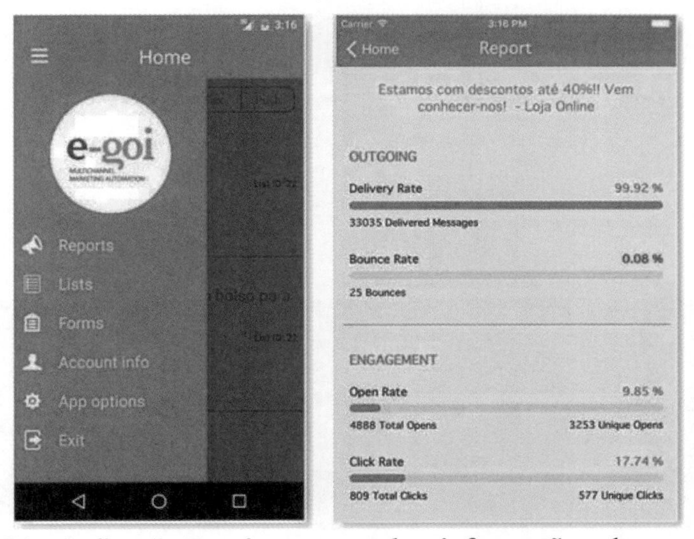

Figura 56 – Aplicação E-goi para consultar informação sobre as campanhas.

Criar Uma Lista de E-Mails

O primeiro passo, antes de enviar e-mails, é criar uma lista. Normalmente, recorrendo a um formulário de inscrição no website, no blog, na loja online ou na *landing page*. Também o pode fazer em lojas físicas ou eventos. Outra possibilidade é fazê-lo através de um pop-up ou de tecnologia similar, que, de acordo com o comportamento do utilizador, mostra uma janela com uma oferta atrativa, para que o utilizador ceda os dados por contrapartida de algo que lhe interessa, iniciando aqui a relação.

Depois de o utilizador se inscrever numa lista através de um formulário, terá de o validar no seu e-mail, clicando no respetivo link. Desta forma, com o *double opt-in* garante que é um pedido autêntico do próprio utilizador.

É fundamental que o formulário seja algo realmente atrativo, em vez do típico «Inscreva-se na nossa newsletter», com o botão «Subscrever». Pense em algo que interesse ao utilizador: «Receba um voucher de 20 %», com o botão «Receber oferta».

É sempre importante dar um incentivo, oferecendo algo relevante. Por exemplo, download grátis de um *e-book*, um vídeo, um curso online, conhecimento, um desconto ou outro benefício. Pense no que pode oferecer que seja valioso para os potenciais subscritores do seu website. Se só tiver um formulário sem nenhum tipo de estímulo à inscrição, a taxa de conversão será muito inferior. Alguns exemplos de incentivo que pode utilizar: desconto na primeira compra, *voucher*, download grátis, vídeo, formação online, *e-book*, conhecimento ou outra oferta.

Figura 57 – Exemplo de uma *landing page*, com formulário para recolha de e-mails.

Além do seu website principal ou institucional, crie um blog complementar e publique artigos importantes sobre o setor, sobre a empresa ou sobre outros assuntos (pode estar integrado no website da empresa ou noutro endereço), pois ajuda-o muito a atrair tráfego relevante de pessoas interessadas em fazer parte da sua lista para receber regularmente mais conteúdos. Adicionalmente, coloque no final dos seus artigos o campo para preenchimento do e-mail, para o leitor ter a possibilidade de receber mais artigos que lhe interessem. Assim, aumenta a sua lista com relevância e com qualidade.

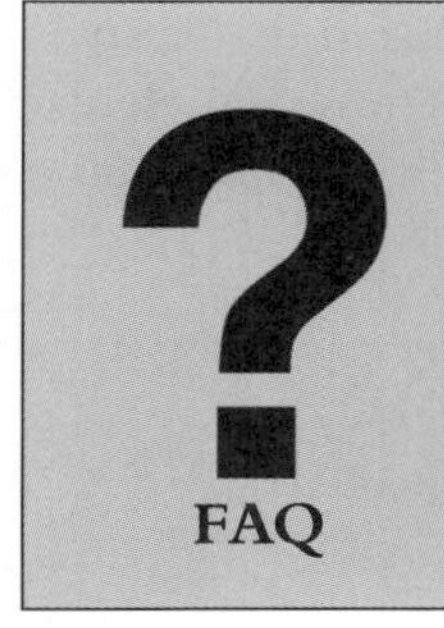

COMO CRIAR UMA LISTA DE E-MAILS?

Deve utilizar vários formulários, que podem estar no seu website, loja online, blog ou *landing page*. Também pode utilizar funcionalidades de captação de *leads* das redes sociais, como o Facebook Leads e o Twitter Cards.

No Facebook, também pode aumentar a sua lista: através de passatempos, do Facebook Leads, ou partilhando o link direto para a página do website onde tem o formulário para inscrição na lista, acompanhado de uma imagem atrativa e indicando uma oferta como contrapartida.

Também é boa prática criar uma *landing page* específica para alimentar a sua lista, na qual, para receber determinada oferta, o utilizador tem de inserir o e-mail. É a lógica invertida para inscrição na newsletter, mas dando ênfase à oferta.

Nos outros Social Media também pode captar mais interessados, bastando inserir o link na descrição do respetivo conteúdo. Com os Twitter Cards é possível obter automaticamente os dados do utilizador, assim que ele manifeste interesse – idêntico ao Facebook Leads.

Pouco a pouco, a sua lista vai crescendo. Leva o seu tempo, mas tem a grande vantagem de ter pessoas muito interessadas em receber informações suas e que, de livre vontade, o solicitaram, tendo uma taxa de abertura maior, resultando em mais cliques e potenciais interessados.

QUE DADOS DEVO PEDIR NO FORMULÁRIO?

Nome e e-mail deverá ser suficiente. No entanto, se precisar do número de telemóvel ou de outra informação, poderá adicionar esses campos. Mas não se esqueça de que quanto mais informação pedir, menos conversões terá.

Pode acontecer que, com o tempo, alguns e-mails deixem de ter atividade durante um longo período. Por isso, pode haver interesse em efetuar manutenção da sua lista, para a manter relevante e atualizada. Para que o tamanho da lista corresponda à realidade.

UM PARCEIRO OFERECEU-ME UMA BASE DE DADOS DE E-MAILS. POSSO UTILIZÁ-LA?

Um parceiro de uma atividade pode aliciá-lo a aceitar a oferta de uma lista de e-mails que recolheu num *webinar* ou noutra atividade. Provavelmente, os subscritores não deram consentimento para ceder os dados a terceiros. Mesmo admitindo que a intenção seja boa, é um procedimento incorreto e ilegal.

Existe a possibilidade de alugar bases de dados de e-mails, em que os utilizadores deram consentimento para receber campanhas de terceiros, mas pode não ter interesse, devido à falta de relevância e de relação com os subscritores. Em alguns casos específicos pode resultar (moda, eletrónica, turismo e outros). Mas cuidado com propostas de empresas sem credibilidade, pois, se não tiver sido dado consentimento explícito e consciente dos utilizadores, vai gerar um sentimento de rejeição, nada bom para o seu negócio. Confirme a legalidade e a legitimidade das listas, para evitar constrangimentos legais.

Com as bases de dados de terceiros, terá de ser o titular o único responsável pelo envio e pelas garantias de abertura dos e-mails. Pergunte qual é a taxa de abertura e qual é a taxa de cliques, pois são alguns dos indicadores que caracterizam a qualidade da lista. A base de dados tem de estar ativa e deve estar segmentada e em conformidade com as exigências legais.

Tenha em conta que essa base de dados não é sua propriedade, visto que nenhum dos subscritores deu o consentimento específico para receber as suas campanhas. Apenas de uma forma abrangente foi dado o consentimento para receber publicidade de terceiros (se não o tiver feito, legalmente não poderá comunicar com essa base de dados).

Em alguns casos, esta prática pode ter interesse, se cumprir todos estes requisitos. Por exemplo, se está a entrar num novo mercado e precisa de comunicar rapidamente com um novo público de outro país; se quer abordar uma classe específica, em que exista uma organização que os represente; para associados de determinada instituição; ou para parcerias ou outras situações similares em que a abordagem tenha interesse para as partes envolvidas. O responsável pelos dados deve fazer o envio dos e-mails, cujos conteúdos podem remeter para uma *landing page* sua.

Conteúdos e Layout

Naturalmente, o formato e os tipos de conteúdo que vai veicular são determinantes para poder ser bem visualizado e para despertar interesse, pela sua qualidade e pela sua relevância, ao leitor. Por isso, apostar em temas interessantes, num formato atrativo, gerará mais atenção, tendo impacto positivo em todas as métricas.

Enquanto o assunto é determinante para a taxa de abertura, o conteúdo determina a taxa de cliques. A taxa de abertura define quem abriu o e-mail, sendo influenciada por: remetente (reputação técnica e perante o cliente), *preheader* (pré-visualização das primeiras linhas do e-mail) e o assunto. Mas a relevância do conteúdo que escolhemos é definida pela taxa de cliques. Com os cliques levamos o utilizador ao website ou à conversão.

Enviar regularmente apenas e-mails comerciais pode não ser o melhor caminho. Portanto, forneça valor aos seus subscritores, de acordo com os interesses da lista.

Algumas ideias de conteúdos:

- Enviar *permalink* para o melhor post do Facebook;
- Apontar para o artigo mais lido no website ou no blog no período corrente;
- Fazer ofertas especiais (grátis ou descontos);

- Dar a conhecer um evento importante que vai realizar ou em que vai participar;
- Fornecer informação de valor sobre o setor, curiosidades, dados importantes para os seus potenciais clientes.

Não se esqueça de ter sempre um *call-to-action* do tipo: compre já, aproveite agora, saiba mais, reserve já, inscreva-se agora, ou outra chamada para ação objetiva e simples.

Envie periodicamente: uma vez por semana ou, pelo menos, uma vez por mês. Se enviar diariamente, poderá ser exagerado (dependendo do negócio); se enviar uma vez por trimestre, é um distanciamento muito grande. Se desejar, informe o leitor porque está a receber o respetivo e-mail, para minimizar remoções.

? FAQ

POSSO ENVIAR NEWSLETTER APENAS COM IMAGEM?

Apesar de vermos isso acontecer com frequência, especialmente para enviar campanhas de produtos em promoção, não é uma boa prática. Isto porque obriga o utilizador a ativar as imagens para ver do que se trata, e no mobile não é uma boa experiência.

O aspeto também conta, claro. Tenha em consideração a utilização de imagens atrativas, layout ajustado e com texto bem redigido. É fundamental que exista sempre algum texto no e-mail a enviar, pois permite perceber rapidamente o conteúdo da newsletter, se não ativar as imagens. Beneficia ainda de mais rapidez no mobile, indexado pelos motores de pesquisa (se existir link público) e pela consulta do e-mail através da pré-visualização (*preheader*) do texto, na maioria dos leitores de e-mails.

O e-mail deve ser constituído por texto e por imagem. Deve inserir links nas imagens e em algumas palavras ou frases do texto. Se inserir um URL, poderá encurtá-lo com o bit.ly, para ficar menos extenso e mais atrativo.

As imagens animadas, de forma simples e profissional, também cativam, pois funcionam na maioria de leitores de e-mail (mas não em todos), desde que sejam ativadas as respetivas imagens. Tenha o cuidado de garantir que o primeiro frame do GIF faz sentido como imagem, pois será apresentado se o leitor de e-mail não suportar a imagem animada.

Sempre que for relevante, inclua vídeos com uma imagem atrativa (com ícone de play, por exemplo,), ligada para um vídeo no YouTube ou para o seu website. Insira também o link do YouTube diretamente no e-mail, para reproduzir o vídeo diretamente no Gmail.

Se optar por conteúdos mais baseados em texto, coloque uma ou mais imagens para ilustrar, porque é boa ideia estimular o utilizador a ativá-las, já que é uma das maneiras de medir a taxa de abertura do e-mail. Faça algo simples, atrativo, de preferência curto e fácil de ler, e a pensar como será a experiência em dispositivos móveis. Pense numa disposição simples, em apenas uma coluna. Focalize o conteúdo no e-mail e tenha apenas um único objetivo por mensagem.

CRIE CONTEÚDOS DE VALOR, APELATIVOS E DIFERENCIADORES

Para reforçar visualmente o seu conteúdo, crie uma imagem atrativa para o cabeçalho ou para o corpo do e-mail, no Canva, através dos *templates* gratuitos disponíveis. Adicionalmente, experimente a ferramenta *www.placeit.net* para criar *mockups* com a imagem do seu produto.

Boas Práticas de Assuntos

O assunto do e-mail, o nome do remetente (nome da empresa ou da pessoa) e a pré-visualização das primeiras linhas do e-mail é o que poderá fazer decidir o leitor a abri-lo ou não. O assunto é o mais determinante, portanto, testar assuntos atrativos e apostar em algo com interesse trará melhores resultados. Por isso, deve variar em cada envio e ser criativo, para surpreender e para captar a atenção do seu público.

O QUE DETERMINA A ABERTURA DOS E-MAILS?

O que tem mais impacto é o assunto, por isso seja simples, direto e relevante com o conteúdo. Não utilize assuntos *clickbait*, pois, apesar de até poder naquele momento trazer mais aberturas, terá uma menor taxa de cliques e deteriorará a sua credibilidade.

Alguns exemplos de boas práticas de assuntos:

1. Utilize assuntos atrativos e diferentes em cada envio. Não utilize o assunto do tipo: «Newsletter de janeiro» ou «Notícias da Web2Business»;
2. Escreva normalmente. Não utilize maiúsculas em todo o assunto nem excesso de pontuação, que revelam pobreza e falta de conhecimento de escrita;
3. Utilize emojis quando for relevante. Fica mais atrativo e no mobile torna o assunto ainda mais interessante;
4. Os primeiros 20 a 30 caracteres são os mais importantes. Assim, escolha bem as primeiras palavras, especialmente nos dispositivos mobile que tendem a truncar o assunto. Por isso, deve focar-se em assuntos mais curtos ou colocar a parte mais importante no início;
5. Analise assuntos de outros envios de e-mails. Veja os que são mais atrativos, para se inspirar, mas observe também os que são desinteressantes ou parecem spam, para não voltar a cometer os mesmos erros;
6. Utilize o nome da pessoa no assunto como campo personalizado;
7. Apresente os benefícios: poupança; oferta; conhecimento; conceito; novidade;
8. Teste assuntos diferentes (*split test*) e analise, nas estatísticas, os que revelam mais aberturas.

Exemplos de bons assuntos:

- Convite especial para si: novidades Marketing Digital;
- 7 pecados mortais no Marketing Digital;
- Apenas hoje: 9 cursos com 50 % de desconto;
- Como aumentar vendas com o Facebook?

Exemplos de maus assuntos:

- Newsletter mensal;
- Notícias 10/10/2020;
- Descubra como ficar rico;
- Web2Business (nome da empresa).

E-Mail Mobile

Considerando que o mobile é cada vez mais a forma como consultamos o e-mail, ainda que volte a ser visto num computador, é fundamental estarmos atentos à forma como a sua mensagem é mostrada em ecrãs mais pequenos.

Alguns aspetos a ter em consideração:

- Envie no formato de texto ou de texto e imagem. Não envie apenas imagem;
- Crie espaço suficiente entre links, para se poder tocar com facilidade com os dedos;
- Use botões com CTA, preparados para polegares;
- As primeiras duas palavras são fundamentais no assunto; as restantes ficam normalmente truncadas;
- Otimize imagens para mobile;
- As páginas e *Landing Pages* têm de estar otimizadas para mobile;
- Acompanhe o relatório de aberturas mobile, para ter a perceção da percentagem que estes dispositivos ocupam;
- Pode enviar links, via SMS, para *landing pages* mobile.

É preferível enviar texto com algumas imagens apelativas, mas cuidado para não utilizar imagens demasiado largas ou desajustadas para estes dispositivos.

Para ter ideia da percentagem de pessoas que abrem com *smartphones* e com *tablet*, poderá ver nas estatísticas da plataforma de e-mail marketing.

Figura 58 – Visualização da lista de e-mails no mobile.

Segmentação e Personalização

Existe a possibilidade de segmentar, de acordo com vários critérios: cidade, idioma, preferências, faixa etária, sexo ou outros elementos. Necessita de recolher essa informação no formulário, para poder depois personalizá-la. Envie uma campanha que, de acordo com os segmentos, permita mudar partes do texto, imagens e proposta.

Além do nome e do e-mail, se for importante, tenha também um campo para o número de telefone. Será muito importante para campanhas SMS, que podem estar integradas com o e-mail.

Faça um *split test*, para que a plataforma envie duas versões da newsletter, detetando a que está a gerar melhor aceitação, enviando o resto da campanha para a melhor opção.

Utilize *automated triggers*, para que, de acordo com o comportamento do utilizador, efetue determinadas ações. Se o utilizador der um clique num produto, recebe um e-mail automático passado algum tempo, com mais informações, vídeos ou colocando-se ao dispor para marcar reunião e falar sobre esse produto – é a comunicação personalizada!

O autoresponder permite enviar respostas automáticas ajustadas. De acordo com a lista que efetua a inscrição, recebe um ou vários e-mails automáticos. Pode ser passadas algumas horas, alguns dias, ou outros critérios que estabeleça.

Automação

O e-mail é uma excelente ferramenta de automação. A plataforma de e-mail marketing que escolher terá opções para automatizar processos, com ferramentas mais básicas ou mais inteligentes.

Por exemplo, o Mailchimp ou o E-goi permitem enviar e-mails automáticos no seguimento de compras, do abandono de carrinho de compras ou uma sequência de e-mails no seguimento de ter manifestado interesse num produto.

Imagine poder enviar e-mails ou SMS para os seus clientes de acordo com o comportamento de compra na sua loja online, aumentando, deste modo, as vendas com sugestões relevantes de produtos complementares! Para esse efeito, pode utilizar ferramentas, como o SendinBlue. Ou, se desejar ir mais longe com inteligência artificial, o Boomtrain é uma opção bastante sofisticada, que vai muito além do e-mail.

Outro tipo de automação é a possibilidade de desenhar *workflows* para fazer desencadear ações, de acordo com o comportamento do leitor. Também possibilita adicionar regras para categorizar contactos e atribuir *lead score*, para determinar os potenciais clientes com mais probabilidades de comprar algo em função das suas ações. A par disto, permite enviar e-mails personalizados à sua base de dados devidamente filtrada, para obter uma comunicação de excelência. Uma das ferramentas que cumprem estes objetivos é o drip.co.

No Facebook Leads é possível integrar os contactos que entram automaticamente em campanhas de publicidade neste formato, para introduzir no fluxo de informação da sua plataforma de e-mail marketing ou CRM, entrando depois na sequência de automação que definir.

Estatísticas

É importante analisar as suas campanhas de e-mail. Saber qual é a que tem maior taxa de abertura ou os links que foram mais clicados. Assim, saberá estabelecer uma relação de causa-efeito com o assunto, o tipo de newsletter, os produtos e as ofertas que despertam mais interesse e, desta forma, poderá voltar ao tema mais tarde, com conteúdos de valor. Será necessário acompanhar as métricas fornecidas pela plataforma.

Algumas das mais importantes a consultar:

- Aberturas (únicas e totais);
- Cliques (únicos e totais);
- Links mais clicados;
- Horários com maior atividade;
- Dispositivos mais utilizados (*smartphone*, *tablet*, computador);
- Leitor de e-mail (Outlook, Gmail e outros);
- Domínio do e-mail (Gmail, Hotmail e outros);
- Região geográfica (cidade, país);
- Quem está a abrir ou a clicar mais vezes;
- Novos inscritos;
- Remoções;
- Devolvidos;
- Queixas.

COMO ANALISAR O DESEMPENHO DA CAMPANHA DE E-MAIL MARKETING?

Das várias métricas, as mais importantes são a taxa de abertura e a taxa de cliques. No entanto, veja os pedidos de remoção, que indicam se está a ser inconveniente ou se os seus conteúdos são desinteressantes.

Analise alguns dos principais comportamentos:

1 – O que compram da sua marca;
2 – Que segmento compra mais o seu produto;
3 – Quando compram mais;
4 – A sazonalidade das vendas (final de ano, datas festivas);
5 – Quem compra com mais frequência;
6 – Quem está há mais tempo com a marca;
7 – O momento da vida do cliente com mais interesse nos produtos;
8 – As características comuns dos clientes que geram 80 % da faturação.

A taxa de abertura e a taxa de cliques são as duas métricas mais importantes. Para ter uma ideia, os valores de referência numa lista típica de newsletter é de 15 % de abertura e de 5 % de cliques. Se forem listas criadas através de *landing pages* para ações específicas, os valores são muito superiores. Naturalmente, são apenas valores indicativos e podem variar bastante, de acordo com vários fatores – mas fica com valores de referência para poder comparar.

A Sua Checklist E-Mail Marketing

N	✓	TAREFAS A IMPLEMENTAR
1		Cumpra legislação e conduta anti-spam
2		Escolha plataforma de e-mail marketing
3		Crie uma lista de e-mails relevante
4		Comunique regularmente e com conteúdos de valor
5		Desenhe uma boa campanha de e-mail
6		Utilize assuntos diferentes e apelativos
7		Segmente e personalize as mensagens
8		Analise relatórios de estatísticas para ajustar a estratégia
9		Avance para processos de automação para obter mais resultados

9
Facebook

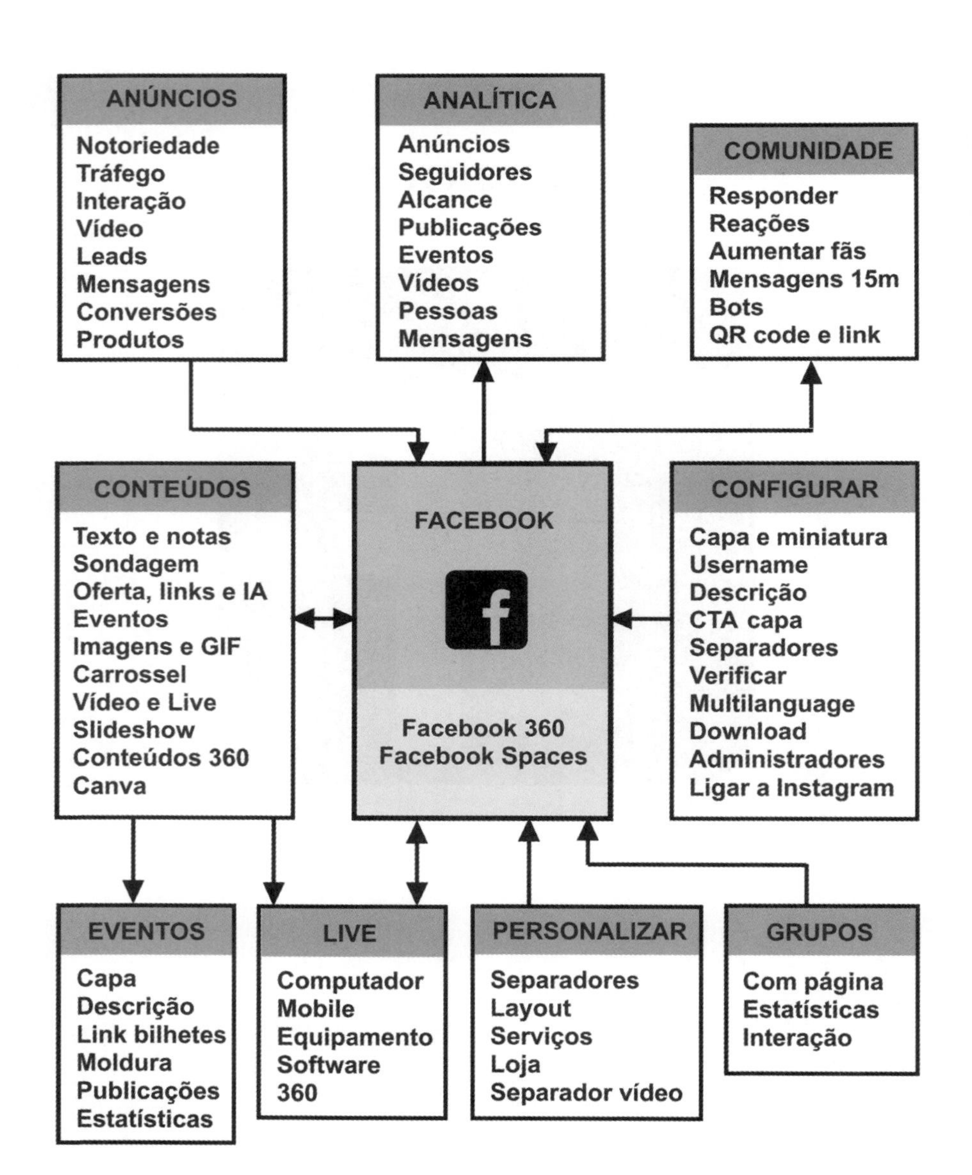
ANÚNCIOS
Notoriedade
Tráfego
Interação
Vídeo
Leads
Mensagens
Conversões
Produtos
ANALÍTICA
Anúncios
Seguidores
Alcance
Publicações
Eventos
Vídeos
Pessoas
Mensagens
COMUNIDADE
Responder
Reações
Aumentar fãs
Mensagens 15m
Bots
QR code e link
CONTEÚDOS
Texto e notas
Sondagem
Oferta, links e IA
Eventos
Imagens e GIF
Carrossel
Vídeo e Live
Slideshow
Conteúdos 360
Canva
FACEBOOK
Facebook 360
Facebook Spaces
CONFIGURAR
Capa e miniatura
Username
Descrição
CTA capa
Separadores
Verificar
Multilanguage
Download
Administradores
Ligar a Instagram
EVENTOS
Capa
Descrição
Link bilhetes
Moldura
Publicações
Estatísticas
LIVE
Computador
Mobile
Equipamento
Software
360
PERSONALIZAR
Separadores
Layout
Serviços
Loja
Separador vídeo
GRUPOS
Com página
Estatísticas
Interação

O Fenómeno Facebook

Com mais de 2 mil milhões de utilizadores, o Facebook não deixa margem para dúvidas: é a maior Rede Social e com um grande potencial de segmentação para anúncios.

O número de utilizadores do Facebook vai continuar a crescer também graças ao projeto nternet.org (do qual o Facebook faz parte), que tem disseminado gratuitamente a Internet a milhões de pessoas em todo o mundo.

Além do perfil, para uso exclusivo pessoal, é fundamental ter uma página para o seu negócio, que deve ser corretamente configurada e personalizada. Faça um bom planeamento e uma boa definição da estratégia de conteúdos, já que será o foco de atenção e de interação com os fãs.

Utilize os grupos para dinamizar comunidades e crie eventos, quando aplicável, para impulsionar ainda mais a sua presença.

No âmbito das vendas, invista em publicidade eficaz nos diversos tipos disponíveis, devendo antever uma boa otimização para dispositivos móveis.

Utilize o Gestor de Negócios (Business Manager) e a aplicação Gestor de Páginas, além da tradicional interface no computador, para o gerir eficientemente e acompanhar de perto as estatísticas que lhe darão conhecimento precioso sobre as direções a seguir.

Vá mais longe, integrando-o no seu website e, se for necessário, adicione-lhe registo pelo Facebook, comentários ou o *plugin* oficial do Facebook para WordPress.

Coloque também nos conteúdos do seu website o botão para partilhar, especialmente se for um website de conteúdos de interesse do público.

Para que os links partilhados possam ser mais atrativos, pode definir uma imagem em destaque no próprio artigo, ou escolher a imagem que aparece no Facebook quando o link é partilhado.

É possível, também, obter estatísticas do Facebook sobre como o seu website está a ser partilhado, permitindo obter informação detalhada valiosa, desde que tenha validado previamente o seu website.

Deve colocar a caixa «Gosto» no website. Assim, fica com a possibilidade de obter fãs diretamente no website, podendo ver as fotografias de outros que já o são. É a melhor forma de aproveitar as visitas e de converter uma parte delas em fãs.

Perfil

Para as figuras públicas ou para os negócios que dependam do seu fundador para imagem de marca, pode fazer sentido interligar o perfil pessoal e a página, onde poderá publicar alguns *posts* públicos para os seguidores, mostrando, assim, uma dimensão mais humana e pessoal. Tem ainda a vantagem de o perfil conseguir ter grande alcance, se tiver uma boa rede de contactos.

Por outro lado, deve ter um perfil seu, autêntico, e nunca criar um perfil para gerir uma página da empresa. Existe a falsa ideia de que temos de o fazer, mas não é necessário.

Poderá participar em grupos e convidar amigos para eventos. Utilize igualmente o chat, que é uma ferramenta fantástica de comunicação.

Permite-lhe ainda publicar histórias, aceder ao Marketplace, utilizar uma imagem de perfil em vídeo e capa em 360.

Assim que atingir os 5000 amigos, não poderá aceitar mais, mas, se ativar nas suas configurações, é possível continuar a obter seguidores, que irão ver as suas publicações e outras informações que definir, mesmo sem serem seus amigos.

É importante aceder à secção de privacidade do seu perfil para fazer a devida configuração em conformidade com os seus interesses de partilha de informação com o mundo.

Pode configurar uma pequena descrição de apresentação e editar fotografias em destaque, que ficarão sempre visíveis para quem visitar o seu perfil.

Por fim, através da aplicação Facebook, pode editar a sua fotografia de perfil, gravando ou carregando um vídeo, tornando, assim, a sua imagem automaticamente animada quando alguém o visita. Visite o meu perfil, com todas estas funcionalidades implementadas: *www.facebook.com/vasco.marques1*.

Criar Página

É muito fácil criar uma página e deve fazê-lo com o seu perfil real (ou através do Business Manager), acedendo a: *www.facebook.com/pages/create*. Se desejar, pode criar primeiro uma página de testes, para colocar em prática o que aprende, podendo optar por não publicar a página, mantendo a possibilidade de utilizar todas as funcionalidades.

Escolha a categoria mais ajustada, entre as hipóteses disponíveis: negócio ou estabelecimento local; empresa, organização ou instituição; marca ou produto; artista, banda ou figura pública; entretenimento; causas ou comunidade. Depois, basta escolher a subcategoria e preencher com os dados que vão sendo pedidos no assistente de criação de páginas. De qualquer modo, poderá sempre editar a página e preencher a informação em falta ou alterá-la.

Configuração da Página

Antes de mais, configure devidamente a página. Mesmo que tenha página há muito tempo, verifique se tem tudo bem configurado. Já vi páginas com dezenas de milhares de fãs que deixaram escapar pormenores importantes.

Primeiro, a capa (*cover*): simples, criativa, única e adequada ao tipo de página. Pode ser uma imagem ou um vídeo, devidamente adaptado. Depois, a imagem-miniatura, que vai representar a página nos comentários, devendo ser muito simples e facilmente visível no formato mais pequeno, pois terá maior relevância no diálogo com a sua comunidade – que é o que importa.

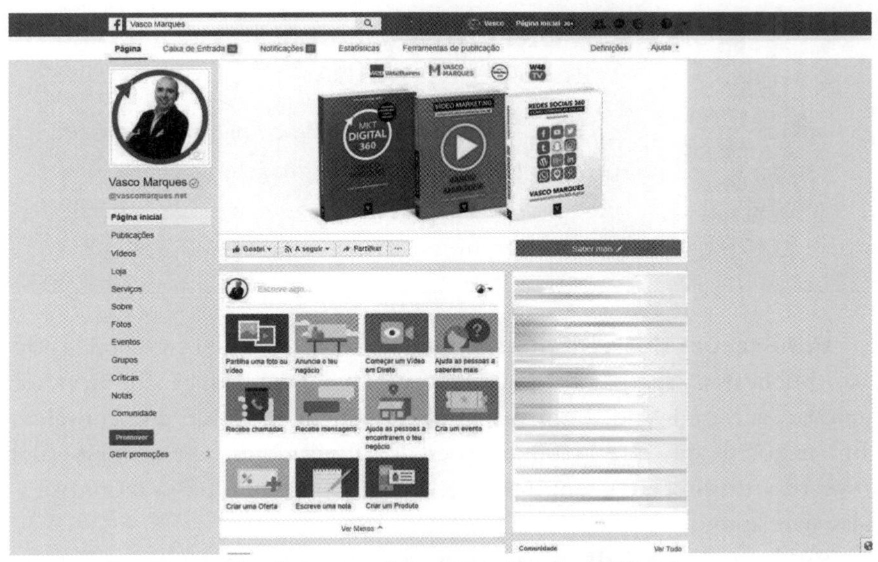

Figura 59 – Exemplo de uma página Facebook verificada.

Aceda às definições, na parte superior da página, e comece a configurar os vários parâmetros. A maioria delas, por defeito, está bem, mas existem alguns campos que tem de definir e de preencher.

Geral

Neste separador, encontra as configurações gerais da sua página. Consulte as mais importantes, nas quais poderá ter de efetuar alguns ajustes.

Visibilidade da Página: se desejar, pode cancelar a visibilidade da página, deixando de ser visível para o público em geral. É útil, quando ainda está a trabalhar na personalização e na organização dos conteúdos.

Verificação da Página: esta opção permite atestar a autenticidade da sua página, ficando com um visto junto ao respetivo nome, conferindo mais credibilidade junto do seu público e obtendo maior prioridade nas pesquisas. Para isso, basta fornecer o número de telefone público da sua empresa (fixo ou móvel), que deve estar já previamente preenchido no «Sobre» da sua página. Receberá uma chamada automática do Facebook, em que será fornecido um código para inserir no respetivo campo. Se tudo correr bem, ficará com a página verificada imediatamente. Se não conseguir validar por esta via, envie os documentos oficiais da sua empresa, para comprovarem a sua autenticidade.

IMPORTÂNCIA DE TER A SUA PÁGINA VERIFICADA

Obtenha o emblema de visto de página verificada, para conferir maior credibilidade e prioridade nas pesquisas. Assim, atesta que a sua página é oficial e torna a comunicação mais credível.

Publicações dos visitantes: configure se deseja que os visitantes possam publicar na sua página, podendo ativar também a opção de ficar sob aprovação. Se, mesmo assim, não quiser, poderá desativar por completo. Em negócios em que as publicações dos utilizadores acrescentem valor (eventos, turismo, etc.), tem interesse, desde que alguém possa monitorizá-las, para aprovar os *posts*.

Público do *feed* de notícias e visibilidade das publicações: ao ativar esta opção, surgirá uma nova funcionalidade na publicação de conteúdos, que permite segmentar por vários critérios qualquer tipo de conteúdo a publicar na página. É útil quando tem uma comunidade grande e diversificada, podendo publicar conteúdos para determinado país ou cidade, por:

sexo, idade, formação ou por interesses. É grátis, por isso vale a pena ativar esta opção.

Críticas: existe a possibilidade de os utilizadores deixarem comentários e avaliarem o serviço. Ainda assim, poderá desativar esta funcionalidade.

Mensagens: permite que os utilizadores possam enviar mensagens pessoais para as páginas. É altamente recomendado que o utilize, pois é um canal de comunicação muito importante. No entanto, deve responder rapidamente a estas mensagens.

Capacidade de identificação: permite que outras pessoas possam identificar a sua página em fotografias e em vídeos. Para negócios que vivam muito da interação com fotografias e vídeos, pode ser importante ativá-la e monitorizá-la.

Outras pessoas que identificam as páginas: é recomendado estar ativado, para que outros utilizadores consigam identificar a sua página em publicações.

Moderação da página: poderá adicionar uma lista de palavras, que farão bloquear publicações ou comentários que as contenham. Normalmente, é para vocabulário abusivo que ultrapassa os limites da cortesia.

PUBLICAÇÕES EM DIVERSOS IDIOMAS

Ative a funcionalidade multilingue, para poder fazer publicações em vários idiomas O público só verá os conteúdos no idioma que fala.

Publicações em vários idiomas: permite publicar publicações em vários idiomas. Ative esta opção para ter possibilidade multilingue no seu mural e chegar a um público mais vasto, com eficiência de comunicação.

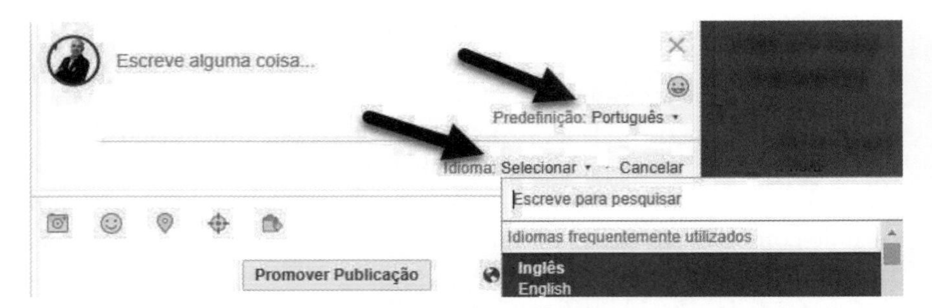

Figura 60 – Utilização da interface multilingue para publicações em vários idiomas no Facebook.

Descarregar Página: permite fazer download de todos os conteúdos da sua página. É aconselhável que o faça regularmente, para manter todos os seus dados em segurança ou, na eventualidade de perder a sua página, terá as fotos e vídeos para os poder republicar nesta Rede Social ou noutro meio digital.

Fundir Página: permite fundir páginas com nomes semelhantes que representem a mesma organização.

Mensagens

Defina a forma como as pessoas podem enviar mensagens. Em «Definições gerais», pode ativar a opção de poder tocar na tecla Enter para a enviar quando acabar de escrever.

O «Assistente de resposta» permite criar mensagens automáticas personalizadas (com introdução de variáveis), para que os utilizadores recebam uma resposta automaticamente logo que iniciarem conversa, de acordo com determinadas condições.

Pode mesmo ir mais longe, configurando os dias e horários em que estará ausente, para que, nessas circunstâncias, o utilizador receba uma mensagem automática. Assim, torna o seu atendimento mais eficiente e mais profissional.

Cargos na Página

É muito importante existir, pelo menos, dois perfis reais com cargo de administrador, para que não corra o risco de, perante alguma eventualidade, deixar de ter acesso à página.

Adicione também outros tipos de gestor, que estão organizados em seis categorias: Administrador, Editor, Moderador, Anunciante, Analista e Contribuidor em Direto.

ADICIONE PELO MENOS DUAS PESSOAS COM CARGOS NA PÁGINA PARA MAIOR SEGURANÇA

Por segurança, adicione pelo menos 2 pessoas diferentes, com perfis reais, com cargos na página, pois não irá afetar a sua privacidade e nem irá publicar nada com o seu perfil na página.

Público Preferencial da Sua Página

Selecione um público preferencial, para que esta informação ajude o Facebook a apresentar a sua página a pessoas interessadas nos seus conteúdos. Basta segmentar as localizações, os interesses, a idade, o sexo e os idiomas.

Instagram

Deve associar a conta do Instagram do mesmo negócio à sua página. Assim, quando efetuar uma campanha de publicidade no Facebook, conseguirá expandir essa campanha para a respetiva conta no Instagram ou, se preferir, lançar a campanha apenas no Instagram.

Em Destaque

Tornando-se fã de outras páginas, elas começarão a aparecer em destaque na página que está a gerir. Por isso, aqui pode definir as que devem aparecer. Não é muito importante, mas se por aqui conseguir canalizar mais alguns fãs para outros projetos tanto melhor.

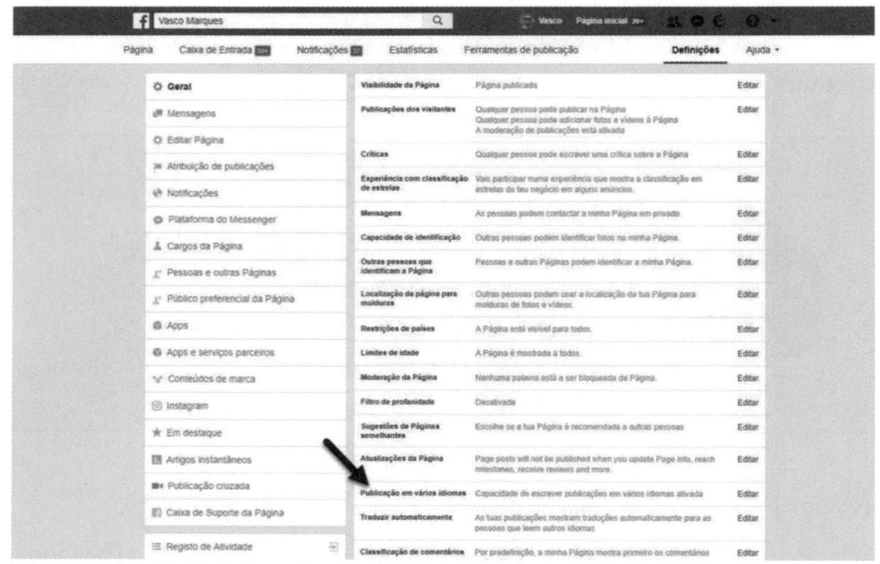

Figura 61 – Definições da página Facebook, com opção de publicar em vários idiomas.

Artigos Instantâneos

Aceda à interface de configuração e gestão dos «Instant Articles», que permitem que os links do seu website sejam abertos dez vezes mais rápido no Facebook, proporcionando uma experiência fantástica ao utilizador. Os conteúdos do seu website são pré-carregados no Facebook e, quando o utilizador clicar, visualizará os conteúdos do seu website adaptados, de forma imediata.

Informação da Página

Aceda ao separador «Sobre» na sua página, onde poderá configurar as respetivas informações.

Categoria: escolha até três categorias para o seu tipo de página. Assim, fica com funcionalidades específicas desta categoria, tais como: identificar local, horário de funcionamento, mapa da localização, *reviews* (estrelas), loja online, serviços e outras vantagens.

Nome: poderá alterar o nome da sua página, se for necessário, caso cumpra alguns requisitos.

Nome de utilizador: defina o URL único da sua página. Se não se recorda se já o fez, confirme nesta secção. É melhor pensar bem, para não voltar a mudá-lo e gerar confusão no futuro. Não pode ultrapassar os 50 caracteres.

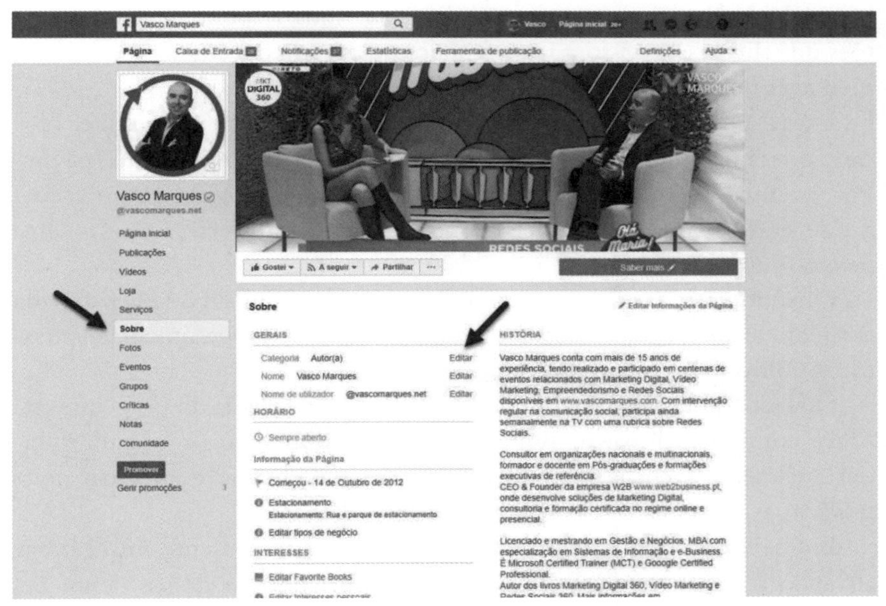

Figura 62 – Configuração do «Sobre» e categoria de uma página Facebook.

Morada: ao definir corretamente a morada, ela aparecerá no outro separador do «Sobre», para que as pessoas possam saber facilmente onde é o seu negócio local. Naturalmente, só terá esta opção se tiver escolhido uma categoria em que faça sentido a morada. Terá também nas estatísticas um novo separador de métricas de «Check-ins» efetuados na sua página.

Configure também a data de início, horários, breve descrição, descrição longa, missão, fundação, prémios, produtos, telefone e e-mail. Assim, fica com a ficha totalmente preenchida. Reforço a importância de inserir aqui um número de telefone público da empresa, para, depois, conseguir verificar a página.

Caixa de Entrada de Mensagens

Esta é uma ferramenta cada vez mais importante no Facebook. Pessoalmente, utilizo muito o chat do Messenger. Mas para contactar com negócios, também é muito importante, pois permite obter uma resposta rápida às questões dos clientes. Por isso, não se esqueça de ativar a opção de contacto por mensagem nas definições da sua página.

Existe um atalho, para poder partilhar no seu e-mail, website, blog ou onde quiser, que consiste no endereço m.me+link da sua página. Por exemplo, o da minha página é: *www.m.me/vascomarques.net*. Ao aceder a este endereço, permite iniciar, imediatamente, conversação entre uma pessoa e uma página.

Quando entra no gestor de mensagens da sua página, pode ver do lado esquerdo as mensagens recebidas, com possibilidade de pesquisa, de aplicação de filtros e de gestão de etiquetas para esses filtros.

Do lado direito, pode consultar a informação detalhada do perfil que está a falar consigo e adicionar etiquetas à conversa, para depois conseguir filtrá-las facilmente (vendas, urgente, suporte, etc.). Pode ainda adicionar notas privadas associadas a esse perfil.

Em baixo, do lado esquerdo, permite ligar o modo ausente até 12 horas, ativando a respetiva resposta automática, se for configurada nas definições de página.

Na interação com o utilizador, além do texto e dos links, pode anexar ficheiros, enviar *stickers* e utilizar respostas guardadas personalizadas, que podem conter variáveis de personalização e imagens.

Também é possível haver algum tipo de integração entre o chat do Facebook e o seu website, através de *plugins* e de sistemas de chat de terceiros.

Chatbots

A inovação que os chatbots trazem é a possibilidade de poder utilizar o chat do Facebook para responder automaticamente a pedidos de clientes, recorrendo à inteligência artificial. Isto muda a estratégia de comunicação e de atendimento do seu negócio, para poder balancear recursos e para canalizar tráfego de pedidos de informação para os meios corretos e mais eficientes.

Imagine, por exemplo, alguém poder efetuar uma reserva de viagens, ou fazer perguntas sobre acontecimentos ou notícias, e obter respostas que vão ao encontro do pedido, sem nenhuma intervenção humana.

Conteúdos

Não é novidade que o conteúdo é rei. E reina no Facebook! Invista o seu tempo na produção de conteúdos atrativos e relevantes para os seus fãs. Acredite, este é o melhor caminho para ter maior alcance e mais sucesso.

Mas não pense que, pelo facto de publicar um conteúdo, ele será visto por todos os seus fãs. Será por uma pequena parte, pois o Facebook irá distribuir os seus conteúdos de acordo com fatores de relevância do seu algoritmo. Esses aspetos estão relacionados com a afinidade do conteúdo, a interação, o tempo da publicação, a diversidade de conteúdos (importância do vídeo e dos diretos) e a respetiva qualidade dos temas.

Estratégia de Conteúdos

A maioria dos conteúdos deve ser do total interesse dos seus fãs e não comercial. Ao fazer isto, aumenta o seu alcance, captando mais atenção dos seus seguidores, mesmo quando publicar algo comercial.

Se publicar três *posts* por dia, dois devem ser de conteúdos importantes para os seus fãs (sobre o setor, curiosidades, conhecimento, valor) e, eventualmente, um com componente comercial, relacionada com o seu negócio.

Com uma atitude informal e autêntica, inspire, informe, forme e ajude nas questões colocadas. Só quem tem muito para dar poderá vir a receber. Pense naquilo que os seus fãs realmente precisam e tente satisfazer essas necessidades. Por isso, torna-se imperativo conhecer bem o seu público, nomeadamente, através da informação agregada nas estatísticas da sua página.

Não fique apenas pela imagem; faça uma aposta forte no vídeo e na diversidade de formatos de conteúdos que o Facebook disponibiliza. Utilize também sondagens e publicações com possibilidade de enviar mensagen.

Preencher a Cronologia

Antes de mais, deve começar por definir alguns marcos do seu negócio: a história da empresa, o início e outros momentos importantes devem ficar associados à data no passado correspondente. Pode associar o lançamento de novos produtos, parcerias estratégicas realizadas e eventos decorridos ou a decorrer. Basta aceder às ferramentas de publicação da sua página.

Marcar no Topo

Nos conteúdos que desejar que estejam sempre visíveis na sua página, clique em «Marcar no topo», no canto superior direito do respetivo post, para os fixar durante uma semana. Pode funcionar como banner, para dar destaque a um evento, novo produto, campanha ou passatempo em vigor.

Permalink

É o único link para uma determinada publicação no Facebook. Obtenha-o clicando na data de publicação que se encontra de forma muito discreta em cinzento. Este link único permitir-lhe-á partilhar apenas esta publicação noutros meios: outras redes sociais, e-mail marketing e mensagens pessoais. Assim, consegue remeter o utilizador exatamente para a publicação que desejar.

Imagem

Use imagens fantásticas, que devem conter descrição com informação relevante e link do website relacionado. Se o link que acompanha a imagem for muito grande, utilize o bit.ly para o tornar mais curto e facilmente partilhável.

Obtenha milhares de imagens gratuitas em: *www.vascomarques.net/imagens.*

Se carregar três imagens em vez de uma, pode notar diferenças de interação e de alcance, pois é mais informativo e menos vulgar, podendo ser considerado, pelo algoritmo do Facebook, potencialmente mais relevante.

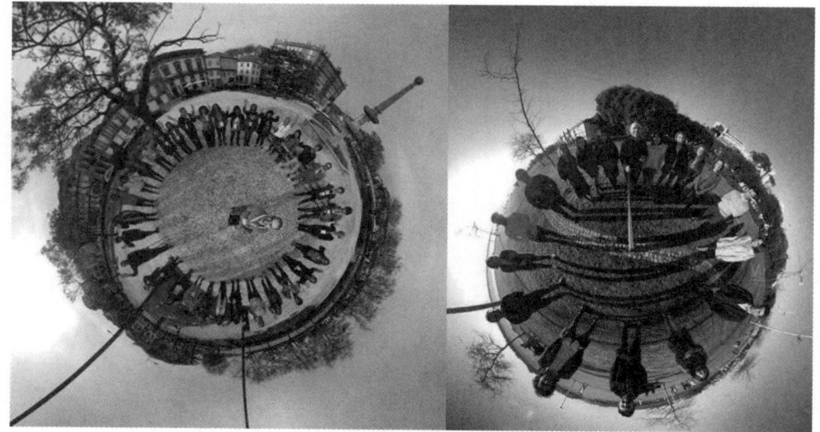

Figura 63 – Imagens com efeito Tinyplanet: uma forma criativa de publicar conteúdos.

Aposte em imagens únicas, criativas e atrativas. Apresento algumas ferramentas para composição e edição de imagem: MS PowerPoint, Pixlr, Express, Canva, Pixton, Pixlr Editor e Photoshop.

Claro que existem mais ferramentas, mas com estas já tem uma grande diversidade de possibilidades para obter bons resultados.

CRIE FACILMENTE IMAGENS FANTÁSTICAS

Utilize o canva.com para criar imagens fantásticas para o Facebook, personalizando modelos prontos a editar.

Fotografias 360

Quando partilha uma fotografia 360, permite que os utilizadores a consigam visualizar num computador ou no mobile. No computador, basta arrastá-la com o rato, para a ver na direção desejada. No mobile, é ainda mais simples: basta mover o dispositivo para a direção que deseja visualizar. É facilmente identificada no *feed*, através de um ícone com o formato de uma bússola.

A melhor maneira, mas também a mais dispendiosa, é adquirir uma câmara 360, permitindo, desta forma, captar muito facilmente em todas as direções. Algumas das câmaras compatíveis são: Samsung Gear 360, Ricoh Theta V, Insta360, 360Fly, Giroptic 360 Cam e ALLie Camera.

Também pode recorrer a apps para obter fotografias esféricas. Algumas das aplicações compatíveis são: Street View, Google Camera e Cardboard Camera. No entanto, é limitado e o efeito final menos atrativo.

No fim, publique no Facebook como se se tratasse de uma fotografia normal. Descubra mais sobre este assunto em: *https://facebook360.fb.com/360-photos*.

GIF

Apesar de não ser um vídeo, comporta-se quase como tal no Facebook. É uma imagem em movimento, que pode estar em reprodução infinita (depende de como o GIF foi criado). Torna-se ainda mais interessante se conseguir criar uma animação do seu logótipo ou de outra imagem que fique em *loop* perfeito, sem se perceber onde começa ou acaba. Pode criar GIF em vários serviços ou no Photoshop.

Para criar facilmente GIF, utilize o serviço Giphy. Pode criar uma imagem animada através de um vídeo do YouTube ou carregar várias imagens para animar. Veja exemplo em: *www.bit.ly/gifyplanet*.

Texto

A atualização de estado e as publicações em texto resultam muito bem, porque são rápidas de ler, até mesmo no *ticket* de notícias, do lado direito.

Opte por mensagens curtas e simples, perguntas, assuntos emocionais ou polémicos. Use-as com frequência, alternando com outros conteúdos. Vai ficar admirado com o poder da simplicidade das palavras!

Álbuns

É útil criar álbuns quando precisa de publicar fotografias do seu evento, imagens do portefólio, catálogo, lista de produtos, slides de uma apresentação ou outras ideias em que seja necessário publicar muitas imagens.

É importante não esquecer de preencher a informação dos álbuns, com o máximo de informação possível sobre o álbum, e escrever texto e link na descrição. Se desejar, pode copiar esse texto e link e colocar na descrição de todas as imagens. Deste modo, quem estiver a ver uma determinada imagem tem sempre descrição e link para o seu website. Se for aplicável, pode associar o álbum a uma localização geográfica. No fim, poderá escolher a fotografia para a capa do álbum.

Links

Partilhar links é um bom tipo de conteúdo, porque o utilizador, ao ver no *feed* de notícias a imagem clicável, será remetido diretamente para o website. Mas o tamanho da imagem associada ao artigo tem de ser suficientemente grande para ocupar toda a largura do *feed* de notícias, de outro modo aparece um quadrado pequeno. O mesmo se aplica quando alguém clica no botão de partilha no artigo do respetivo website ou blog. No caso do WordPress, deve colocar na opção «Imagem em destaque» uma imagem ajustada.

Instant Articles

É uma funcionalidade através da qual é possível visualizar, no mobile, os artigos do website, sem sair do Facebook. Estes artigos apresentam um tempo de carregamento cerca de dez vezes mais rápido do que os artigos do website e podem incluir: vídeos, mapas, imagens e outros conteúdos.

Para configurar esta funcionalidade, já existe um *plugin* para WordPress. De forma a aderir aos Instant Articles aceda a: *https://instantarticles.fb.com*.

É necessário submeter alguns artigos, para obter aprovação por parte da equipa do Facebook, para ativar esta funcionalidade.

MAIS CLIQUES E MAIS PARTILHAS COM INSTANT ARTICLES

Implemente os artigos instantâneos no seu website para obter mais 20 % de cliques, reduzir 70 % o abandono e aumentar 30 % as partilhas.

Vídeo Nativo

Quando quiser publicar vídeo no Facebook, deverá carregá-lo diretamente, tal como faz com uma fotografia. Desta forma, garante mais exposição ao vídeo, já que o algoritmo dá preferência ao vídeo nativo. Além disso, a função com reprodução automática do vídeo dá ainda mais destaque.

Figura 64 – Interface de carregamento e configuração de vídeo nativo no Facebook.

Por isso, utilize o formato vídeo para conquistar com *storytelling*, inspirar, educar, informar, formar e entreter o público. Posto isto, reme na direção certa. Carregue vídeos diretamente no Facebook. Se forem inferiores a 2 minutos, resultam melhor, mas, se desejar, pode carregar vídeos bem mais longos.

No entanto, podem ser partilhados vídeos que reproduzem dentro da plataforma Facebook, ainda que não tenham tanta prioridade como os nativos: YouTube, Vimeo, TED, Kickstarter, de inúmeros canais de TV e outros Social Media.

Isto não invalida ter de o carregar igualmente no YouTube, que não perdeu a sua importância. Em algumas situações, é importante incorporar um vídeo (ou publicação com vídeo), para reproduzir no seu website. Mas fazê-lo através do YouTube, para a maioria dos casos, apresenta mais vantagens, a não ser que queira tirar partido de uma publicação que esteja a ter muita interação e que faça sentido ficar junto de um artigo no seu blog.

Miniatura Personalizada

Depois de carregar o vídeo, o Facebook define automaticamente uma das 10 imagens disponíveis para representar o vídeo. Como vai ter um alcance muito elevado (bem maior do que o número de visualizações), esta imagem é muito importante para aproveitar o grande alcance que vai obter, ainda que a maioria não reproduza o vídeo. Deve escolher uma das imagens no momento em que está a carregar o vídeo ou poderá editá-la mais tarde. Para isso, depois de publicar o vídeo, aceda ao *permalink* do mesmo (clique na hora ou na data) e, em seguida, na opção de editar vídeo, escolha uma miniatura mais atrativa. Pode ainda criar uma imagem personalizada e carregá-la, para se destacar mais.

Legendar Vídeos

Também é permitido carregar legendas no formato «.srt», para que, quando o vídeo estiver a reproduzir automaticamente, possa aparecer texto para cativar o utilizador. Como a maioria dos utilizadores verá o vídeo nestas condições, em alguns casos, adicionar legendas ajuda a reter o utilizador durante mais tempo.

Veja exemplo de um vídeo legendado no Facebook: *http://bit.ly/fbvideo legendas*.

Como a legendagem é morosa, utilize a interface da ferramenta do YouTube para fazer a transcrição e a tradução do vídeo, para no final exportar o ficheiro e poder utilizá-lo no Facebook. Já experimentei e funciona muito bem.

Adicionalmente, existe legendagem automática em inglês e em outros idiomas.

LEGENDE VÍDEOS PARA RETER O SEU PÚBLICO

Legende vídeos do Facebook, recorrendo à interface de legendagem do YouTube, para conseguir reter o público mais tempo no seu vídeo.

Figura 65 – Vídeo legendado no Facebook.

Vídeo YouTube

Em alguns casos, pode partilhar vídeos do YouTube no Facebook, por exemplo, para vídeos mais longos, transmissões em direto do YouTube, Hangouts, vídeos com músicas com direitos de autor que ficam monetizados (no Facebook não consegue carregar), vídeos com maior qualidade, um vídeo que encontrou no YouTube que não seja seu, um *embed* num website, vídeos legendados ou partilhados através do seu *smartphone*. Como vê, em alguns casos, não deixou de fazer sentido partilhar vídeos do YouTube no Facebook.

Fica com uma área visível mais pequena quando é partilhado no mural, comparado com o vídeo no Facebook. Se o vídeo for seu, deve consultar as estatísticas na administração do seu canal do YouTube, para compreender o comportamento do utilizador perante determinado vídeo.

Vídeos 360

Os vídeos 360 funcionam nativamente no Facebook. Basta mover o rato no browser para o ver em todas as direções. Na aplicação, quando está no *tablet* ou no *smartphone*, basta movimentar o dispositivo em qualquer direção, sem nenhum desfasamento, criando uma experiência atrativa aos utilizadores.

No entanto, para os produzir, precisará de uma câmara específica, como: a Ricoh Theta V, a Samsung Gear 360, a Insta360, a GoPro Fusion e outros modelos disponíveis.

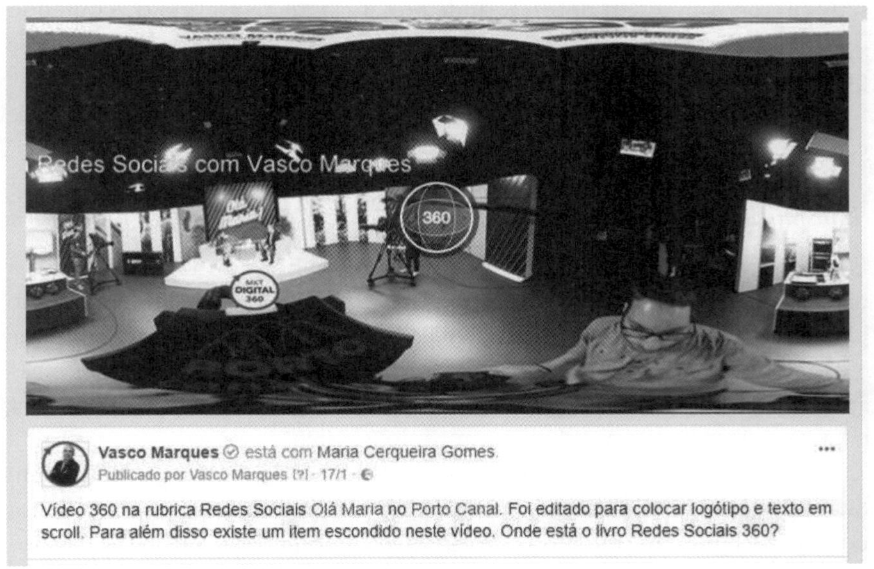

Figura 66 – Vídeo 360 no Facebook.

Veja exemplo de vídeo 360 no Facebook em: *http://bit.ly/exvideo360fb*.

Apresentação Slideshow

Permite criar facilmente um vídeo slideshow a partir das suas fotografias. Está acessível no mural da sua página, basta clicar em «Criar apresentação». Escolha algumas fotografias, a proporção, a duração de cada imagem, o efeito das transições e a música. Para finalizar, clique em «Criar apresentação» e está feito!

Facebook Live

A transmissão em direto no Facebook permite criar ligações mais fortes com o seu público e obter mais relevância no *feed* de notícias. Primeiro, por ser um vídeo, tende a ter mais alcance; segundo, porque está em direto, logo, há o efeito da urgência. E as pessoas agradecem, porque apreciam este tipo de conteúdo.

Avise o seu público com antecedência de que vai estar em direto, indicando qual é o tema, para que fique atento ao direto.

Quando estiver em direto, apele para que os espectadores subscrevam os seus diretos, para serem notificados da próxima vez. É um tipo de conteúdo que, por si só, permite notificar os interessados, quando entrar em direto da próxima vez.

Cumprimente e interaja com os espectadores, referenciando o nome de cada um deles sempre que lhes dirigir a palavra.

Transmissão com Smartphone ou Tablet

É muito fácil começar uma transmissão com a aplicação mobile. Basta aceder à sua página, clicar na opção para publicar conteúdos e escolher a opção para iniciar transmissão em direto. Dê um nome e está pronto para começar.

Ideias para tipos de transmissão: bastidores, perguntas e respostas, dicas, apresentação de produtos e notícias. Alinhe ideias em torno de um tema, para a sua apresentação, e defina um título atrativo.

Se quiser uma configuração com mais qualidade, opte por utilizar um estabilizador ou um tripé (mesmo que seja portátil ou improvisado). Se for necessário, ligue um microfone de lapela, para obter mais qualidade de som.

Durante a transmissão, pode ver o tempo decorrido, o número de pessoas a assistir, os comentários e as reações. A qualquer momento, pode alternar entre câmara traseira e frontal.

A duração da transmissão não deve ser muito curta, nem muito longa. De 10 a 20 minutos é o ideal, para dar tempo de o conteúdo em direto ir sendo distribuído pelo *feed* dos seus seguidores.

Quando terminar a transmissão, o vídeo fica disponível, passados alguns minutos, na página, no mesmo link da transmissão, por isso pode ser partilhado à vontade. Edite a publicação posteriormente, podendo alterar a imagem-miniatura, a descrição ou adicionar links. No fim, apele à partilha da sua transmissão, à subscrição dos vídeos em direto e poderá incorporar o vídeo no seu website ou blog. Faça download do vídeo da transmissão e publique-o no YouTube e outros social media.

Transmissões através da Câmara de Filmar

É possível fazer transmissão em direto para o Facebook a partir de qualquer câmara de filmar. Para isso, tem apenas de utilizar um equipamento que faça o *stream* para o Facebook. Utilize o Teradek VidiU para esse efeito, o que dá uma ótima portabilidade para eventos. Adicionalmente, apenas precisa de uma câmara, juntamente com um router 4G. Dispensa computador para gerir a transmissão. Veja um exemplo de transmissão efetuada com esta configuração em: *www.bit.ly/fbtransmissao*.

Também é possível transmitir apenas com câmara diretamente para o Facebook, mas, nesse caso, terá de adquirir um equipamento específico para o efeito, como é o caso da Mevo, podendo ver mais informação em: *www.getmevo.com*.

Transmissão Profissional

Se quiser elevar o cenário a um patamar profissional, é possível realizar transmissões com qualidade televisiva. O Wirecast é uma excelente opção para o efeito, no entanto, requer um investimento elevado. O Vmix tem um valor mais modesto e é igualmente profissional, com algumas diferenças. E o OBS Studio é totalmente grátis e permite fazer transmissões para o Facebook, para o YouTube e para outras plataformas. Não é o mais atrativo de todos, mas funciona bem.

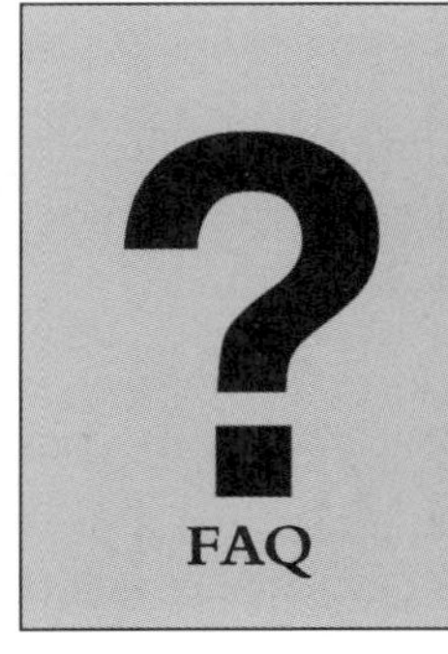

COMO FAZER UMA TRANSMISSÃO EM DIRETO PARA O FACEBOOK NUM CENÁRIO VIRTUAL?

Com o Wirecast Pro ou com o OBS Studio poderá configurar facilmente esse cenário, desde que tenha um fundo verde, boa iluminação e câmara de filmar com placa de captura.

Além de ter mais qualidade, pode utilizar uma *webcam*, várias câmaras de filmar, capturar ambiente de trabalho do computador, usar imagens e vídeos, títulos personalizados e mais fontes para planos. Pode ainda criar cenas com combinação de planos e composição de imagem.

Até pode fazer entrevistas, via Skype, com pessoas em locais remotos, capturando esse plano de ambiente de trabalho e fazendo montagem com a sua filmagem. Tenho utilizado esta técnica com excelentes resultados.

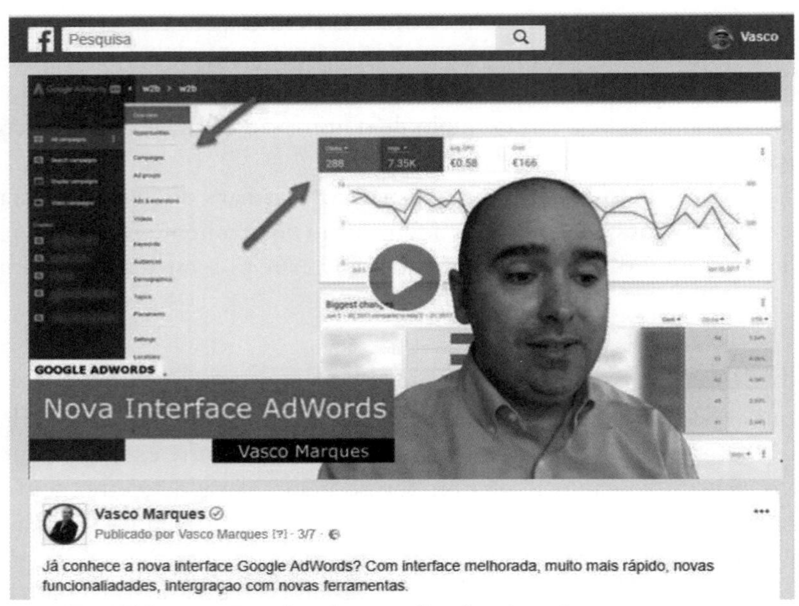

Figura 67 – Vídeo no Facebook com fundo virtual.

Transmissão com Drone

O Facebook também permite fazer transmissões em direto com drones, nomeadamente, com os aparelhos da família DJI, expandindo, assim, as possibilidades de conteúdo até grandes altitudes de criatividade.

Transmissão na Página

Se aceder diretamente à sua página no Google Chrome, terá ainda a possibilidade de começar um vídeo em direto, utilizando a sua *webcam*. É importante para *webinars*, notícias e outras circunstâncias que precisem de uma configuração rápida, mas com bom aspeto. Em alternativa, poderá transmitir o ambiente de trabalho ou uma janela do computador em vez da *webcam*.

Carrossel

O carrossel é um formato atrativo, porque possibilita, numa única publicação, ter cinco imagens clicáveis. Por exemplo, mostrar uma peça de roupa sobre vários ângulos ou de várias cores; várias fotografias de um destino de férias; várias cores para um automóvel – as possibilidades são muitas.

Para o utilizar, basta aceder ao mural da sua página e escolher a opção «Criar um carrossel de fotos». De seguida, introduza o primeiro URL, que permitirá ao Facebook carregar rapidamente várias imagens e sugerir, imediatamente, um carrossel. Poderá, ainda, carregar mais imagens do seu computador e trocá-las, para obter o efeito final desejado. Se passar o rato por cima das imagens, em baixo consegue mudar o link de cada uma delas, que pode ser para uma *landing page* diferente, de acordo com a variação do produto ou do conteúdo, podendo ser do mesmo domínio ou de domínios diferentes. Veja um exemplo em: *www.bit.ly/carrossel3*.

Também está disponível o carrossel em vídeo – em que o efeito é mais dinâmico –, que pode ser útil para alguns casos específicos. Veja o exemplo da Netflix: *www.bit.ly/carrosselvideo*.

É importante, para destacar pormenores de um produto, mostrar como utilizar um produto, contar uma história, um *tour* ou partilhar um artigo do seu blog.

É aconselhável que utilize três a cinco imagens, com tamanho de 600x600 píxeis, descrição da publicação atrativa e descrição do link até 20 caracteres e com o mínimo de texto possível na própria imagem.

Canvas

O Canvas, no Facebook, é um formato único e específico desta rede social. Para construir este tipo de conteúdo, tem de ser num computador, no entanto, só pode ser consumido no Mobile – e já vai perceber porquê!

É uma peça de conteúdo interativa que pode ser constituída por imagens, texto, vídeos e botões, podendo ter uma ou várias peças de cada. Tem uma particularidade interativa: pode dar vida às imagens ou aos vídeos com o movimento do telefone (através do giroscópio). Portanto, é uma micro-página interativa, que carrega dez vezes mais rápido do que um link do seu website.

No mobile aparece o início do conteúdo e, após clicar na setinha para ver mais, expande para a publicação completa, no formato vertical, que será mais ou menos comprida em função dos conteúdos que adicionou.

Depois de construir o seu Canvas, tem a possibilidade de ativar um link de pré-visualização no seu *smartphone*. Pode guardar, duplicar e até utilizar para promover com publicidade, se não quiser ficar pelo orgânico. É algo estranho no início, mas, depois de ver o resultado, é algo realmente muito interativo e diferenciador. Saiba mais em: *https://canvas.facebook.com*.

Oferta

A oferta é um tipo de conteúdo específico para oferecer desconto num produto. Por exemplo, oferecer um *e-book* ou um *voucher* de desconto de 20 % na sua loja online ou na loja física.

Basta carregar uma imagem, definir título, descrição, data de validade e se tem limite de *vouchers*. Defina também a data de início da promoção, o link para resgatar a oferta e os termos e condições.

Quem resgatar a sua oferta receberá, no seu e-mail, o link para poder beneficiar do desconto. No entanto, os endereços de e-mail nunca serão cedidos a quem promoveu a oferta. Mas poderá pedi-lo na *landing page* para obter o cupão. Se estiver a ter muito sucesso com a oferta, poderá promovê-la com anúncios.

Notas

As notas são um excelente recurso para fazer publicações mais completas do que apenas de texto, e ficam no Facebook. Permitem adicionar imagens e formatação básica. Isto tem interesse para uma peça de conteúdo mais estruturada, em que o texto, por si só, não seja adequado, mas que não queira publicar no website. Pelo facto de publicar no Facebook, naturalmente, terá mais interação com esta rede.

PESQUISE NO GOOGLE TODAS AS PÁGINAS FACEBOOK

Pesquise por todas as páginas Facebook, através do Google, com o seguinte comando: vasco marques site:facebook.com inurl:posts (substituindo vasco marques pela sua palavra-chave de pesquisa).

#Hashtag

Não começou pelo Facebook, mas acabou por ser adotada por ele. É amplamente utilizada na maioria das redes sociais. Logo, utilize-a moderadamente, definindo uma para a sua página ou negócio e associe mais algumas de assuntos relacionados com a publicação.

A verdade é que esta funcionalidade não é muito eficaz no Facebook. Por isso, apesar de não ser uma funcionalidade com interesse particular nesta rede, em alguns casos, poderá utilizá-la.

Pesquisa

No meio de tantos conteúdos, pode não ser fácil encontrar publicações mais antigas para consulta ou com interesse em voltar a partilhar.

A forma mais simples é utilizar a caixa de pesquisa, situada do lado direito, depois de clicar no separador das publicações, para introduzir as palavras-chave e ver imediatamente os resultados. Funciona na sua página ou na de outra empresa.

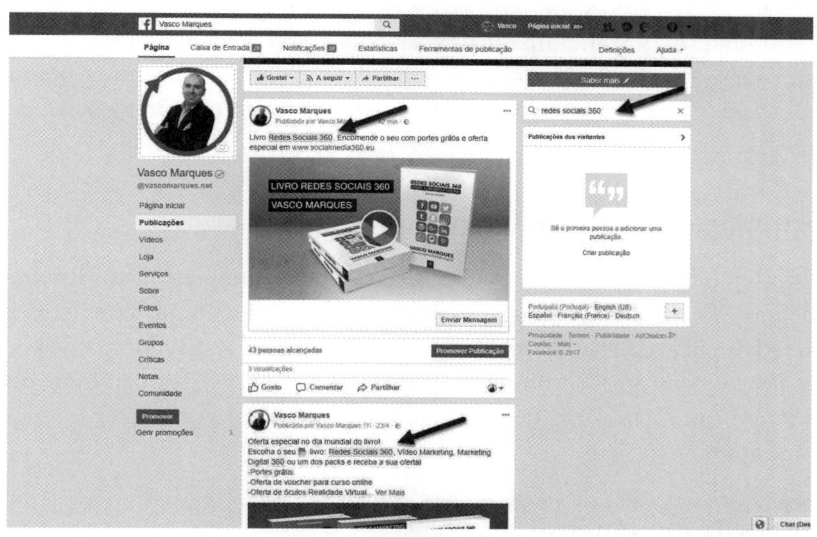

Figura 68 – Caixa de pesquisa de publicações nas páginas Facebook.

Ferramentas de Publicação

É nas ferramentas de publicação que pode gerir todos os conteúdos da sua página de uma forma muito organizada e prática.

Publicações

No primeiro separador, poderá consultar as Publicações publicadas, as Publicações agendadas, os Rascunhos e as Publicações a expirar (porque pode definir uma data em que a publicação deixa de estar disponível). Aqui, também pode criar qualquer tipo de publicação para publicar imediatamente, associar a uma data passada, agendar para data futura ou guardar como rascunho, para que volte mais tarde (ou outra pessoa) e termine de aprimorar a publicação.

Para facilitar, permite efetuar pesquisas por palavra-chave, selecionar os resultados e apagar, ou só consultar para ver as publicações.

Vídeos

Consegue consultar os vídeos existentes ou carregar novos. Aqui, também pode configurar uma transmissão profissional em direto. Por exemplo, para utilizar com o OBS Studio, precisará de aceder a esta secção para efetuar a configuração. No entanto, se utilizar o Wirecast Pro, ele fará esta gestão de forma automática e muito mais simples. Se quiser fazer uma pesquisa avançada para ver apenas transmissões que decorreram em direto, para poder editá-las, aqui é o sítio ideal.

Formulários de Anúncios de *Leads*

É aqui que vêm parar os contactos qualificados dos respetivos anúncios Facebook Leads, que permitem captar, automaticamente, os contactos dos potenciais clientes. Basta fazer download do ficheiro .CSV, compatível com MS Excel, para poder utilizar os dados. Se for necessário, também pode criar aqui um formulário de *leads*, embora também o possa fazer no gestor de anúncios.

Artigos Instantâneos

Para poder efetuar toda a configuração técnica dos «Instant articles», terá de aceder a esta secção, onde estão disponíveis guias detalhados de ajuda. Também ficarão visíveis os artigos, assim que estiverem prontos para ser partilhados, com este formato mais atrativo e rápido.

Canvas

Do mesmo modo que pode criar um canvas no mural da página, também pode criá-lo através das ferramentas de publicação. Após construir a sua peça de conteúdo interativa, basta pré-visualizá-la no seu *smartphone* e está pronta para ser publicada. Aqui, ficam centralizados todos os canvas criados.

Interação com Fãs

Dinamize a página, interagindo, perguntando e incentivando a comentários e a partilhas. Interaja com sentimento, com polémica positiva, com provocação otimista e, acima de tudo, acrescente valor.

É importante responder sempre, pois deixar alguém sem um esclarecimento é desagradável. Mesmo que seja só um gosto na resposta do utilizador, vai também ajudar a que, em próximas publicações, tenha mais alcance.

Mas apesar de responder sempre, discutir nunca! Porque isso é a melhor maneira de perder um potencial cliente, somado a toda a avalancha negativa que se pode desencadear, sem interessar saber quem tem razão. Por isso, apagar mensagens também não é o melhor caminho, salvo casos extremos, definidos por si, que podem estar previstos na política de utilização da página.

Lembre-se de que, enquanto um cliente reclama, está a dar-lhe oportunidade de ser reconquistado, pois quando deixa de reclamar, já desistiu e foi para a concorrência.

Se desejar, pode solicitar aos seus fãs que alterem a prioridade de ver os seus conteúdos, ou ativem notificações para determinados conteúdos que publicar. Já agora, também pode fazer o mesmo para páginas que segue, para tornar os conteúdos que irá visualizar no *feed* mais relevantes para si. Para ter acesso a estas opções adicionais, basta clicar no botão «A seguir» da página, para ajustar notificações e prioridade.

Reações

As reações permitem expressar o que sente, muito além do gosto. Podem ser: gosto, adoro, riso, surpresa, tristeza e ira.

Esta funcionalidade está disponível em qualquer tipo de publicação, tanto em computadores como em dispositivos móveis. Se clicar nas reações da publicação, consegue ver quantas obteve de cada tipo e que pessoas as atribuíram. Mas esta informação é pública, o que significa que poderá ver em conteúdos de outra página de um setor idêntico, para analisar as reações do público a determinado tipo de conteúdo, para aprender com o processo.

Estes tipos de reação estão igualmente disponíveis na analítica do Facebook, bastando clicar no *post*, nas estatísticas da sua página.

O Facebook considera todas as reações positivas, mesmo a reação de zangado. Por isso, nenhuma delas tem o efeito da opção de esconder o *post*, ocultar todos os conteúdos, deixar de ser fã ou reportar como spam. Assim sendo, não se aborreça se alguém demonstrar que está zangado. Estimule o seu público a reagir às publicações com a emoção correta.

Pode criar um passatempo criativo, no qual, por exemplo, quem reagir com a opção do coração (adoro) entra logo no passatempo.

Se existir algum problema técnico com o fornecimento de um serviço, poderá publicar um *post* e fixá-lo no topo, permitindo que as pessoas possam reagir (incluindo com o ícone de zangado), evitando que deixem avaliações negativas na página.

Também pode reagir a publicações noutras páginas, com a sua página, expondo mais a sua presença noutros meios, atraindo, desta forma, mais seguidores. Se deixar um comentário, melhor ainda.

Responda com Imagens ou Vídeos

Além de poder interagir com um gosto ou outro tipo de reação, também é muito habitual a resposta em texto. Mas poderá utilizar uma imagem, GIF ou mesmo um vídeo, na sua resposta. Basta clicar no ícone de imagem junto da resposta e carregar o seu vídeo. Funciona no computador e nos dispositivos móveis.

Aumentar Envolvimento

O chamado *engagement* é a capacidade para criar muitas interações de qualidade. Há inúmeras táticas que pode aplicar.

Partilhe dicas valiosas, tutoriais, convide especialistas para entrevista em vídeo em direto, partilhe factos interessantes e notícias importantes do setor.

Lance ofertas exclusivas no Facebook. Desta forma, fará que os fãs estejam atentos e se sintam recompensados por seguirem a sua página.

Seja breve, com texto curto quanto e quando for possível. Se for mais longo, verifique se a informação importante está visível antes do «ler mais» (data, hora, links, etc.). Não se esqueça de colocar sempre um *call-to-action*, incitando à ação que deseja que seja tomada, como: compre já, leia mais ou download agora.

Passatempos

Pode fazê-los diretamente no mural da sua página, sem recurso a aplicações. Mas, de qualquer modo, a melhor maneira é com uma boa aplicação para gerir de forma profissional e evitar confusões. Easypromos ou Woobox são aplicações recomendadas, mas com custos.

Em alternativa, pode comunicar no Facebook e gerir no Gleam.io, tornando o passatempo mais atrativo. Todas as campanhas de passatempos e concursos devem possuir um link com o regulamento de participação (notas, no website ou outro link). Deverá mencionar o nome do vencedor numa atualização de estado, comentário ou no website.

Se a seleção do vencedor depender do fator sorte (sorteio com utilização do random.org ou outro método), será obrigatório apresentar o regulamento, pedir autorização ao Ministério da Administração Interna e um pagamento da taxa legal. Se a seleção do vencedor depender do fator perícia ou talento (frase criativa, pergunta, etc.), bastará apresentar o regulamento no Facebook, recorrendo às notas ou, então, no website (consultar art. 160.º, n.º 1 Decreto-Lei 422/89 de 2 de dezembro).

O que deve conter o regulamento?

- Como se participa no passatempo;
- Critérios de seleção do vencedor;
- Quais são os prémios;
- Qual é a data do início e do fim do passatempo;
- Como será notificado o vencedor;
- Local, data e hora de divulgação do vencedor;
- Requisitos específicos para participar (idade, local de residência e outros).

Mais informações sobre passatempos: *www.facebook.com/business/news/page-promotions-terms* e mais informações sobre páginas: *www.facebook.com/page_guidelines.php*

Publicações Agendadas e Automáticas

Pode ter publicações automáticas através de RSS do seu website com o: *www.dlvr.it* ou com o Hootsuite se for um canal de difusão de muitas notícias diárias, mas trabalhe para que a maioria das publicações seja manual e relacionada com o que a comunidade quer, em tempo real. O caminho correto é ser o mais manual possível e personalizado, pois a comunidade sente isso (e as plataformas de redes sociais também).

Pode, ainda, agendar publicações diretamente no mural da sua página Facebook, permitindo consultar e alterar publicações agendadas na opção «Ferramentas de publicação». Também tem a possibilidade de agendar publicações na aplicação mobile.

Interação como Página

Para poder ver o *feed* de notícias, mas como página, basta clicar na opção lateral da sua página «Ver *feed* de páginas» ou aceder pelo link: *www.facebook.*

com/vascomarques.net/pages_feed (substituindo parte do link pela sua página). Poderá, também, gostar de outras páginas com a sua página, através desta interface.

Personalização da Página

Permite-lhe configurar ou adicionar outras funcionalidades, para uma melhor experiência para o seu público.

Tem a possibilidade de configurar separadores nativos ou personalizados e de alterar a sua ordem para ficarem com a prioridade correta.

Também é possível adicionar moldura à sua página. Isso permite que os fãs da sua página possam mudar a sua imagem de perfil, temporariamente, com uma imagem sobreposta que definir – bom para *branding* e causas. Saiba mais em: *www.facebook.com/fbcameraeffects/home*. Para aplicar uma moldura existente a um perfil ou página aceda a: *www.facebook.com/profilepicframes*.

Botão de Ação na Capa Facebook

Por baixo da capa da página do Facebook, tem a possibilidade de adicionar um botão com chamada para ação. Algumas das opções disponíveis são: Reserva agora, Ligar agora, Contacta-nos, Enviar mensagem, Usa a aplicação, Jogar, Comprar agora, Regista-te, Ver vídeo, Enviar e-mail e Saber mais.

Pode mudar as vezes que desejar, para dar destaque à ação que pretende que o utilizador tenha. Por exemplo, comprar um produto em promoção, inscrever-se num evento ou ligar para fazer reserva. Naturalmente, o utilizador interage mais no *feed* do que diretamente na sua página, mas pelo menos aqueles que a visitarem têm, de uma forma muito prática, a ação mais provável de a tomar.

Editar Página

Aceda às definições da sua página Facebook e clique no separador «Editar Página». A primeira opção disponível é a possibilidade de poder escolher modelos com aspeto e layout predefinidos para aplicar à sua página, de acordo com a sua atividade. Poderá ver as alterações que serão implementadas, relativamente à ordem de conteúdos, aos separadores, ao botão na capa e a outras opções.

No entanto, mais abaixo, tem a opção de poder ativar, desativar ou alterar definições dos separadores que aparecem do lado direito da página com funções adicionais. Mais abaixo ainda, tem opção para adicionar novos separadores para: loja online, serviços, grupos, notas, ofertas e outros.

Separador de Serviços

Se a sua página estiver configurada em categorias nas quais os serviços façam sentido, esta funcionalidade é para si. Se a tiver, ficará disponível um separador de serviços que, após clicar, pode configurar vários serviços, com título, descrição, preço e imagem, e depois publicar na sua página. Não se esqueça de adicionar website, cidade e número de telefone. As categorias «Empresas e organizações» ou «Consultadoria/Serviços comerciais» são algumas das hipóteses para ativar esta funcionalidade extra.

Isto fará também que fique com uma aba sempre fixa no topo da sua cronologia com os três últimos serviços, dando-lhes muito destaque.

Veja nesta página um exemplo do separador Serviços implementado: *www.facebook.com/vascomarques.net/services*.

Loja Facebook

Se pretende uma experiência de vendas online totalmente integrada com o Facebook, a loja nativa desta rede social é uma excelente solução.

Adicione o separador loja, configure-a e adicione produtos. Terá a opção de botão de compra na capa, um separador personalizado de loja, uma aba da loja sempre fixa no topo, a possibilidade de publicar produtos no seu mural e de identificar produtos nas fotografias e outras publicações.

Para adicionar um produto, basta escolher o nome, adicionar fotografias e vídeos, link, preço e preço em promoção, se aplicável.

Se alguém clicar num dos seus produtos, poderá ver mais informações, fazer gosto, comentar ou partilhar. E terá estatísticas diretamente no produto, no Facebook, sobre as visualizações e os cliques, mas também é mostrada mais informação detalhada, num novo separador, nas estatísticas da página. O utilizador também pode optar por guardar o produto, como costuma fazer com outras publicações. O processo de compra também é muito simples: link para a sua loja online ou mensagem para a sua página.

Se clicar no separador personalizado da loja, ou em ver todos os produtos na parte superior, poderá navegar nas categorias e nas coleções de produtos.

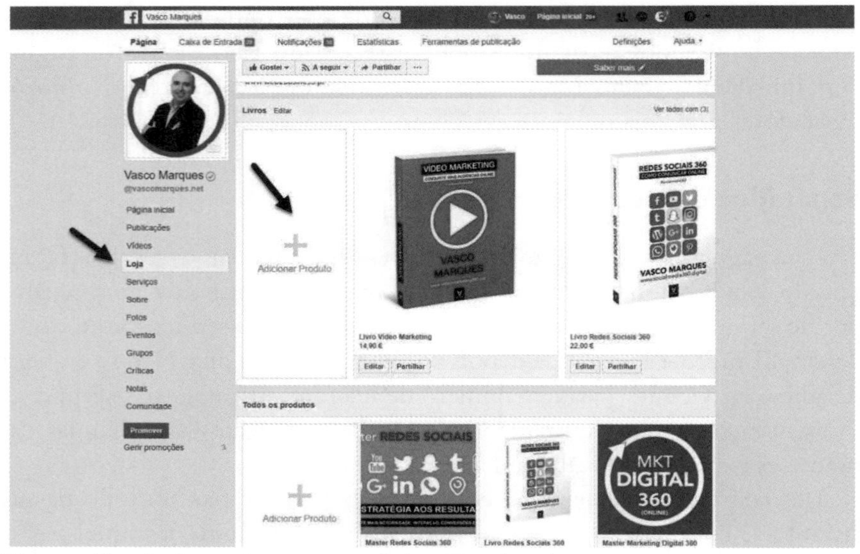

Figura 69 – Loja nativa numa página Facebook.

Separador de Vídeo

Nas páginas, está disponível, de forma nativa, um separador que mostra todos os vídeos que já carregou diretamente na sua página Facebook. Permite colocar um vídeo em destaque, que ficará em tamanho maior neste separador e também na sua página Facebook. Permite ainda criar listas de reprodução, para que possa organizar os seus vídeos. As transmissões em direto também ficam aqui arrumadas. Por isso, trate bem esta secção, colocando-a em destaque e organizando-a, para facilitar a navegação aos utilizadores.

Personalizar Separadores

Pode colocar dentro dos separadores personalizados vídeos, PDF, imagens, catálogo folheável, apresentação PPT, áudio ou qualquer outro tipo de recurso.

Permite-lhe, também, integrá-los com outras redes sociais: Instagram, YouTube, Pinterest, entre outras. Pode, ainda, obter a possibilidade de vendas em grupo, cupões e passatempos.

De todos estes exemplos que apresentei, a aplicação Woobox cumpre-os sem custos. Basta escrever Woobox na caixa de pesquisa do Facebook e, depois de clicar, seguir os passos de instalação. Existem ainda outras aplicações:

Agorapulse, Pagemodo, Heyo, Involver, FaceItPages, Vitrue, Likeable, HyperArts, FanBuildr, facebook.com/fanappz (quiz) e Booshaka (top fãs).

Experimente personalizar a sua página e proporcione uma experiência mais completa e profissional aos seus fãs.

Grupos

Por não terem, normalmente, uma conotação comercial, resultam bem para criar comunidades ativas. Se quiser fomentar comunidades e ter pessoas a participar, será com os grupos do Facebook que chegará a mais pessoas.

Criei algumas dezenas de grupos, que foram crescendo modestamente ao longo do tempo, e hoje tenho mais de 10 000 membros nos diversos grupos. O objetivo principal é a partilha de conhecimento, algo muito valioso para os membros, que acabam por retribuir e por acrescentar também valor. E esse é mesmo o espírito: criar relações e dialogar. Desta forma, está a aumentar a sua notoriedade e a sua reputação na web. Veja alguns exemplos de grupos: *www.bit.ly/gruposnofb*.

Se preferir, crie um grupo privado, no qual só tem acesso aos conteúdos quem for membro, embora o grupo seja pesquisável e se conheçam publicamente os membros e outras informações.

Ou, então, crie grupos secretos, que não são pesquisáveis e que apenas possibilitam acesso a quem é adicionado. São utilizados para suporte ou para grupos de trabalho.

Permitem vender produtos, anexar ficheiros, criar álbum de fotografias, documentos, eventos e transmissões em direto.

Tem algumas ferramentas de administração ao seu dispor: possibilidade de colocar publicações sob aprovação, definir quem pode publicar no grupo, adicionar etiquetas para ajudar a ser pesquisável, adicionar uma descrição sobre o grupo e possibilidade de personalizar o link do grupo.

Veja o exemplo de um grupo que criei para partilha de conhecimento sobre redes sociais: *www.facebook.com/groups/redes.sociais.empresas*.

Figura 70 – Exemplo de um grupo no Facebook.

Se partilhar num grupo o *permalink* do vídeo carregado numa página, também aparecerá o player do vídeo pronto a reproduzir, mas sempre associado à sua página, o que é o desejável.

Uma página pode criar novos grupos ou pode ser associada a grupos já existentes, desde que o administrador o seja da página e do respetivo grupo. Nesse caso, passará a ter um novo separador na respetiva página, denominado grupos, e acesso a estatísticas detalhadas da comunidade.

Eventos

É possível criar um evento como perfil ou como página, não sendo exatamente a mesma coisa. E não tem que ver com a possibilidade de convidar amigos, que é sempre possível fazer com o seu perfil no evento a que aderir, seja seu ou não.

Existem várias vantagens em criar como página. O primeiro benefício é ficar o nome e o link da página associados ao evento, abrindo portas a mais notoriedade e a mais fãs. Por outro lado, fica com um novo campo no evento que lhe permite obter bilhetes. Esta possibilidade permite-lhe colocar um link para a compra efetiva ou para um formulário de inscrição gratuita do seu evento, que até pode ser criado no Google Forms. Além disso, também consegue ter acesso a estatísticas, criar eventos do tipo digressão (*tour*) e promover o evento com anúncios.

É muito importante seguir as medidas da capa para criar algo simples, seja para computadores, seja para dispositivos móveis. Defina um bom nome, redija uma descrição com toda a informação relevante e coloque um link para website com mais detalhes.

Considere que a maioria das pessoas que aderir não tem uma intenção real. Mas isto não é necessariamente mau, porque, sempre que alguém adere, os respetivos amigos ficam a saber, vendo a imagem e o nome do evento no seu *feed* de notícias. Portanto, pode conquistar mais alcance com os utilizadores!

Deve publicar no mural do evento vídeo promocional, imagem e informações relacionados, durante os dias que precedem o evento. É uma boa oportunidade para interagir com as pessoas que já aderiram, pois elas são notificadas de que algo foi publicado no evento. Mas pode continuar a publicar, depois de o evento terminar, por exemplo, os slides, os vídeos e as fotografias.

Existem também vários serviços web que rastreiam eventos Facebook e importam toda a informação para serviços agregadores de eventos. Por isso, deve ter uma informação completa e links, pois irá ser benéfico para a promoção do seu evento, também por esta via.

Aumentar o Número de Fãs

Uma questão frequente é: como posso aumentar o número de fãs? Não há uma fórmula mágica, mas um conjunto de ações que pode captar fãs de diversas formas. Leva o seu tempo. O caminho mais rápido é apostar em conteúdos de muita qualidade. Mas como já percebeu, vai dar trabalho!

Vamos alinhar um conjunto de ideias que o vai ajudar:

- Partilhe conteúdo de valor, com grande interesse para o público;
- Seja social e menos comercial;
- Coloque a caixa gosto no seu website;
- Envie, através da sua newsletter, o *permalink* para o conteúdo que esteja a ter muito sucesso na sua página;
- Não se esqueça de divulgar o link da sua página nos meios offline. Pense em todo o material físico que pode utilizar: automóveis, faturas, sacos, *outdoors*, cartões de visita, autocolantes, embalagens ou *merchandising*;
- Convide os seus seguidores de outras redes a tornarem-se fãs da sua página, e vice-versa;

- Convide os seus amigos, de forma relevante, a tornarem-se fãs;
- Convide, como página, todos os utilizadores que reagiram a conteúdos a gostarem da sua página;
- Promova passatempos;
- Invista em publicidade. É a solução mais óbvia, que não tem necessariamente de fazer, mas em algumas ocasiões é uma boa ajuda.

Se conseguir implementar algumas destas boas práticas e se fizer uma boa aposta numa estratégia de conteúdos com interesse, terá, certamente, um aumento de fãs. Mas lembre-se de que o mais importante não são os fãs: é o alcance e a interação das suas publicações.

Mais Alcance

Muitas vezes, debate-se para encontrar a forma de conseguir aumentar fãs, mas, quando alcança uma boa base deles, não consegue chegar a mais de 5 %, a não ser que pague. Apesar de esta ser a realidade de muitos, existem técnicas que lhe podem trazer taxas de alcance muito grandes, sem investimento:

- Publique vídeos diretamente no Facebook;
- Faça regularmente transmissões em direto;
- Lance atualizações de estado em texto;
- Conte histórias com imagens e com vídeo;
- Partilhe imagens fantásticas;
- Publique dicas úteis e únicas para os seus fãs;
- Analise quais são os assuntos com mais alcance nas estatísticas da sua página e volte ao mesmo tema, com outra abordagem;
- Estimule a interação na publicação;
- Inspire-se em páginas semelhantes, analisando os temas que geram mais envolvimento dos fãs. O fenómeno tende a repetir-se, na fase inicial;
- Partilhe links com conteúdos valiosos para o website, mas prepare uma boa imagem otimizada no respetivo website.

Apesar de tudo, teste novas ideias e conteúdos, mesmo que ache que não vão ter muito alcance, pois, por vezes, acontece o oposto.

Vendas

O Facebook é uma ferramenta de comunicação e de interação e, naturalmente, também é para vendas.

Algumas orientações para ser eficaz nas vendas:

- Primeiro, e sem surpresa para si, a publicidade. Usando uma boa *landing page* (Instapage, Leadpages, WordPress e outros) e um bom anúncio, poderá obter um bom ROI;
- Faça anúncios Facebook Leads para obter diretamente os dados do utilizador sem ser necessário preenchê-los;
- Carregue vídeos curtos no Facebook e adicione link relacionado com o produto para a *landing page*;
- Utilize a loja nativa para vender diretamente no Facebook;
- Crie uma loja online com o Shopify para uma integração com o Facebook;
- Seja rápido a responder no chat, pois um bom suporte e uma boa relação com o cliente é meio caminho andado para fechar vendas;
- Crie uma imagem atrativa e um link curto na descrição que remete para a página do produto, podendo impulsionar o *post* investindo em anúncios.

As vendas não acontecem de forma isolada ou direta. Como está numa Rede Social, tem de ser social e acrescentar valor, que pode ser alavancado com estas técnicas para venda. Responda sempre nas publicações, pois, estabelecendo uma boa relação com o público, aumenta a probabilidade de fechar negócio.

Publicidade

A publicidade no Facebook apresenta várias vantagens: segmentação, poder social e efeito comunidade, notoriedade, envolvimento e CPC potencialmente inferior a outras plataformas de publicidade.

O potencial é gigante, porque a segmentação pode ir até detalhes incríveis, apenas possíveis no Facebook. Esta Rede Social sabe mais de si do que aquilo que imagina. Experimente aceder a: *www.facebook.com/ads/preferences* e veja as centenas de preferências suas que estão guardadas com base no seu comportamento no Facebook e mesmo em websites onde se registou via

Facebook – mas não se assuste, não há razão para isso!

Veja exemplos de anúncios reais no Facebook, organizados por setor, tipo e objetivo, em: *www.adespresso.com/academy/ads-examples*. Faça também uma análise gratuita ao desempenho das suas campanhas em: *www.adespresso.com/academy/free-tools/compass*. Se desejar ir mais longe, poderá utilizar a ferramenta AdEspresso para uma gestão mais avançada.

Tipos Possíveis de Publicidade

A diversidade de formatos de publicidade vai ao encontro da maioria das necessidades dos negócios.

Conheça os principais tipos de publicidade:

Divulgação da marca – aumenta a divulgação da marca, ao alcançar as pessoas com mais probabilidade de ter interesse;

Alcance – mostra o anúncio a um número máximo de pessoas;

Tráfego – envia mais pessoas para destinos dentro ou fora do Facebook, como websites, apps ou conversas no Messenger;

Interação – obtém mais interações com a publicação, gostos da página, respostas a eventos e reclamações de ofertas;

Instalações da app – faz que mais pessoas instalem a sua app;

Visualizações do vídeo – promova um vídeo publicado diretamente no Facebook para poder obter mais visualizações;

Geração de *leads* – permite obter, automaticamente, dados do utilizador, diretamente no Facebook, com preenchimento automático;

Mensagens – faz que mais pessoas enviem mensagens à empresa através do Messenger;

Conversões – promove objetivos no website ou app, como: vendas, interação, inscrição ou *lead*. Introduza o «pixel de acompanhamento» no seu website para medir quantas conversões obteve, facilitando o cálculo do ROI;

Vendas do catálogo de produtos – mostra, automaticamente, um catálogo de produtos, com base num público-alvo;

Visitas à loja – faça que pessoas das proximidades visitem as suas localizações físicas.

Se promover um vídeo, escolha uma miniatura personalizada atrativa. Analise se essa imagem tem menos de 20 % de texto, para maior alcance.

Teste se as imagens que vai utilizar nos anúncios estão mais suscetíveis de ter menos alcance, caso ultrapassem os 20 % de texto, nesta ferramenta do Facebook: *www.facebook.com/ads/tools/text_overlay*.

SE A IMAGEM TIVER MAIS DE 20 % DE TEXTO É REPROVADA?

É aprovada, mas quanto mais texto tiver, mais limitado poderá ser o alcance. Se tiver mesmo muito texto, poderá ser reprovada.

Uma regra básica em qualquer campanha de publicidade é ter pelo menos três variações de anúncio. Pode mudar a imagem, o título e o texto. E acredite, através desta tática, descobrirá qual é, realmente, o anúncio mais eficaz.

Criar Uma Campanha

Para começar a sua campanha, aceda à interface de publicidade, disponível na sua página através de várias formas, ou diretamente em: *www.facebook.com/ads/manager.*

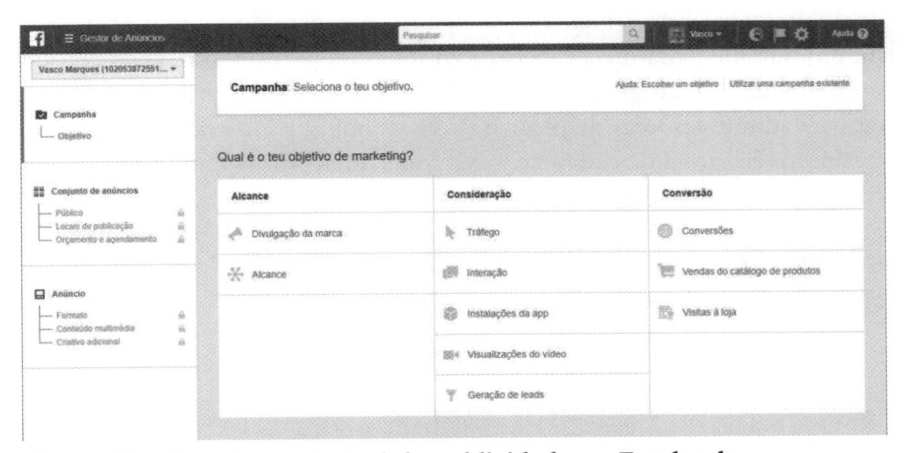

Figura 71 – Interface principal de publicidade no Facebook

Escolha o tipo de campanha ajustado às suas necessidades e avance para o passo seguinte: para a segmentação. Em alguns tipos de campanha, é possível ativar o *split test* para determinar as variáveis que têm mais impacto em resultados.

Agora, ao definir a segmentação do seu público, observe, do lado direito, um gráfico circular, que indica se está a ser demasiado específico ou demasiado genérico. Poderá observar, também, o alcance diário estimado no Facebook e no Instagram, de acordo com a segmentação e o orçamento diário definido. Detalhe, quanto possível, a informação do segmento que quer atingir.

Segmentação possível:

Localização – por país ou cidade (permite escolher pessoas que vivem, que estiveram recentemente e a viajar nesta localização). Dá a possibilidade de fazer importação em massa de localizações: país, estado ou região, DMA (*Designated Market Area* – utilizado para regiões nos EUA), cidade, código postal e morada.

Escolher dados demográficos – idade, sexo e idioma.

Definições detalhadas do público-alvo – permite incluir, ou excluir, dados demográficos, interesses e comportamentos.

Ligações Facebook – de qualquer pessoa e de fãs que estejam ou não ligados a algo.

Grande parte da capacidade de segmentar o anúncio está nas definições do público-alvo. Experimente fazer algumas pesquisas de palavras-chave por tudo o que lhe passar pela cabeça, com interesse para o seu negócio. Ficará surpreendido com o grau de segmentação. Por exemplo, consegue segmentar para administradores de páginas de Facebook, amantes de comida vegetariana, quem gosta de cães e de jogar golfe, quem tenha um iPhone, quem complete aniversário na próxima semana ou dirigir o anúncio aos amigos que completam aniversário brevemente. Já imaginou o poder desta segmentação? Se fizer uma simulação, na região do Porto, existem 22 000 pessoas que completam o seu aniversário na próxima semana.

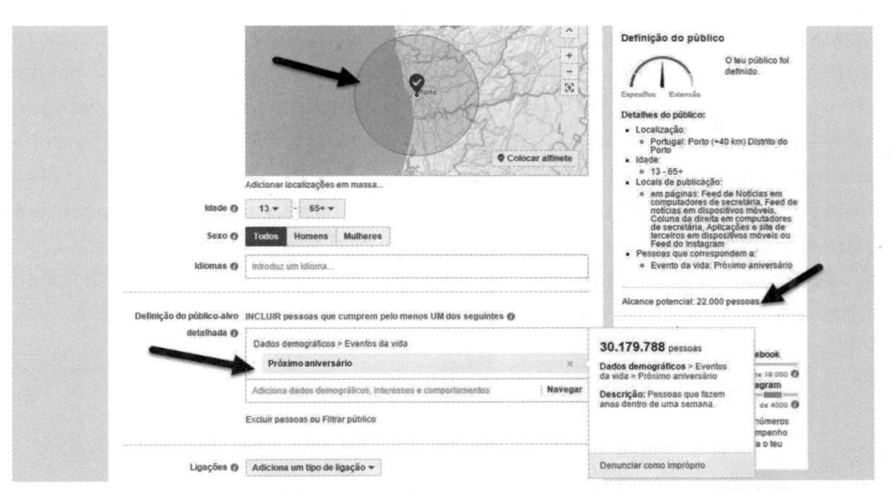

Figura 72 – Segmentação avançada numa campanha no Facebook.

Depois, escolha os locais de publicação dos anúncios, podendo, à partida, filtrar por dispositivo mobile ou desktop, ou por rede: Facebook, Instagram, Audience Network e Messenger. Poderá escolher mais detalhes em cada uma das redes.

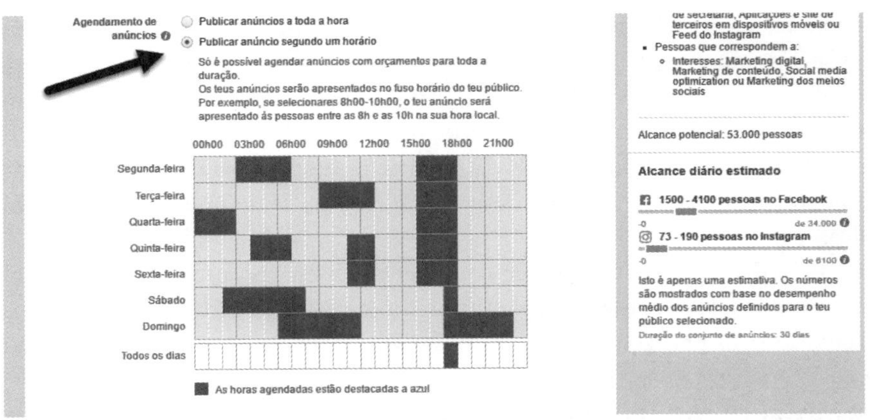

Figura 73 – Configuração avançada de horários de uma campanha no Facebook.

Em «Orçamento e horário», pode definir um orçamento diário ou para toda a duração. Escolha se quer começar já a campanha ou defina data de início e de fim. Permite ainda configurar como deseja otimizar o anúncio (para cliques, impressões ou alcance único diário) e se deseja uma licitação automática ou manual (para utilizadores mais avançados, o manual dá-lhe mais controlo no orçamento). Pode, ainda, escolher se quer ser cobrado por CPC (apenas quando ocorre um clique) ou CPM (custo por impressões/visualizações).

Se desejar obter a função avançada de agendar dias e horários específicos para anúncios, escolha o tipo de campanha para toda a duração.

No passo seguinte, crie o seu anúncio, que pode variar em função do tipo de campanha que escolheu inicialmente.

PARA ANÚNCIOS MAIS EFICAZES PRODUZA DIVERSAS VARIAÇÕES DE IMAGENS

Utilize sempre diversas variações de imagens em anúncios, para determinar facilmente qual dos anúncios é mais eficaz, tornando a campanha mais eficiente.

O mais comum é poder escolher uma imagem, ou várias imagens, num anúncio (carrossel), gerar um vídeo com 3 a 7 imagens ou carregar o seu próprio vídeo. Existe a opção de poder escolher imagens gratuitas de muita qualidade, disponíveis na biblioteca. Para alguns casos é uma boa opção, nem que seja para fazer testes de desempenho.

De seguida, defina o URL da página de destino para o anúncio, o título, o texto, o apelo à ação, a descrição e escolha onde quer que o anúncio apareça.

Por fim, clique em «Efetuar encomenda» e está pronto para pagar com os métodos de pagamento disponíveis no seu país. O cartão de crédito é o método mais prático.

Promover Publicação na Página

É possível promover publicações diretamente na sua página, mas com possibilidades mais limitadas, começando pelo tipo de anúncio que apenas pode promover a publicação. No entanto, se estas possibilidades são suficientes para algum tipo de impulsionamento rápido que precise de fazer, poderá ser uma opção se estiver consciente das especificidades desta modalidade.

Estatísticas do Público

No gestor de publicidade clique em «Gestor de anúncios», no topo, e depois, na secção «Plano», aceda a «Estatísticas do público» (Audience Insights). Ou, se preferir, aceda diretamente a: *www.facebook.com/ads/audience-insights*. Esta ferramenta permite-lhe investigar características de públicos, para que os possa guardar para criar anúncios com este tipo de segmentação. É uma ferramenta muito poderosa, visto ser a maior arma do Facebook: a segmentação.

Defina o seu público, escolhendo dados demográficos, interesses, comportamentos, se está ligado a páginas suas e outros aspetos. Depois, pode comparar o seu público, a azul, com todos os utilizadores do Facebook, para descobrir características únicas desta seleção. Permite ainda explorar mais detalhes, clicando nos vários separadores de dados demográficos, gostos da página, local, atividade, agregado familiar e compra. Se este público que escolheu lhe agrada, pode guardá-lo para ficar disponível e poder evocá-lo quando estiver a criar a sua campanha segmentada.

Públicos

No menu superior do gestor de anúncios, em «Ativos», aceda a «Públicos». Aqui pode gerir todos os seus públicos guardados, que podem ser partilhados com outras contas, podendo comparar alguns valores. Para isso, requer que a conta com quem deseja partilhar esteja associada ao Business Manager.

Públicos Semelhantes

Se desejar criar públicos parecidos, clique em «Criar público». Em «Público semelhante» (*Lookalike Audiences*) tem a opção de gerar públicos semelhantes àqueles que criou, expandindo facilmente uma segmentação previamente criada. É uma forma de alcançar novas pessoas que poderão ter interesse no seu negócio, uma vez que são semelhantes ao público que lhe interessa.

Público Personalizado

Também é possível aplicar *remarketing* nos anúncios do Facebook, uma tática de publicidade muito poderosa. O Facebook chama-lhe «Públicos Personalizados» e permite direcionar a mensagem correta para as pessoas que visitaram o seu website e que tenham demonstrado interesse por algum dos seus produtos. Desta forma, pode fazer que os visitantes voltem ao seu website através de anúncios personalizados, que sabe, à partida, que têm algum interesse nos seus produtos ou serviços, com base em informação de visitas anteriores. Com estes anúncios personalizados, vai lembrar o utilizador de terminar a compra ou de ver outro produto, aproveitando a ligação previamente criada.

Também existe a possibilidade de segmentação de campanha, utilizando as suas listagens de e-mails e contactos telefónicos com perfil no Facebook, criado com esse mesmo e-mail e telefone.

CRIE PÚBLICOS PERSONALIZADOS NO FACEBOOK COM A SUA LISTA DE E-MAILS

Importe automaticamente a sua lista de e-mails do Mailchimp para o público personalizado do Facebook, de modo a ativar campanhas específicas para estes utilizadores que já o seguem via e-mail marketing.

Tipos de público personalizado:

Ficheiros de clientes – permite carregar ficheiros de clientes (ou *leads* de potenciais clientes) para fazer correspondência com aqueles que têm conta no Facebook e criar um público com o resultado deste cruzamento. Tem especial interesse para e-mails e números de telefone. Após selecionar esta opção, tem a possibilidade de importar um ficheiro ou colar os dados. Outra opção é importar diretamente do Mailchimp. Adicionalmente, pode importar um ficheiro com dados de clientes, com o seu respetivo valor do seu ciclo de vida (LTV – *Lifetime Value*), para criar um público semelhante, baseado na informação dos seus clientes que lhe trazem mais vendas e mais lucro.

Tráfego no site – cria uma lista de pessoas que visitaram o seu website em determinadas condições para depois receberem anúncios direcionados, de acordo com o seu comportamento (*remarketing*). Essa lista pode ser para pessoas que apenas visitaram o seu website, que viram determinadas páginas ou outras combinações de comportamentos.

Atividades em aplicações – cria uma lista de pessoas que executaram uma determinada ação numa aplicação ou jogo.

Interação – cria uma lista de pessoas que interagiram com os seus conteúdos no Facebook ou no Instagram: vídeo, formulário de *leads*, canvas, página Facebook, perfil profissional Instagram ou eventos no Facebook.

Saiba mais em: *www.facebook.com/business/a/online-sales/custom-audiences-website.*

Eventos Offline

Os eventos offline permitem analisar conversões e medir retorno do investimento de ações realizadas fora do mundo online. Poderá descarregar um modelo em .CSV (que pode abrir no MS Excel) para preencher com os respetivos dados e, depois, importar no gestor de anúncios do Facebook.

Conversões Personalizadas

O tipo de campanha «Aumentar conversões no website», no Facebook, permite medir as vendas ou outro tipo de conversões que são efetuadas no seu website, sendo mais fácil medir o ROI com exatidão. Basta colocar esse código de conversão na página de sucesso que aparece após o utilizador efetuar a ação desejada. No entanto, as conversões personalizadas, disponíveis no menu superior do gestor de anúncios, permitem definir URL que assinalam essa conversão. Por exemplo, se parte de um link contiver algo do género «thankyou.html» ou «checkout.php», é considerada uma conversão, porque são páginas dinâmicas geradas depois de o utilizador finalizar a sua compra ou a conversão.

Regras Automáticas

Para campanhas com um volume de investimento em maior escala, justifica-se aplicar regras de automação. As regras podem acionar um aviso, desativar as campanhas ou efetuar automaticamente ajustes de orçamento. As condições podem estar relacionadas com: gasto diário, gastos em toda a duração, frequência, resultados, custo por resultado, por instalação de aplicação móvel, horas desde a criação, custo por conversão no website (píxel do Facebook) ou outro. Poderá definir o intervalo de tempo e a janela de atribuição.

Estatísticas

Como em tudo no digital, é importante acompanhar as métricas. No Facebook, pode ver muitos dados importantes que o vão ajudar a seguir a direção certa da sua página. Consegue saber em que países e cidades tem mais fãs e quais são os *posts* mais populares – aposto que vai ter muitas surpresas. Veja também qual é o horário em que os seus fãs estão online. E muito mais informação relevante que poderá exportar para MS Excel para um tratamento mais detalhado.

Na vista geral pode ver rapidamente: ações na página, caracterização do público, visualizações da página, gostos da página, alcance, taxa de resposta das mensagens e visualizações de vídeos. Tem também as publicações mais recentes, com informação de alcance e de interação.

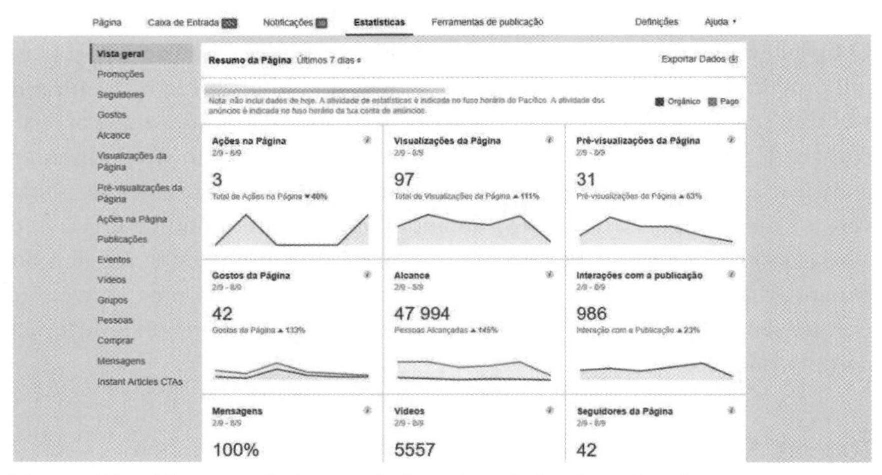

Figura 74 – Vista geral de estatísticas da página Facebook.

Consulte as principais secções de estatística:

Promoções – dá acesso a um resumo com os principais indicadores dos anúncios realizados recentemente;

Seguidores e Gostos – mostra a evolução dos fãs e dos seguidores ao longo do tempo. Cancelamento de gostos, gostos orgânicos e gostos pagos. E de onde vêm: página, pesquisa, anúncios e outros;

Alcance – mostra o alcance orgânico e o pago. Veja os gostos, comentários e partilhas ao longo do tempo, quantas pessoas ocultaram, denunciaram como spam e cancelaram o gosto na página (cartão vermelho para si!). Também consegue analisar as reações, os comentários e as partilhas. E especificamente, as reações que foram mais utilizadas nas suas publicações;

Visualizações da página – consegue saber qual é o separador da sua página que está a receber mais visualizações e informação demográfica do respetivo público. Também pode visualizar as referências à página e quais são as fontes principais de tráfego;

Ações na página – permite ver o total de ações na sua página em relação a cliques para obter indicações de morada, número de telefone, visitar o seu website ou cliques no botão de ação na capa. Mais abaixo, é possível ver um gráfico detalhado para cada um destes tipos de ação.

Publicações:

- **Quando os seus fãs estão online** – consegue saber os dias em que tem mais fãs online e qual é horário mais popular;
- **Tipos de publicação** – consegue saber qual é o sucesso dos diferentes tipos de publicação, podendo aferir o alcance e a interação;
- **Publicações das páginas que observa** – das páginas que adicionou para observar, consegue saber as publicações que estão a ter mais interação, obtendo inspiração para conteúdos;
- **Todas as publicações** – veja uma listagem dos *posts* e analise o alcance, a interação e o comportamento do utilizador perante um determinado conteúdo. Na parte superior, pode filtrar por vários critérios (gostos, partilhas, comentários, interação, cliques e outros). Aqui, consegue perceber as publicações que realmente geram mais interesse.

Eventos – permite acompanhar as pessoas alcançadas pelos seus eventos e também as que viram a página do evento. Permite ver a interação gerada, a compra de bilhetes e a informação demográfica do respetivo público.

Mais abaixo, consegue ver alcance e respostas dos seus eventos passados e futuros, permitindo uma comparação muito simples do sucesso de cada um.

Vídeos – veja um gráfico com a evolução das visualizações dos vídeos, pelo menos três segundos, incluindo o autoplay. O gráfico mais abaixo permite ver a evolução das visualizações totais, para visualizações superiores a dez segundos. Na parte final, pode ver os vídeos principais que obtiveram mais visualizações, podendo clicar em cada um deles para obter analítica mais detalhada.

Pessoas – consulte informação demográfica em relação aos fãs, às pessoas alcançadas e envolvidas. É importante para conhecer melhor o seu público e para aferir se merece algum ajustamento na sua estratégia.

Por exemplo, se descobrir que tem um vasto público noutra cidade ou país, pode ser importante testar comunicar especificamente para esse mercado.

Mensagens – poderá saber o total de conversas e o seu crescimento, a taxa de respostas e o tempo médio de resposta.

Se tiver grupos como página e loja nativa no Facebook, verá também os respetivos separadores com estatísticas.

Analise, igualmente, o *feedback* negativo (não gosto, reportar como spam, deixar de ser fã, etc.) e tente compreender a origem desta ação menos boa. Essa reação pode ter sido por ter publicado conteúdos irrelevantes ou porque gerou rejeição pela comunidade.

Todos estes dados disponíveis permitem ao gestor da página transformá-los em informação, que, devidamente interpretada, ajuda a alinhar a estratégia da sua gestão no Facebook, muitas vezes com impacto no próprio negócio.

Adicionalmente, existe uma ferramenta de analítica poderosa, para compreender e otimizar toda a Customer Journey na web, mobile, bots, offline e outros canais. Além de conseguir aceder a dados demográficos da audiência e medir comportamentos, permite criar *automated insights* e *custom dashboards*. Aceda gratuitamente em: *https://analytics.facebook.com*

Aplicações

Além da aplicação geral do Facebook, existem muitas mais, tais como: Gestor de páginas, Messenger, Anúncios Facebook, MSQRD, Facebook Groups, Moments, Mentions e Facebook at Work.

Gestor de Páginas

Com a aplicação mobile, disponível para Android e iOS, consegue gerir facilmente todas as suas páginas.

Pode publicar conteúdos diretamente no mural da página, iniciar transmissões em direto (em vídeo ou em áudio), ver estatísticas, responder a mensagens, ver notificações e gostos novos, interagir com os fãs, ajustar definições e comutar entre páginas.

Tem ainda a vantagem de poder fazer alguma edição básica nas imagens ao carregar, como é o caso dos filtros, rodar e cortar.

Anúncios Facebook

Com a aplicação mobile para gerir a publicidade no Facebook, poderá acompanhar em qualquer lugar as suas campanhas, com possibilidade de acompanhar desempenho, editar anúncios, alterar orçamento ou datas, receber mensagens *push* e criar anúncios.

Gestor de Negócios

Esta ferramenta, disponível em *https://business.facebook.com*, permite que terceiros possam gerir páginas sem sequer ter conta no Facebook, bastando adicionar o e-mail da pessoa, esteja ou não associada a um perfil Facebook. Esta opção interessa particularmente a agências que gerem redes sociais.

Além disso, é possível gerir publicidade no Facebook e ter acesso a aplicações e a outras pessoas com cargos de gestão da página.

Pode atribuir esse mesmo acesso do Gestor de Negócios a várias páginas Facebook. Reduz o tempo de configuração, permitindo ainda ver quem tem acesso aos recursos e às respetivas permissões.

As notificações são enviadas para o e-mail profissional configurado para aceder a esta aplicação, em vez do e-mail pessoal normalmente associado ao perfil.

Não será para todos os que têm páginas, mas para os que têm alguma dimensão na gestão do negócio no Facebook e necessitam de uma descentralização.

Integração Website

O Facebook dispõe de inúmeras opções para integrar com o seu website. Poderá utilizar a opção de registo, comentários, identificar utilizadores, incorporar conteúdos, guardar website e partilhar citação.

Save to Facebook Button for the Web: este botão irá permitir que os utilizadores guardem links para verem mais tarde. Os websites de lojas online também poderão incluir o botão nas suas páginas de produtos. Veja exemplo desta funcionalidade em: *www.vascomarques.com/socialmedia360*.

Share Quote: é possível partilhar, através do Share Quote, apenas uma parte de um texto de um artigo quando partilhamos link no Facebook. Irá colar o texto num novo *post*, em formato de citação, incluindo o URL original.

Sempre que for relevante, pode incorporar qualquer conteúdo do Facebook no seu website. Basta aceder à setinha, do lado direito do conteúdo, e escolher a opção «Incorporar». Depois, basta colocar o código no website de destino.

É uma boa prática colocar no seu website a «caixa gosto», para poder capitalizar as visitas que já está a obter, podendo converter parte delas em fãs.

Se achar que um sistema de comentários do Facebook no seu website acrescenta valor, também o poderá utilizar, em detrimento do sistema nativo do seu website ou do Disqus, que também é uma solução profissional eficiente.

Consulte a lista completa de possibilidades de integração: *https://developers.facebook.com/docs/plugins*.

Qual é a Sua Pontuação no Facebook?

Assim que implementar uma boa parte das orientações neste capítulo, lanço o desafio de fazer um diagnóstico e de verificar a pontuação da sua página em: *www.likealyzer.com*. Se teve mais de 80, está de parabéns!

A Sua Checklist Facebook

N	✓	TAREFAS A IMPLEMENTAR
1		Crie página com o seu perfil e defina mais um administrador
2		Configure página (definições, multilingue, verificar página e associar a Instagram)
3		Personalize página (capa, miniatura, botão CTA, informação sobre a página, loja, serviços e separadores)
4		Defina estratégia de conteúdos (periodicidade, tipos de conteúdo, imagem, vídeo, transmissões em direto, conteúdos 360 e outros)
5		Publique vídeos regularmente
6		Faça transmissões em direto
7		Interaja com a sua comunidade
8		Aumente o seu número de fãs
9		Crie grupos com a página
10		Crie eventos com a página
11		Crie campanhas de publicidade. Utilize o *remarketing* e o píxel (vídeo, imagem, links, publicações, *leads*, chat, app e outras)
12		Consulte as estatísticas regularmente e faça download da página
13		Compare a sua página com a concorrência

10
YouTube

You

Tube

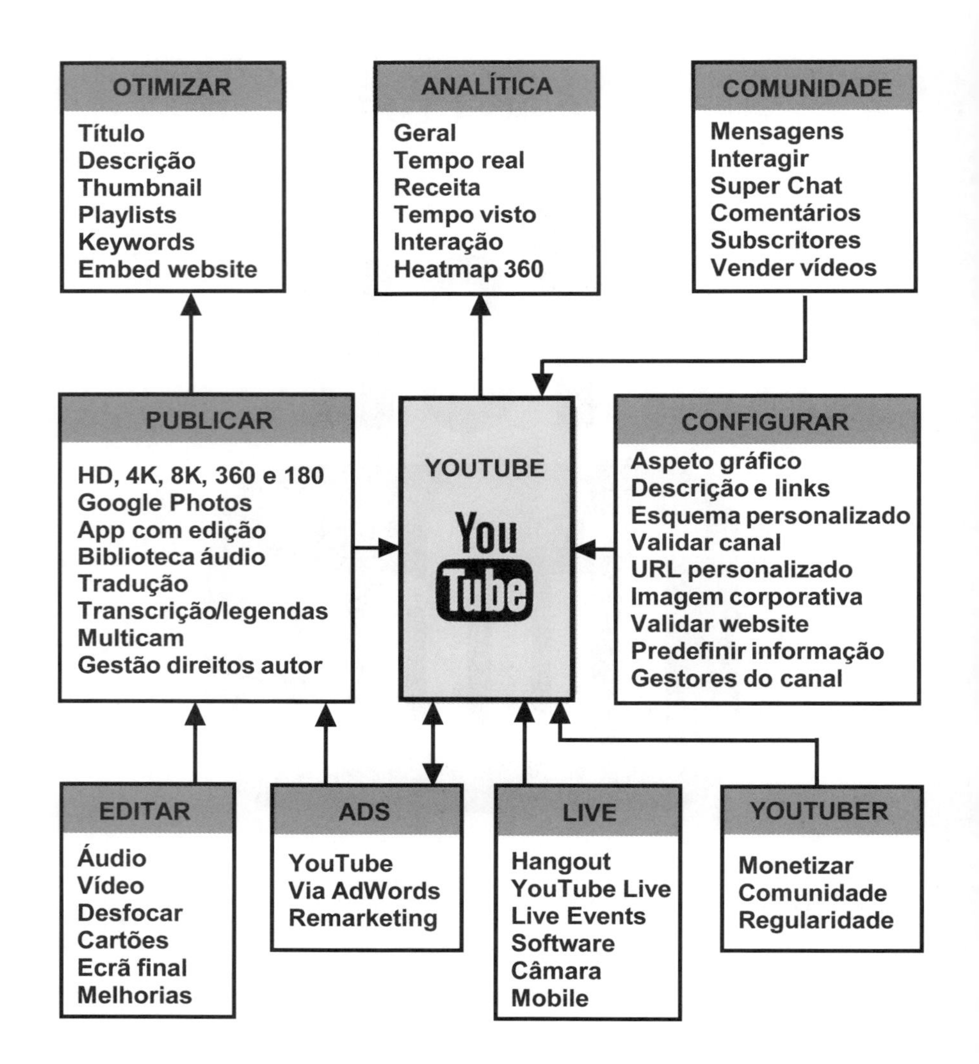
OTIMIZAR
Título
Descrição
Thumbnail
Playlists
Keywords
Embed website
ANALÍTICA
Geral
Tempo real
Receita
Tempo visto
Interação
Heatmap 360
COMUNIDADE
Mensagens
Interagir
Super Chat
Comentários
Subscritores
Vender vídeos
PUBLICAR
HD, 4K, 8K, 360 e 180
Google Photos
App com edição
Biblioteca áudio
Tradução
Transcrição/legendas
Multicam
Gestão direitos autor
YOUTUBE
You
Tube
CONFIGURAR
Aspeto gráfico
Descrição e links
Esquema personalizado
Validar canal
URL personalizado
Imagem corporativa
Validar website
Predefinir informação
Gestores do canal
EDITAR
Áudio
Vídeo
Desfocar
Cartões
Ecrã final
Melhorias
ADS
YouTube
Via AdWords
Remarketing
LIVE
Hangout
YouTube Live
Live Events
Software
Câmara
Mobile
YOUTUBER
Monetizar
Comunidade
Regularidade

Sobre o YouTube

A cada minuto que passa, são enviadas centenas de horas de vídeos e, todos os dias, as pessoas veem mil milhões de horas de vídeo e geram milhares de milhões de visualizações, pelos mais de 1500 milhões de utilizadores mensais. O número mensal de horas de visualização aumenta 50 % ao ano. Cerca de 80 % das visualizações vêm de fora dos EUA. O YouTube está disponível em 88 países e em 76 idiomas e mais de metade das visualizações tem origem em dispositivos móveis. As receitas provenientes destes dispositivos subiram mais de 100 %, em relação ao ao ano anterior. Conheça mais estatísticas oficiais em: *www.youtube.com/yt/press/statistics.html.*

A plataforma de partilha de vídeos surgiu em 14 de fevereiro de 2005, numa altura em que a largura de banda começou a aumentar. Uma boa câmara de filmar passou a ser acessível e também passou a estar no bolso de todos. O tempo mostrou que afinal tinha tudo para dar certo e a Google assinou por baixo, comprando este canal de vídeo em 2006, sendo também o início do fim do serviço de vídeo da Google que estava disponível na altura.

Uma boa presença no YouTube, além de aumentar a sua notoriedade ou a do seu negócio, pode trazer visitas ao seu website e melhores resultados na sua estratégia digital. Não espere resultados rápidos; espere a construção do canal de comunicação que chega ao seu potencial cliente, no formato mais atrativo e cativante. E como já deduziu, isto vai dar trabalho, portanto, vamos facilitar o seu percurso e torná-lo agradável. Mais cedo ou mais tarde, vai ser surpreendido com o êxito que os vídeos lhe vão proporcionar.

Como inspiração, para análise de tendências e para perceber o comportamento dos utilizadores, veja as tendências aqui: *www.youtube.com/feed/trending.*

Veja as tendências nos vídeos: *http://youtube-trends.blogspot.pt* e os anúncios mais vistos: *https://www.thinkwithgoogle.com/platforms/video/leaderboards.*

Existem diversos cursos gratuitos online de como ter sucesso no YouTube em: *https://creatoracademy.withgoogle.com/creatoracademy/page/education.*

O «Gangnam Style» é um clássico de um vídeo viral, mas o vídeo mais visto de sempre é o «Despacito», com mais de três mil milhões de visualizações, superando também o «See You Again».

A simplicidade da interface facilita a visualização de vídeos. Se desejar, pode optar pelo tema escuro, para uma visão ainda mais confortável. Para avançar ou retroceder 10 segundos, basta tocar do lado direito ou esquerdo do vídeo para rever um momento importante. Até pode aumentar ou diminuir a velocidade do vídeo para acompanhar ao seu ritmo. Como os formatos de vídeo diferem de acordo com os dispositivos, o leitor adapta-se ao formato tradicional, ao quadrado e ao vertical.

Criar Canal

Antes de mais, é necessário criar um canal no YouTube: simples, grátis e fácil. Aceda a: *www.youtube.com* e faça login com a sua conta Google (pode ser o seu Gmail ou outra conta já associada ao Google). Se ainda não tiver, pode criar facilmente uma nova conta Google.

POSSO TER VÁRIOS CANAIS YOUTUBE COM A MESMA CONTA GOOGLE?

Sim, é possível ter vários canais com apenas um login. Pode ser útil para criar, por exemplo, um canal noutro idioma, com público-alvo diferente, com outro tipo de comunicação ou mesmo para um negócio totalmente diferente.

Se desejar criar mais canais YouTube, pode fazê-lo com o mesmo login, sem ter de criar mais contas. Basta aceder a: *www.youtube.com/channel_switcher* e escolher a opção «Criar um novo canal». Quando entrar no YouTube, clique no canto superior direito para mudar de canal.

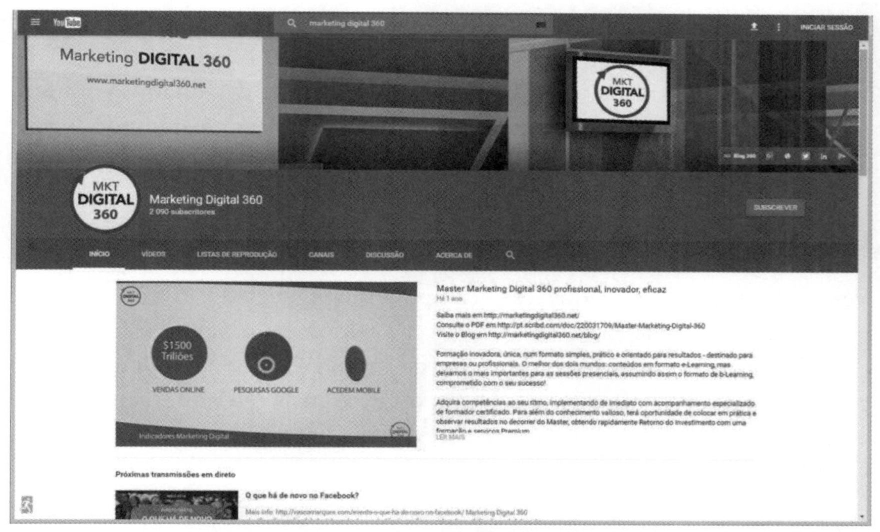

Figura 75 – Exemplo de um canal personalizado no YouTube.

Personalizar Canal

Depois de fazer login no YouTube, clique na opção «O meu canal». Agora, o primeiro passo é editar o ícone do canal. Para o fazer, basta clicar no espaço para a imagem. Após atualizar, será propagado para o canal, passados alguns momentos. De seguida, adicione uma ilustração (capa) ao canal, que deverá ter uma resolução de 2560x1440. Pense nesta imagem para TV, computadores, *tablets*, *smartphones* e consolas de jogos. Por isso, depois de carregar a imagem tem uma pré-visualização com possibilidade de reajuste, para ter uma boa experiência de visualização nos vários dispositivos. Optar por imagens simples resulta melhor. Se não tiver experiência com ferramentas de edição de imagem, utilize o Canva.com e escolha o modelo para YouTube.

Adicionar Links ao Canal

Agora, deve adicionar vários links ao seu canal, que vão ficar sobrepostos à ilustração e visíveis para todos os que visitarem o seu canal, podendo remeter para o seu website, redes sociais ou outras ligações.

Clique no ícone de edição em formato de lápis, no lado direito da ilustração do canal. Defina a descrição e o link das diversas presenças online, sendo que cinco podem ficar em destaque, sobrepostas à ilustração do canal.

No fim, basta clicar no botão «Concluído». Todos os links que adicionar ficarão visíveis também na secção «Acerca de» do seu canal.

Uma particularidade interessante é a possibilidade de adicionar um link para a aplicação mobile Android relacionada com o canal, assumindo logo o ícone do Google Play, que, após clicar, remete para a instalação da aplicação.

Descrição do Canal

Vemos frequentemente que este campo é negligenciado. E não deve ser, porque a informação nesta área aumenta a relevância nas pesquisas.

Clique no separador «Acerca de», de seguida no botão «Descrição do canal» e preencha com algumas linhas o que é mais relevante, organizando a informação mais importante nas três primeiras linhas, com link para o website.

Canais em Destaque

Do lado direito, edite a opção «Canais em Destaque» e adicione os que convém estarem junto do seu. É importante colocar outros canais em destaque, que podem ser outros canais seus, de parceiros ou de outros negócios. A vantagem é que quem visita o seu canal verá do lado direito esses canais e poderá clicar para ver vídeos ou subscrever posteriormente.

Definições do Canal

Personalize a apresentação dos seus conteúdos para novos visitantes ou para subscritores existentes que visitem recorrentemente o seu canal. Altere as definições do canal, no ícone da roda dentada por baixo da ilustração do canal, para ter a possibilidade de ativar ou desativar as seguintes opções:

- **Manter todos os vídeos de que gosto privados** – é recomendado ativar, para que outros não saibam que «gostos« fez noutros vídeos;
- **Manter todas as minhas subscrições privadas** – é recomendado ativar, para que outros não saibam os canais que subscreveu;
- **Manter todas as minhas listas de reprodução guardadas privadas** – é recomendado ativar, para que outros não saibam que listas guardou;
- **Personalizar esquema do seu canal** – é recomendado ativar, para carregar trailer do canal, para sugerir conteúdo para subscritores e para organizar vídeos em playlists (listas de reprodução);

- **Mostrar separador discussão** – é recomendado ativar, para permitir que os seus fãs comentem o seu canal;
- **Traduzir informações** – é recomendado traduzir, para disponibilizar identificação e descrição para outros idiomas, de modo a ser mais facilmente encontrado noutros idiomas.

Figura 76 – Personalizar canal no YouTube.

Personalizar o Esquema do Seu Canal

Se ativar a opção «Personalizar esquema de navegação de canal» nas «Definições do canal», poderá apresentar um aspeto personalizado, organizado e muito mais atrativo.

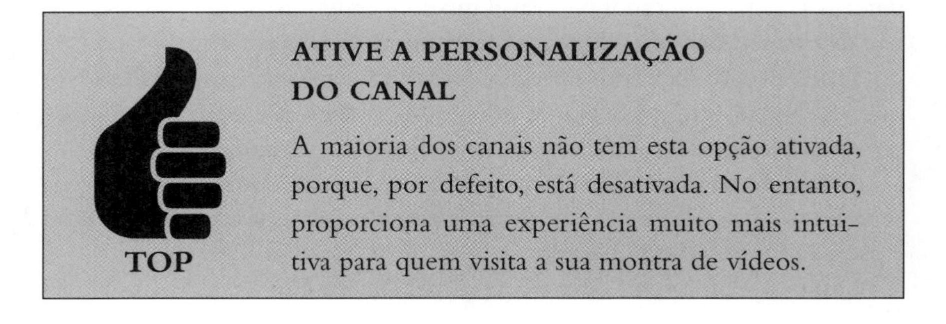

ATIVE A PERSONALIZAÇÃO DO CANAL

A maioria dos canais não tem esta opção ativada, porque, por defeito, está desativada. No entanto, proporciona uma experiência muito mais intuitiva para quem visita a sua montra de vídeos.

Para Subscritores Recorrentes

No separador «Para subscritores recorrentes», por defeito, mostra os vídeos mais recentes. No entanto, se clicar no ícone do lápis no canto superior direito desta secção, poderá escolher a opção «Destacar conteúdo», selecionando um dos seus vídeos. Para facilitar o processo de escolha, pode ordenar pelos mais recentes, mais populares ou com menos de dois minutos. Mas também pode escolher uma lista de reprodução que tenha criado previamente.

Pode, ainda, escolher o conteúdo predefinido, por exemplo, os vídeos mais recentes, se o conteúdo em destaque que escolheu anteriormente já tiver sido visto.

Para Novos Visitantes

Se o seu canal YouTube for visitado pela primeira vez, deve mostrar um trailer, preferencialmente com menos de um minuto. Neste vídeo, deverá explicar o propósito do canal, que tipos de vídeo publica e as principais razões para subscrever o seu canal. No separador «Para novos visitantes», basta clicar no botão «Trailer do canal» e escolher o vídeo indicado para destacar. Para facilitar, pode ordenar pelos mais recentes, mais vistos ou com menos de dois minutos.

Este vídeo será reproduzido automaticamente (para quem ainda não for subscritor) e, portanto, será uma grande oportunidade para conquistar o visitante que anda a espreitar o seu canal.

Conteúdos

Feitas as configurações anteriores, chegou a vez de adicionar conteúdos ao seu canal, que serão a montra visível quando alguém o visitar. Pode adicionar até dez secções com conteúdos, permitindo variar entre:

Tipos de vídeo – com carregamentos populares, carregamentos, vídeos que receberam um gosto, vídeos publicados, vídeos que estão no ar agora, próximas transmissões em direto e transmissões em direto passadas;

Listas de reprodução – com listas de reprodução criadas, lista de reprodução única, listas de reprodução guardadas, várias listas de reprodução e listas de reprodução publicadas;

Canais – com subscrições e grupos personalizados;

Outros – com atividades recentes e mensagens recentes.

Portanto, tem aqui uma grande variedade de conteúdos para impressionar os visitantes e alguns ficarem agarrados aos seus vídeos!

Defina algumas playlists e coloque duas ou três em destaque. Se efetuar transmissões em direto, no YouTube, mostre os próximos eventos agendados e ative, também, a opção para mostrar o que estiver a decorrer em direto. Mostre, ainda, os carregamentos populares e os recentes, tem sempre interesse. Complemente com mais alguns conteúdos de interesse para o seu canal e fica concluída esta tarefa.

Pode visitar o nosso canal YouTube, onde temos tudo isso devidamente implementado: *www.vascomarques.net/youtube.*

Ver como

No final, para testar, clique em «Ver como» e escolha uma das opções «Novo visitante» ou «Subscritor existente», para verificar o aspeto e o comportamento em cada uma delas.

Definições da Conta

Depois de personalizar, chegou a vez de configurar. Verá que existem muito mais funcionalidades do que imagina. Aceda ao canto superior direito, na zona da sua conta, e clique em «Definições do YouTube».

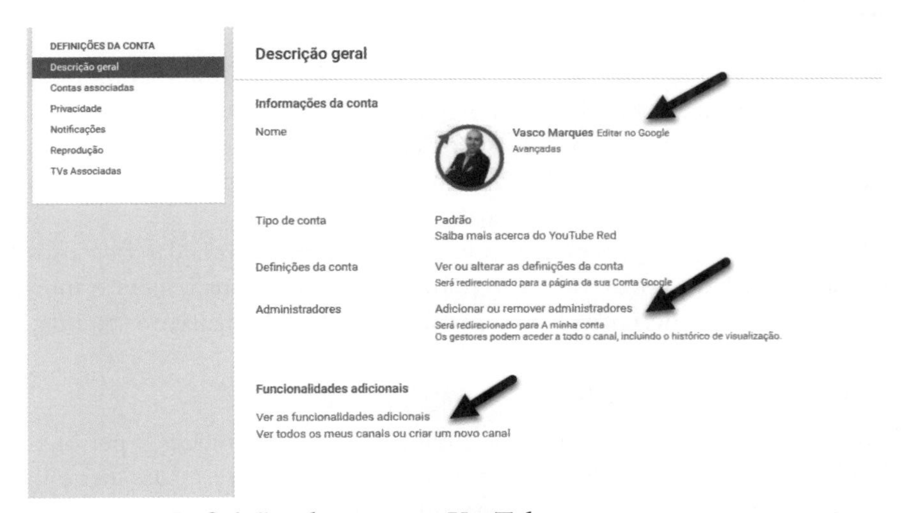

Figura 77 – Definições da conta no YouTube.

Descrição Geral

Depois de entrar nas definições do YouTube, no separador «Descrição Geral», tem a possibilidade de mudar o nome do canal, permanecer no tipo de conta padrão ou mudar para YouTube Red, ver ou alterar definições da conta, adicionar administradores ao seu canal YouTube, ver funcionalidades adicionais, ver todos os canais ou criar um novo.

Adicionar ou Remover Gestores do Canal

Se selecionar a opção «Adicionar ou remover gestores», pode delegar esta tarefa noutras pessoas, sem ter de lhes dar o seu login de conta Google, que daria acesso a vários serviços, alguns deles com informação sensível.

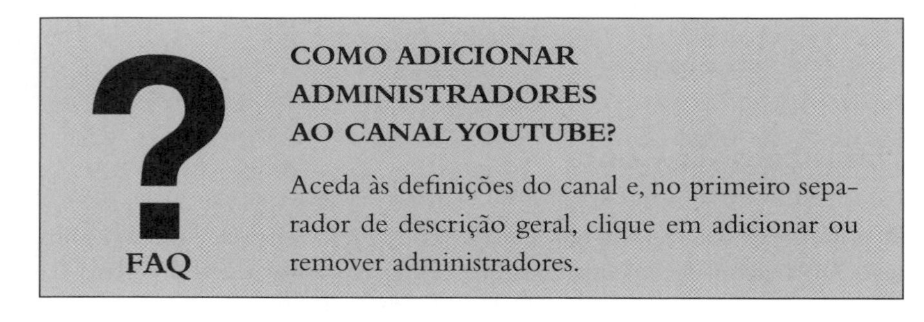

COMO ADICIONAR ADMINISTRADORES AO CANAL YOUTUBE?

Aceda às definições do canal e, no primeiro separador de descrição geral, clique em adicionar ou remover administradores.

Avançadas

Ainda na descrição geral, se clicar na opção «Avançadas», junto ao nome e à imagem do canal, poderá efetuar algumas ações que lhe podem ser úteis. Comece por personalizar o link do seu canal. Se necessário, pode alterar a palavra-passe, associar o canal YouTube a outra conta Google ou outra conta de marca, ou apagar o respetivo canal.

Se não conseguir personalizar o link do seu canal, deverá dar vida à sua conta, publicando novos vídeos importantes para ter visualizações e interação, para que fique, então, com a possibilidade de personalizar o seu link.

Criar Um URL Personalizado

Logo na primeira opção, tem a possibilidade de criar um URL personalizado, como, por exemplo: *www.youtube.com/vascomarquesnet*. Mas atenção! Só pode definir este link único apenas uma vez, por isso pense bem antes de o alterar. Recomendo que o nome do link seja igual ou idêntico ao que já definiu para outras redes sociais. Só vai conseguir definir um URL personalizado depois de o seu canal demonstrar atividade. Assim sendo, pode ter de esperar algum tempo, se esta opção ainda não estiver disponível.

PORQUE NÃO ME APARECE A OPÇÃO DE PERSONALIZAR LINK DO CANAL YOUTUBE?

Significa que o seu canal ainda não tem atividade suficiente para poder beneficiar desta funcionalidade. Portanto, publique vídeos regularmente para poder obter esta função extra. Como alternativa, pode utilizar o serviço bit.ly, para criar um redirecionamento personalizado.

Contas Associadas

Se aceder ao item «Contas Associadas», poderá ativar a partilha no Twitter, sempre que efetuar determinada ação com vídeos: carregar um vídeo, adicionar vídeo à lista de reprodução, gostar de um vídeo ou guardar uma lista de reprodução. Pode ter interesse, só em alguns casos, para gestão de redes sociais de uma forma mais simples e automática, sem ter de se preocupar em ter de partilhar nas outras redes essas ações. No entanto, o controlo manual tem, normalmente, mais interesse, por proporcionar aos seus seguidores uma experiência mais personalizada e real.

Privacidade

No item «Privacidade», poderá manter privados gostos e subscrições, nomeadamente todas as listas de reprodução guardadas e os seus gostos em vídeos ou subscrições de outros canais.

Também pode controlar o que é publicado no seu *feed* de atividades quando: adiciona vídeo à lista de reprodução pública, gosta de um vídeo ou guarda numa lista de reprodução, ou subscreve um canal.

É bom passar por aqui, para controlar que tipo de informação quer partilhar com o mundo. Se subscreveu um canal que tenha interesse (ou concorrente) mas não quer que os seus subscritores saibam. Assim, ficará sempre salvaguardado!

Notificações

É importante estar a par de tudo o que se passa com o seu canal através de notificações por e-mail e no seu dispositivo móvel. Pode ser notificado sobre a sua atividade no YouTube, sobre anúncios e serviços, sobre vídeos populares, sobre música do momento e sobre outros conteúdos relevantes.

Por exemplo, se estiver ativada a opção de ser notificado sempre que alguém subscreve o seu canal, poderá visitar posteriormente o respetivo canal e subscrevê-lo, eventualmente. O inverso também é uma boa tática – subscrever outros canais porque os autores serão, provavelmente, notificados e alguns deles irão retribuir, subscrevendo o seu.

Reprodução

Se ativar a opção «Mostrar sempre legendas», sempre que estas estiverem disponíveis serão visíveis. Existe a opção de ativar legendas automáticas através de reconhecimento de voz. Estas últimas consistem numa transcrição automática do YouTube do áudio do vídeo.

TV Associadas

Se tiver uma Smart TV, já terá a aplicação YouTube incorporada na televisão, por isso é simples associá-la ao seu dispositivo móvel. O mesmo acontece com qualquer consola de jogos moderna. Assim, poderá ver na TV o vídeo que está a ver no seu *smartphone* ou no seu *tablet*, para partilhar momentos com amigos e com a família. É aqui que poderá gerir os dispositivos ligados, através do código de sincronização.

Opcionalmente, pode utilizar o Google Chromecast (ou Apple TV e outros), para ver na TV tudo o que visualiza no seu dispositivo móvel, transformando a sua TV numa Smart TV por um valor muito baixo, ao adquirir este dispositivo da Google. Para isso, basta ligar a uma entrada HDMI, configurar e já está! Pode encomendá-lo no link oficial da Google: *www.google.com/chromecast*.

Carregar Vídeos

Provavelmente, uma das barreiras que ainda não lhe permitiram avançar para este campo é pensar que dá muito trabalho ou é muito dispendioso.

De certa maneira, é verdade. No entanto, no acompanhamento da grande evolução que têm tido os Social Media, o software e as aplicações mobile, existem cada vez mais alternativas simples e gratuitas para se produzir conteúdos. Pode não ser com a qualidade de Hollywood, mas é uma alternativa rápida e com qualidade satisfatória, tendo em conta que hoje se procuram soluções rápidas, em vez de soluções caras e morosas. É esse o caminho que vou apontar aqui.

Importar os Seus Vídeos do Google Photos

Esta opção é muito prática, pois permite importar facilmente os vídeos que estão no seu *smartphone*, desde que tenha a opção de *backup* automático ativado no seu Android ou iPhone, através da aplicação Google Photos. Experimente e vai ficar surpreendido com a quantidade de vídeos que, provavelmente, está já disponível nesta opção.

Transmissões em Direto

Esta é uma ferramenta muito boa para transmitir um evento ou simplesmente para falar em direto para o YouTube. Permite efetuar transmissão em direto de dois tipos: rápida e personalizada. Bem, o melhor é mostrar-lhe um exemplo: o que foi realizado no Dia Mundial das Redes Sociais: *http://youtu.be/UAcMK9v3fT4*. Pense no que pode fazer com esta ferramenta!

Painel de Controlo

Nesta área, estão disponíveis de uma forma resumida os principais indicadores do seu canal. Na parte superior, indica o nome e o logótipo, com o link para ver o seu canal, o número total de visualizações, os subscritores e a possibilidade de adicionar novos *widgets*.

Veja as principais métricas dos últimos 28 dias: visualizações, tempo de visualizações (em minutos), subscritores e receita estimada. Na caixa «Sugestões», pode obter dicas sobre o que deve fazer para melhorar o seu canal e os seus vídeos. Em «Comentários», pode gerir a interação do seu público com os seus vídeos. Em «Novidades», consulte o que há de novo no mundo do YouTube. E em «Vídeos», veja os seus vídeos recentes e a informação básica sobre eles.

Permite também adicionar novos blocos de *widgets* e movê-los para onde quiser, para criar o seu painel de controlo personalizado. Escolha o título do bloco, quantos vídeos quer mostrar e aplique filtros de vídeo por privacidade e palavras-chave associadas aos vídeos. Pode mostrar no seu painel de controlo vídeos privados recentes, ou então vídeos com determinada palavra-chave, por exemplo «webinar».

Gestor de Vídeos

Esta secção será uma das que mais vai utilizar no seu canal YouTube. Pode aceder através do canto superior direito, clicando na imagem da conta e posteriormente em «Creator Studio»; depois, do lado esquerdo, aparece o gestor de vídeos. Alternativamente, pode aceder diretamente através do link: *www.youtube.com/my_videos*.

Vídeos

A primeira coisa que vê é a listagem dos seus vídeos. Se são muitos, poderá pesquisar para encontrar o que procura. Pode também selecionar vários, para aplicar ações em massa, como: apagar, gerar receitas, privacidade, contribuição com legendas, adicionar a lista de reprodução e muitas outras funcionalidades.

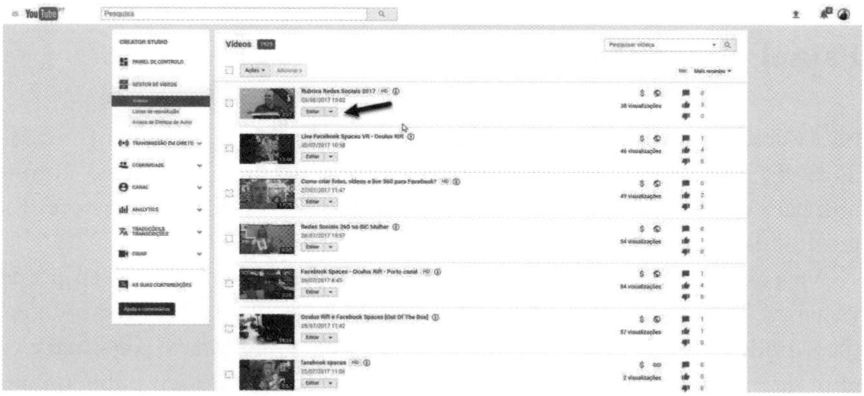

Figura 78 – Gestor de vídeos do YouTube

Em cada um dos vídeos, existe um botão para editar todas as respetivas definições e uma setinha para opções adicionais: informações e definições, melhorias, áudio, cartões, legendas, transferir MP4, promover e eliminar.

Download de Vídeos

Aceda ao gestor de vídeos e, no vídeo que pretende descarregar, clique na setinha e escolha a opção «Transferir MP4». Esta opção é muito útil quando o vídeo é produzido no YouTube ou numa transmissão em direto, para poder publicar o vídeo noutras redes sociais.

COMO FAZER DOWNLOAD DE VÍDEOS?

No seu canal, no gestor de vídeos, basta selecionar o vídeo. Através da opção «Transferir MP4», permite descarregar, para reutilizar noutros Social Media.

Se quiser fazer download de um vídeo de terceiros, a melhor opção é pedir que efetuem o mesmo procedimento e lhe enviem o ficheiro através do Google Photos, do Google Drive, da Dropbox ou do Wetransfer.

Informações Básicas

Na opção «Editar» ou «Informações e definições» tem acesso às configurações principais do seu vídeo. No separador «Informações básicas», deve definir um bom título para o vídeo, uma descrição completa (que deve conter links com http://) e etiquetas (palavras-chave relacionados com o vídeo). Defina o nível de privacidade: público, não listado (só vê quem tiver o link) ou privado (só vê quem tiver permissão, através de login com conta Google). Deve adicionar a uma lista de reprodução existente ou criar uma nova.

Já agora, na parte superior tem um botão «Miniatura personalizada», onde poderá carregar uma imagem mais atrativa para despertar mais atenção e obter mais visualizações. Se preferir, crie esta imagem no Canva.com, no respetivo *Template* de miniaturas para YouTube. Se não tiver esta opção ativa, significa que ainda não validou o seu canal.

Traduções

Esta funcionalidade permite-lhe traduzir o título e a descrição do vídeo para os idiomas que desejar, aumentando o potencial de alcance do vídeo de forma proporcional à popularidade dos idiomas em que efetuar a tradução.

Rendibilização

Se ativou a rendibilização de anúncios no seu canal, terá esta opção disponível. Basta ativar no separador abaixo indicado, se ainda não ativou, por defeito, para todos os vídeos. Depois, pode escolher os anúncios que pretende ativar: anúncios de visualização, de sobreposição (banner que aparece em baixo no vídeo), cartões patrocinados (imagem clicável na parte lateral do vídeo), anúncios de vídeo ignoráveis e não ignoráveis (anúncios em vídeo que aparecem antes de visualizar o vídeo).

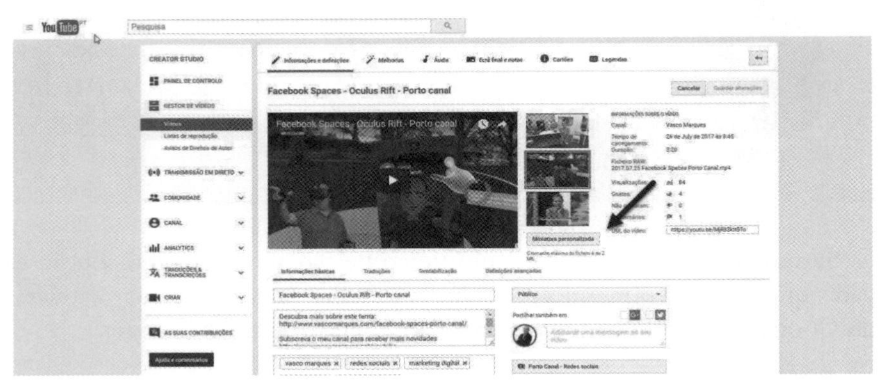

Figura 79 – Interface de edição de definições do vídeo e miniatura personalizada.

Se não quiser rendibilizar através de anúncios, tem ainda a possibilidade de poder vender ou alugar vídeos, se o seu canal for elegível.

Pode escolher os países para os quais deseja vender, o preço por país, e se pretende vender ou alugar. Se for aluguer, pode definir durante quantas horas ficará disponível (48h ou 72h). Como o utilizador só verá o vídeo depois de o alugar ou comprar, deve introduzir um trailer promocional para incitar à compra, que poderá ser, por exemplo, um excerto do vídeo original. O utilizador, depois de ver o vídeo promocional, irá visualizar informação para comprar ou para alugar; após a escolha do método de pagamento e da sua concretização, tem acesso imediato ao conteúdo. Parte desta receita será creditada na sua conta de Google Adsense, previamente associada ao seu canal do YouTube quando ativou a monetização do seu canal.

Definições Avançadas

Agora, para mais controlo nas definições do seu vídeo, tem as seguintes funcionalidades configuráveis: permitir e gerir comentários, licença e direitos de propriedade (licença padrão ou Creative Commons), distribuição (em qualquer local ou apenas em plataformas rendibilizadas), certificação de legendas, permitir incorporação, notificar subscritores, ativar restrição de idade, categoria, localização, idioma do vídeo, contribuir com legendas, data da gravação, tornar as estatísticas do vídeo públicas, vídeo 3D e declaração de patrocínio no vídeo.

A maioria destas opções nem precisa de ser alterada, mas, se tiver essa necessidade, tem muitas preferências ao seu dispor.

Melhorias

Apesar de ter uma interface muito simples, há muita coisa com interesse por aqui. Nas correções rápidas poderá começar por experimentar a correção automática. Se não resultar, poderá optar por controlos manuais do preenchimento de luz, saturação, contraste e temperatura de cor. Consegue alterar a velocidade do vídeo para câmara lenta ou *timelapse*. É, também, bastante útil para cortar partes do vídeo que não interessem. Se o vídeo foi filmado sem tripé, com *smartphone* ou com GoPro, poderá ativar a opção «Estabilizar» para desaparecer o efeito desagradável da câmara tremida.

O separador «Filtros» faz-nos lembrar o que as redes sociais já oferecem para diferenciar os vídeos com filtros e estilos – escolha um, para ver se gosta.

No separador «Efeitos de desfocagem» está escondida uma funcionalidade muito poderosa, que lhe permite desfocar rostos automaticamente ou, então, selecionar um objeto para que fique desfocado, mesmo quando está em movimento.

DESFOQUE CARAS OU ZONAS DO VÍDEO EM MOVIMENTO

Se não quer que a matrícula do seu automóvel apareça no vídeo ou se aparece uma pessoa que não deseja ser identificada online, tem uma solução simples: efeitos de desfocagem. Esta funcionalidade – que está disponível diretamente no vídeo – permite tornar irreconhecível a parte que desejar, mesmo para objetos em movimento.

À medida que vai editando, tem sempre acesso ao original e à pré-visualização, para ter perceção do resultado final e do vídeo original.

No fim, pode reverter para o original, guardar como novo vídeo ou guardar no mesmo vídeo.

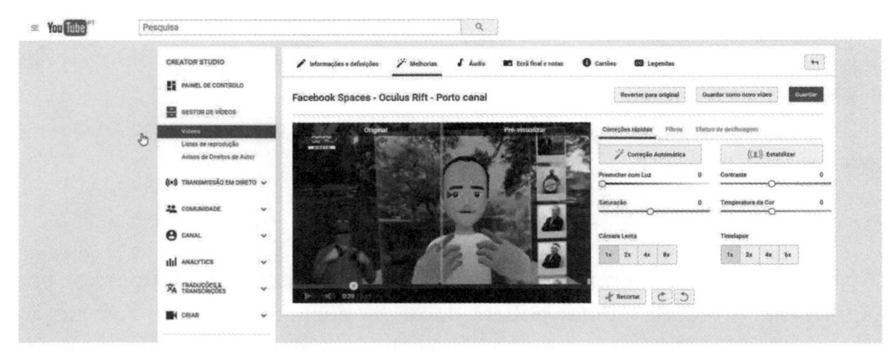

Figura 80 – Aplicar melhorias a vídeos no YouTube.

Áudio

Esta singela secção tem ao seu dispor mais de 150 000 músicas (chegam?) para aplicar no seu vídeo. Por que motivo haveria de querer inserir música no seu vídeo já produzido? Imagine que utilizou uma música comercial que fez que o vídeo ficasse bloqueado em vários países com interesse para si – esta ferramenta resolveria o problema facilmente, substituindo-a.

Depois de escolher a música, pode aplicá-la a todo o vídeo ou a uma parte específica. Se quiser, pode balancear mais ou menos música de fundo, misturando-a com o áudio original do vídeo, se a ideia for apenas animar com banda sonora. No fim, pode guardá-la no mesmo vídeo, para não perder o trabalho de otimização do vídeo, já com resultados nos motores de pesquisa. Se preferir, também pode gerar um novo vídeo.

Ecrã Final

Desde que o seu vídeo tenha uma duração mínima de 25 segundos, poderá configurar um ecrã final, que pode ter uma duração de 5 a 20 segundos, permitindo cativar o seu público a ver outros vídeos, listas de reprodução, canais, subscrever canal ou visitar um link para o seu website. Um excelente recurso para manter o seu público consigo.

Cartões

Esta funcionalidade permite adicionar interatividade aos seus vídeos, pois são apresentados em computadores e em dispositivos móveis. Pode fornecer um URL de destino a partir da sua lista de websites elegíveis e, consoante o tipo de cartão, permite personalizar a imagem, o título e o texto de apelo à ação.

É apresentada uma pequena frase no momento selecionado e durante alguns segundos, e, se se clicar nela, mostra mais informações e remete para o respetivo link.

Em qualquer outro momento do vídeo, é apresentado um ícone que, se for clicado, mostra até um máximo de cinco cartões.

Figura 81 – Editor de cartões do YouTube.

Para adicionar os seus cartões, basta aceder ao gestor de vídeos ou, quando está a visualizar um dos seus vídeos, escolher a opção «Cartões». Depois, selecione uma das seguintes opções: vídeo ou lista de reprodução, canal, sondagem, website associado (o seu website, angariação de fundos ou *merchandising*). Pode adicionar até cinco cartões, escolhendo onde começa cada um deles.

Se o seu vídeo tiver sido reivindicado pelo Content ID, e o proprietário do conteúdo estiver a monetizar o seu vídeo, os cartões não são apresentados.

Para poder adicionar um link ao seu website, primeiro associe o seu website ao Google Search Console. Depois, adicione o website às definições avançadas em: *www.youtube.com/account_channel_advanced*.

Agora, já pode adicionar links para o website que validou, canalizando tráfego adicional. Dado que o vídeo é interrompido depois de clicar no link – o que poderá ter impacto nas métricas e no tempo de visualização –, opte por o fazer em momentos em que a interação para o website seja importante.

Legendas, Transcrição e Tradução

É pouco conhecida esta possibilidade, mas vai permitir-lhe uma otimização mais eficiente e chegar a um público mais diversificado.

Legendas

Funcionalidades das legendas: adicionar, remover, ajustar sincronização, alterar duração, desativar, transferir ficheiro, incorporar legendas, guardar cópia (depois de alterar), ativar tradução.

Crie Transcrição e Legendas

No gestor de vídeos, no respetivo vídeo, clique em «Editar» e depois em «Legendas», onde será direcionado para uma interface em que pode ver faixas ativas de legendas automáticas e, ao clicar, pode editar essa transcrição, tornando o processo de legendagem mais rápido.

LEGENDAR FACILMENTE VÍDEOS PARA FACEBOOK E OUTRAS REDES SOCIAIS

No final da legendagem do YouTube, aceda a «Ações» e depois escolha a opção «Transferir», para obter um ficheiro com as legendas e com os tempos de sincronização. Agora, pode carregar este ficheiro no Facebook quando publica um vídeo nativo, de modo a ficar facilmente com legendas.

Clique na opção «Adicionar novas legendas», que lhe permite depois escolher uma das seguintes opções: carregar um ficheiro, transcrever e sincronizar automaticamente ou criar novas legendas. Avance para a opção «Criar novas legendas» e comece a legendar facilmente o conteúdo do vídeo, escrevendo nos espaços em branco à medida que o vídeo avança. É quase divertido, de tão simples que é. E até existem vários atalhos disponíveis para acelerar este processo de trabalho, para o fazer sentir-se um profissional na área.

De qualquer modo, se preferir, existe a opção «Transcrever e sincronizar automaticamente», se quiser uma sincronização automática com a sua transcrição, que normalmente funciona bem em inglês, mas não muito bem em português.

Listas de Reprodução

As playlists são uma ferramenta muito útil para organizar vídeos. Têm interesse também para serem colocadas em destaque no layout do seu canal. Esta ferramenta está disponível dentro do gestor de vídeos, onde irá visualizar as listas que já criou. Crie as suas novas listas, clicando em «Nova lista de reprodução», e depois adicione os vídeos que desejar, através de pesquisa, link ou carregados recentemente. É possível adicionar posteriormente outros vídeos, através do gestor de vídeos, ao carregar um vídeo, ou na edição das definições do vídeo.

Nas definições pode definir: a privacidade da lista, ordenação, adicionar novos vídeos ao topo da lista, permitir incorporação e definir como série oficial. Ainda na mesma janela, pode encontrar no separador seguinte regras para adicionar automaticamente a uma playlist, em função de palavras encontradas no título, na descrição ou nas etiquetas, podendo aplicar regras cumulativas das três variáveis. É muito útil, para não ter de se preocupar a que lista deve adicionar vídeos de testemunhos, *webinars*, notícias ou outros temas recorrentes que devem ficar logo organizados. O separador «Colaborar» permite gerar um link específico que, quando partilhado, permite que as respetivas pessoas possam adicionar vídeos a essa playlist (pode ser desativado mais tarde, assim que tiver concluída a tarefa). É útil para reunir vídeos dispersos de um evento ou algo similar.

CRIE UMA PLAYLIST COLABORATIVA

Ative temporariamente o link específico para aceitar vídeos de terceiros à sua lista de reprodução. Com a ajuda da sua rede fica com uma playlist mais completa, por exemplo, do evento que realizou e no qual várias pessoas gravaram vídeos.

Avisos de Direitos de Autor

Já há muitos anos que o YouTube tem meios para controlar direitos de autor, para ir ao encontro dos acordos com os respetivos detentores. Desta forma, os conteúdos podem circular, se existir esse acordo prévio (existe em quase todos os conteúdos, ainda que com as condições impostas), dando a possibilidade de serem monetizados ou bloqueados em alguns países ou dispositivos. Em alguns casos, não é permitido de nenhuma forma a sua publicação e é bloqueado imediatamente. E se receber três avisos seguidos, fica com funcionalidades muito limitadas no seu canal. Recebendo cinco avisos, o seu canal é desativado (provavelmente irreversivelmente).

Por isso, o mundo digital não é muito diferente do mundo físico, no que diz respeito a direitos de autor, que devem ser respeitados.

Nessa secção, consegue ver vídeos bloqueados, correspondências de conteúdo e advertências por violação de direitos e autor.

Vídeos 360 e VR180

O YouTube suporta o carregamento e a reprodução e transmissões em direto de vídeos esféricos de 360 graus no explorador Google Chrome para computador e na aplicação mobile.

Para criar vídeos 360, é necessário utilizar câmaras compatíveis com esta tecnologia no YouTube. Poderá, também, reproduzir no Google Cardboard ou no equipamento de VR (Realidade Virtual).

O VR180 é uma variação do VR em 360. Como o mais natural é rodarmos numa amplitude curta à nossa volta, em alguns casos, poderá fazer mais sentido que a produção de conteúdos não seja a toda à volta. Por exemplo, num tutorial, num videoclipe ou noutro tipo de vídeo, uma visão 180 em realidade virtual será suficiente. Saiba mais sobre esta tecnologia e equipamentos compatíveis em: *https://vr.google.com/vr180.*

Comunidade

Esta secção permite gerir toda a interação com a sua audiência, que poderá ser via fórum do canal, mensagens privadas, comentários, contribuição e gestão de legendas colaborativas ou atribuição de créditos.

Comentários

Como será de esperar, irá receber muitos comentários nos seus diversos vídeos. É normal! Aqui pode ver todos os comentários e pesquisar comentários aprovados, submetidos a aprovação e possível spam. No primeiro separador, pode sinalizar como spam, apagar, ocultar ou pré-aprovar todos os comentários vindos de determinado utilizador. Se preferir, pode responder diretamente aos comentários neste gestor de comunidade ou no vídeo.

Mensagens

Aqui pode responder às mensagens que são enviadas para o canal em modo privado. Esta opção está disponível no separador «Acerca de», através do botão «Enviar mensagem». Apesar de estar um pouco escondido, quem quiser comunicar consigo acabará por encontrar esta secção de contactos do seu canal. Por isso, vão ser contactos relevantes, que merecem a sua resposta. Se forem spam, poderá apagar ou sinalizar como tal.

Subscritores

Veja quem subscreveu o seu canal e ordene por popularidade. Talvez fique surpreendido com canais com alguma projeção que já estão a seguir o seu trabalho em vídeo. Se isto ainda não acontece, tem de se esforçar mais!

Existe a possibilidade de subscrever de volta os respetivos canais ou enviar-lhes uma mensagem pessoal, por exemplo, de agradecimento, com links de outras redes sociais e do seu website.

Super Chat

Durante uma transmissão em direto, os utilizadores podem utilizar o Super Chat, ficando o respetivo comentário realçado com uma cor. De acordo com o valor do donativo, ficará mais ou menos tempo em destaque, visível para todos. É útil para que os fãs das celebridades possam obter atenção ou para serviços.

Definições de Comunidade

Para ter maior controlo do comportamento da sua comunidade, poderá ver utilizadores aprovados ou ocultados, com base na sua sinalização no separador de comentários que analisámos anteriormente. Poderá ainda criar uma lista negra de palavras-chave que, se estiverem presentes nos comentários, estes ficam sujeitos à sua aprovação. É justo, não é?

Permita todos os comentários, deixe-os sempre sujeitos à sua aprovação ou desative completamente se, por alguma razão, não quiser interação.

Créditos

Se lhe foram atribuídos créditos, ficam aqui sinalizados, cuja hiperligação ficou presente na respetiva descrição do vídeo. Quem publicar o vídeo poderá definir que determinada conta do YouTube contribuiu nas seguintes áreas: animador, ator, bailarino, cenógrafo, colaborador, coreógrafo, diretor de fotografia, editor, escritor, figurante, iluminação, maquilhador, música, produtor, produtor-executivo, realizador e sonoplasta.

Canal

No «Creator Studio» está também disponível a opção «Canal». Nesta área pode gerir várias opções relacionadas com a manutenção e funcionalidades.

Estado e Funcionalidades

Aqui pode ver as funcionalidades que tem disponíveis e o estado de cada uma delas. Se estiver em cinzento, não está ativo; em verde, está ativo; em vermelho, perdeu a funcionalidade, normalmente por infringir direitos de autor nas publicações de vídeo.

Confirmar Conta e Parceiro Youtube

Confirmar Conta

Quando entra no estado e nas funcionalidades do canal, para confirmar a sua conta, basta clicar logo na primeira opção «Confirmar», ao lado do nome do canal. Um pequeno passo para si, mas um grande passo para o seu canal. Após esta validação gratuita através do envio de uma SMS para o seu telemóvel, passará a poder colocar vídeos com mais de 15 minutos, adicionar cartões para websites externos, carregar miniaturas personalizadas (em vez de uma das três sugestões do YouTube), fazer gestão de direitos de autor, obter financiamento através dos fãs e emitir eventos em direto no YouTube.

EXPANDA AS FUNCIONALIDADES DO YOUTUBE

Enquanto não validar o seu canal, por SMS, fica com funcionalidades limitadas. Aceda às definições do seu canal e confirme, para obter funcionalidades adicionais e o máximo desta plataforma de vídeos.

Consulte também o YouTube Playbook: *http://bit.ly/ytpbook* e *www.thinkwithgoogle.com/playbooks/youtube.html* e o espaço de produtores: *www.youtube.com/yt/creators*.

Rendibilização

Esta secção estará ativa, se tiver ativado a funcionalidade de rendibilização de vídeos. Aqui poderá rendibilizar todos os vídeos ou fazer uma seleção através do gestor de vídeos. Poderá rever ou alterar a sua ligação com a conta Google AdSense. Também pode desativar toda a rendibilização dos vídeos, se não desejar que qualquer vídeo seu (e que detenha todos os direitos de autor) mostre anúncios. Por fim, tem acesso a relatórios de transações.

Predefinições de Carregamentos

É bastante útil, porque, com o tempo, chegará à conclusão de que irá ter necessidade de utilizar determinada informação-base para todos os vídeos ou, pelo menos, para uma boa parte deles, de modo a acelerar todo o processo de publicação. Por exemplo: privacidade, categoria do vídeo, tipo de licença, título, descrição (texto, website e redes sociais), determinadas etiquetas, ativar ou desativar comentários, rendibilização, formatos de anúncios, pausas para anúncios, idioma do vídeo, legendas contribuídas (os visitantes podem ajudar a traduzir), certificação de legendas, sugerir melhorias nos vídeos, localização do vídeo e mostrar estatísticas do vídeo publicamente.

Subscrições Pagas

Se tiver mais de 1000 subscritores e tiver ativado a rendibilização do canal, poderá cobrar um valor mensal ou anual, para os utilizadores poderem ver os seus conteúdos. É possível transformar o atual canal em pago, ou então criar um novo. Converter o atual para pago não tem interesse, porque vai perder todos os subscritores. Eventualmente, se tiver um público vasto interessado nos seus conteúdos, poderá criar um novo canal, obtendo receitas deste público, permitindo definir o preço que desejar, mas naturalmente uma parte será retida pelo YouTube.

Conteúdo em Destaque

Adicione o carregamento mais recente, uma lista de reprodução ou um vídeo, para ser visível no início ou no fim de todos os seus vídeos, aparecendo na parte inferior, com a recomendação de visualização de outro vídeo seu, de acordo com a seleção que fez. Bem melhor do que as sugestões no fim do vídeo, que, na maioria das vezes, remetem para outros vídeos que não são seus. Escolha, opcionalmente, uma mensagem personalizada para ficar associada a esta chamada de atenção.

Também é possível definir um anúncio do canal. Escolha alguns vídeos--chave, permitindo que o YouTube os promova junto das pessoas, aumentando a probabilidade de obter novos subscritores.

Imagem Corporativa

Para adicionar um logótipo sobreposto ao vídeo em marca de água, basta ativar esta opção em todos os seus vídeos e, a partir daí, quem passar o rato por cima dessa zona poderá subscrever diretamente o seu canal. Portanto, as vantagens vão além da componente notoriedade. Recomendo que escolha a opção, para mostrar o seu *branding* visível durante todo o vídeo.

Avançadas

Esta opção merece alguns minutos da sua atenção. Aqui pode alterar imagem, nome, país e palavras-chave do canal e deve associá-la a uma conta Google AdWords para poder promover os seus vídeos no YouTube. Se preferir, consegue desativar os anúncios juntamente com os seus vídeos, se estes não tiverem sido reivindicados por terceiros (se detiver os direitos dos vídeos).

VISITAS PARA O SEU WEBSITE DOS VÍDEOS

Pode adicionar links nos vídeos para direcionar tráfego para o seu website. É muito útil para captar visitas, gerar conversões ou para mostrar mais informações relevantes. Para poder adicionar esse link nos cartões, tem de validar primeiro o website nas opções avançadas do seu canal.

Associe um website ao seu canal do YouTube, para poder adicionar ligações dentro do seu vídeo para o seu website, através das funcionalidades «cartões».

Decida se deseja optar por mostrar a contagem de subscritores do seu canal e se permite que o seu canal seja recomendado em outros canais.

Por fim, se quiser ir mais além em analítica no YouTube, ligue ao Google Analytics. Para isso, basta colocar um ID no respetivo campo.

Analytics

No seu canal YouTube tem acesso a um sistema de estatísticas «Analytics», que lhe dá informação valiosa sobre o comportamento de todos os vídeos e dos utilizadores do seu canal. Ao analisar, conseguirá medir o impacto dos vídeos que tem vindo a publicar.

Permite analisar dados no intervalo temporal definido, criar grupos de vídeos e ver os dados desse grupo, ou então transferir o relatório e fazer uma análise mais detalhada. Também consegue pesquisar e filtrar diversos critérios.

Descrição geral: consulte o tempo de visualização, a duração média da visualização, as visualizações, as receitas estimadas, as pessoas que gostaram, as pessoas que não gostaram, os comentários, as partilhas, os vídeos em listas de reproduções, os subscritores novos e os dez vídeos top. Veja também as principais áreas geográficas, por sexo, as principais localizações de reprodução (YouTube, website, canal, outros) e as principais origens de tráfego.

Tempo real: permite saber os vídeos que estão a ser vistos e o histórico, das últimas 48 horas até ao último segundo. É especialmente útil, se partilhou nas redes sociais, nas campanhas de e-mail marketing, ou simplesmente para perceber o que está a ser visto em tempo real.

Receitas: perceba quais são vídeos que geram mais receitas, de que zona são, tipo de anúncio e variação ao longo do tempo. Pode consultar a receita proveniente de várias fontes: anúncios YouTube, YouTube Red (contas pagas do YouTube) e financiamento dos fãs ou conteúdos pagos. Para ver esta opção, é necessário ter os anúncios ativados, que, por defeito, não estão.

Tempo de visualização: permite consultar o tempo de visualização e as visualizações no YouTube e no YouTube Red. Através dos critérios: vídeo, geografia, data (visualizações por dia), estado da subscrição, produto do YouTube, direto/gravação e legendas.

Consulte também a retenção do público-alvo (duração e percentagem média da visualização), dados demográficos (idade e sexo), localização da reprodução (canal, website, YouTube e outros), origens do tráfego (pesquisa, website, sugestões, publicidade), dispositivos (computador, telemóvel, *tablet*, TV, consola de jogos) e visualizações das transmissões em direto.

Interação: permite saber a evolução dos subscritores (que vídeos estão a gerar mais subscritores e em que vídeos os está a perder), se gostam/não gostam (que vídeos geram mais gostos e não gostos), vídeos em listas de reprodução (conheça quais são os vídeos mais adicionados a listas de reprodução suas ou de terceiros), comentários (que vídeos estão a gerar mais comentários), partilhar (que vídeos estão a ser mais partilhados) e cartões.

Por fim, existe uma opção para ver um mapa térmico 360 (heatmap), que demonstra que zonas do vídeo 360 estão a receber mais atenção. Tem interesse para analisar em que partes do vídeo o utilizador mais se fixou.

Traduções e Transcrições

Se tiver ativada a opção para a sua comunidade contribuir com legendas, após a respetiva submissão de terceiros, poderá aprovar, editar ou sinalizar este trabalho colaborativo. É importante para chegar a um público global.

Criar

Esta secção do YouTube permite ajudar na criação de vídeo. Disponibiliza biblioteca de recursos e políticas de músicas.

Biblioteca de Áudio

Na opção «Biblioteca de áudio» estão disponíveis músicas e efeitos sonoros gratuitos para download, que também pode utilizar nos seus vídeos.

DOWNLOAD DE MÚSICAS GRÁTIS NO YOUTUBE

Estão disponíveis para download músicas e efeitos sonoros, através da opção criar ou diretamente em *www.youtube.com/audiolibrary*. Pode, mesmo, fazer download do MP3 e utilizá-lo para criar vídeos na ferramenta que desejar e publicar nos Social Media.

As músicas podem ser adicionadas aos favoritos e efetuar download, podendo filtrar por: género, estado de espírito, instrumento, duração e tipo de licença.

Nos efeitos sonoros pode, igualmente, pré-visualizar e descarregar. Além da pesquisa, pode ouvir sons por categorias, através de uma boa organização.

Políticas de Músicas

Em «Políticas de músicas» pode ver uma lista de músicas comerciais e as políticas atuais. Poderá pesquisar facilmente e ficar a saber se uma determinada música comercial poderá ser utilizada, ainda que, com inserção de anúncios, cuja receita reverte para o detentor dos direitos de autor. E se fizer uma versão da música, pode saber em que condições pode ser feita.

Integração

Existe a possibilidade de poder integrar o YouTube com o seu website e com outras redes, o que é sempre uma boa prática. Vamos analisar algumas das possibilidades.

Botão Subscrever no Website

O que resulta muito bem, especialmente se tiver muitas visitas, é colocar um botão na parte lateral do seu website, para subscreverem o seu canal YouTube. Não é muito comum vermos esta técnica, provavelmente por desconhecimento, mas, após a implementar, vai notar um incremento da taxa de crescimento de subscritores. À imagem do que se faz com a caixa de fãs do Facebook, pode fazer também com o YouTube e é simples. Obtenha o seu botão em: *https://developers.google.com/youtube/youtube_subscribe_button*.

Incorporar Vídeos

Muitos dos vídeos que visualizamos estão fora do YouTube, incorporados num artigo. Por isso, crie um artigo no seu blog ou no seu website e complemente-o com a incorporação do vídeo. Basta, para isso, clicar na opção «Partilhar» e, de seguida, em «Incorporar», para ter acesso a um código HTML para inserir na respetiva opção do artigo do seu website ou blog. Se clicar em «Mostrar mais», terá a possibilidade de definir o tamanho personalizado, para ajustar a dimensão do vídeo em função do local em que deseja publicar, desativar vídeos sugeridos (para no fim da reprodução do vídeo não incitar a ver sugestões que podem ser de um concorrente, por exemplo), desativar controlos do leitor e desativar título e ações do leitor do vídeo.

Melhor ainda se o vídeo for seu, pois irá obter benefícios de relevância no Google, fazendo validação cruzada (inserir link do artigo na descrição do vídeo no YouTube e incorporar o vídeo no link do artigo referido). Além de poder incorporar vídeos, também pode incorporar listas de reprodução (playlists), podendo conter vários vídeos de uma determinada temática.

Pode ainda incorporar vídeos diretamente noutros Social Media.

Também é possível controlar parâmetros de como o vídeo é incorporado no website, tais como: o momento em que começa, a reprodução automática, a qualidade, o tamanho, o volume e outros aspetos de personalização em: *https://developers.google.com/youtube/youtube_player_demo*.

Anúncios YouTube

É possível fazer anúncios em vídeo diretamente no YouTube (também pode fazê-lo através do Google AdWords). Para isso, aceda ao gestor de vídeos e escolha o que melhor se adequa para ser promovido. Na opção «Editar», escolha a função «Promover» para criar rapidamente um anúncio no YouTube, bastando depois ligar com a conta Google AdWords.

Defina orçamento, público-alvo, localizações, interesses e tipos de anúncio. De seguida, defina um título e as descrições e avance para o Google AdWords, onde poderá entrar e editar esta campanha com muito mais detalhe.

É importante estabelecer esta ligação entre o YouTube e o Google AdWords (também acessível nas definições avançadas do YouTube), porque lhe permite criar listas de *remarketing* e direcionar anúncios do YouTube para utilizadores com características específicas, tais como: os que viram qualquer um dos seus vídeos de um canal, os que visitaram o canal, os que gostaram de um vídeo, os que subscreveram e muito mais possibilidades de comportamento no YouTube.

Deste modo, a publicidade no YouTube torna-se mais interessante. Imagine, por exemplo, mostrar um vídeo de publicidade de um curso online quando alguém partilha ou gosta de um *webinar* gratuito seu do mesmo tema.

Assista a uma compilação dos vídeos de anúncios mais vistos por setor e pesquisáveis: *www.google.com/think/collections/youtube-leaderboard.html.*

Ganhar Dinheiro como Youtuber

Os youtubers profissionais conseguem obter enormes receitas com vídeos que publicam no YouTube. Mas não se iluda com isto; seja realista. O que pretende exatamente? Promover o seu negócio, projetos, ideias e notoriedade? Então, não ative publicidade em todos os vídeos. Se realmente pretende – a nível experimental ou intencional – monetizar vídeos, terá de adotar uma estratégia específica para isso e, se conseguir chegar a audiências enormes, então, talvez as coisas corram bem.

Pode até criar vários canais com a mesma conta, diversificando e organizando temas e idiomas em cada canal.

Primeiro, é necessário ativar os anúncios no seu canal do YouTube, passando a ser parceiro. Defina também a política do seu canal no separador «Sobre», para que fique claro que tipos de vídeo vai publicar, a periodicidade e outras informações relevantes para a sua audiência.

É fundamental ser detentor de todos os conteúdos do vídeo: imagens, o próprio vídeo, sons e música. Só desta forma conseguirá receber o seu percentual da publicidade. Senão, pode ocorrer o contrário: ativar anúncios, mas a receita reverter para os detentores dos direitos de autor dos conteúdos que utilizou.

Os números não enganam: existe mais de um milhão de canais em dezenas de países que obtem receitas, mas apenas alguns milhares conseguem receitas anuais com 6 dígitos. Ainda assim, existem muitos com receitas mais modestas, mas satisfatórias. As receitas aumentaram 50 % no último ano, por isso, é uma oportunidade em crescimento.

Se quer entrar a fundo em analítica e perceber o comportamento dos subscritores, considere utilizar o vidIQ para catalisar o crescimento.

Vamos alinhar alguns canais mais importantes, para que se possa inspirar e perceber o sucesso destes youtubers:

Canal	Visualizações	Subscritores
BRASIL		
FunToyzCollector	13 144 729 418	9 356 798
KondZilla	8 336 526 581	17 017 660
Galinha Pintadinha	6 085 521 607	7 656 848
PORTUGAL		
SirKazzio	888 689 990	4 678 400
Fer0m0nas	553 706 951	3 277 929
Wuant	480 782 815	2 154 757
EUA		
WWE	16 327 134 111	17 238 047
Ryan ToysReview	14 709 378 215	8 636 987
KatyPerryVEVO	13 280 347 399	23 808 579

Figura 82 – Canais do YouTube com mais visualizações e subscritores em Portugal, Brasil e EUA.

Fonte: *www.socialbakers.com/statistics/youtube/channels.*

Consulte ordenado por subscritores top e por país em: *www.socialblade.com/youtube/top/100/mostsubscribed.*

De acordo com a Sysomos, 16 % dos vídeos do YouTube estão incorporados noutros websites, o que diz muito da importância do YouTube, não só como motor de pesquisa de vídeos, mas também como plataforma de servir conteúdos em artigos de blogs e de websites.

Otimização Mobile

Existe uma grande fatia de público que consome conteúdos de vídeo através dos dispositivos móveis e não pode ignorar este facto quando os produz.

Considere o tamanho do texto, os gráficos, e assegure-se de que as informações estão bem visíveis (tamanho maior) nestes dispositivos. Se tiver um vídeo de uma hora, com um evento ou com uma formação, crie uma versão com blocos de pequenos vídeos divididos por assuntos, para serem mais facilmente consumidos no mobile e, até, beneficiar de otimização web, já que está a focar cada vídeo num assunto.

Esteja atento ao modo como ficam visíveis noutras redes sociais quando o vídeo é partilhado. O título e a imagem devem ser suficientemente atrativos para perceber do que se trata. Veja também, nos vídeos sugeridos no mobile, se a miniatura que escolheu é suficientemente clara para incentivar ao clique.

Aumentar Subscritores

Quem tem um canal YouTube quer ter muitos subscritores, pois é sinal de uma grande audiência interessada e traz muitos benefícios para continuar a crescer e a alcançar os seus seguidores com as novas publicações.

O que pode fazer para aumentar subscritores?

- Inserir cartões no início e no fim do vídeo, com link para subscrição;
- Ter link na descrição do vídeo para o canal ou subscrição com *http://*;
- Ter botão subscrever no seu website;
- Partilhar link de subscrição do canal nas redes sociais;
- Incluir link na sua newsletter para subscrever o canal;
- No fim do vídeo, apelar à audiência para subscrever.

Não é fácil aumentar subscritores; é um processo lento. Mas se for implementando, começam a surgir resultados. Posso dizer-lhe que a forma mais rápida, através da qual consegui fazer crescer o número de subscritores de um canal, foi com a transmissão em direto de *webinars* e de eventos presenciais, em que pedia a quem estava a ver que subscrevesse o canal, através da ferramenta de chat ou através do próprio vídeo.

Aplicações Mobile

Existem várias aplicações do YouTube e de serviços decorrentes do YouTube, mas vamos conhecer as duas principais.

YouTube Creator Studio: facilita a gestão da sua comunidade YouTube, permite aceder aos seus vídeos e editá-los com facilidade, gerir comentários, ver estatísticas em tempo real, monitorizar desempenho de vários canais e vídeos com analítica simplificada e receber notificações, quando existir interação.

YouTube: é a aplicação oficial que já tem instalada no seu *smartphone*. Veja recomendações de vídeos de música, de jogos e de notícias, subscreva canais, acompanhe eventos em direto e interaja no chat, envie vídeos para Smart TV ou para Chromecast, pesquise por voz e faça transmissões.

O que, possivelmente, desconhece é que esta aplicação permite fazer edição de vídeo de uma forma muito simples e prática. Para isso, toque no ícone com a seta para escolher um vídeo e carregar. Depois vem a parte divertida! Corte partes do vídeo no início ou no fim, escolha filtros e estilos para tornar o vídeo mais cinematográfico e adicione música de fundo, balanceando com o volume do áudio do vídeo. No fim, basta tocar no ícone para enviar e está feito! Se gostou do resultado, pode aceder ao gestor de vídeos (no computador) e fazer download do ficheiro editado para publicar no Facebook, no Instagram, no Twitter e noutras redes sociais.

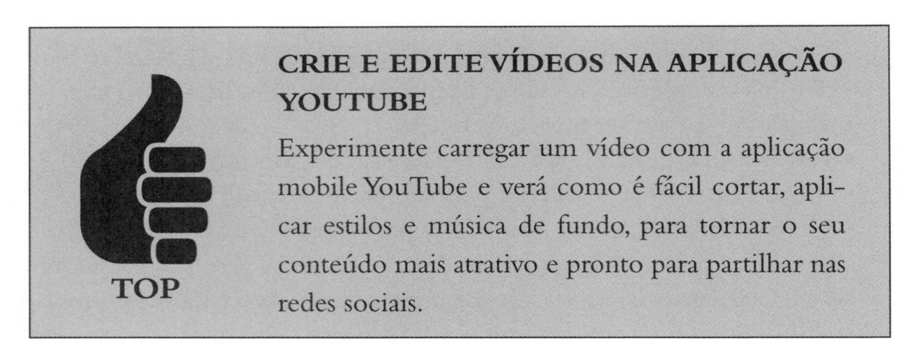

Hangouts em Direto do Google

É uma ferramenta eficaz para estar em direto com todo o mundo com até dez pessoas, em vídeo, sem limite de espectadores a acompanhar e a interagir.

Pode utilizá-la para: transmissões em direto, formações (gratuitas ou pagas), formação interna, partilha de conhecimento e ainda para convidar especialistas ou para envolver a sua comunidade.

Requisitos e Equipamento

A grande vantagem é que não necessita de nada de especial. Permite transmitir diretamente pela interface web, através de qualquer computador. Mas também através de um *smartphone* ou de um *tablet*.

Se estiver num dispositivo móvel, já tem câmara e microfone. Se estiver num computador portátil, à partida também terá. Se estiver num computador fixo, vai precisar apenas de uma *webcam* e de um microfone.

De qualquer modo, estando a usar computador – fixo ou móvel – aconselho que adquira uma *webcam* de alta qualidade para ter melhores resultados. Utilizo a Logitech C920, que é uma das melhores *webcams* que existem e custa menos de 100 €. Se utilizar o microfone desta câmara, ficará muito bem servido. Se preferir outra *webcam*, poderá utilizar um dos melhores microfones USB (funciona em Windows e Mac), que é o Blue Yeti.

Se estiver a utilizar a *webcam* do portátil, deve colocá-la ao nível dos olhos, podendo colocar alguns livros por baixo para obter mais altura. Se for uma *webcam* externa, pode utilizar um tripé para a posicionar corretamente.

Tenha o cuidado de não ter luz da janela ou iluminação artificial em contraluz (candeeiro de parede ou outro). Se for possível, utilize uma parede branca, sem elementos de distração ou criadores de ruído, e ilumine com dois projetores a espalhar luz homogeneamente.

Opte por ligar o seu computador por cabo de rede em vez de Wi-Fi, para garantir melhor estabilidade e maior velocidade na transmissão. Verifique se não existem outros utilizadores na rede a efetuar atividades que consumam muita largura de banda (outra transmissão a decorrer, por exemplo).

Reinicie o computador e desligue programas (como o Dropbox, o Skype e similares) que estejam a correr de fundo. Assim, terá mais garantias de que tem recursos suficientes para que tudo decorra na normalidade.

Vai precisar de boa velocidade de Internet para que consiga suportar a transmissão em 720p. Para isso, é necessário 1,5 mpbs de upload para bons resultados (faça o teste de velocidade em speedtest.net).

Se passar para o modo automático de qualidade, será selecionada uma qualidade de transmissão em função da largura de banda disponível (aconselhado para utilizadores menos experientes). No modo de baixa qualidade, o vídeo será mais deteriorado, embora visível, e só precisará de 150 kbps. No limite, pode transmitir apenas áudio só com 35 kbps. Certifique-se de que vai estar num local sem ruídos e sem interrupções.

Como Começar

Crie um novo evento em direto «Rápido»: *www.youtube.com/my_live_events*. Aí, depois de convidar até nove pessoas, inicie a transmissão ou, se preferir não iniciar em direto, o diálogo mantém-se privado.

Funcionalidades

Esta ferramenta proporciona inúmeras funcionalidades. Existe um chat do lado direito para comunicar entre as pessoas que estão na conversa, permitindo também partilhar ficheiros do Google Drive.

Partilhe o ecrã do seu computador para explicar como funciona um software ou para ministrar formação.

Existe a função de operador de câmara que permite: ocultar o áudio e o vídeo dos convidados da transmissão, à medida que estes participam;

transmitir ao público o vídeo maior que é apresentado e ocultar os restantes *feeds* de vídeo (aconselho a ativar esta opção); desativar o áudio dos novos convidados da transmissão extensa quando entram.

Na sala de controlo, pode ativar ou desativar o som de cada um dos convidados ou ajustar o volume. Isto é útil para o caso de surgir uma fonte de ruído num dos participantes, podendo, imediatamente, mitigar esse problema.

O Toolbox permite mostrar títulos (*lower third*), carregar títulos personalizados em imagem PNG e guardar modelos. Veja um exemplo com título personalizado em imagem: *https://youtu.be/m_QdOypCIII*. Pode ver vários exemplos de Hangouts que realizei com esta ferramenta: *www.vascomarques.com/hangouts-mkt-digital*.

IDENTIFIQUE COM TÍTULOS PROFISSIONAIS

Podendo mostrar títulos com um modelo-padrão da ferramenta, também é possível criar os seus em imagem PNG (no Photoshop, por exemplo) e importar para manter uma coerência de *branding* em todos os participantes e dar um aspeto profissional.

Iniciar a Transmissão

Depois de abrir a interface do Google Hangout através do YouTube (poderá ser necessário instalar *plugin*), terá um link direto, no canto inferior direito, para partilhar onde desejar (nas redes sociais) ou para incorporar o vídeo (transmissão) no seu website, em que poderá ver também quantos espectadores estão a ver em direto quando iniciar a transmissão.

Depois de partilhado em páginas, em perfis e em grupos da sua presença nas redes sociais, começará a notar que aumenta o número de pessoas em direto. Elas estarão à espera do início do Hangout e, nesta fase, conseguem ver uma mensagem a informar do compasso de espera.

Basta agora clicar no botão «Iniciar transmissão» e, logo de seguida, entra em direto no link que partilhou para todo o mundo: computador, mobile, Smart TV, Chromecast, Apple TV e consolas de jogos. Vai aparecer nos eventos em direto no seu canal YouTube e, se pesquisar no Google, também aparece logo. Ainda se vai tornar numa estrela!

Interatividade

Ao contrário da TV, pode interagir de várias maneiras, sendo fantástico para criar ligações com o seu público. Os espectadores podem clicar em: gosto, partilhar, comentar e subscrever o canal para receber mais vídeos.

É possível interagir através das perguntas no chat do YouTube (tal como acontece com YouTube Live Events) ou mesmo com comentários às publicações que fez nas várias redes sociais.

Youtube Live Events

Já os eventos em direto do YouTube são tecnicamente mais sofisticados, mas não herdaram a mesma simplicidade do familiar Hangout, embora seja possível começar ambos da mesma maneira, nos eventos do YouTube, bastando escolher o tipo rápido ou o personalizado. Têm finalidades diferentes e pode utilizar os dois de acordo com a necessidade.

Hangouts vs. Live Events vs. Youtube em Direto

	Hangouts (Rápido)	Live Events (Personalizado)	YT em direto
Interface web	✓		
Software para mais controlo		✓	✓
Logótipo	Google	Personalizado	Personalizado
Transmissão ilimitada	8h	✓	✓
Gravação	8h	8h	12h
Miniatura do vídeo no evento		✓	✓
Qualidade máxima	Automática até 720p	+1080p	+1080p
Publicidade opcional	Antes do vídeo	Também intercalares, sala de controlo	Reproduzir anúncio
Títulos	✓	Personalizado	Personalizado
Várias câmaras	Com Wirecast	✓	✓
Eventos multicâmaras		✓	
Sala de controlo	✓	✓+ Funcionalidades	✓+ Funcionalidades
Ferramentas controlo de vídeo	✓	Personalizadas	Personalizadas
Até 10 participantes	✓	1 Participante, ou vários em multicâmara	1 Participante, ou vários em multicâmara
Cenário virtual com *Chroma Key*	✓Com Wirecast	✓Com Wirecast Pro	✓Com Wirecast Pro
Transmissão sem computador		✓	
Publicação nas Redes Sociais	✓	✓	
Link único de transmissão	Link do vídeo	Link do vídeo	✓
Início automático da transmissão			✓
Eventos não listados e privados	✓	✓	
Transmissão 360		✓	

Figura 83 – Comparação entre Google Hangouts, Live Events e YouTube em direto.

Funcionalidades comuns entre Hangouts e Youtube Live Events:

- Permitem enviar a qualidade disponível mais elevada. O Google cria automaticamente as versões de qualidade mais baixas, de acordo com a largura de banda dos utilizadores;
- Pode ser ativada a funcionalidade de DVR para permitir que os utilizadores retrocedam de 8 horas a 12 horas mais recentes do evento;
- É possível monitorizar os dados analíticos e o estado da transmissão a partir da «Sala de controlo» em direto durante o evento;
- Permite criar eventos «Não listados» e «Privados»;
- Permite utilizar os comentários para interagir com os visitantes;
- Permite designar moderadores para gerirem os comentários.

Uma das grandes vantagens do «YouTube em Direto» é dar a possibilidade de o link do Live ser sempre o mesmo, apesar de gravar o vídeo e gerar posteriormente um link próprio para ver em diferido. O link para ver em direto de um dos meus canais é: *www.youtube.com/vascomarquesnet/live*. O seu será idêntico, bastando substituí-lo pelo respetivo nome do canal. Mas apenas reproduzirá o direto neste link se utilizar o respetivo método de transmissão. Além disso, logo que começar a transmitir a partir do software de codificação (Wirecast ou OBS Studio, por exemplo), a transmissão começa, sem necessidade de ir à sala de controlo e iniciar a transmissão do YouTube. Todo o processo de transmissão fica mais simples, embora com algumas limitações de funcionalidades, se comparado com o método personalizado de transmissão. Ver mais em: *https://support.google.com/youtube/answer/2853848?hl=pt*.

Se a ideia é iniciar uma conversa em vídeo em direto com duas ou mais pessoas, o melhor é o Hangouts, porque, seja qual for a pessoa que vai convidar, conseguirá entrar sem problemas e permite ter até dez pessoas na mesma conversa. Se, depois de convidar os utilizadores, eles não virem a notificação, a forma mais eficaz para o convite é enviar o link direto do Hangout, que pode obter na opção de convidar utilizadores.

Veja um exemplo de um evento totalmente online, realizado com esta tecnologia na comemoração do Dia Mundial das Redes Sociais: *www.socialmediaday360.com*.

Se a ideia é transmitir um evento em direto – podendo ser presencial ou online – em que todos os intervenientes estejam no mesmo local e quer controlar melhor todo o processo, o YouTube Live Events é a solução certa. Isto porque lhe permite obter maior controlo da qualidade, pode ter várias câmaras, permite adicionar uma imagem-miniatura ao evento antes de o mesmo ocorrer para, quando partilhar nas redes sociais, ter uma imagem personalizada (o Google Hangouts não permite), e muito mais vantagens, apresentadas na tabela comparativa.

Software para a Transmissão

Existem inúmeras soluções para transmitir em direto, nomeadamente:

- OBS Studio;
- Wirecast Play e Wirecast Pro;
- Vmix;
- YouTube Gaming (mobile);
- AirServer;
- Gameshow;
- XSplit;
- Elgato Game Capture HD60;
- Epiphan Webcaster;
- *Smartphone* com estabilizador;
- Teradek VidiU;
- Alguns modelos de câmaras de filmar (para *livestream* direto).

Uma solução muito popular para transmissões em direto, incluindo para o YouTube, é o OBS Studio, pois é a solução gratuita mais eficaz para qualquer cenário. Inclui a maioria das funcionalidades necessárias para uma produção em direto profissional e também a possibilidade de fazer *chroma key* com cenário virtual, incomum numa solução grátis. Funciona em PC, Mac e Linux. Veja mais em: *www.obsproject.com*.

Explore também a versão gratuita exclusiva para YouTube do Wirecast, para PC ou para Mac. Se preferir, existe uma versão paga Wirecast Pro, que, apesar de ser dispendiosa, para quem a utilizar com frequência ou pretender funcionalidades mais avançadas, é das melhores soluções que existem. Mas pode utilizar qualquer outra solução de *streaming* e ligar com o YouTube, pois ele aceita qualquer fonte compatível com o protocolo RTMP, como o vMix, que é igualmente uma solução muito boa. Embora não tenha versão grátis para YouTube, tem uma versão de demonstração, funcional durante 60 dias.

Funcionalidades do Wirecast gratuito:

- Permite captura de câmara através de placa Blackmagic;
- Captura o ambiente de trabalho;
- Mostra duas fontes de vídeo no mesmo ecrã;
- Faz transições;

- Define o atraso da transmissão;
- Faz gravação local;
- Tem câmara e microfone virtual para ligar ao Google Hangouts.

Pode fazer download gratuito em: *www.telestream.net/wirecastplay*.

Nesta tabela comparativa podemos ver a versão grátis, a versão paga Studio e a versão Pro. Nas duas modalidades pagas existe a versão YouTube e a versão totalmente livre, que permitem transmitir para qualquer outra plataforma, incluindo o Facebook. Os preços de aquisição podem variar entre 9 dólares e 1000 dólares, com a possibilidade de adquirir alguns *plugins* adicionais específicos. Não é muito barato, mas é uma excelente ferramenta, que vale o investimento se for utilizada com frequência e em ambientes profissionais.

Links para mais informações de comparações das várias versões: *www.telestream.net/wirecast/compare.htm*.

	Play (grátis)	Studio	Pro
Fontes de vídeo ilimitadas (marca de água no grátis)	1 Câmara e 1 captura	✓	✓
Câmaras IP e sem fios (RTMP)			✓
Wirecast Cam iOS	✓	✓	✓
Twitter *feed*		✓	✓
Ferramentas de produção: Títulos, *chroma key*, contador		✓	✓
Títulos avançados sociais		Express	Pro
Lista de reprodução	✓	✓	✓
Scoreboards, replay, virtual sets, controlo de áudio			✓
***Encoding* de vários formatos para gravação e transmissão**	✓	✓	✓
Câmara e microfone virtual para Google Hangouts	✓	✓	✓
Captura de ecrã local ou remoto	✓	✓	✓
Monitor externo		✓	✓
Editar composição de planos		✓	✓
Master Layers		✓	✓
Convidados remotos		2	7

Figura 84 – Comparação entre Wirecast Play (grátis) e versões mais profissionais.

Criar Evento no Youtube

No YouTube aceda a «Creator Studio», no canto superior direito da sua conta. Depois, no «Gestor de vídeos» escolha a opção «Eventos em direto». Se preferir aceda diretamente através do link: *www.youtube.com/my_live_events*.

Programe o evento e defina: o nome e a descrição, a data (ou comece já), as definições de privacidade (público não listado ou privado), gravação privada, ative DVR (retroceda a transmissão em direto enquanto está a decorrer), promova no canal quando começar a ser transmitido e outros parâmetros. Se escolher do tipo «Rápido», será utilizada a tecnologia Hangouts em direto da Google. Se escolher «Personalizado», terá mais opções de codificação, com a tecnologia YouTube Live Events, que é o pretendido para este caso.

Depois de clicar na opção «Criar evento», tem a possibilidade de carregar uma imagem-miniatura e definir a qualidade pretendida (normalmente 720p ou 1080p), bem como o software de codificador que vai utilizar. Recomendo o Wirecast for YouTube.

Ainda no evento, nos separadores superiores, pode navegar pelas várias configurações. Uma delas é a opção «Cartões», que permite adicionar links para outros vídeos, listas de reprodução, promover outro canal, websites e sondagens durante a reprodução do vídeo em computadores ou em dispositivos móveis.

Pode adicionar mais câmaras, mas implica ter outro codificador associado a todo o equipamento necessário, pois, apesar de as câmaras estarem sincronizadas, são eventos diferentes. A opção multicâmara permite que o utilizador escolha a câmara que quer ver, dando um controlo de ângulo da câmara à audiência. Pode ver um exemplo em: *https://youtu.be/V8dvXtaKHoQ*.

Figura 85 – Configuração de um evento personalizado no YouTube.

Comece a Transmissão

Inicie a transmissão no Wirecast e, depois, no painel de transmissão do YouTube, clique em «Pré-visualizar». Quando se sentir preparado, comece a transmitir. Está agora em direto e pode começar a acompanhar o chat! Quando quiser parar, basta voltar a clicar nos dois pontos, mas na ordem inversa, considerando um atraso de cerca de 30 segundos.

Apesar de existir data e hora marcada para o início do evento (também pode começar logo, sem agendar), pode começar a transmitir antes da hora marcada e tudo decorrerá normalmente. Depois de fazer a transmissão e de parar no respetivo botão do YouTube, não pode retomar o evento; terá de criar um novo (cuidado com a divulgação do link ou com o *embed* no website). No entanto, se não carregar nesse botão e parar o envio do sinal por falha técnica e depois retomar, a transmissão retoma. Portanto, pode parar apenas a transmissão no Wirecast e depois retomá-la, sem comprometer o evento.

Quando utilizamos o Wirecast, OBS, vMix ou outro software, temos de iniciar a transmissão na ferramenta de edição e, depois, na sala de controlo do YouTube. Para parar, efetuar esses passos pela ordem inversa. Mas se estiver a utilizar um equipamento para transmitir em direto da câmara, como é o caso do Teradek VidiU, pode iniciar e parar uma transmissão, bastando utilizar o botão para o efeito, tornando o processo mais simples.

Só se consegue responder pelo chat no link do vídeo enquanto decorre a transmissão. Apesar de ser possível transmitir em Full HD (1080p) ou superior, o HD Ready (720p), ou até mesmo 480p, pode ser suficiente. Se estiver num ambiente com fibra ou similar, pode ir ao limite da resolução máxima, se tiver equipamento adequado. Se estiver no exterior, mesmo com 4G terá de testar a velocidade para ver que qualidade suporta, sem que existam falhas. Lembre-se de que aqui a gestão do *bitrate* tem de ser consciente e não é automática.

Exemplos de Utilização

Veja um exemplo do programa semanal «Notícias Marketing Digital 360», que decorre em direto com o YouTube Live Events a 1080p: *www.marketingdigital360.net/blog/noticias-marketing-digital-360*.

Otimização de Vídeos – Vídeo SEO

A otimização de vídeos, apesar de herdar alguns conceitos da otimização para motores de pesquisa (SEO), tem características inerentes ao próprio vídeo e também à plataforma YouTube. Claro que o vídeo não existe só no YouTube, mas, quando se trata de encontrar um vídeo específico, vamos ao Google ou ao YouTube. Naturalmente, o vídeo também é importante noutros meios, como o Facebook, o Twitter, o Instagram, o LinkedIn, especialmente do ponto de vista social.

Com técnicas específicas, conseguirá posicionar melhor os seus vídeos e chegará a audiências ainda maiores.

Existem vários fatores que influenciam a posição do vídeo. É possível controlar alguns diretamente, outros indiretamente. Mas claro que o mais importante é publicar vídeos realmente importantes para o seu público, fazendo também acumular, implicitamente, autoridade para o canal.

Veja a explicação de cada um deles:

Título – escolha um título curto e apelativo que reflita o conteúdo do vídeo. Aqui, a escolha de palavras-chave interessantes é fundamental, tal como no SEO (*Search Engine Optimization*) tradicional;

Visualizações – quanto mais visualizações tiver, melhor. Portanto, fazer aumentar este número irá resultar num efeito exponencial;

Crescimento das visualizações – ter muitas visualizações não chega; tem de haver uma evolução consistente para continuar a ter relevância nos resultados. Isto garante que o vídeo continue a ter interesse. Mas o crescimento rápido inicial é determinante para que o vídeo tenha ainda mais exposição;

Retenção – a percentagem de vídeo visualizado influencia, pois isso reflete o interesse que o seu vídeo completo tem. Se tiver muitas visualizações, mas se abandonarem no início do vídeo, não será bom para o seu posicionamento;

Social – quanto mais partilhas, gostos, ver mais tarde e comentários tiver, mais envolvimento terá com a comunidade, traduzindo-se em maior relevância, o que será sinónimo de bom conteúdo;

Descrição – escreva uma boa descrição que fique visível na parte inferior do vídeo. Quando for possível, adicione um resumo do vídeo. Não se esqueça de colocar um link na primeira ou na segunda linha, que deverá começar por *http://*, pois, de outro modo, não ficará clicável, o que é péssimo para mobile.

TOP

LINKS CLICÁVEIS NO YOUTUBE

Na descrição do vídeo deve colocar sempre pelo menos um link para o seu website. Deve ser no formato: *http://www.vascomarques.com*, para ficar clicável. Portanto, o truque é colocar sempre o http://, pois, neste caso, o www não é suficiente para ser clicável.

Incorporar – se incorporar o vídeo em websites de terceiros com grande autoridade, será muito beneficiado com isso;

Links – verifique em que páginas existem referências e links para o seu vídeo;

Regularidade – quanto mais regular for a publicar vídeos, mais credível será o seu canal. O número de vídeos publicados também traz autoridade;

Subscritores – quanto mais subscritores tiver, maior será a sua autoridade. Terá ainda a vantagem adicional de chegar aos seus subscritores quando publicar um novo vídeo, que lhe darão um aumento de visualizações. Também é importante que os seus subscritores ativem as notificações (ícone do sino) para receberem e-mails e notificações *push* quando publicar um novo vídeo;

Adicionar a playlist – se começarem a adicionar o seu vídeo a listas de reprodução do YouTube, será um sinal de interesse e irá favorecer o vídeo;

Tags e cartões – adicione etiquetas e cartões ao vídeo, ficando mais relevante;

Novidade – novos vídeos têm uma boa exposição inicial;

Thumbnail – uma boa imagem miniatura é determinante para despertar interesse. Crie uma imagem atrativa e carregue-a, substituindo a sugerida.

A Sua Checklist YouTube

N	✓	TAREFAS A IMPLEMENTAR
1		Crie canal YouTube
2		Defina imagem de ícone e de capa do canal
3		Adicione links de website, de redes sociais e uma descrição atrativa
4		Ative o esquema de canal personalizado e adicione trailer
5		Adicione até dez secções de conteúdos
6		Valide o canal para obter mais funcionalidades
7		Defina um URL personalizado
8		Adicione imagem corporativa com sobreposição de logótipo
9		Valide website associado ao canal
10		Configure predefinições de carregamentos
11		Publique vídeos do Google Photos e de outras ferramentas
12		Interaja com a comunidade e responda aos comentários
13		Crie vídeo com Hangout em direto
14		Otimize os vídeos com miniaturas personalizadas, com descrição e com palavras-chave
15		Crie playlists e incorpore vídeos no seu website

11
Instagram

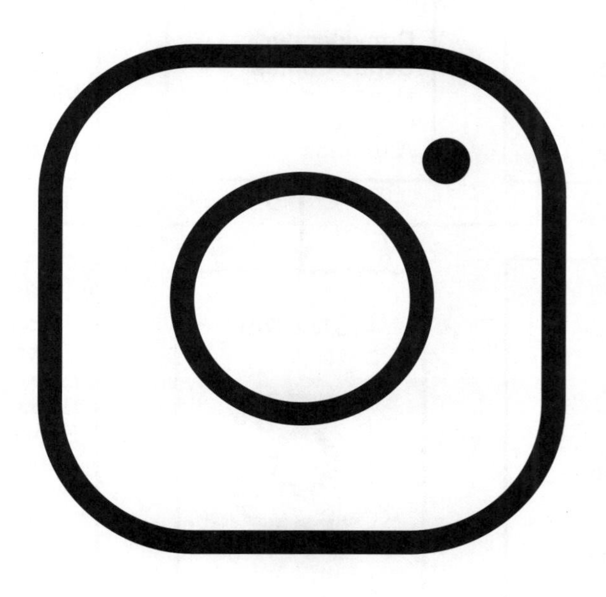

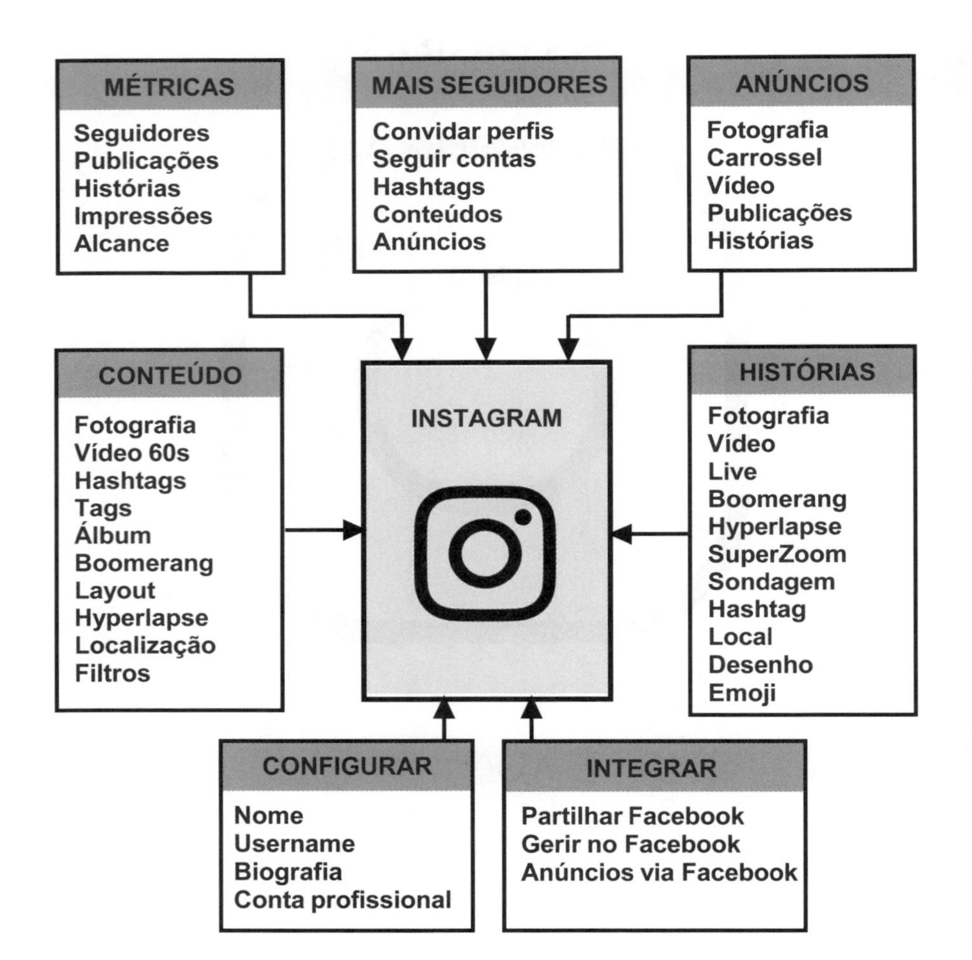
MÉTRICAS
Seguidores
Publicações
Histórias
Impressões
Alcance
MAIS SEGUIDORES
Convidar perfis
Seguir contas
Hashtags
Conteúdos
Anúncios
ANÚNCIOS
Fotografia
Carrossel
Vídeo
Publicações
Histórias
CONTEÚDO
Fotografia
Vídeo 60s
Hashtags
Tags
Álbum
Boomerang
Layout
Hyperlapse
Localização
Filtros
INSTAGRAM
HISTÓRIAS
Fotografia
Vídeo
Live
Boomerang
Hyperlapse
SuperZoom
Sondagem
Hashtag
Local
Desenho
Emoji
CONFIGURAR
Nome
Username
Biografia
Conta profissional
INTEGRAR
Partilhar Facebook
Gerir no Facebook
Anúncios via Facebook

Sobre o Instagram

Nascido em 2010, mas adquirido em 2012 pelo Facebook, por mil milhões de dólares, o Instagram é um sucesso. É útil para negócios em que a imagem é fundamental para comunicar, mas também para outros projetos ou para presença pessoal.

É um Social Media incontornável para partilha de fotografias e vídeos, mas também pelas histórias. Tem a possibilidade de criar e partilhar vídeos até 60 segundos, podendo adicionar filtros, como nas fotografias.

As principais funcionalidades e características do Instagram são:

- Ter conta pessoal (pode ser privada ou pública) ou profissional;
- A conta profissional permite ter estatísticas, botão para chamada, telefone, link e mapa. Dá ainda a possibilidade de fazer anúncios na app;
- Criar biografia (consiste numa curta descrição), que deve ter um link;
- Tem possibilidade de publicar fotografias e vídeos até 60 segundos;
- Pode criar histórias: imagem, vídeo e diretos;
- Publicar conteúdos das apps Layout, Boomerang e Hyperlapse;
- Criar álbuns com até 10 fotografias ou vídeos;
- Adicionar *hashtags*;
- Tem possibilidade de guardar *posts* e criar coleções;
- Poder arquivar publicações;
- Poder enviar e receber mensagens diretas;
- Permitir gerir até 5 contas independentes na mesma app;
- Permitir pesquisar conteúdos;
- Fazer publicidade.

Esta aplicação permite captar e partilhar os momentos do seu dia a dia de uma forma simples e com estilo, recorrendo aos filtros. As imagens são publicadas diretamente através do *smartphone*, utilizando *hashtags* relevantes e identificando os locais para mostrar onde está, ou identificar outras contas.

Se comutar a câmara, permite-lhe tirar fotografia em modo *selfie*. Se preferir, também pode carregar uma fotografia que já tenha na sua galeria – no Dropbox ou em qualquer outro local –, desde que esteja acessível pelo seu *smartphone*.

As histórias são um sucesso, permitindo partilhar conteúdos verticais em formato de imagem, vídeo e direto. Ficam disponíveis 24 horas e devem transparecer autenticidade, revelando o lado mais informal e espontâneo da sua organização.

Sempre que necessário, permite enviar diretamente mensagens para quem desejar, em modo privado, até 15 pessoas.

A interface possibilita ver o *feed* com os conteúdos visuais da sua rede, onde pode interagir, explorar *posts*, locais e perfis.

Para se inspirar, consulte a lista dos «Top influenciadores», na qual consegue aferir o país, a categoria, os seguidores, a taxa de interação e as publicações efetuadas. Basta aceder a: *http://influence.iconosquare.com/*.

Também consegue saber quais são as contas mais populares, não sendo surpresa que a Selena Gomez é quem lidera a lista, tendo até já sido convidada pelo Mark Zuckerberg para ir à sede do Facebook. Consulte mais informações em: *http://index.iconosquare.com/*.

A GoPro é um excelente exemplo de como se pode utilizar o vídeo nesta plataforma. Veja o vídeo de comemoração dos seus 5 milhões de seguidores no Instagram: *https://instagram.com/p/2yVg2qLf51*.

Criar Conta

Para começar, instale a aplicação ou aceda a: *www.instagram.com*.

Crie uma conta, definindo o nome, o nome de utilizador (username), uma biografia atrativa e não se esqueça do link.

No final, ficará com um link de conta do tipo: *www.instagram.com/vasco marquesnet*, que poderá partilhar noutras redes sociais para obter seguidores.

Também pode navegar na versão web, através do website, mas a experiência é mais limitada e não lhe permite publicar conteúdos.

Nome e Nome de Utilizador

Não é recomendado utilizar caracteres especiais no nome de utilizador, pois é ruído na comunicação. Se o nome que pretende já está registado, tente variações próximas.

Seja como for, o mais frequente é optar por 1 dos 3 cenários possíveis: pessoal, empresa ou comunidade. Poderá optar por um nome para a sua conta pessoal, que será provavelmente o seu nome (exemplo: @vascomar quesnet); também pode ser o nome do seu negócio, representado pelo nome da empresa ou marca (exemplo: @marketingdigital360 ou @w2b.pt); ou um nome para uma comunidade ou um tema sobre o qual deseja publicar conteúdos (exemplo: @w4b.tv). Dê preferência a um nome de utilizador igual ao de outras redes sociais.

Descrição da Biografia

A descrição deverá indicar que tipos de conteúdo publica para que, de uma forma simples, fique claro a expectativa que está a tentar alcançar. Se desejar algo mais criativo, insira emojis para tornar a apresentação mais atrativa, sendo certo que no total não pode ultrapassar 150 caracteres. Se desejar ser ainda mais criativo, pode utilizar quebras de linha, para organizar verticalmente o texto, ou espaços horizontais, emojis apelativos e outras técnicas artesanais com símbolos.

Link na Biografia

Utilize um link para uma *landing page* mobile na sua biografia. Pode ser download de um *e-book*, vídeo, *voucher* de desconto, ou aquilo em que o seu público tenha muito interesse.

Se desejar adicionar um link bit.ly personalizado, tem a vantagem de poder obter analítica dos cliques no seu link da biografia.

Em alternativa, utilize o *www.linktr.ee* para, através de um único link, ramificar para vários, centrando assim a gestão de links do Instagram neste serviço.

Home

Basta deslizar para ver o *feed* de imagens e vídeos, de uma forma muito atrativa. Os conteúdos não são organizados cronologicamente, mas por relevância, de acordo com fatores relacionados com a data, os interesses e a afinidade com a conta. Se tocar duas vezes numa imagem, é atribuído um gosto. Pode desmarcar, clicando no coração. Se clicar nos três pontinhos, no canto superior direito, permite denunciar o conteúdo, copiar o link para a área de transferência (se quiser partilhar aquela imagem ou vídeo noutra rede social) ou enviar para o Facebook Messenger para partilhar via mensagem pessoal.

A fotografia ou o vídeo permitem três tipos de interação: gosto, comentário e enviar para outras contas. A descrição do conteúdo deverá conter *hashtags* relevantes para aumentar a exposição face às pesquisas.

Quando se clica numa *hashtag*, na descrição ou nos comentários, mostra conteúdos ligados a essa palavra, organizados pelas publicações principais e pelas mais recentes. Mostra, no topo, *hashtags* relacionadas. Tem interesse para se inspirar e para perceber se faz sentido utilizá-las também.

AMPLIAR IMAGEM NO INSTAGRAM

Se tocar durante dois segundos numa imagem, nos resultados de pesquisa, ela irá ampliar enquanto mantiver o dedo pressionado. O mesmo se aplica quando está a ver imagens diretamente numa conta.

Se tiver identificado (*tag*) outras pessoas, isso aparecerá por baixo do conteúdo e fica também assinalado na fotografia.

Para ver o perfil completo de quem publicou o conteúdo, clique em baixo do respetivo nome.

Se for um vídeo, dois toques também permitem atribuir um gosto. É reproduzido automaticamente, por defeito, com o som desligado, com possibilidade de o ativar no canto inferior esquerdo ou dando simplesmente um toque no vídeo. Será visível também o número de visualizações que o vídeo já obteve, mesmo que não seja seu. É útil para perceber que vídeos despertam mais interesse.

Comente de forma relevante noutras contas, nos conteúdos que lhe interessem. Esta interação atrairá atenção e, provavelmente, alguns irão segui-lo e, quem sabe, um dia serão seus clientes.

Figura 86 – Conta Instagram com as últimas imagens em mosaico e com biografia.

Pesquisa

Aceda ao botão da pesquisa (ícone com lupa) e veja vídeos e publicações sugeridas para si.

Na parte superior, pode ver histórias em direto, histórias de locais perto de si e ainda outras histórias sugeridas.

Depois, consegue efetuar pesquisa por: nome da conta, nome de utilizador, *hashtags* e locais.

Opções

Convém visitar esta parte, para definir as opções desejadas para a sua conta. Para isso, aceda ao seu perfil, clique no canto superior direito, nos três pontinhos ou na roda dentada (dependendo se é Android ou iOS), de modo a aparecerem todas as opções possíveis.

Convidar Amigos e Seguir Pessoas

Como seria de esperar, permite convidar amigos para passarem a utilizar o Instagram. Mas melhor do que isto é conseguir seguir contas no Instagram, não só de pessoas que já sejam suas amigas no Facebook, mas também de contas de que seja fã da respetiva página no Facebook. Poderá até optar por seguir todos, se for relevante. A grande vantagem é que essas contas serão notificadas e, provavelmente, irão seguir a sua de volta, devido à relevância. Também permite seguir os seus contactos que, apesar de não estarem ligados no Facebook, têm contas no Instagram. É igualmente vantajoso, pela reciprocidade que poderá obter ao seguir essas contas.

Conta

Pode consultar os conteúdos que foi guardando, como as respetivas coleções, estando esta opção igualmente disponível no seu perfil.

Nas definições de história pode alterar parâmetros, como: ocultar histórias para determinadas contas, inibir respostas a histórias e guardar automaticamente fotografias e vídeos partilhados nas histórias.

Sempre que desejar, pode editar o seu perfil, sendo possível alterar o nome, o nome de utilizador, o link e a descrição. Mas também pode alterar a sua informação privada: e-mail, telemóvel e sexo. É possível editar na app, na interface web, ou na página Facebook, se estiver integrado com Instagram (para contas profissionais).

É aqui que pode alterar a sua palavra-passe. É recomendável obter segurança adicional, com a «Autenticação de dois fatores», que faz que o Instagram envie um código de segurança, sempre que seja necessário confirmar a autenticidade do utilizador através do acesso de outros dispositivos.

Se aceder a «Publicações de que gostaste», pode ver as fotografias e os vídeos de que gostou. É importante para consultar este histórico e para aceder a um conteúdo de que tenha gostado no passado e que lhe possa ser útil agora.

É possível tornar a sua conta privada. Isto só faz sentido em contas pessoais e não para negócios. Se ativar a opção «Conta privada», todos os seus conteúdos serão apenas visíveis a utilizadores que tenham solicitado para o seguir e que obtiveram a sua aprovação.

Definições de Negócio

Esta secção aparece apenas se tiver convertido para conta profissional. Aqui, tem a possibilidade de ver todas as promoções efetuadas em campanhas de publicidade ou de criar novas campanhas. Pode aceder a pagamentos. Se for necessário, tem ainda a hipótese de voltar à conta pessoal.

Definições

Em «Contas associadas», tem a possibilidade de associar outras redes sociais: Facebook, Twitter, Tumblr, VKontakte, Ameba e OK.ru. Se o Facebook já estiver ativo, se clicar, tem a possibilidade de mudar a associação de um perfil para uma página.

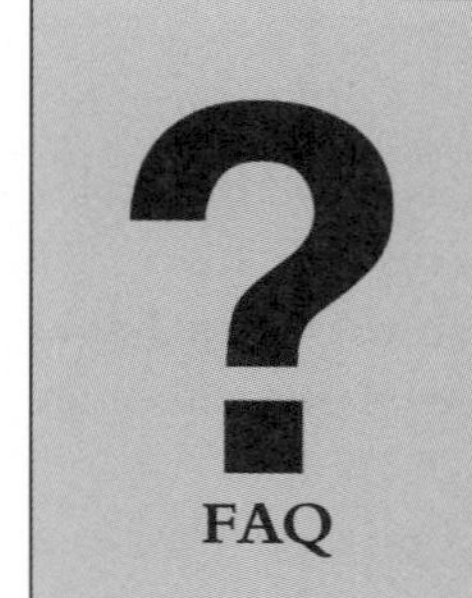

COMO ASSOCIAR A CONTA DO INSTAGRAM A UMA PÁGINA FACEBOOK?

Por defeito, fica associado ao perfil, mas, acedendo às definições, depois a «Contas associadas», em «Facebook», tem a possibilidade de escolher uma página.

Se desejar alterar o idioma da sua app, poderá fazê-lo a qualquer momento, através da opção «Idioma».

Em «Notificações push», pode alterar o comportamento das mensagens enviadas pela aplicação para as notificações do seu *smartphone*. E pode ter controlo em relação a: gostos, comentários, gostos em comentários, gostos e comentários de fotos de ti, vídeos em direto, pedidos para seguir aceites, amigos no Instagram, pedidos do Instagram Direct (mensagens), Instagram Direct, fotografias de ti, lembretes, primeiras publicações e histórias, lançamento de produtos (do Instagram), anúncios, ver contagens e pedidos de suporte.

Também consegue controlar a utilização de dados móveis para consumir mais ou menos dados, limitando a experiência do utilizador, se optar por poupar no tráfego.

A opção de comentários permite adicionar palavras que, se aparecerem sob a forma de comentário, serão ocultadas automaticamente. É útil para linguagem inapropriada ou para o típico spam.

Apesar de ser possível desativar a atualização automática da aplicação – e também as notificações de novas versões –, é melhor deixar ativada. Deste modo, não tem de se preocupar se já tem a última versão e as novas funcionalidades.

Pode, ainda, alterar a qualidade do carregamento das imagens, podendo passar para a opção «Básica», ficando, naturalmente, com menos qualidade.

É desejável que tenha ativada a opção de guardar fotografias originais e vídeos, depois de publicar. A não ser que tenha muitas dificuldades com espaço.

Assistência

Tal como o nome indica, aqui poderá obter alguma ajuda, através do centro de ajuda do Instagram, que remete para o website que cumpre a respetiva missão. Ou, então, pode comunicar algum tipo de problema.

Sobre

Saiba mais informações sobre como os anúncios são mostrados no Instagram, acesso ao blog, política de privacidade, termos de serviço e biblioteca de fontes.

Permite ainda limpar histórico de pesquisa, adicionar conta, terminar sessão de uma conta ou de todas.

GERIR ATÉ CINCO CONTAS

Adicione novas contas Instagram para poder gerir até cinco presenças diferentes numa única app.

Em relação à opção «Adicionar conta», tem a possibilidade de adicionar e gerir até cinco contas Instagram na mesma app. Podem ser contas pessoais ou profissionais, não há problema, pois ficam totalmente separadas, mas facilmente comutáveis. Esta funcionalidade pode passar despercebida, uma vez que se encontra quase no fim da listagem das opções adicionais da conta.

Explorar Perfil

Se aceder ao perfil de outro utilizador, poderá interagir de diversas formas, além da ação natural de seguir essa conta. Em primeiro lugar, tem disponíveis as opções básicas: quantidade de publicações, os seus seguidores e quem está a seguir. Na descrição da biografia encontrará mais informações dessa conta e, se tiver link, poderá clicar para aceder ao respetivo website com mais informações.

No canto superior direito, pode aceder a opções adicionais: denunciar, bloquear, copiar URL do perfil, enviar mensagem, enviar perfil como mensagem e ativar notificações de publicação. Esta última opção é muito importante quando alguém a ativa, pois faz que receba uma notificação, sempre que for feita uma nova publicação.

Mais abaixo, verá um mosaico de fotografias e vídeos. No separador seguinte, pode mudar o modo de vista para lista e a última opção mostra os conteúdos em que foi identificado.

COMO POSSO AUMENTAR SEGUIDORES?

O primeiro passo é seguir outras contas, desde que já esteja ligado noutras redes sociais, através das opções da aplicação. Depois, adote uma estratégia de conteúdos ajustada ao público-alvo. Trate também de divulgar noutras redes sociais e noutros meios online e offline o endereço da sua conta. Interaja com conteúdos de contas que ainda não o seguem.

Se estiver a explorar o seu perfil, terá a opção para o editar. Se tocar na sua fotografia, pode mudá-la de uma forma muito simples, importando automaticamente a que está a utilizar no Facebook ou no Twitter.

Não se esqueça de que quem visita o seu perfil irá ver, provavelmente, as últimas 6 a 9 fotografias, que são as que ficam logo visíveis.

Arquivar Publicações

Se pretender omitir uma fotografia ou um vídeo, não tem necessidade de eliminar a publicação, podendo ocultar nas opções do *post* e ficar disponível apenas para si no seu perfil, através do ícone na parte superior. Mais tarde, pode voltar a publicar, se for necessário.

Guardar Posts

Viu um *post* que o inspirou e quer guardá-lo? Basta clicar no respetivo ícone, na parte inferior da publicação, e ficará disponível para consultar no seu perfil, quando desejar. Naturalmente, é privado e ninguém tem acesso a ele.

Com o tempo, ficará com muitos conteúdos e, por isso, existe a possibilidade de agrupar por pastas (designado por coleções), para encontrar facilmente os seus conteúdos preferidos, mas privados.

Conta Profissional

Para fins que não sejam pessoais, deverá migrar para uma conta profissional, ficando com mais funcionalidades, importantes para negócios.

Não tendo a certeza se já tem a conta profissional, aceda ao seu perfil e verifique se tem o ícone de estatísticas no topo. Se não tiver, pode aceder às definições da app Instagram e mudar para a conta profissional, tratando-se de um negócio ou similar.

No perfil, terá uma opção para que possa ser contactado facilmente por mensagem, e-mail ou chamada telefónica. Se for um negócio local, será possível obter direções de como lá chegar.

Passa a ter sistema de estatísticas para perceber o perfil demográfico dos seus seguidores e também o desempenho das suas publicações. Saberá: impressões totais da última semana, alcance, visualizações de perfil, informação demográfica, principais cidades e países, dias e horas com mais atividade, publicações e histórias com melhor desempenho.

Poderá promover diretamente uma publicação através do Instagram, tornando o processo de fazer publicidade mais simples. Basta selecionar a publicação, promover, definir o público, o orçamento e a duração. O que não invalida de o fazer pela interface de gestão de anúncios do Facebook, que é mais completa e mais eficaz.

A verificação de conta no Instagram está sinalizada com um visto azul, para ajudar as pessoas a encontrarem mais facilmente figuras públicas, celebridades e marcas que pretendem seguir. Esta verificação é feita pelo Instagram e não é possível solicitá-la.

Figura 87 – Gestão de cinco contas Instagram e publicação de conteúdos.

Depois de clicar em «Adicionar Conta», surge a opção para adicionar o nome de utilizador e a password, podendo gerir até cinco contas.

No canto superior esquerdo do seu perfil, pode alternar entre perfis e, desta forma, publicar na conta Instagram que pretende utilizar. Em relação às notificações, também será muito intuitivo perceber a que conta lhes está associada.

Publicar Conteúdos

É possível partilhar um conteúdo diretamente através da galeria de imagens do Android ou iOS, permitindo que a imagem ou o vídeo sejam partilhados no Instagram sem ter de abrir a app.

Mas o que faz mais sentido é partilhar diretamente através da app. Para isso, aceda ao ícone de adicionar, para poder partilhar conteúdo da sua galeria ou para captar o momento em fotografia ou em vídeo.

O mais importante é que a sua estratégia de conteúdos não seja comercial, mas social. Os utilizadores estão no Instagram para ver conteúdos inspiradores, interessantes, divertidos e relaxantes. Não estão lá para comprar o seu produto (embora também o possam fazer), por isso aproxime-se da sua comunidade de uma forma realmente relevante.

Esteja atento às notificações de comentários, para os poder ler e comentar, para criar ligações genuínas com os seus seguidores e para estabelecer uma interação autêntica.

Se, por alguma razão, precisar de editar os conteúdos, aceda à imagem ou ao vídeo para, através das opções adicionais, poder alterar o texto, identificar pessoas ou partilhar noutras redes sociais.

Publique regularmente. O tempo médio de vida de um *post* no Instagram é de 3 horas. Por isso, considere publicar uma vez a três vezes por dia para que consiga mais exposição e, consequentemente, mais seguidores, não se esquecendo de utilizar *hashtags*.

Publicar Fotografias e Vídeos

Quando carrega uma fotografia ou um vídeo da galeria, pode publicar em formato quadrado ou panorâmico, podendo ajustar no respetivo ícone, no canto inferior esquerdo.

Se reparar, do lado inferior direito, existem três ícones, dos quais um é do Boomerang, outro, do Layout – duas aplicações do Instagram para criação de conteúdos. Basta tocar, para obter acesso direto e produzir conteúdos adicionais. Se ainda não tiver estas aplicações, recomendo-lhe que as instale.

Se precisar de partilhar vários conteúdos, pode selecionar o terceiro ícone para adicionar um álbum, que pode ser constituído por até dez fotografias ou vídeos.

Se for um vídeo, no passo seguinte pode optar por desativar o som, aplicar um filtro, cortar parte do vídeo e ainda escolher a imagem de capa do vídeo.

Faça a sua produção de vídeo no computador no formato quadrado ou no panorâmico. Embora reproduza das duas formas, o quadrado cria mais impacto.

Pode carregar vídeos editados no computador. A maneira mais simples é colocar no Dropbox, no Google Drive ou noutro serviço similar e carregá-lo para o Instagram.

Também é possível fazer *embed* da publicação para o seu blog ou website.

Já sabe, não pode ultrapassar os 60 segundos, que nos dias de hoje são mais do que suficientes para a maioria das necessidades. Poderá depois acompanhar o número de visualizações que obteve, ficando visível por baixo do vídeo.

Se for uma imagem, no passo seguinte pode optar por lhe aplicar um filtro ou editar efeitos. Além da função «Lux» – sempre disponível na parte superior –, o separador editar, ao lado dos filtros, permite-lhe muitos ajustes adicionais: ajustar, luminosidade, contraste, estrutura, temperatura, saturação, cor, desvanecer, realce, sombras, vinheta, inclinação e definir.

Se captar a fotografia diretamente com a câmara fotográfica do *smartphone*, em vez de a selecionar da galeria, os passos seguintes serão iguais.

No final, antes de publicar, adicione uma legenda (atenção ao limite da descrição visível antes do «ver mais»), escolha uma localização, se for necessário, e partilhe. Se quisesse, ainda neste passo, poderia optar por enviar mensagem pessoal aos seus seguidores, em vez de tornar público.

Hashtags

O Instagram permite adicionar até 30 *hashtags*. Descubra as melhores para si, acedendo à pesquisa do Instagram, verifique quais são as que têm mais interesse e guarde na aplicação de notas do seu *smartphone* (aplicação nativa ou a app Simplenote), para mais tarde poder copiar e colar facilmente.

Se desejar, no caso de serem muitas, pode publicar as *hashtags* como comentário, em vez de as inserir na descrição.

Defina também a sua *hashtag*, que pode ser igual ao username da conta ou outra relacionada com a sua marca, para que consiga acompanhar *posts* de outros utilizadores que, eventualmente, também a passem a utilizar, quando falarem dos seus produtos ou serviços.

Para descobrir quais são as *hashtags* mais utilizadas ou com mais interesse, pode recorrer aos serviços gratuitos: *www.top-hashtags.com/instagram* e *www.tagsforlikes.com*.

Tags

Faça *tag* a outras contas sempre que for relevante, mesmo de grandes marcas. Se fizerem o *repost* ou mencionarem a sua conta, dará um bom impulso à sua presença. Não é certo que vá acontecer, mas, com relevância e criatividade, as probabilidades aumentam.

Figura 88 – Imagem Tinyplanet e vídeo criado a partir de GIF, criados com câmara 360.

Fotografia 360 e Tinyplanet

No Instagram não é possível partilhar nativamente fotografias 360, mas existem algumas apps que fazem algo parecido: Swipable, Instapan e Instapanoram. Também pode tirar partido do efeito Tinyplanet, recorrendo à aplicação

RollWorld ou Tiny Planet Fx Pro, que permite converter panoramas ou imagens 360 numa imagem normal, pronta a partilhar em qualquer rede social. E não se esqueça de utilizar a respetiva *hashtag* do efeito em causa.

GIF no Instagram?

Quer partilhar GIF no Instagram? Por defeito não dá, mas há um truque para algo parecido. Aceda a: *www.giphy.com* e, na opção criar, escolha a opção que faz mais sentido para si: GIF Maker (criar uma imagem animada através de um vídeo no YouTube), slideshow (animar com várias fotografias), GIF Caption ou GIF Editor. Depois de ajustar e editar o seu GIF, escolha a opção de partilha para Instagram. Receberá no seu e-mail um vídeo, pronto a partilhar no Instagram com a animação que ficará em *loop*.

Criar facilmente Vídeo e Imagens

O Magisto – uma aplicação para criar vídeos facilmente, com base nas suas fotografias e vídeos – também tem uma opção para partilhar no Instagram, ajustando a duração do vídeo a esta rede social. Apenas precisa de dar asas à sua criatividade e escolher modelos de efeitos para brilhar nas redes sociais.

Precisa de inspiração para conteúdos? Aceda a: *www.canva.com* e escolha o modelo para Instagram, para abrir uma imagem com as medidas certas. Do lado esquerdo, surgem muitos modelos com conteúdos prontos a utilizar. Basta editar – é muito fácil –, ajustar às suas necessidades e guardar a imagem. Depois é só partilhar no Instagram. Experimente. Vai ficar fã!

Partilhar no Instagram?

Apesar de não conseguir partilhar conteúdos no *feed* com as ferramentas da app, pode utilizar uma aplicação de terceiros para fazer algo parecido. «Repost for Instagram» é uma das apps que cumpre essa função. Depois de a instalar é guiado para copiar o URL da publicação do Instagram e o colocar nesta aplicação para que seja feita a partilha, identificando visualmente o autor original na imagem – mas convém pedir-lhe autorização primeiro.

Histórias

As histórias sempre fizeram parte da nossa vida. As redes sociais implementaram essa possibilidade, que foi sucesso imediato numa rede social, alastrando-se rapidamente às restantes.

Figura 89 – Histórias Instagram com *hashtag* e geolocalização.

É normalmente um registo vertical captado com o *smartphone*, podendo ser fotografia ou vídeo, que fica disponível durante 24 horas. Pode, também, estilizar, adicionar texto, desenhar e ainda permite outro tipo de edição. Como é um conteúdo autêntico que capta o momento, desperta mais interesse aos utilizadores. O fator de prazo de validade estimula mais ainda o seu consumo.

No Instagram, pode publicar fotografias e vídeos, com duração de até 15 segundos. Se preferir fazer um direto, pode ter a duração máxima de 1 hora e ficará igualmente disponível para rever nas «Histórias» durante 24 horas. É possível realizar o direto a dois, convidando outra pessoa.

Se o momento já foi captado, ainda pode adicioná-lo às «Histórias», se ocorreu há menos de 24 horas. Basta fazer *swipe* para surgirem os conteúdos disponíveis. Pode adicionar as histórias de que necessitar, pois irá permitir ao utilizador ver mais momentos do seu dia.

A cada momento da história pode fazer o seguinte:

- **Escolher o formato**
  - Direto – até 1 hora, fica disponível 24 horas nas histórias e com possibilidade de as guardar no seu *smartphone*;
  - Normal – fotografia ou vídeo (permite fazer *zoom*);
  - Boomerang – animação;
  - Superzoom – vídeo com *zoom* automático e efeito sonoro;

  - Rewind – vídeo em sentido inverso;
  - Mãos livres – vídeo com apenas um toque;
  - Conteúdo recente – adicione conteúdo das últimas 24 horas;
  - Câmara – pode escolher a câmara traseira ou a frontal;
  - Face Filters – adicione máscaras divertidas nas fotografias, vídeos, boomerang, rewind, mãos livres ou nas mensagens diretas.
- ***Stickers***
  - Emoji – para tornar a história mais atrativa. Depois de o adicionar, experimente tocar, pois alguns mostram variações desse emoji;
  - *Selfie sticker* – permite adicionar outra foto sobreposta;
  - *Stickers* adicionais – pode inserir a temperatura, a hora ou o dia;
  - *Hashtag* – tornará a história visível em pesquisas relacionadas;
  - Sondagem – permite criar uma sondagem com duas opções;
  - Localização – fica visível nas pesquisas, aumentando as visualizações, com possibilidade de a retirar posteriormente;
  - Pin – permite adicionar um emoji ou um texto e marcar numa determinada parte do vídeo, bastando fixar na posição desejada.
- **Texto**
  - Texto – permite escrever texto, podendo alterar as cores;
  - Identificar utilizadores – permite mencionar outras contas, que serão notificadas dessa ação. Basta utilizar o formato @username, ficando clicável para a conta do respetivo utilizador;

  o Links – inserir links para o seu website.
- **Desenhar**
  - Caneta – desenhe facilmente o que a sua mente idealizar. As três ferramentas de desenho permitem escolher cor (se pressionar dois segundos na cor, surgem mais opções), grossura ou apagar;
  - Marcador – permite pintar com a cor desejada, por exemplo, preencher um fundo para inserir texto;
  - Néon – permite enfeitar com um aspeto mais invulgar.

	Instagram	Snapchat	WhatsApp	Messenger	Facebook
Ferramentas de desenho, texto e *stickers*	✓	✓	✓	✓	✓
Geolocalização	✓	Avançado		✓	
Filtros	✓	Avançado		✓	✓
Lens (AR)	Face filters	✓		Molduras	Molduras
Partilhar no *feed*	✓				✓
Limite de cada história	15s	10s	45s	15s	21s
Conteúdos extra	Live	*Loop*	GIF	Texto com cor de fundo	Live
Guardar história	✓	Avançado		✓	✓
Importar conteúdos recentes	✓	Avançado	✓	✓	✓

Figura 90 – Comparação das histórias nas diversas redes sociais.

A história pode ser enviada publicamente para todos os que queiram consultar ou então pode selecionar um conjunto de utilizadores para as receber exclusivamente. Nas definições das histórias pode ainda alterar parâmetros de privacidade, visibilidade e interação. Se for necessário, pode apagar posteriormente uma determinada fotografia ou vídeo da história. É uma boa ideia guardar as histórias no seu *smartphone*, se quiser republicá-las.

Os utilizadores podem interagir com as histórias com mensagens, fotografias e vídeos. Ficará disponível para consulta ou para resposta nas mensagens diretas.

Ao rever a sua história, poderá saber quantas pessoas a viram e quem a viu. Não sendo possível impedir que esta informação seja ocultada, no entanto, não conseguirá ver de outras contas que não seja administrador. As métricas das histórias ficam disponíveis no separador «Estatísticas», nas contas profissionais.

Métricas nas estatísticas das histórias nos perfis profissionais:

- Impressões;
- Alcance;
- Toques para avançar;

- Toques para retroceder;
- Saídas;
- Respostas.

Mensagem Direta

O Instagram Direct permite enviar para uma, ou até quinze pessoas, vários tipos de conteúdos: fotografias ou vídeos (guardados ou captados), publicações no *feed*, perfis, texto, *hashtags*, localizações, contacto telefónico clicável, link clicável, fotografias e vídeos. Logo que o utilizador receba a mensagem, receberá uma notificação (em função de como estiver configurado nas opções do perfil). Se preferir, pode criar um grupo para a conversação. Assemelha-se a uma ferramenta de Instant Messaging, como o Facebook Messenger, o WhatsApp ou outros.

Quando está no separador inicial do Instagram, encontra, no canto superior direito, o gestor de mensagens. Ao aceder, poderá escolher os destinatários e o tipo de conteúdo a enviar. Também pode ver só as mensagens recebidas, permitindo responder, retomando a conversa.

Se a mensagem for enviada através de uma conta privada, só as pessoas que a seguem e tenham sido aceites a conseguirão ver.

As mensagens não são partilháveis no Instagram ou noutras redes sociais, devido à sua natureza de privacidade, sendo possível identificar utilizadores.

Se alguém que não esteja a seguir lhe enviar uma mensagem, aparecerá no gestor de mensagens (canto superior direito em Home) a possibilidade de permitir ou recusar essa mensagem. Se aceitar, no futuro a mensagem entrará diretamente para o seu gestor de mensagens.

Publicidade

A melhor forma de anunciar no Instagram é através do gestor de anúncios em: *www.facebook.com/ads/manager*, onde poderá selecionar o tipo de objetivo da campanha e direcionar anúncios para o Facebook e também para o Instagram (ou apenas Instagram, se preferir).

Estão disponíveis os seguintes tipos de publicidade, organizados por objetivos:

- Cliques para o website
  - Imagem no Instagram

  - Carrossel no Instagram
- Conversões no website
  - Imagem no Instagram
  - Carrossel no Instagram
- Interação com a publicação da página
- Instalações da aplicação
  - Imagem no Instagram
  - Carrossel no Instagram
- Interação com a aplicação
  - Imagem no Instagram
  - Carrossel no Instagram
- Visualizações de vídeo
- Histórias

Parece complicado com tantos formatos de anúncios?

Todos estes formatos significam que pode fazer anúncios através da interface do Facebook. Aqui pode fazer anúncios para: atrair visitas para o seu website, captar visitas com controlo de conversões, interagir com publicações de conteúdos, instalar aplicações mobile e interagir com as mesmas, promover visualizações de vídeos. Isto com a particularidade de alguns dos anúncios permitirem o formato carrossel, que consiste em adicionar várias imagens ou vídeos no mesmo anúncio, para aumentar probabilidades de impressionar o utilizador. O carrossel tem ainda a vantagem de poder contar uma micro-história, à medida que o utilizador desliza para o slide seguinte.

<table>
<tr><th>TIPO DE ANÚNCIO</th><th>OBJETIVO</th></tr>
<tr><td>FOTOGRAFIA</td><td rowspan="2">Obter visitas website
Obter conversões
Instalar app
Interagir app</td></tr>
<tr><td>CARROSSEL (FOTOGRAFIA E VÍDEO)</td></tr>
<tr><td>VÍDEO</td><td>Aumentar visualizações</td></tr>
<tr><td>PUBLICAÇÕES</td><td>Aumentar interação posts</td></tr>
<tr><td>HISTÓRIAS</td><td>Obter visualizações e visitas</td></tr>
</table>

Figura 91 – Esquema dos tipos de publicidade no Instagram e respetivos objetivos.

É importante verificar se o seu conteúdo visual está dentro dos limites aconselhados de texto na imagem (inclusivamente a imagem de capa do vídeo ou carrossel). Basta carregar a imagem em: *https://www.facebook.com/ads/tools/text_overlay* e verificar se está «O. K.» o texto de imagem reduzido, médio ou elevado, apesar de, no último nível, o anúncio poder não ser publicado. Nos restantes poderá ter um alcance mais reduzido. Por isso, apesar de ser aprovado, pode obter menor alcance.

Depois de escolher o seu objetivo e o tipo de anúncio, a interface guia-o para o passo seguinte, que consiste em segmentar o seu público – a parte mais importante. Escolha bem o seu segmento, que pode ser por: país, cidade, sexo, idade, interesses, comportamentos, público personalizado e público semelhante. Explore bem, pois permite ramificá-lo em muitos critérios.

Na fase seguinte, escolha os criativos, ou seja: as imagens, os vídeos e os links que vão constituir o seu anúncio. Pode optar por carregar os seus – a melhor opção – ou escolhê-los de uma galeria gratuita ao seu dispor. Escreva uma boa descrição, escolha uma *landing page* eficaz e veja como fica o aspeto para os locais onde deseja promover o anúncio. É também nesta fase que escolhe a página do Facebook a que deseja associar o anúncio, que irá carregar a respetiva conta Instagram associada. Se ainda não a tiver associado previamente, pode fazê-lo neste momento.

Para associar a sua conta Instagram a uma página do Facebook, aceda às definições da sua página Facebook e, no separador «Instagram», poderá fazer login da respetiva conta que deseja associar. Assim, quando configurar uma campanha, as duas contas estarão ligadas, tornando tudo mais fácil.

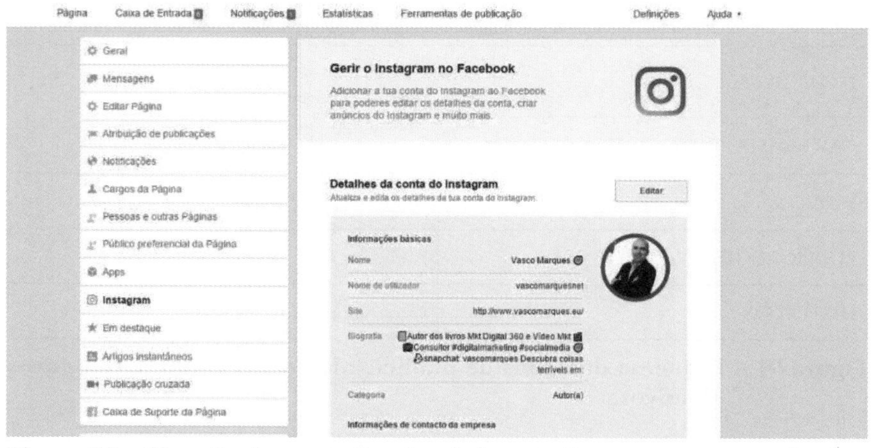

Figura 92 – Ligação da conta Facebook à conta Instagram, para anúncios.

Veja mais informações em: *https://business.instagram.com/advertising*.

Analítica

Se tiver uma conta profissional, terá um sistema de «Analítica» nativo do Instagram. Se for uma conta pessoal, poderá utilizar ferramentas de terceiros para analisar alguma informação.

O SocialBakers tem uma ferramenta gratuita que permite analisar várias dimensões importantes: *posts* com mais gostos, primeiro *post*, publicações mais comentadas, perfis com quem mais interage, perfis que mais interagem com o seu perfil, *hashtags* mais utilizadas, distribuição de *posts* ao longo do mês e os filtros mais utilizados. Basta fazer login com a sua conta Instagram em: *https://www.socialbakers.com/free-tools/tracker*. Nesta ferramenta, apenas consegue fazer isso à sua conta, não a outras contas.

O Iconosquare permite criar uma conta grátis para testar durante 7 dias e com possibilidade de adicionar duas contas Instagram. Crie o seu registo sem compromisso em: *www.iconosquare.com* e analise os seus dados.

A informação disponibilizada é muito vasta: valores totais para os vários indicadores da conta, gráficos de seguidores, comentários e gostos. Ainda no relatório geral consegue ver mais informação bastante útil. Depois, é possível afunilar ao detalhe em relação à comunidade, aos conteúdos e à interação. É, de facto, uma ferramenta muito completa e com interesse quando passa para o plano pago, no qual consegue ter um registo do histórico de todas estas informações.

Pode também utilizar a app Prime for Instagram, para descobrir os dias e os horários mais importantes para publicações. E também o InstaTrack para obter informações de analítica da sua conta.

Como pode verificar, cada ferramenta apresenta informações diferentes. Por isso, utilize aquela que para si faz mais sentido, sendo que, em qualquer um dos casos, não tem necessariamente custos associados.

Layout

Esta aplicação, apesar de ser do Instagram, é totalmente autónoma e permite compor uma imagem recorrendo a várias fotografias, efetuando uma montagem muito fácil. Combina várias fotografias numa única imagem.

É muito fácil de utilizar; não há como enganar. Depois de instalar a app, no Android ou no iOS, aparece a opção para escolher as fotografias que deseja utilizar, ou através das categorias da galeria, caras e recentes.

Comece a escolher as fotografias, permitindo adicionar de duas a nove. À medida que as vai acrescentando, vai vendo como ficam na parte superior, onde consegue deslizar para ver várias propostas de modelos. Escolha aquele de que gosta mais, que o faz levar ao painel seguinte, onde pode deslizar na montagem para ajustar tamanhos de cada secção. Em baixo, permite-lhe substituir alguma imagem para ficar com uma disposição mais assertiva. Explore também a opção para: espelhar a fotografia selecionada, inverter a posição, virar para inverter verticalmente, e pode adicionar uma margem.

Depois, tem apenas de guardar e está pronto para partilhar diretamente no Instagram, no Facebook, ou noutras redes sociais.

Mais informação em: *https://help.instagram.com/layout*.

Boomerang

Não é uma fotografia. Não é um GIF. É um boomerang! Foi assim que esta aplicação, também do Instagram, se apresentou.

Serve para registar um micro-momento de uma forma divertida e atrativa, podendo partilhá-lo no Instagram ou noutra rede social.

Ao abrir a app, surge a câmara pronta a registar o momento. Pressione o botão e serão capturadas várias fotografias muito rapidamente. De seguida, ficam logo animadas com um efeito interessante: reproduz para a frente e para trás, de forma infinita. Tem depois a opção de alterar a velocidade, estabilizar o vídeo ou cortar.

Guarde e está pronto para partilhar no Instagram, no Facebook ou noutra rede social. Mas funciona particularmente bem no Instagram, porque – tal como os vídeos – fica em *loop*, e o efeito de movimento infinito é muito atrativo.

Este micro-vídeo fica sem som, porque foi feito a partir de fotografias. Também fica gravado localmente no seu *smartphone*.

Saiba mais em: *https://help.instagram.com/boomerang*.

Hyperlapse

O Hyperlapse é uma app que permite criar vídeos acelerados e estabilizados. Imagine-se a caminhar, a descer a montanha-russa ou a passear. Se tentar acelerar o vídeo para fazer um *timelapse*, ficará muito tremido e desinteressante. Contudo, esta app faz as duas coisas: acelera e estabiliza, transformando um vídeo longo, de alguns minutos, numa peça curta, com um conteúdo atrativo.

Por defeito, o vídeo fica acelerado seis vezes, mas consegue alterar para mais lento ou para mais rápido.

Se deslizar o dedo na câmara, passa do modo *hyperlapse* para *selfie lapse*. E já se está mesmo a ver porquê.

Basta depois pressionar o botão para começar a gravar. Se estiver com pouca luz, recebe um aviso, pedindo que volte a carregar no botão se quiser continuar, mesmo com condições desfavoráveis. No fim, reproduz imediatamente, sendo visível o tempo de gravação e o tempo final do vídeo com o efeito *hyperlapse*. Em baixo, permite acelerar até doze vezes ou passar para a velocidade normal.

Se tocar com o dedo no vídeo, ele mostra como estava o vídeo original sem a estabilização e verá que a diferença é muito grande!

Se gostou do resultado, guarde-o e publique-o onde desejar. Se não gostou muito, pode cancelar, com a possibilidade de eliminar ou de editar mais tarde.

O vídeo fica sem som, mas pode depois editá-lo, pois fica também armazenado localmente. O limite da duração do vídeo a gravar é a capacidade de armazenamento de memória.

Mais informações em: *https://help.instagram.com/hyperlapse*.

A Sua Checklist Instagram

N	✓	TAREFAS A IMPLEMENTAR
1		Crie conta Instagram
2		Defina nome, nome do utilizador, preencha biografia e insira link
3		Converta para a conta profissional, no caso de ser uma empresa
4		Convide perfis e siga contas relevantes
5		Ligue à página Facebook
6		Configure, para partilhar na página Facebook
7		Publique conteúdos com *hashtags*
8		Crie histórias com fotografias, vídeos e transmissões em direto
9		Interaja nos conteúdos de outras contas
10		Crie anúncios
11		Acompanhe métricas

12
Social Media

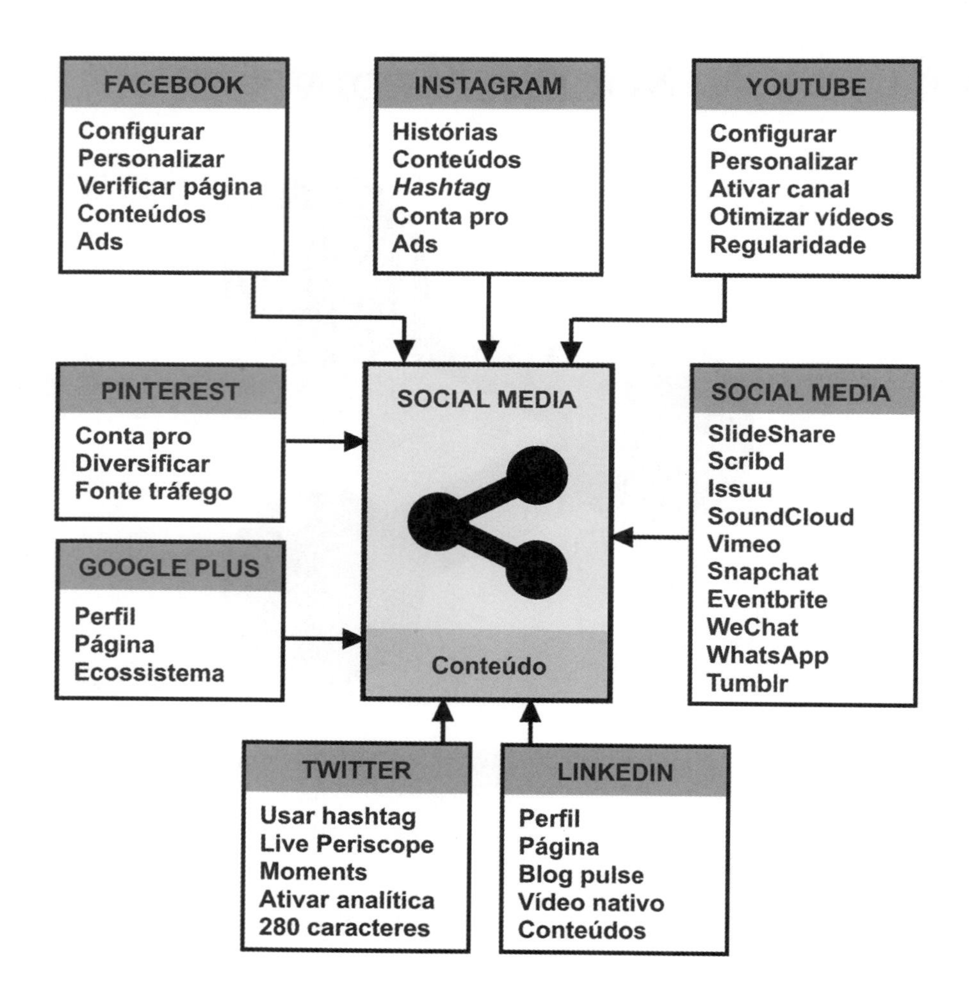
FACEBOOK
Configurar
Personalizar
Verificar página
Conteúdos
Ads
INSTAGRAM
Histórias
Conteúdos
Hashtag
Conta pro
Ads
YOUTUBE
Configurar
Personalizar
Ativar canal
Otimizar vídeos
Regularidade
PINTEREST
Conta pro
Diversificar
Fonte tráfego
SOCIAL MEDIA
Conteúdo
SOCIAL MEDIA
SlideShare
Scribd
Issuu
SoundCloud
Vimeo
Snapchat
Eventbrite
WeChat
WhatsApp
Tumblr
GOOGLE PLUS
Perfil
Página
Ecossistema
TWITTER
Usar hashtag
Live Periscope
Moments
Ativar analítica
280 caracteres
LINKEDIN
Perfil
Página
Blog pulse
Vídeo nativo
Conteúdos

Social Media

Os Social Media, no âmbito do mundo digital, tiveram um crescimento muito rápido. Beneficiaram, igualmente, de uma grande diversificação, atingindo, assim, necessidades diferentes de públicos diversos. O advento do mobile e do 4G foi a combinação perfeita para o crescimento explodir por todo o mundo.

É importante salientar que as redes sociais não são o mesmo que os Social Media, embora se pense que sejam a mesma coisa. As redes sociais são focadas nas pessoas; os Social Media nos conteúdos. Mas as redes sociais fazem parte do mundo Social Media – que engloba muito mais tipos de ferramenta –, cujo objetivo é dar poder às pessoas para publicarem conteúdos na web.

QUANTAS PESSOAS ACEDEM AOS SOCIAL MEDIA?

Mais de metade da população mundial tem acesso à Internet, cerca de 66 % tem acesso a dispositivos móveis e 37 % utiliza Social Media.

No mundo, somos cerca de 7,5 mil milhões, dos quais 51 % têm acesso à Internet e 37 % têm algum tipo de presença nos Social Media. Mais de 66 % da população tem acesso a um dispositivo móvel e 34 % acede às redes sociais via mobile. Por um lado, são números muito bons; por outro, também demonstram o grande potencial de crescimento que ainda existe.

Naturalmente, de acordo com as regiões do globo, poderá ter de optar pelos Social Media mais preeminentes nesses países. Por exemplo, na Rússia o Vkontakte (que tem integração com Instagram) é dominante. Na China, a Rede Social é o WeChat, o Baidu é o motor de pesquisa e o Youku é o similar do YouTube.

É curioso observar o número de anos que cada Social Media demorou para atingir os 50 milhões de utilizadores: a rádio levou 38 anos, a TV, 13 anos, o iPod, 4 anos, a Internet, 3 anos, o Facebook, 1 ano e o Twitter, menos de 1 ano. Este panorama ajuda-nos a perceber a rapidez de adoção de cada um dos meios. Podemos notar este fenómeno em aplicações e em novas redes sociais que vão surgindo. A mudança é cada vez mais rápida, ocorrendo mais vezes, e as empresas nem têm tempo de se ajustar. Por isso, é importante uma capacidade de adaptação rápida às novas formas de comunicar que o seu público já utiliza.

Se procura uma ferramenta para poder comunicar por mensagem em 23 serviços, o Franz é uma excelente solução, permitindo centralizar comunicações com Slack, Facebook Messenger, WhatsApp, Hangouts, WeChat, Twitter, Gmail, Outlook, Skype e muito mais. Simples e grátis, aumenta a sua produtividade. Até pode adicionar várias contas (pessoais e profissionais) de cada serviço.

Estratégia

O conteúdo é rei, já deve ter lido isto em muitos sítios. No entanto, o contexto desse conteúdo é igualmente importante em relação à plataforma e ao público-alvo. Além disso, deve dominar tecnicamente cada uma das ferramentas e conhecer as necessidades dos respetivos públicos-alvo.

Os Millennials (também designados por Geração Y, nascidos sensivelmente entre 1980 e 2000) têm um comportamento muito interativo e adotam facilmente o digital no seu dia a dia.

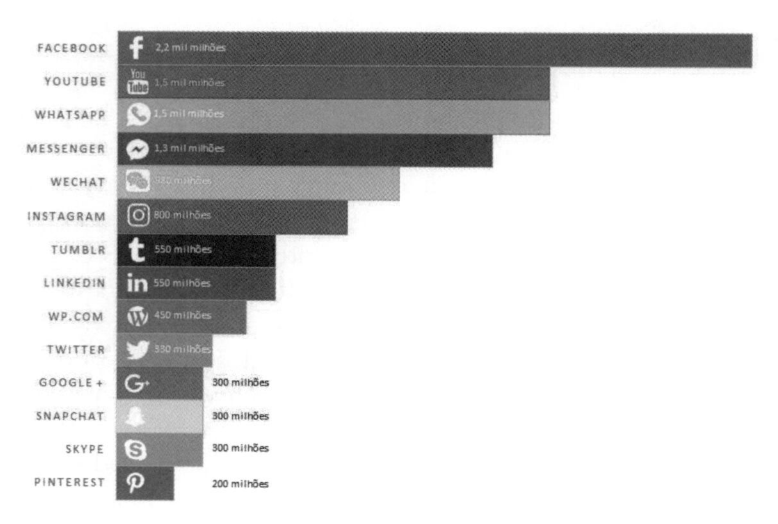

Figura 93 – Os principais social media, ordenados por número de utilizadores únicos mensais.

Podemos observar que o Facebook é a maior Rede Social. No entanto, cada uma delas apresenta características específicas ou se dirige a um público-alvo em particular. Por isso, de acordo com o tipo de conteúdo ou a quem deseje chegar, deve selecionar as redes sociais relevantes para a sua presença online.

O LinkedIn, o WordPress e o Facebook são os Social Media mais antigos, tendo muita importância para a sua presença online. Mas repare que o Instagram, o Periscope ou o Snapchat são dos mais recentes, sendo muito importantes quando queremos dirigir a mensagem para um público mais jovem.

Com um grande consumo de conteúdos nestas plataformas, os negócios viram uma oportunidade de ouro e não quiseram perder a corrida. Têm características sociais, uma forte ligação à geolocalização e são acedidas essencialmente via mobile – daí o acrónimo SoLoMo: Social+Local+Mobile.

As aplicações, as tecnologias e as ferramentas vão mudando ao longo do tempo. Mas uma estratégia digital focada na produção de conteúdos de qualidade e na relação com o cliente é menos perecível, pois está alinhada com as necessidades do seu público-alvo. Portanto, depois de ter o seu plano, será mais fácil adaptá-lo às novas tecnologias que vão surgindo.

Algumas reflexões importantes para os Social Media:

- O que deseja comunicar?
- Quais são as redes sociais que o seu público-alvo utiliza?
- Que tipos de conteúdo a sua audiência quer ver?
- Quem o pode ajudar nesta missão? Colaboradores, parceiros, clientes ou influenciadores.

Na sua estratégia, pense em que fase do funil pretende comunicar, pois, de acordo com o que o utilizador procura, terá uma expectativa diferente.

Defina quais são os objetivos, qual é o público-alvo, como pode alcançá-lo e como vai medi-lo.

Em relação à segmentação, defina quais são os critérios demográficos, geográficos, sociais e económicos, o estilo de vida, os gostos e os comportamentos. De acordo com os segmentos, porque reúnem características diferentes, enviará mensagens ajustadas e táticas diferenciadas. Nas ferramentas de analítica de quase todas as redes sociais, poderá observar estas dimensões da segmentação do público que o está a seguir ou a interagir.

Quanto ao posicionamento dos seus produtos ou serviços, defina a sua proposta de valor. Identifique uma oportunidade para servir uma determinada necessidade, melhor do que a de qualquer outro negócio. Apresente as características distintivas associadas à marca, aos produtos ou aos serviços.

Táticas

Para facilitar a visão integral de como montar táticas para cumprir os seus objetivos, consulte o esquema, organizando as redes sociais e outros meios digitais em função do seu objetivo. As linhas contínuas indicam um fluxo esperado. As linhas tracejadas indicam um fluxo possível, mas não obrigatório.

Aumentar Notoriedade e Interação

O primeiro passo a dar é implementar táticas para aumentar a notoriedade e, consequentemente, a interação, através da publicação de bons conteúdos. Por isso, foque-se em criar conteúdos realmente fantásticos. Podem ser artigos, imagens, vídeos e transmissões em direto – são os principais tipos de conteúdo. Mas pode considerar também o áudio, *podcast*, animações e outros formatos. Recomendo que aposte, desde já, no vídeo, pois é o formato que capta mais atenção e consegue, normalmente, maior alcance.

De acordo com o tipo de conteúdo que vai produzir, publique nas respetivas plataformas, podendo adaptar a forma como o faz em função do seu público, em cada uma delas.

Depois pode reaproveitar alguns conteúdos e publicá-los noutros Social Media. Por exemplo, um vídeo que publicou no YouTube, pode publicá-lo num artigo no seu blog e no LinkedIn Pulse. Outro exemplo, um direto que fez para o Facebook, pode fazer *embed* para um artigo no seu blog e enviar uma campanha de e-mail marketing a referir o excelente conteúdo que partilhou naquele direto. Pode editar o vídeo para que, com 60 segundos, possa ser publicado no Instagram.

Utilize ferramentas de interação para complementar a ligação com o público, como o Snapchat, o WhatsApp, o Facebook Messenger e outros.

Acompanhe as métricas que revelam os conteúdos que apresentam melhor desempenho para obter indicações mais precisas do que realmente o seu público quer. Nem sempre se acerta, por isso temos de aprender com todos os meios ao nosso alcance.

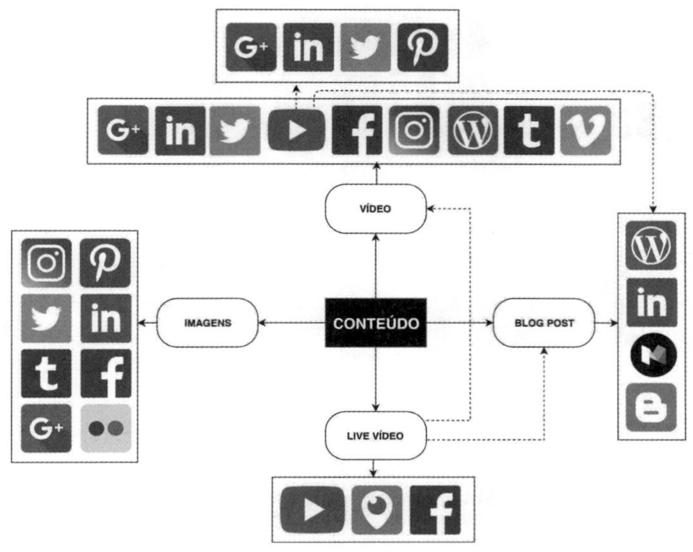

Figura 94 – Táticas para aumentar notoriedade e interação nos Social Media.

Obter Vistas para o Website e Conversões

Ao orientar as táticas para atrair tráfego, estará a ajudar a cumprir os seus objetivos, que podem ser conversões ou vendas. Por isso, é sempre importante haver forma de canalizar tráfego para o seu website, blog, loja online ou *landing page*.

Existem redes sociais que, por excelência, são muito boas a trazer tráfego, como o Facebook, o Twitter, o LinkedIn, o Google Plus, o Pinterest e o YouTube. Existem outras muito menos adequadas, como o Instagram (apenas pela biografia, histórias ou via anúncios), o Snapchat ou o Periscope.

Por isso, partilhe artigos importantes nas diversas redes sociais e tenha a página preparada para receber esse tráfego. Deve ter possibilidade de comentários, seguir noutras redes sociais, subscrever *lead* ou inscrição na newsletter, produtos relacionados, promoções e outras informações complementares.

Naturalmente, a publicidade bem feita é uma excelente forma de obter conversões. Mas lembre-se de que esta tática é eficaz se já tiver conquistado notoriedade e demonstrado interesse na interação com o seu público. E isso leva o seu tempo, tal como no mundo físico.

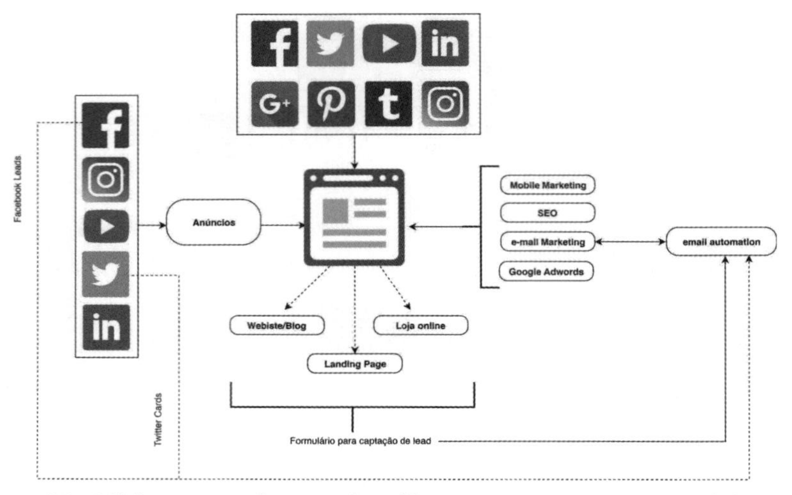

Figura 95 – Táticas para obter mais tráfego e conversões nos Social Media.

Gestor de Redes Sociais

A gestão de redes sociais requer uma série de competências transversais. Tem de saber comunicar, escrever bem, estar dentro da cultura organizacional, perceber o produto e o serviço e dominar tecnicamente a plataforma. Por isso, não é tarefa para alguém que apenas tenha jeito, mas para alguém que reúna ou adquira competências para tal.

Por norma, as publicações devem ser manuais e ajustadas às características de cada Rede Social, pois o público é diferente e o mecanismo da plataforma também.

No entanto, se precisar de agendar publicações ou de comunicar em várias redes sociais de uma só vez, deve fazê-lo nos casos específicos em que seja importante este automatismo, mas consciente de que isso irá diminuir o alcance orgânico nessa rede social, já que os algoritmos sabem a origem. O Hootsuite é das ferramentas mais populares, porque tem plano gratuito para gerir até três contas e as opções pagas são muito acessíveis. Permite publicar em perfis, em grupos e em páginas do Facebook, do Google Plus, do LinkedIn, do Twitter, do Instagram e de outras. Existem ainda o CoSchedule, o Buffer, o IFTTT, o dlvr.it, o Flow (da Miscrosoft), o Swonkie (português) e outros.

É importante criar uma agenda, distribuindo já intenções de publicações pelas várias redes sociais, de acordo com aquilo que já sabe que, à partida, é importante. Deve publicar 80 % de conteúdos não comerciais e, eventualmente, 20 % de conteúdos institucionais e comerciais. De outro modo, a sua comunidade acabará por perder interesse em alguém que não o demonstre pelos seus seguidores.

LinkedIn

A rede social profissional é o LinkedIn, não há dúvidas. E com vantagens para promover o seu negócio, os seus produtos e os seus colaboradores, para encontrar bons contactos e empresas para parcerias ou recrutamento de colaboradores qualificados. Os motores de pesquisa agradecem, pois ajudam na sua otimização. A Microsoft comprou o LinkedIn, que, por sua vez, já tinha comprado o SlideShare (maior plataforma de apresentações) e o Lynda (maior plataforma de cursos online), consolidando assim a posição profissional desta ferramenta.

Além de poder partilhar conteúdo no mural, tem a possibilidade de utilizar o Pulse como blog profissional, para que o seu conhecimento tenha impacto na sua rede.

Publique vídeo nativo no LinkedIn para obter mais interação na sua rede de contactos. Se o seu vídeo tiver mais de 10 minutos, partilhe o link do vídeo no YouTube.

Naturalmente, a estratégia de conteúdos nesta rede deve ser ajustada, pois, quando vamos ao LinkedIn, a expectativa é ver conteúdos profissionais adaptados ao nosso setor ou aos nossos interesses. Não é como ir ao Facebook ou ao Instagram.

Por isso, um passo seguro é comportarmo-nos como no mundo profissional: pensar a longo prazo, criar boas ligações, entregar valor e estar atento ao que se vai passando nos perfis, nas páginas e nos grupos.

O primeiro passo é ter um perfil com fotografia profissional, título, cidade, setor, resumo, experiência profissional, formação e reconhecimento de competências associadas a palavras-chave. As recomendações são muito importantes, por isso peça-as a colaboradores ou a parceiros que trabalharam consigo em projetos ou em empresas. Se tiver publicações suas, ou outro tipo de projeto pessoal, também deve referir. Anexe apresentações, documentos ou vídeos às várias secções do seu perfil. Todos os colaboradores da sua empresa devem possuir um perfil no LinkedIn.

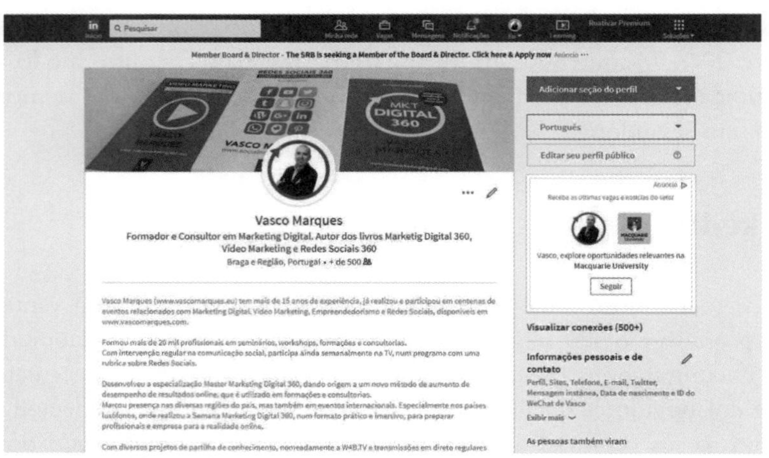

Figura 96 – Perfil LinkedIn.

Trabalhe o seu perfil até atingir um perfil campeão. Para o conseguir, deve ter:

- 1 Fotografia;
- 1 Resumo;
- 1 Cargo atual;
- Formação académica;
- 5 Competências.

O medidor de força do perfil está localizado em baixo do Top Card e mede a sua robustez. Esta força aumenta à medida que é adicionado mais conteúdo. É importante para, por exemplo, criar uma página de empresa.

Uma boa prática é, sempre que possível, adicionar links de recursos relacionados com a secção em causa, atividade profissional ou formação. Se clicar no ícone do lápis, seja onde for, permite-lhe, a qualquer momento, editar os respetivos conteúdos. No fim, pode mover a ordem da secção, para dar prioridade aos seus pontos fortes ou ao que mais lhe interesse destacar.

Para criar ou para editar o seu link personalizado, aceda à roda dentada, em baixo da sua fotografia, e, de seguida, no painel do lado direito, pode escolher o seu URL. Já que está neste painel, aproveite para definir a privacidade da sua informação de perfil e para controlar o que pode ou não ser visto pela sua rede.

Além de criar o seu perfil no seu idioma nativo – que será provavelmente o português –, crie-o pelo menos num segundo idioma, que deverá ser o inglês, expandindo os seus horizontes a todo o mundo.

PARTILHE CONTEÚDO DE VALOR

É importante publicar regularmente conteúdos no seu perfil e também no Pulse, ficando ligado ao seu perfil quem o visita. Também trará alcance, interação e notoriedade para o seu perfil.

Utilize o serviço *www.vizualize.me* para criar um CV diferenciador num website, com a possibilidade de personalizar toda a presença. Outra opção é o: *www.strikingly.com*, também com um visual muito interessante.

Se preferir criar um CV em imagem pode utilizar o canva.com, que oferece modelos para esse fim.

Página de Empresa

As empresas devem criar páginas – devidamente configuradas e personalizadas – e subpáginas (Showcases) para produtos ou para serviços. Estão disponíveis estatísticas que lhe trarão mais informação sobre os assuntos profissionais que estão a despertar mais interesse.

Requisitos para criar uma página da empresa:

- Possuir um perfil pessoal no LinkedIn, configurado com nome e com apelido verdadeiros, há pelo menos 7 dias;
- A força do perfil deve ser «Intermediário» ou «Especialista»;
- O perfil deve conter várias ligações;
- Ser um colaborador atual da empresa e a sua função constar da secção «Experiência» do perfil;
- Possuir um endereço de e-mail empresarial (ex.: marketing@web2business.pt), adicionado e confirmado na conta do LinkedIn;
- O domínio do e-mail deve ser exclusivo da empresa.

Para criar a página aceda ao menu «Soluções» e depois «Crie uma company page». De seguida, preencha o nome da empresa e crie o seu URL.

O próximo passo é preencher os campos de informação sobre a empresa: nome, descrição, idioma, tipo de empresa, website, sede e outras informações.

Além da pessoa que criou a página, deve definir pelo menos mais um administrador, embora possa definir até dez (pessoa que poderá editar a informação e publicar conteúdos), cujo utilizador deverá, obrigatoriamente, fazer parte das ligações de grau um.

Depois surgem os campos para colocar imagens, que servirão como capa e como ícone de identificação.

Também pode indicar grupos que serão mostrados na página da empresa. Só serão adicionados grupos (no máximo três) quando a pessoa que está a criar a página já estiver integrada.

Aconselha-se que todos os colaboradores da empresa sigam a página, embora a fiquem a seguir automaticamente quando a indicam como experiência profissional. Mas que também a divulguem na sua rede. Pouco a pouco, os seguidores da página aumentarão.

É importante publicar conteúdo atrativo e de forma regular. Uma boa periodicidade é, pelo menos, três vezes por semana. Aposte em temas que não sejam publicidade direta à empresa, mas antes informações, curiosidades e dicas relacionadas com a área do negócio.

No menu de ferramentas administrativas existem mais possibilidades importantes para a empresa: adicionar administradores, patrocinar atualizações e criar Showcases.

Existem vários tipos de publicidade que pode fazer no LinkedIn: Conteúdo Patrocinado, InMail Patrocinado, Text Ads, Dynamic Ads, Programmatic Display Ads, Formulário de Geração de *Leads*, Account Targeting, Retargeting do Site e Segmentação de Contacto de e-mail.

Teste o seu índice de vendas sociais (SSI) em: *www.linkedin.com/sales/ssi.*

Se tiver necessidade de mais funcionalidades, a conta *premium* disponibiliza contas avançadas para utilizadores: Carreira, Negócios, Vendas e Contratações).

Twitter

Aceda em: *www.twitter.com* e comece esta viagem, mas sem exceder os 280 caracteres! Mesmo sem conta criada, será possível ver conteúdos de diversas categorias, moments, notícias do momento e muitas categorias bem organizadas, facilitando o consumo do conteúdo.

Nesta rede estamos limitados a 280 caracteres, utilizados, essencialmente, através da aplicação móvel, embora também possa criar publicações pela interface web. Tem a possibilidade de integrar com o website e com aplicações, especialmente com o widget, para mostrar *tweets* em torno de uma *hashtag*.

Devemos interagir com outras publicações, pesquisando por *#hashtags*, assuntos e contas com interesse. É a rede social em que a *hashtag* funciona realmente bem para monitorizar comentários em texto. Por este motivo, é a rede social utilizada para interação em eventos, na TV e noutros meios.

Escolha um bom nome de utilizador, carregue a sua fotografia ou o logótipo da empresa, defina uma capa atrativa, escreva uma boa biografia, defina o seu local geográfico e coloque o seu melhor link, que pode ser um bit.ly, um about.me ou, melhor ainda, o seu website.

Na navegação inicial poderá consultar os últimos *tweets*, as notificações de interação, as mensagens diretas, a caixa de pesquisa e a opção de *tweetar*.

No menu do seu perfil tem acesso à sua configuração, às listas, aos *moments*, aos anúncios, às estatísticas e ao media studio.

O media studio é uma biblioteca que permite gerir conteúdos, filtrar, publicar, agendar, ver desempenho dos *tweets* e dar permissões de acesso a outros utilizadores. Com o Tweetdeck poderá ter mais opções de gestão do Twitter.

Tweets

Quando inicia a composição da mensagem, além do texto, pode anexar várias fotografias, aplicar filtros (na aplicação mobile), identificar amigos, adicionar GIF, carregar vídeos de 140 segundos, sondagens, links, Twitter cards e audio cards. Se for possível, georreferencie o *tweet* para dar uso às plenas funcionalidades nativas desta plataforma.

Depois de publicar, é possível responder, retweetar (partilhar) ou gostar (coração). As opções adicionais (três pontinhos) permitem excluir o *tweet*, obter link direto do *tweet* (*permalink*), enviar por mensagem pessoal, obter código para incorporar em website ou fixar o *tweet* em primeiro lugar no seu perfil. Não é possível editar um *tweet* depois de o publicar; a solução é apagar e publicar de novo. Se alguém responder a um *tweet* seu, fica visível apenas para os seguidores comuns.

Consegue anexar até quatro imagens no mesmo *tweet*, podendo identificar pessoas em cada uma delas. Se o fizer através da aplicação mobile, poderá aplicar filtros para estilizar as fotografias. As imagens não contam para os 280 caracteres do *tweet*, por isso use e abuse, visto que é um recurso que traz muita interação e alcance à sua publicação.

#Hashtag

Foi com esta rede que começou a *hashtag* – e claro que ainda a mantém –, sendo uma grande vantagem para descobrir tendências de assuntos e para aumentar a exposição dos seus *tweets*, se forem associados de forma correta. Quando entra no Twitter tem, do lado esquerdo, uma lista dos assuntos do momento, baseados essencialmente nisso.

Defina uma *hashtag* para a sua marca ou para a sua empresa. Também pode definir para passatempos ou para eventos. Adicione outras complementares, com assuntos relacionados, permitindo ser descoberto mais facilmente. É bom para poder monitorizar a sua marca ou para pesquisar por assuntos associados a determinadas *hashtags*. Para saber se a *hashtag* que pretende para a sua marca já está a ser utilizada, basta pesquisar no Twitter ou no Tagboard para ver em todas as redes sociais.

Outra particularidade interessante é a capacidade de poder incorporar comentários do Twitter numa transmissão em direto para o YouTube, para o Facebook ou para outra plataforma. Para isso, basta utilizar a ferramenta adequada, como o Wirecast Pro, o Vmix ou outras, configurar um plano de sobreposição de títulos e ir aprovando os *tweets* relevantes. O resultado final é fantástico e cria uma ligação enorme com a audiência.

O RiteTag é uma ferramenta muito boa para descobrir *hashtags* e saber quais são as mais interessantes. Basta inserir a *hashtag* para ver relatórios detalhados, mas fáceis de perceber.

Publicidade

É possível fazer publicidade no Twitter. Basta aceder, através da respetiva opção, na fotografia do seu perfil, no canto superior direito ou diretamente em: *https://ads.twitter.com*.

Pode criar campanhas para obter mais seguidores, para obter mais cliques ou para conversões para o seu website, para interação do *Tweet*, para instalações ou interações com aplicações, para visualizações de vídeos e de *leads* no Twitter.

Estatísticas

O Twitter tem um sistema de analítica muito sofisticado. No entanto, é necessário ativá-lo primeiro, acedendo em: *https://analytics.twitter.com*, para que os dados comecem a ser recolhidos.

Além de poder ver a analítica detalhada no respetivo link, depois, cada *tweet* terá um ícone com um gráfico de barras para poder ver imediatamente as principais métricas. Está disponível no computador e na aplicação mobile.

Periscope

É um Social Media que funciona especialmente através da aplicação mobile, embora também dê para consumir os conteúdos pelo browser do computador.

Está integrado com o Twitter a vários níveis, nomeadamente, com a reprodução automática no *feed* desta rede dos 280 caracteres. Se clicar na transmissão, fica em *full screen* e consegue ver os gostos e os comentários sem sair do Twitter e sem ser necessário fazer login no Periscope.

Por defeito, todas as transmissões ficam gravadas para sempre, embora possa alterar para ficarem durante 24 horas ou apagar.

No primeiro separador, representado por uma televisão, aparecerá, em cima, uma transmissão em destaque ou, então, a função «Teletransporte», que o levará a viajar pelo mapa para uma transmissão aleatória. É divertido, experimente! Pode também percorrer a página principal e escolher uma das transmissões no seu *feed*.

Se alguém que está a seguir partilhar um Periscope de terceiros, aparecerá no seu *feed*, com a indicação de quem o partilhou.

Para demonstrar que gosta do que está a ver, basta tocar no ecrã e surgirão tantos corações quantos os toques que der, misturando-se no festim de outros corações de cores diversas, de acordo com os utilizadores. Além de ver os comentários, deverá também comentar se gostar do assunto, pois esta funcionalidade é em tempo real.

No separador mapa (ícone do mundo), está disponível um mapa que mostra em tempo real (em vermelho) as transmissões que decorrem em todo o mundo. E em azul, as transmissões que já decorreram e que estão disponíveis para ver a gravação.

Se clicar, entra diretamente nessa transmissão para poder assistir ou interagir com gostos ou com comentários, mesmo que não seja seguidor dessa conta.

Para começar a sua transmissão, basta clicar no botão vermelho com uma câmara, atribuir um nome, ativar a localização e a partilha automática no Twitter, de seguida clique em «Iniciar transmissão». Além da gravação local do ficheiro no seu *smartphone* (que pode ser desativada nas definições), poderá ver o vídeo depois de a transmissão ter decorrido, com comentários e com gostos. Por defeito, fica gravado para sempre, mas pode alterá-lo nas configurações para apenas 24 horas.

Escolha um tema do interesse do seu público-alvo e um bom nome para a transmissão, que pode conter *#hashtags* e emojis.

Se quiser uma transmissão mais sofisticada, poderá fazer ligação sem fios a uma GoPro e a um drone, e, somando às duas câmaras do *smartphone*, fica com quatro câmaras disponíveis para gerir no seu direto.

Google Plus

A presença na Rede Social da Google é fundamental; não que seja a mais utilizada, mas integra todo o seu ecossistema.

É uma Rede Social de interesses, onde podemos interagir com outras pessoas em torno de assuntos de que também gostamos, através das «Comunidades», e agrupar mensagens tematicamente em «Coleções» para obter conteúdo arrumado por áreas – é este o foco do Google Plus. Tem a vantagem de integrar com plataformas Google: YouTube, Google Photos, Gmail, Google Search, Google Maps, Google My Business, Hangouts e outras aplicações.

A qualquer momento, pode fazer uma análise à pontuação do seu perfil em: *www.allmyplus.com* e da sua página em: *www.steadydemand.com/Google-Plus-Brand-Audit-Tool.php.*

Se tiver uma conta Gmail, provavelmente já tem Google Plus. Se quiser uma presença com outro nome, pode criar uma nova com outro e-mail. Para criar uma nova conta nesta Rede Social aceda a: *http://plus.google.com.*

Para aceder às suas páginas Google Plus clique na página que deseja gerir, no canto superior direito. Se quiser voltar ao seu perfil Google Plus, basta aceder ao mesmo local e comutar para o perfil.

Se ainda não tem página ou se desejar criar outra, basta aceder à opção «Todas as suas Páginas do Google+», ou aceder diretamente a: *https://business.google.com*, que lhe dá acesso ao Google My Business para criar páginas de localizações ou de marca. Aqui poderá criar conta empresarial que, por sua vez, pode ter vários gestores, podendo, dentro dessa conta, ter várias páginas de localizações e de marcas.

Então, aceda agora ao separador «Páginas de marca» e clique no ícone azul «+» para, de seguida, atribuir um nome à página e escolher uma das seguintes categorias: Produto ou marca, Entretenimento, Comunidade ou outra. Veja o exemplo de uma página em: *www.google.com/+Marketingdigital360Net.*

Se, em vez de adicionar a página de marca, desejar adicionar um negócio local, escolha a opção «Localizações» para identificar no Google Maps a respetiva localização e preencher toda a informação detalhada do local. Pode definir, também, o raio de quilómetros em que presta serviços, para ajudar na relevância de pesquisas no Google. Após a validação preliminar do Google, receberá uma carta nessa morada, dentro de duas semanas, com um código que deverá introduzir para fazer a validação final. Veja um exemplo de página local em: *https://plus.google.com/+web2businessBraga.*

Escolha o nome, indique o website e avance para a fase seguinte, em que deve adicionar uma fotografia de perfil e uma fotografia de capa e ainda informações de contacto, texto de introdução (que pode conter links), *slogan* e associar o seu website.

WhatsApp

É umas das apps de mensagens mais utilizadas, disponível em 32 idiomas. É muito simples de utilizar e não tem anúncios.

Pode ser utilizada no dia a dia para conversar com os amigos, com a família, ou para fins profissionais. Surgiu como uma alternativa aos SMS e às chamadas de voz, mas é muito mais do que isso.

Assim, o WhatsApp é uma app multiplataforma que permite a troca de mensagens de forma gratuita. Utiliza o mesmo plano de dados móveis de que cada utilizador dispõe para o envio de e-mails e para navegação na web, não existindo um custo adicional associado ao envio das mensagens.

Está disponível também através da web (WhatsApp web), para que possa entrar em contacto a qualquer momento e em qualquer lugar. Também é possível instalar o WhatsApp no computador.

Além das mensagens escritas, os utilizadores podem criar grupos e enviar mensagens ilimitadas de imagem, de vídeo e de áudio entre si.

Deve descarregar a aplicação diretamente para o seu telefone, na sua app store ou em: *www.whatsapp.com/download.*

Depois de a instalar, verifique se os contactos com quem deseja trocar mensagens já possuem o WhatsApp. Para tal, basta verificar se eles surgem no separador favorito ou, no caso do Android, em contactos.

Se o contacto com quem pretende trocar mensagens não estiver no separador favorito, poderá adicionar o número de telefone:

1. Digite o número como se fosse telefonar para a pessoa;
2. Se for um número de telefone internacional, inicie com o símbolo + (em vez de 00), seguido do código do país internacional;

3. Abra o WhatsApp e atualize a sua lista de Favoritos (Contactos no Android).

No ecrã principal pode aceder aos separadores «Chamadas», «Conversas» e «Contactos». Tem uma caixa prática de pesquisa para encontrar mensagens, números de telefone ou endereços de e-mail. Mais ao lado está o ícone para fazer chamadas para os seus contactos. Por fim, as definições que vão ser muito utilizadas.

A encriptação das mensagens, sempre que possível, está ativada nas conversas, recebendo notificação deste tipo de camada adicional de segurança, que garante que ninguém consegue ter acesso à informação veiculada nesta ferramenta.

A qualquer momento poderá mudar o seu estado (similar às histórias Instagram), na parte superior.

Pinterest

O Pinterest é uma rede social direcionada para imagens, que podem ter vários formatos, com mais de 50 mil milhões de pins para explorar. É uma boa fonte de tráfego, uma vez que as imagens são clicáveis, o que permite canalizar mais visitas para o seu website, sendo também importante para SEO.

Começou por ser uma rede social mais dirigida para o público feminino, mas rapidamente se expandiu para todos os tipos de utilizador. Apresenta uma agradável navegação centrada em imagens, apesar de também permitir integrar apresentações do SlideShare, imagens animadas e vídeos.

Quanto a conteúdos, são muito utilizados para infográficos, tutoriais e fotografias, especialmente no formato vertical. Pode refixar outros pins de que tenha gostado, ou enviar imagens de que dispõe ou que criou. Também pode fixar pins diretamente a partir de um URL, onde está alojada a imagem. Considere que as imagens devem ter mais altura do que a que, normalmente, utiliza no Facebook. O ideal será uma proporção de 1:2.8, para que ocupe uma área maior no *feed* dos seus seguidores e seja mais partilhada e mais clicada. Também porque as imagens verticais proporcionam uma melhor experiência nos *smartphones*, nos quais consumimos os conteúdos nessa posição, na maioria das vezes. Deve usar boas descrições nos álbuns e nos pins para que sejam facilmente encontrados, inclusive por motores de pesquisa, como o Google e o Bing.

Qualquer pin pode ser partilhado e todos eles podem ter o link da origem clicável para obter tráfego.

Existem lojas físicas e online que assinalam os produtos com mais partilhas no Pinterest como indicador de um produto muito amado por potenciais clientes. Veja mais ideias, inspiração e relatórios de tendências de pins em: *https://blog.pinterest.com*.

Se não quiser criar conta em nome pessoal, mas para um negócio, crie a sua conta em: *https://business.pinterest.com* ou, se já tiver conta pessoal, pode convertê-la facilmente em: *https://pt.pinterest.com/business/convert*. A conta profissional apresenta algumas vantagens: estatísticas do Pinterest, estatísticas Pinterest do seu website, *rich pins*, verificação website, nome para empresa na conta e categorias empresa.

Para confirmar o website, é necessário colar nele um código ou carregar um ficheiro para o servidor, para validar que é realmente detentor do domínio que está a indicar e que só assim aparecerá no seu perfil Pinterest.

Na parte superior do pin, depois de o ampliar, repare na lupa. Esta ferramenta permite efetuar pesquisas através de um objeto específico dentro de uma imagem. Uma funcionalidade muito útil para encontrar objetos similares.

Através da aplicação, poderá pesquisar um objeto através de uma fotografia captada com o *smartphone*. Imagine que está a ver um sofá lindíssimo e que quer obter ideias de decoração para aquele tipo de objeto: o Pinterest é a solução.

Snapchat

O sucesso do Snapchat está na partilha de conteúdos que evidenciam a nossa personalidade ou a da marca. Pode mostrar os bastidores de determinada atividade ou relatar o dia a dia com conteúdos autênticos que mostram a sua realidade.

As histórias Snapchat podem ser uma área pública, privada ou de grupo. No *feed* público agrega os snaps publicados ao longo do dia. Ao fim de 24 horas, a história desaparece, mas o seu autor tem a possibilidade de a guardar. Se alguém fizer um *screenshot*, ficará sinalizado na história para o respetivo autor. O «Discover» permite que anunciantes publiquem o seu próprio vídeo editorial.

É esta combinação única – criatividade, comunicação e *storytelling* – que lhe dá um poder fantástico, manifestando-se no elevado número de visualizações e de interação nesta plataforma.

Os Spectacles são uns óculos de sol, mas com a particularidade de gravar vídeo para poder enviá-lo para as suas histórias no Snapchat, via *smartphone*. O facto de ser gravado no formato circular permite rodar o *smartphone* em qualquer direção e ficar sempre bem.

Existem várias formas de obter seguidores. Uma das mais características é através do Snapcode, que pode ser partilhado noutros Social Media.

O Snapchat é recomendado para negócios ou para marcas com uma personalidade que deseje transpor além da sua organização interna: para pessoas já com grandes audiências noutras plataformas, ou para pessoas que querem estabelecer ligações e interações nesta rede. Se ainda não tem uma presença digital consistente noutras plataformas, não salte já para esta app.

Ao abrir a app, se deslizar para a esquerda, pode gerir as mensagens enviadas para amigos e recebidas, e para a direita pode ver as histórias. Deslizando de novo para a direita, tem o «Discover» com conteúdos patrocinados por marcas. No ecrã principal, se deslizar para cima, verá opções adicionais sobre o seu perfil e o do Snapchat.

As histórias são compostas por snaps de imagem ou de vídeo, com tempo limitado. No entanto, é possível ativar a opção de *loop* ou infinita. Permite desenhar, escrever, adicionar emojis (ou desenhar com emojis), links e filtros. O efeito «Lenses» utiliza a câmara para criar efeitos divertidos. Além das famosas Lenses, tem ainda o Magic Eraser (apagar um objeto), o Backdrops (mudar fundo) e o Voice Filters (mudar voz) para impressionar com efeitos incríveis.

Com o Snap Map pode encontrar outras pessoas no mapa, desde que tenham dado permissão mútua prévia para se verem. O contacto é representado por um Bitmoji, no qual poderá ver, num mapa, onde está o seu amigo.

À medida que vai realizando ações, vai desbloqueando troféus que ficam acessíveis para sua consulta no seu perfil. Existe ainda uma pontuação, que acompanha o seu perfil com características de *gamification*. Para anúncios ou para soluções empresariais visite: *https://forbusiness.snapchat.com*.

Tumblr

O Tumblr é tão fácil de usar que é difícil de explicar. É esta frase que encontra quando entra no website e que é bem verdade. É uma plataforma mais minimalista para criação de mini-blogs. Com integração com o Instagram, é possível publicar as imagens ou os vídeos nas duas plataformas simultaneamente. Se preferir, partilhe conteúdos do Tumblr noutras redes sociais.

Devido ao estilo deste Social Media, enquadra-se mais no público jovem, sendo adotado cada vez mais por grandes marcas. Pense no Tumblr como um diário multimédia, com publicações visuais e simples, ideal para consumir rapidamente imagem, vídeo e animação.

Existem mais de 300 milhões de blogs a publicar 50 milhões de conteúdos por dia, perfazendo um total de 136 mil milhões de *posts*.

Oferece uma grande variedade de temas gratuitos, mas também pode optar pelos pagos, com a possibilidade de personalizar o tema (via código HTML) gratuitamente.

Fornece uma grande variedade de formatos de conteúdos multimédia para os *posts*: texto, fotografia, GIF, citação, link, diálogo, chat, áudio, vídeo e vídeo em direto. O utilizador pode optar por publicar texto com fotografia ou optar por publicar sem nenhuma informação adicional.

Em cada publicação, deve associar algumas *tags* (etiquetas), que funcionam de forma semelhante às *hashtags*, permitindo que, nas pesquisas e nos filtros, os conteúdos sejam encontrados mais facilmente. Tem ainda a vantagem de ajudar a poder ligar a marcadores, que são uma espécie de menus de navegação.

Tal como noutras redes sociais, pode seguir ou ser seguido para ver os respetivos conteúdos no *feed*, podendo partilhar conteúdos dos Tumblrs de outros utilizadores. Permite ainda a troca de mensagens.

Na página principal, pode consultar o *feed* de conteúdos dos blogs que está a seguir. Do lado direito tem uma lista de recomendações para si.

Existem vários tipos de publicidade no Tumblr: patrocinar um *post*, *post* com vídeo, patrocinar um dia inteiro na página Explorar, blog patrocinado, instalação de app e *post* promovido no Yahoo. Existe um sistema de analítica muito detalhado, mas apenas disponível para anunciantes. Mais informações em: *www.tumblr.com/business*.

Pode adicionar vários tipos de botão no seu website ou na sua *landing page* para o seguirem no Tumblr, podendo selecionar a cor desejada. Também pode colocar um botão no seu website ou blog, para que qualquer pessoa consiga partilhar esse artigo no seu respetivo Tumblr. Saiba mais em: *www.tumblr.com/buttons*.

Vimeo

É uma grande comunidade de vídeo destinada, essencialmente, a um público mais profissional. Por isso, os vídeos não têm publicidade, mas, em vez disso, existem contas pagas, além da opção-base grátis. O conteúdo é, assim, de muita qualidade. Permite um elevado nível de personalização do canal e do player, acesso a vídeo por password (útil para fornecer acesso a trabalhos para clientes), possibilidade de comprar filmes, transmissões em direto e outras funcionalidades adicionais.

O Vimeo disponibiliza ainda o Cameo – uma aplicação para edição de vídeo de forma profissional – através de temas já definidos e de músicas prontas a utilizar. Descubra mais em: *www.vimeo.com/cameo.*

YouNow

Esta aplicação permite fazer transmissões em direto para todo o mundo, com a particularidade de poder aceitar que o seu público entre em direto consigo, ou poder convidar alguém para se juntar à transmissão. Tem ainda integração direta com o Tumblr para poder transmitir também para o seu blog.

Ustream

O Ustream.tv é uma alternativa ao YouTube Live Events para transmissão em direto de eventos. Este serviço é tão reconhecido, que existem câmaras de filmar a fazer *streaming* diretamente para esta plataforma enquanto grava. A versão gratuita tem publicidade e não é HD. É sofrível para quem não tem orçamento. As soluções profissionais incluem software e hardware, à altura da qualidade do seu evento profissional.

Pode criar vários canais e eventos associados. Adicione informações a cada um deles e personalize o aspeto gráfico. Pode, também, personalizar com marca de água toda a transmissão do evento que fica inserida no vídeo.

Existe um sistema de chat, que fica ao lado da transmissão, que permite também fazer o *embed* no seu website, possibilitando canalizar o tráfego para onde desejar, mantendo toda a interação. No entanto, exige o registo dos utilizadores para poderem interagir.

Além de transmitir em direto, também grava os vídeos, como seria de esperar, mas é limitado para contas gratuitas.

Algo muito importante e escondido junto às visualizações dos vídeos da conta é a possibilidade de os enviar diretamente para o YouTube, sem sequer fazer download. Isto funciona mesmo que o seu vídeo tenha várias horas (desde que a conta YouTube esteja validada para envios superiores a 15 minutos) e está disponível no plano grátis. É muito útil para o caso de terminar o seu evento e precisar de viajar de seguida. Mas, se quiser, pode fazer o download para o poder editar posteriormente.

Se for necessário, também consegue editar o vídeo sem fazer download, permitindo destacar determinadas partes ou mesmo cortar.

Permite fazer *streaming* em direto através da aplicação móvel, da interface web, ou descarregando o software gratuito (ou pago, para mais funcionalidades).

Possibilita fazer *embed* da transmissão no seu website ou num separador personalizado do Facebook.

Gosto muito desta plataforma por estar desenhada especificamente para eventos em direto. Tem funcionalidades fantásticas, como a possibilidade de poder transmitir diretamente de algumas câmaras, sem sequer ter um computador. Mas a versão grátis é limitada; teria de optar por um plano pago para ser algo realmente muito bom. Por isso, no patamar gratuito prefiro a transmissão do YouTube. Mas tem uma boa opção, muito válida para determinados casos em: *www.ustream.tv*.

Skype

É o standard das chamadas de voz e de vídeo pela sua fiabilidade e facilidade. A Microsoft adquiriu este serviço por ter estrategicamente interesse para integrar com os seus produtos profissionais.

Permite uma conversação privada com até dez pessoas e com a possibilidade de ter legendas de tradução em tempo real. Existem vários equipamentos que integram diretamente com este serviço. É utilizado no computador, no *smartphone*, no *tablet*, no telefone, na TV e nas consolas de jogos.

Integre com o WordPress através do respetivo *plugin*, para que os seus potenciais clientes saibam quando está online e possam fazer diretamente uma chamada a partir do seu website.

SoundCloud

Se tem áudios (e detém os direitos de autor), utilize o SoundCloud. Até uma hora, é grátis. Não tente enviar músicas ou outros áudios protegidos com direitos de autor; será detetado rapidamente e bloqueado. Mas pode enviar conteúdos gerados por si, tais como: *podcasts*, audiobooks, músicas originais (bandas) e outros conteúdos. A conta paga permite envio ilimitado por um valor muito acessível. Comece a enviar áudios em: *www.soundcloud.com*.

Prezi

De uma forma mais visual e atrativa, assumindo um formato de zoom-in e zoom-out, o Prezi permite-lhe conquistar o seu público. Pode criá-lo online ou descarregar o software que, através da versão paga, estende funcionalidades. Resulta muito bem para apresentações mais simples e visuais.

Possibilita adicionar imagens, vídeos do YouTube e links, tornando a apresentação mais atrativa e interativa. Depois de publicada, ficará também disponível no diretório e é indexada pelo Google. Também fica acessível pelo link direto e pode partilhá-la nas diversas redes sociais. Faça *zoom* à sua apresentação em: *www.prezi.com*.

SlideShare

É uma plataforma de apresentações muito popular, onde certamente já viu conteúdos, ou até já publicou as suas apresentações. Estão disponíveis mais de 15 milhões de apresentações, infográficos e vídeos. Descubra conteúdos organizados em mais de trinta assuntos e com mais de 60 milhões de utilizadores únicos mensais.

As apresentações dos seus eventos, da sua empresa, dos seus produtos ou serviços, do resumo do ano em fotografias, merecem ser publicadas, utilizando o MS PowerPoint ou o formato PDF, no SlideShare.

É simples, basta enviar a sua apresentação, desde que não esteja protegida, para poder ser convertida. Depois disso, defina um nome que caracterize o conteúdo, uma descrição, uma categoria e as palavras-chave relacionadas.

Permite também personalização de conta, estatísticas avançadas e vídeos.

Pode fazer upload direto de vídeos ou pode colocar um vídeo do YouTube a seguir a determinado slide, tornando a apresentação mais atrativa, em vez de disponibilizar o link do vídeo no slide. Quando uma apresentação contém um vídeo, fica assinalada, sendo facilmente percetível o extra que possui.

Guarde os slides mais importantes com a função clipboard, ou guarde toda a apresentação nos favoritos para ver mais tarde. Até poderá fazer download, se o autor tiver autorizado.

Authorstream

O Authorstream é parecido com o SlideShare, mas menos conhecido. Apresenta a grande vantagem de conservar animações, transições, vídeos e conteúdos, tendo interesse para necessidades mais específicas.

Permite-lhe ainda fazer apresentações em direto, podendo partilhar o link para convidar utilizadores a interagir via chat. Se desejar partilhar a apresentação, existem vários níveis de controlo. Envie a sua em: *www.authorstream.com*.

Flickr

É uma comunidade de partilha de fotografias, na qual pode fazer upload gratuito até 1 Gb da sua câmara fotográfica ou do seu *smartphone*. É curioso notar que a câmara mais popular é de um *smartphone*, já que uma das características desta Rede Social de fotografias é saber que marcas e modelos são mais utilizados para publicar os conteúdos.

Aceda a «Explorar» para começar a ver as novidades, correndo o risco de ficar hipnotizado com a beleza das fotografias selecionadas. Nas «Tendências» poderá navegar por assuntos, que ramificam em conteúdos e com a possibilidade de aderir a grupos associados a esses assuntos, beneficiando das ferramentas típicas deste tipo de comunidade (membros, fórum, mapa, etc.). Com uma secção dedicada à realidade virtual, pode ver fotografias através da aplicação de VR (*Virtual Reality*) para uma experiência imersiva em fotografias 360. Tem ainda uma secção dedicada a fotografias «Creative Commons», o que significa que são livres e grátis para as poder utilizar (o Flickr é umas das ferramentas de catalogação de fotografias livre de direitos de autor). Por fim, tem a possibilidade de ver exposições e fotografias associadas a localizações.

Thinglink

Permite criar imagens e vídeos interativos muito facilmente, tornando o seu website, o seu blog, as suas infografias, os seus mapas, os seus álbuns de fotografias e as suas apresentações mais interativas. Basta carregar a imagem, clicar onde quer adicionar a interatividade e colocar o link do recurso, que pode estar em qualquer website social, como os que têm sido referidos. Por exemplo, se colocar um link do YouTube numa planta de um hotel, ao passar o rato nessa zona, será possível ver o interior desse quarto ou a vista para o mar. Outro exemplo: se o colocar na planta de uma feira profissional, poderá ver imagens e vídeos dos expositores. Pode ainda optar por colocá-lo num mapa de uma zona florestal, onde poderá ouvir os pássaros que habitam determinada zona ou ver imagens de plantas autóctones. Imagine uma fotografia da sede da sua empresa em que está disponível um link para o website para seguir no Twitter, para se tornar fã no Facebook, assim como interações com imagens, vídeos e outras redes sociais!

Além disso, pode adicionar interatividade a fotografias ou a vídeos 360, tornando a experiência ainda mais imersiva. Pode adicionar a interatividade que desejar. E vai conseguir fazê-lo em poucos minutos. Experimente a interação em: *www.thinglink.com*.

Scribd

Para partilha de documentos, tais como: DOC, PDF, TXT, entre outros, o Scribd é a solução ideal. Não menospreze este serviço. Se tiver conteúdos neste formato, partilhe. Obterá muitas visualizações e parte delas converte-se em tráfego, em *leads*, em notoriedade ou até mesmo em vendas. Muitos resultados do Google ligam diretamente para este website, por isso justifica o investimento de tempo. Embora exista conta paga, a grátis é suficiente.

Depois de enviar, por exemplo, um PDF, pode partilhar o link no Facebook ou colocá-lo no seu website. Assim, os utilizadores conseguem ver diretamente o PDF ao navegar na página, sem ter de o descarregar. Pode criar coleções de documentos, que ficam num formato atrativo e que podem ser partilháveis.

As estatísticas mostram-lhe, de uma forma simples, os documentos mais vistos, que é sempre bom saber.

No *feed* social, fica a conhecer o que a sua rede está a ler ou a comentar. No perfil pode descobrir mais sobre seguidores, documentos publicados, visualizações e gostos. Partilhe documentos em: *www.scribd.com*.

Issuu

É um serviço essencial para quem quer publicar um documento num formato atrativo e folheável. Permite depois incorporá-lo num blog, num website e partilhar o link em qualquer Rede Social. Basta fazer upload do seu PDF (pode convertê-lo diretamente no MS Office, Adobe, etc.) e a magia acontece!

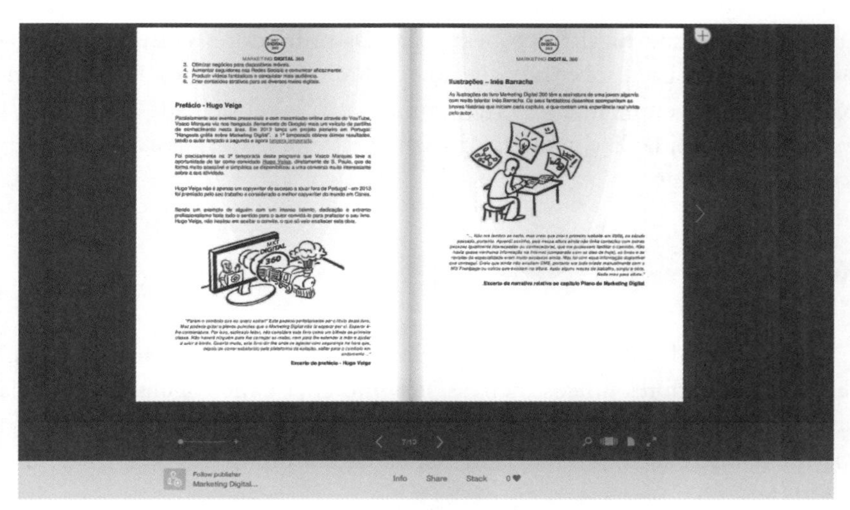

Figura 97 – Exemplo de um documento folheável no Issuu.

Eventbrite

É a plataforma mais popular para criar e para gerir eventos online e físicos. Crie e personalize a página do seu evento, defina o limite de inscrições e comece a receber inscrições sem preocupações, pois a ferramenta gere tudo.

O utilizador recebe os bilhetes em PDF, que podem ser utilizados em formato físico ou digital para fazer *check-in* no evento através da aplicação, tornando tudo mais simples. Receberá ainda um aviso por e-mail quando o evento estiver a aproximar-se.

Existem muitas opções personalizáveis. Por exemplo, pode definir que fique visível quem já adquiriu os bilhetes (seja evento grátis ou pago) e a informação do utilizador que fica disponível, permitindo a outros saberem quem vai para estarem atentos a oportunidades de networking.

Swarm e Foursquare

O Foursquare dividiu-se em duas apps para cada uma delas se focar em funcionalidades específicas, dando origem ao Swarm. Permite explorar locais, interagir com amigos com base na georreferenciação e fazer *check-in* em: restaurantes, hotéis, praias, parques, cidades e qualquer outro ponto de interesse. Funciona como um *lifelog*. Se tem um negócio local, deve criar e acompanhar o seu local físico nesta app. Os utilizadores costumam deixar os seus comentários sobre a experiência que tanto podem ser muito simpáticos, como genuinamente cruéis, mas é uma autenticidade que reflete a experiência obtida. Faça *check-in* do seu local em: *www.swarmapp.com* e em: *www.foursquare.com*.

WeChat

É a ferramenta de conversação mais utilizada na China, com mais de 900 milhões de utilizadores únicos mensais. Permite enviar mensagens multimédia, chat e chamadas de grupo, chamadas de voz e de vídeo, funções de rede social, jogos e compras. Se o seu mercado está na China, utilize esta aplicação.

QUER ENTRAR NA CHINA?

Então, tem de utilizar a aplicação WeChat, pois é a mais popular nesta região, com mais de 900 milhões de utilizadores únicos mensais.

Deve considerar também o Youku.com (idêntico ao YouTube). Para *livestream* utilize o: *www.immomo.com* e o: *www.yy.com*. No âmbito de motor de pesquisa, o dominante é o Baidu.

Outros Social Media

Wikipedia: é a maior enciclopédia do mundo, onde pode assimilar conhecimento, mas também criar conteúdos, seguindo as respetivas normas. Mas este universo é enorme. Existe também: dicionário, notícias, imagens, biologia e outras áreas de conhecimento. Está tudo aqui: *www.wikimedia.org*.

Blogger: é a ferramenta do Google de criação de blogs. Apesar de ser muito popular, o WordPress.com supera esta ferramenta.

Medium: apesar de ter sido desenvolvido pelo Twitter, não herda o limite dos 280 caracteres; pelo contrário, é focado na publicação de conteúdos extensos, típico de um blog. É uma forma muito simples e visual de apresentar ao mundo informação, podendo ser utilizado por jornalistas, por bloggers e por marcas. A funcionalidade «Series» permite contar histórias de uma forma atrativa e criativa.

About.me: para criar uma página de apresentação pessoal e profissional, do género de um cartão de visita online.

Spark: é uma rede social da Amazon, onde os *feeds* são produtos publicados por influenciadores, por marcas, por clientes e por potenciais clientes.

Mindmeister: é uma ferramenta online de mapeamento mental para o ajudar a organizar ideias de projetos, de cursos e, quem sabe, de um livro. Pode incorporar o mapa no seu website ou exportá-lo em diversos formatos.

Lessonpaths: permite criar playlists de aprendizagem. Pode adicionar websites, vídeos, conteúdos Social Media, organizados por uma determinada ordem, permitindo transmitir conhecimento por essa sequência.

Yelp: é um serviço de análise e de avaliação de todos os tipos de negócio, permitindo encontrar empresas e profissionais com *feedback* dos utilizadores.

Tripadvisor: é o maior website de viagens, com opiniões sobre serviços relacionados com turismo. Com mais de 32 milhões de membros e mais de 100 milhões de comentários e de opiniões sobre hotéis, restaurantes, atrações e outras atividades e negócios relacionados com viagens.

Dribble: é uma comunidade de designers que partilham os projetos em que estão a trabalhar e que conversam em torno dos seus desafios criativos.

Behance: serve para mostrar online o seu portefólio criativo. É muito utilizado por designers para exporem o seu trabalho. A ferramenta é da Adobe, tendo integração com esta plataforma.

Houzz: é uma forma de redesenhar a sua casa, com mais de 10 milhões de fotografias de design, ideias de decoração e serviços profissionais.

Myspace: descubra fotografias, artigos, mixes, vídeos, músicas e pessoas do mundo da música.

Musical.ly: é uma aplicação muito popular para criar vídeos musicais super criativos. Escolha uma categoria de músicas, utilize várias ferramentas de criação e os seus dotes para surpreender o seu público. A aplicação irmã live.ly permite fazer transmissões em direto.

Scoop.it: serve para descobrir, selecionar e publicar na sua rede conteúdos importantes. Agrupe o seu conteúdo importante numa página e partilhe.

Stumbleupon: quer fazer *zapping* na Internet? Encontrou o serviço certo! Com base nos seus interesses e no seu comportamento, basta clicar no botão «Stumble» para lhe ser mostrado algo com interesse num website.

Portby: aqui, a realidade virtual torna-se social. Partilhe as suas fotografias 360 nesta aplicação: *www.portby.com*.

Round.me: crie panoramas interativos totalmente grátis. Adicione vida às imagens, através de *hotspots*, para criar uma experiência atrativa.

Box: o Box.net permite criar pastas, fazer upload de ficheiros, de *e-books*, de áudios, de imagens e de vídeos. É uma espécie de explorador de ficheiros online que pode colocar facilmente no seu website, no Facebook ou noutra rede.

Nunca foi tão importante como hoje ter uma presença eficaz e ativa nas redes sociais de uma forma diversificada e integrada.

É um desafio exigente a vários níveis, mas compensador ao longo do tempo, pelas relações que criará, pela consistência de comunicação e também pelos resultados.

A Sua Checklist Social Media

N	✓	TAREFAS A IMPLEMENTAR
1		Defina a estratégia
2		Defina os Social Media em que faz sentido ter presença
3		Crie um perfil pessoal e, quando aplicável, uma página de empresa no LinkedIn
4		Crie uma conta no Twitter e no Periscope
5		Crie um perfil e uma página no Google Plus
6		Crie uma conta profissional no Pinterest
7		Avalie que outras contas deve criar para o seu negócio

13
Criação de Conteúdos

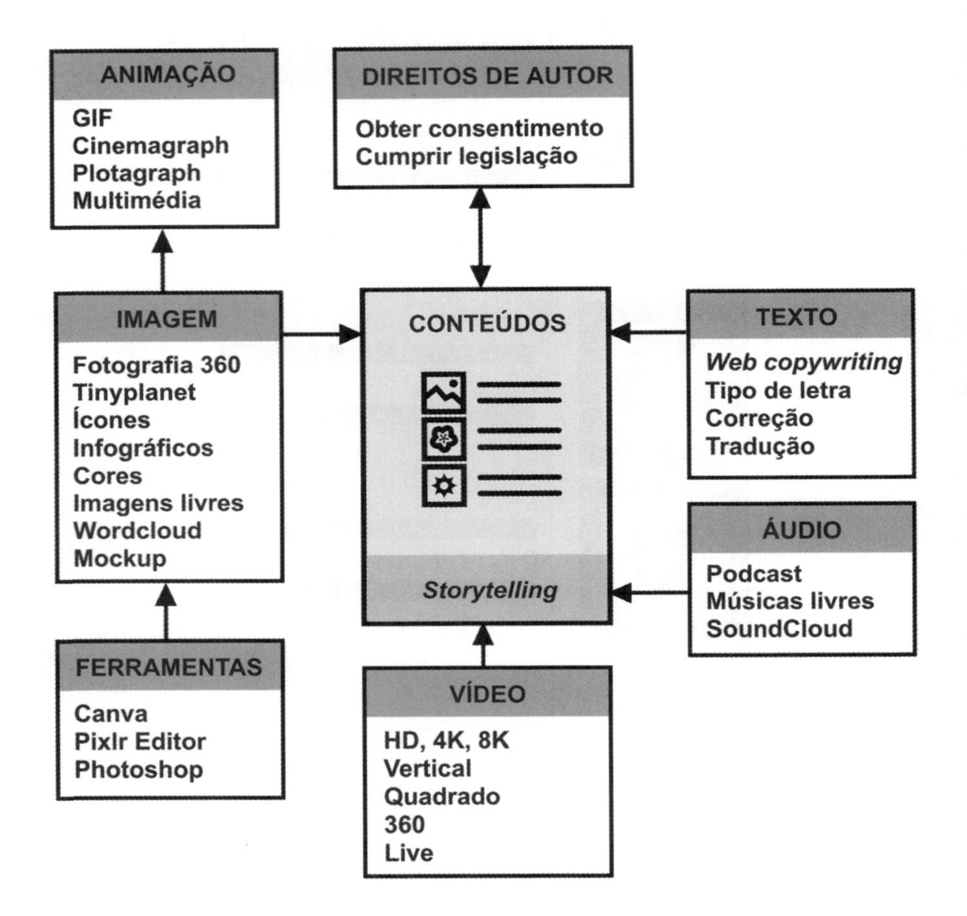
ANIMAÇÃO
GIF
Cinemagraph
Plotagraph
Multimédia
DIREITOS DE AUTOR
Obter consentimento
Cumprir legislação
IMAGEM
Fotografia 360
Tinyplanet
Ícones
Infográficos
Cores
Imagens livres
Wordcloud
Mockup
CONTEÚDOS
Storytelling
TEXTO
Web copywriting
Tipo de letra
Correção
Tradução
ÁUDIO
Podcast
Músicas livres
SoundCloud
FERRAMENTAS
Canva
Pixlr Editor
Photoshop
VÍDEO
HD, 4K, 8K
Vertical
Quadrado
360
Live

Copywriting: Conquistar com a Escrita

Começo por referir que copywriting é diferente de copyright e diferente de writer. Copyright tem que ver com proteção de direitos de autor; copywriting trata-se da escrita otimizada para influir em determinado objetivo (vendas, por exemplo) e writer é aquele que escreve.

O copywriting é a arte de utilizar palavras para influenciar e persuadir, para desencadear uma ação.

A escrita tem evoluído de forma consistente, adaptando-se a todas as realidades. Se por um lado, o Twitter limita a escrita a 280 caracteres ou o Instagram reduz a importância do texto, temos outras realidades online em que ela é fundamental, como nos websites, nos blogs ou no e-mail.

Em primeiro lugar, deve definir o problema e propor-se resolvê-lo. Depois, venda o produto, a ideia ou a emoção. Mas escolha as palavras certas para contar a história certa às pessoas certas.

Mas mesmo online, existem várias formas de escrita na Internet: para a Web tradicional (websites, blogs, etc.), para dispositivos móveis, para e-mail marketing e para redes sociais (que podem variar em função das suas características).

Sugestões úteis para escrever melhor online:

- Use a pirâmide invertida, começando pelo mais importante para o menos importante;
- Conheça o público, defina objetivo, utilize as palavras certas;
- Utilize as perguntas típicas da notícia: Quem, O Quê, Quando e Porquê;
- Utilize os 4 Us: Útil, Urgente, Único e Ultraespecífico;
- Tenha em vista AIDA: Atenção, Interesse, Desejo e Ação;
- Utilize frases curtas e conte histórias;
- Não use itálico e negrito em demasia. O negrito poderá ser utilizado para destacar palavras-chave importantes, para facilitar leitura diagonal e também é bom para SEO;
- Empregue uma linguagem informal, clara e direta;
- Crie um texto com ritmo: frase curta + frase longa + frase curta = parágrafo com mais impacto;
- Aplique verbos fortes: esclareceu em vez de disse;
- Evite referências temporais: ontem, acabou de, porque na Internet é, por norma, para sempre;
- Use títulos com 4–6 palavras, frases com 15–20 palavras e parágrafos com 40–70 palavras;

- Pense em bons títulos, subtítulos, negritos e listas;
- Use CTA (*call-to-action*) ou link para mais detalhes;
- Utilize elementos multimédia que reforcem o texto;
- Complemente com links durante e no fim do texto;
- Evite fontes serifadas;
- Tenha atenção à cor para não ser fator distrativo;
- Estimule o cliente, ou o leitor, para não deixar a sua história;
- Faça uma formatação cuidada e sem erros (com revisões).

Dimensão para o texto:

Normalmente, as notícias têm o *lead* com 25 palavras e o corpo do texto com 200 palavras. Se forem artigos curtos, podem conter cerca de 600 palavras, considerando que a leitura leva três minutos a um ritmo de 200 palavras por minuto. Os artigos mais longos podem conter 1000 palavras e a leitura leva cerca de 5 minutos.

Faça uma análise aos seus títulos e obtenha orientações para os melhorar no idioma inglês em: *www.coschedule.com/headline-analyzer*.

Escrever para web não é apenas texto, mas é também imagem, vídeo, infografia, som, design, etc. Comunique com transparência, autenticidade, relacionamento e atenção; ouça e encoraje o diálogo.

Não se esqueça de utilizar emojis quando for relevante. Poderá inspirar-se nesta biblioteca: *www.getemoji.com* para despertar a atenção do seu público.

Se preferir comunicar com dados e utilizar gráficos atrativos, utilize uma ferramenta para tornar o processo simples e atrativo, disponível em: *www.chartblocks.com*.

Para criar uma timeline que contenha informação cronológica, a ferramenta certa é: *http://timeline.knightlab.com*, que lhe permite adicionar também recursos multimédia para tornar a visualização mais interativa.

Storytelling

Não é novidade que as histórias captam a atenção. Desde pequeninos que ouvimos histórias. Tente lembrar-se de um evento ou de uma conferência em que tenha participado. O mais provável é que esteja a lembrar-se de uma história que tenha sido contada ou de algo que tenha acontecido fora do normal que o tenha feito contar aos seus amigos.

Figura 98 – Cartoon criado no Pixton para contar uma pequena história.

Quando alguém nos conta uma história, sentimo-nos a mergulhar nessa realidade, talvez a identificarmo-nos com alguns aspetos e a embrenharmo-nos neles emocionalmente com o desenrolar da situação.

Um dos aspetos curiosos da nossa memória é que, quando existe uma emoção forte a ela associada, fica registada de forma mais permanente, conseguindo guardar mais detalhes de toda a situação. É assim que funcionamos, é simples.

Basta agora tentar transpor para o digital, fazendo passar a sua história em vários meios, devendo ser adaptada em função do canal que vai utilizar.

Correção e Melhoria do Texto

Para corretor ortográfico recomendo o FLiP, que, ao instalá-lo no seu computador, irá funcionar com o MS Word e com outras ferramentas. Também pode utilizar a versão online para analisar se o seu texto tem erros: *www.flip.pt/FLiP-Online/Corrector-ortografico-e-sintactico*. Para questões mais profundas, poderá recorrer ao serviço Ciberdúvidas em: *https://ciberduvidas.iscte-iul.pt*.

UTILIZE UM CORRETOR ORTOGRÁFICO PARA FAZER REVISÕES

Analise se o seu texto tem erros ortográficos ou sintáticos com a ferramenta do FLiP.

Se tem dúvidas sobre como escrever com o novo acordo ortográfico, veja esta ferramenta: *www.flip.pt/FLiP-Online/Conversor-para-o-Acordo-Ortografico*. Aproveite e consulte também o dicionário: *www.priberam.pt/dlpo*.

Se está a produzir conteúdos em inglês, o Grammarly é uma extensão indispensável para o Google Chrome, pois ajuda a melhorar o texto sempre que estiver a escrever no seu browser. Utilize-o gratuitamente em: *www.grammarly.com*.

Para traduzir, é melhor recorrer a um profissional para obter bons resultados. Em último caso, tem o Google Translator, disponível no website, com a extensão para browser e com a aplicação mobile.

Tipos de Letra

Os tipos de letra para utilizar em documentos, imagens e vídeos podem ser instalados no seu computador, conferindo mais personalidade à sua comunicação.

PARA UMA COMUNICAÇÃO NEUTRA E PROFISSIONAL UTILIZE O HELVETICA

Se tem dúvidas sobre o tipo de letra a utilizar, opte pelo Helvetica – o mais utilizado na comunicação – num formato neutro e profissional.

Se precisar de escolher tipos de letras grátis, eis algumas fontes: *www.fontsquirrel.com*, *www.dafont.com/pt*, *www.1001freefonts.com* e *https://fonts.google.com*.

Destaco a ferramenta Google Fonts, que permite ver rapidamente inúmeras fontes, testar com vários tipos de texto e com cores de fundo e aplicar variações. Por fim, basta selecionar e fazer download para o instalar no seu computador, ou obter código para usar no seu website. Há mais de 800 fontes disponíveis, mas, se está sem inspiração, veja a opção em destaque.

Se tiver dúvidas sobre a fonte a utilizar, visite uma galeria com as melhores em: *http://hellohappy.org/beautiful-web-type*.

Se quiser combinar várias fontes, basta escolher o tipo de letra base para ver qual é a melhor combinação: *www.typegenius.com*.

Está a visitar um website e gosta do tipo de letra mas não sabe qual é. Basta instalar uma extensão para browser para a identificar automaticamente. Aceda a: *www.fontface.ninja* e instale-a.

Viu um *outdoor* ou um *flyer* com um tipo de letra fantástico? Tire uma fotografia e envie para este website: *www.myfonts.com/WhatTheFont*, que lhe indicará a fonte utilizada.

DETETE O TIPO DE LETRA EM QUALQUER SUPORTE

Detete em qualquer suporte – físico ou online – o tipo de letra utilizado com o serviço WhatTheFont.

Fotografias 360

As fotografias 360 podem ser reproduzidas em algumas redes sociais: no Google Plus, no Facebook, no Flickr e noutros Social Media específicos.

A experiência é fantástica, não há dúvidas! Para as produzir, o ideal é utilizar uma câmara 360: Ricoh Theta V, Insta360, GoPro Fusion e Samsung Gear 360.

Também pode recorrer a apps: Street View, Google Camera e Cardboard Camera.

SUBMETA A SUA FOTOGRAFIA 360 NO STREET VIEW, PARA A INTEGRAR NO GOOGLE MAPS

Quando produz a sua fotografia 360 com uma câmara específica ou com uma app, pode submetê-la pela aplicação Street View para a integrar no Google Maps. Será aprovada em poucas horas e provavelmente gerará milhares de visualizações.

Depois de publicar o conteúdo, pode fazer *embed* para publicar no seu website ou no seu blog. Se preferir, também existe *plugin* para WordPress para poder alojar a imagem diretamente no seu servidor e reproduzi-la apenas lá.

O formato tinyplanet também é muito atrativo e é decorrente de uma fotografia 360. Cria outro tipo de impacto, resultando muito bem no Instagram.

Para editar fotografias 360, estão disponíveis inúmeras ferramentas, nomeadamente, o Insta360 Studio e o Kolor para criar panoramas e visitas virtuais. Para criar experiências 360 num CMS ajustado a esta tecnologia, utilize o: *www.viar360.com.*

Photoshop

Não é a ferramenta com que é mais fácil trabalhar, mas, se começar a aprender, pouco a pouco vai adquirindo competências. Uso-a há mais de 15 anos e, mesmo assim, estou sempre a aprender.

Curiosamente, mais de 90% de criativos em todo o mundo utilizam o Photoshop, ultrapassando os 10 milhões de profissionais. A ferramenta está disponível em mais de 20 idiomas e é utilizada em todas as indústrias criativas. Recomendo que trabalhe com o Photoshop em inglês, pois é o standard de utilização em qualquer empresa e quase toda a informação que vai encontrar na web será neste idioma.

Antes de mais, importa referir algumas medidas de referência para o tamanho de imagens. Exemplo de algumas, com medida em píxeis:

- 400 px para imagem de um artigo no blog;

- 1000 px a 1920 px para *slider* a ocupar toda a largura do website;
- 1280x720 px para vídeo HD Ready;
- 1920x1080 px para vídeo Full HD;
- 3840x2160 px para vídeo UHD (4K).

Quanto à resolução (densidade da qualidade da imagem), é medida em DPI ou em PPP. Para a web é, normalmente, 75 a 90 DPI. Se for para impressão, começa nos 300 DPI. Quanto maior for a resolução, maior será a dimensão do ficheiro.

Os formatos mais populares são:

- JPG – o mais utilizado para a web e para a fotografia;
- PNG – muito utilizado para a web e para imagens com fundo transparente (ícones, por exemplo);
- TIFF – conserva alta qualidade e é usado para fins de integração com vídeo e para gravar layers do projeto;
- GIF – para animação de imagens;
- PSD – para guardar um projeto no Photoshop, conservando toda a informação do projeto para poder editar mais tarde.

Do lado direito, verá uma caixa com camadas de imagens (*layers*), uma das zonas mais importantes de trabalho, pois é onde pode ordenar e manipular as camadas de imagens. Por exemplo, se copiar uma imagem para colocar no seu projeto, ela deverá ficar numa nova camada para a poder manipular, independentemente da camada inferior. Pense nos layers como um livro, constituído por várias páginas, podendo alterar, recortar e manipular cada uma delas. É um conceito-base do Photoshop e doutras ferramentas profissionais de manipulação de imagem. Existem layers de estilo, de ajuste e de efeitos, podendo controlar como se sobrepõem ou se misturam entre si (*blend mode*). Poderá ativar ou desativar cada um para poder isolar alguma camada em particular ou analisar a importância desse elemento da camada. Permite controlar a opacidade de cada um dos layers, tornando-os mais ou menos transparentes.

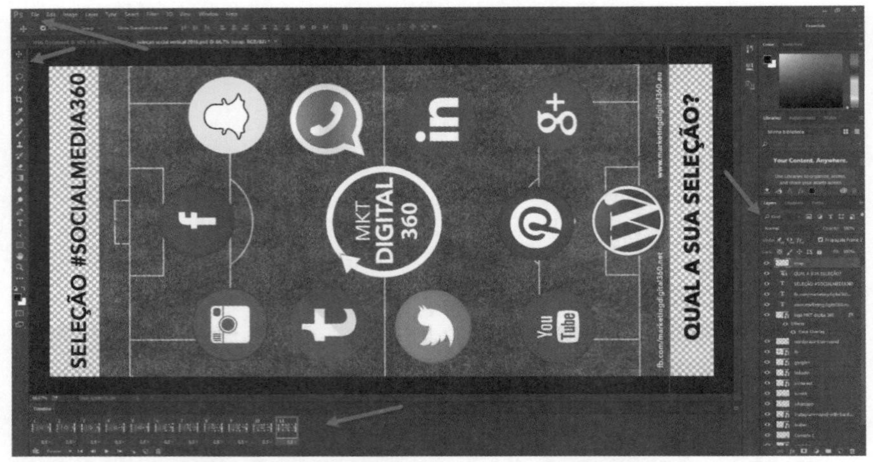

Figura 99 – O Adobe Photoshop, com apresentação dos menus, ferramentas, timeline e layers.

Algumas das ferramentas mais importantes:

- **Move** – permite mover as camadas. Recomendo que tenha o modo «Auto-Select - Layer» ativo na barra superior;
- **Rectangular Marquee** – para poder selecionar zonas da imagem para copiar, por exemplo. Controle o «Feather» para poder fazer uma seleção desvanecida numa fotografia;
- **Lasso** – para selecionar a zona da imagem;
- **Magnetic Lasso** – para selecionar magneticamente a zona da imagem. É útil para remover um fundo ou para isolar um objeto em que exista algum contraste de cores;
- **Quick Selection** – para selecionar rapidamente uma região através de algum contraste de cores;
- **Crop** – para recortar geometricamente uma região. É útil para reajustar o tamanho da área de trabalho;
- **Clone Stamp** – para clonar zonas da imagem. É útil para fazer desaparecer objetos ou retoques no corpo de uma pessoa;
- **Eraser** – para apagar uma zona da imagem;
- **Gradient** – para aplicar gradação de cores;
- **Paint Bucket** – para pintar toda a zona onde clicar ou que estiver selecionada;
- **Horizontal Type** – para escrever;
- **Rectangle** – para desenhar um retângulo;
- **Zoom** – para fazer *zoom*.

Se tiver um layer selecionado e aceder ao menu «Image» e à opção «Adjustments», poderá efetuar vários tipos de ajuste a essa camada – automáticos e manuais –, de brilho, contraste, cor, níveis, exposição e outros.

Atalhos úteis:
- CTRL + T – redimensionar;
- CTRL + + – aumentar *zoom*;
- CTRL + - – diminuir *zoom*;
- CTRL + Z – retroceder um passo;
- CTRL + ALT + Z – retroceder vários passos;
- CTRL + C – copiar;
- CTRL + V – colar;
- CTRL + D – cancelar seleção;
- V – move Tool;
- M – select Tool.

Algumas das operações que pode realizar numa fotografia:
- Realce colorido;
- Alterar cores de zonas da fotografia;
- Correção e equilíbrio de cores;
- Correção de imperfeições do rosto e do corpo;
- Remover objetos indesejáveis;
- Remover olhos vermelhos;
- Fazer montagens.

Se desejar fazer desaparecer um objeto ou uma pessoa, basta selecionar com «Quick Selection» e, no menu «Edit», escolher a opção «Fill» e depois aplique «Content-aware». E por magia, desaparece a sua seleção e o fundo é reposto (desde que não seja demasiado complexo e que exista algum tipo de padrão).

Para fazer o inverso – isolar apenas um objeto ou uma pessoa –, utilize os seguintes comandos nesta sequência: «Quick Selection»; «Refine Edge»; «Smart Radius»; «Adjust Edge» e o «Output to New Layer». Por fim, faça «Save as» PNG ou TIFF (com transparência).

MANIPULE A SUA FOTOGRAFIA PARA FICAR MAIS CRIATIVA OU PARA RETIRAR ALGO INDESEJADO.

Faça desaparecer pessoas ou objetos da sua fotografia, ou mude o fundo para algo criativo.

Se quiser colocar um novo fundo, basta criar novo layer e colar a fotografia de fundo desejada.

Veja aqui um vídeo que explica como mudar o fundo a uma fotografia: *https://youtu.be/A6giOR3vhas*.

Permite criar e editar vídeo, podendo adicionar música, transição, manipular layers e podendo exportá-lo no formato que desejar.

Também é possível criar elementos gráficos para a composição de vídeo para produção de frames, logótipo, cenário virtual, títulos (*lower thirds*) e sobreposições de objetos.

No fim de editar a sua imagem, não se esqueça de exportar para a web ou para algum tipo de formato de imagem. Mas também pode guardá-la como .PSD para poder editá-la mais tarde.

Para guardar para a web (Blog, Website, Loja Online e redes sociais), aceda ao menu «Ficheiro» e escolha a opção «Save for web», com o formato JPG com qualidade a 60 % (ou PNG para fundo transparente).

Instale uma versão de demonstração gratuita do Photoshop em: *https://creative.adobe.com/pt/products/download/photoshop*.

O Google Nik Collection tem filtros gratuitos disponíveis para Photoshop em: *www.google.com/nikcollection*.

Descubra alguns recursos adicionais para download, para servir de modelo ou para conteúdos adicionais em: *www.365psd.com* e *www.freepik.com*.

Se precisar de uma ferramenta apenas para edição de fotografia, recomendo o Adobe Lightroom, com ferramenta para computador e com aplicação mobile.

Recomendo que instale a aplicação mobile Photoshop Mix (ou mais simples, Photoshop Express ou Photoshop Touch), pois é muito fácil de utilizar e realizará maravilhas! Veja uma demonstração da aplicação mobile: *https://youtu.be/pD2XRFsSgPs*.

Se pretende avançar para a edição de imagem profissional, mas quer uma alternativa diferente do Photoshop, o PaintShop Pro é uma excelente alternativa. Se procura uma solução totalmente gratuita, a solução é o Gimp.

GIF

Não é propriamente um vídeo, mas em alguns casos está lá perto. Consiste numa sequência de imagens em movimento com uma duração curta, sempre sem som, com reprodução automática e que pode estar em *loop*.

O formato não é novo. Certamente, já há muitos anos via imagens animadas em websites ou nos primórdios das redes sociais. Tem interesse para artigos com tutoriais, em que a imagem com alguns movimentos mostra os passos a dar para executar determinada tarefa. É amado por uns e odiado por outros. Sem dúvida que esta técnica resulta, se for bem utilizada.

Uma das melhores formas de produzir este material é através do Adobe Photoshop: a partir de uma composição já realizada ou de um vídeo no modo de animação. No fim, basta exportar no formato GIF animado.

O Giphy é dos websites mais populares, onde pode visualizar milhares de GIF organizados por categorias, partilhar nas redes sociais ou criar o seu canal de GIF. Permite converter um vídeo do YouTube, animar várias imagens ou mesmo editar e adicionar texto. Experimente gratuitamente em: *www.giphy.com*.

O *www.gifs.com* é também um serviço com interesse, que permite criar animações e aplicar efeitos.

O Imgur é um serviço muito utilizado para alojar imagens, converter vídeos em GIF e também para criar memes. Crie o seu meme em: *www.imgur.com*.

O *www.vid.me* permite fazer upload de GIF.

Cinemagraph

Um mix entre fotografia profissional e vídeo. Consiste em utilizar um vídeo, congelar cerca de 90% da área e deixar apenas uma zona-chave em movimento, dando-lhe mais realce. Fica no tipo de ficheiro GIF ou vídeo, mas a parte incorporada neste realce distancia-se daquilo que este formato normalmente nos faz recordar. Mas para perceber melhor do que se trata, veja alguns exemplos, pesquisando no Google Imagens por este termo. Para negócios ligados à arte, à moda e a atividades similares é, sem dúvida, uma excelente utilização.

A forma mais fácil de o fazer é gravar um vídeo e depois utilizar a ferramenta Flixel Cinemagraph Pro, Flickgraph ou Graphitii. O resultado final é impressionante, podendo exportá-lo para a maioria das redes sociais. Experimente também o Plotagraph para criar imagens animadas hipnotizantes.

Criação e Edição de Imagens

Estão ao seu dispor inúmeras ferramentas para criar imagens facilmente.

A mais famosa e interessante é o *www.canva.com*, com modelos disponíveis para quase todas as redes sociais e para outros meios de comunicação. Basta escolher o objetivo, selecionar um *template* e ajustar. É muito fácil. Se sabe trabalhar em MS PowerPoint, também conseguirá criar imagens fantásticas com esta ferramenta. No final, basta exportá-la e utilizar a imagem.

UTILIZE MODELOS SEM PAGAR

Se aos modelos pagos do Canva lhes trocar a imagem por outra gratuita ou que esteja no seu computador, já não terá de os pagar. É um pequeno truque legal, claro, porque o que se paga são as imagens e não os modelos.

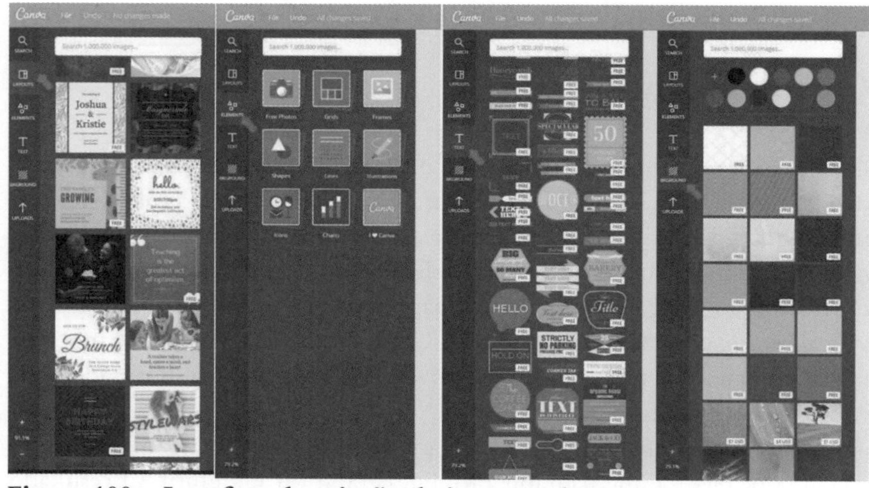

Figura 100 – Interface de criação de imagens do Canva.

Se aceder a: *www.pixlr.com*, tem ao seu dispor duas ferramentas fantásticas: Pixlr Editor e Pixlr Express.

O Pixlr Editor é um editor de imagem gratuito, totalmente online, para editar e tratar as suas fotografias em português. Uma versão simples, semelhante ao Photoshop e de fácil acesso.

O Pixlr Express é uma ferramenta muito poderosa para estilizar as suas imagens. Tem inúmeros efeitos para tornar as suas imagens mais atrativas e para se destacarem das dos outros. Existe também em aplicação mobile.

O BeFunky é uma ferramenta muito completa e elegante. Tem opção de edição de imagem, de colagens e de design. Experimente em: *www.befunky.com*.

O Aviary é uma ferramenta da Adobe, disponível também em aplicação mobile. Permite editar fotografias, ajustar e tornar as suas fotografias mais divertidas. Experimente em: *www.aviary.com*.

Os melhores recursos do Dribble e do Behance estão disponíveis em: *www.dbfreebies.co*.

Pode encontrar recursos e *templates* diversos em: *www.pixelbuddha.net*.

Pode também inspirar-se com os recursos Google Design em: *www.google.com/design*.

Mas se quiser fazer montagens de imagens com cenários do mundo real, o Placeit é a ferramenta ideal. Permite carregar uma imagem ou capturar automaticamente o seu website em imagem ou em vídeo. O resultado final é surpreendentemente profissional. Consegue criá-la em formato de imagem gratuito, ainda que com menos resolução. Para mais qualidade ou para vídeo terá de pagar. Visite em: *www.placeit.net*.

Figura 101 – Placeit é das melhores ferramentas para criação de *mockups*.

Se a ideia é utilizar banda desenhada, o Pixton é das melhores opções. Pode utilizá-lo gratuitamente em: *www.pixton.com*. Experimente também alternativas em: *www.toondoo.com* ou *www.storyboardthat.com*.

O Wordle permite criar uma imagem feita de palavras. Basta carregar um ficheiro de texto ou apontar o link do seu website. Por exemplo, escreveu um artigo no blog e não sabe que imagem utilizar, basta submeter o link para ser gerada uma imagem, em que as palavras mais utilizadas ficarão com dimensão maior. Poderá depois personalizar a orientação das palavras, cores e tipo de letra. Visite em: *www.wordle.net*.

Figura 102 Crie imagens com palavras com o Wordle.

A Adobe tem três aplicações de conteúdos da família Spark: *Post*, Page e Video. A primeira serve para criar imagens para redes sociais em poucos segundos. A segunda permite transformar palavras e imagens em belas histórias. E a terceira permite criar vídeos atrativos em poucos minutos.

Também pode usar a interface web e criar todos estes tipos de conteúdo facilmente em: *https://spark.adobe.com*.

A Microsoft não se deixou ficar para trás e criou uma aplicação similar ao Canva e ao Spark. Chama-se Sprightly. Existe apenas em app e o objetivo é ajudar a criar conteúdos focados em servir o cliente. Por isso, tem *templates* para criar listas de preços, catálogos, cupões, montagem de produtos e outros modelos relacionados.

Tem imagens fantásticas e quer ajustá-las para várias dimensões das várias redes sociais? O Landscape da Sprout Social é perfeito para isso. Basta carregar a sua imagem, escolher em que redes sociais quer publicá-la e que formatos deseja alcançar. Depois de ajustada cada peça de conteúdo, poderá fazer download nos diversos formatos. Experimente em: *http://sproutsocial.com/landscape*.

REDIMENSIONE AS SUAS IMAGENS DE UMA SÓ VEZ PARA VÁRIOS FORMATOS DAS REDES SOCIAIS.

Através da ferramenta Landscape, da Sprout Social, pode carregar imagens e redimensioná-las de uma só vez para vários formatos das redes sociais preparados para partilhar.

O Adsvise é uma ferramenta que contém todas as medidas dos vários tipos de conteúdo para as redes sociais. Basta navegar no menu lateral e fazer download do modelo para Photoshop. Até pode fazer download de um pack de ficheiros que contenha todos os modelos da Rede Social que desejar. É muito útil. Visite em: *www.adsvise.com/size-guide*.

O Makerbook é um diretório com uma seleção de recursos criativos: fotografia, *mockups*, gráficos, texturas, fontes, cores, vídeo, áudio e ferramentas. Muitos recursos a explorar em: *www.makerbook.net*.

Infográficos

Os infográficos ajudam a ilustrar melhor um conjunto de dados num formato mais atraente. Tem interesse, especialmente para utilizar no seu blog e no Pinterest. Mas dependendo do seu formato, poderá também ser publicado no Facebook ou noutra Rede Social.

Além das ferramentas profissionais, existem outras muito fáceis de utilizar:

- Picktochart – *www.piktochart.com*;
- Easel.ly – *www.easel.ly*;
- Infogr.am – *www.infogr.am*;
- Visua.ly – *www.visua.ly*;
- Canva – *www.canva.com*.

Ícones

A utilização de ícones é útil em vários cenários: para compor imagens, para o vídeo ou mesmo para ilustrar algo no seu texto.

Alinho aqui algumas das possibilidades gratuitas:

- Icon Finder – *www.iconfinder.com/free_icons*;
- GlyphSearch (pesquisar ícones) – *www.glyphsearch.com*;
- Fontello (gerador de ícones) – *www.fontello.com*;
- Endless Icons – *www.endlessicons.com*;
- Material Design Icons – *https://github.com/google/material-design-icons/releases/tag/1.0.0*.

Destaco o Flat Icon pela sua diversidade e pela possibilidade de escolher a cor, o tamanho e o formato para descarregar. Experimente em: *www.flaticon.com*.

Cores

Quando um utilizador menos experiente tenta fazer combinações de cores numa apresentação, numa imagem ou num vídeo, muitas vezes as coisas não correm bem. Para evitar estes problemas de comunicação, pode seguir o caminho seguro das sugestões do Adobe Color CC, para se inspirar em paletas de cores ou introduzir a cor que deseja utilizar, para obter cores complementares a empregar, basta ver em: *https://color.adobe.com*.

Além desta ferramenta, existem outras com particularidades diferentes:

- Flat UI Colors – *www.flatuicolors.com*;
- Material UI Colors – *www.materialui.co/colors*;
- Adaptive Backgrounds (*plugin* para extrair cor dominante de uma imagem e para aplicar ao fundo da sua página) – *http://briangonzalez.github.io/jquery.adaptive-backgrounds.js*;
- Brand Colors (cores de marcas famosas) – *www.brandcolors.net*;
- Hex Colorrrs (converter hex em rgb) – *http://hex.colorrrs.com*;
- Palette for Chrome – *https://chrome.google.com/webstore/detail/palette-for-chrome/oolpphfmdmjbojolagcbgdemojhcnlod*.

Áudio e *Podcast*

Naturalmente, publicar conteúdos em áudio também tem interesse. Pode ser para publicar no SoundCloud, para alojar diretamente no seu website, no iTunes, em plataformas de *podcasts* e noutros meios.

Tem a grande vantagem de ser um conteúdo fácil de consumir enquanto está a conduzir, em transporte públicos, no ginásio ou numa caminhada.

Uma das possibilidades é extrair o áudio de alguns dos seus vídeos, em que apenas a audição consiga descodificar a mensagem. Poderá fazê-lo com o software de edição de vídeo ou com a ferramenta online: *www.peggo.co* para depois publicar nos respetivos meios.

Para gravar áudio, poderá fazê-lo com o seu *smartphone* e com uma aplicação de gravação de áudio (nativa do seu *smartphone* ou da Rode) e, se quiser mais qualidade, utilize o microfone SmartLav.

Para gravar num espaço preparado para o efeito, poderá optar pelo Blue Yeti, que é um dos melhores microfones USB para ligar ao seu computador.

A Adobe tem ferramentas de edição de áudio, mas pode optar por fazer download grátis do Audacity, que é das ferramentas mais populares para este efeito. Descarregue em: *www.audacityteam.org*.

Para um patamar ainda mais profissional, existem microfones de estúdio com saída de som XLR Phantom Power, mas já requerem um isolamento acústico da sala de forma profissional, pois captam todos os tipos de som.

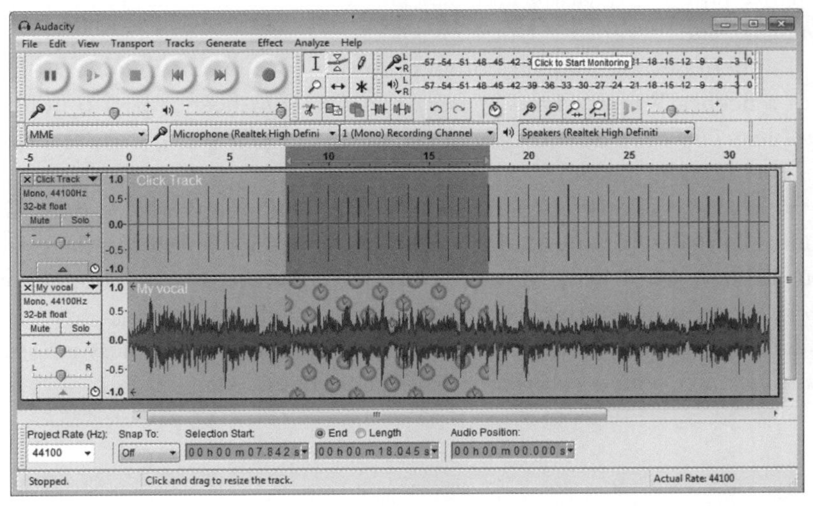

Figura 103 – Interface do Audacity, uma das mais populares ferramentas de edição de áudio.

Vídeos Gratuitos

Para produzir o seu vídeo, poderá precisar de blocos de vídeos para ilustrar ideias. Existem vários locais em que pode fazer download de vídeos para utilizar na sua produção.

Existem inúmeras fontes gratuitas: *www.xstockvideo.com*, *www.stockfootage-forfree.com*, *www.freeaetemplates.com*, *www.premiumbeat.com/blog/20-free-online--stock-video-sites* e *www.hongkiat.com/blog/download-free-stock-video-intros*.

Mas as soluções pagas também são uma boa opção: *www.videohive.net*, *www.videoblocks.com*, o Digital Juice com imagens, vídeos, áudios e *templates* para vários softwares profissionais. Tem garantia de mais qualidade e facilidade de encontrar o que precisa por um preço muito atrativo. Estão normalmente disponíveis nos formatos mais utilizados MOV ou MP4.

Músicas Gratuitas

Para produzir um vídeo precisará de música e, em alguns casos, de efeitos sonoros.

Como não pode utilizar áudio protegido por direitos de autor, existem diversas opções onde pode fazer download gratuito: *www.youtube.com/audio library/music* (música e efeitos), *www.freemusicarchive.org*, *www.incompetech.com/m/c/royalty-free*, *www.machinimasound.com*, *www.entropymusic.com* e *www.danosongs.com*.

Também deve considerar comprar músicas, por preços muito acessíveis, com a licença Royalty Free (é pago, mas fica com licença para o utilizar): *www.audiojungle.net*, *www.stockmusic.net*, *www.musicbakery.com*, *www.neosounds.com* e *www.royaltyfreemusic.com*.

Veja ainda outras opções: Audioblocks, Audionetwork, Audiosocket, Audiosparx, Freeplaymusic, Incompetech, Jamendo, Jewelbeat, Megatrax, Music2hues, Musicbed, Musicloops, pond5, Premiumbeat, SoundCloud .com, SmartSound software e The Music Bed.

Se tiver veia de artista, até pode criar as suas próprias músicas em *www.soundation.com*, com *www.ujam.com* ou GarageBand (Mac e iOS).

Imagens Gratuitas

É importante utilizar imagem para o seu vídeo. Em muitos casos, são elementos visuais complementares necessários.

Existem milhares de imagens gratuitas, disponíveis para download em *www.freeimages.com* e em mais algumas centenas de websites nesta listagem: *www.portalmarketingdigital.com/ferramentas-conteudos/imagens-gratuitas*.

No entanto, se desejar adquirir imagens a um preço baixo, existem inúmeras opções. Tem a vantagem de poder encontrar mais rapidamente a imagem certa, poupando tempo.

Serviços em que pode adquirir imagens: *www.123rf.com*, *www.shutterstock.com*, *www.istockphoto.com*, *www.dreamstime.com* e *www.graphicriver.net*.

ENCONTRE IMAGENS GRATUITAS NO GOOGLE IMAGENS

Pesquise imagens gratuitas no Google Imagens, na opção de livre de direitos de autor, para poder utilizar nos seus projetos.

Pode ainda pesquisar imagens no motor de busca Google, inserindo o termo de pesquisa e selecionado a opção «Imagens». Clique na opção de «Ferramentas»; em «Diretos de utilização» escolha a opção «Etiquetadas para reutilização com modificação». Pode escolher, também, apenas tamanhos grandes.

Desta forma, vai obter uma listagem de imagens que pode utilizar livremente, ao contrário das imagens que aparecem no Google por defeito.

Também pode pesquisar no Google com imagens, em vez de texto. Aceda a esta funcionalidade em: *www.images.google.com*. Depois de aceder a este link, poderá fazer a pesquisa da imagem, carregando o ficheiro ou colando o respetivo URL.

Direitos de Autor

Os direitos de autor são uma forma de propriedade intelectual que recai sobre obras do domínio literário, científico ou artístico. São automáticos, isto é, surgem no momento da exteriorização da obra, da criação intelectual, e não carecem de nenhum registo. É diferente da Propriedade Industrial, outra forma de Propriedade Intelectual, mas que está sujeita a registo (no INPI, Instituto Nacional de Propriedade Industrial), como uma marca comercial que protege marcas, slogans, logótipos e outras identificações. Também é diferente de patentes, que protegem invenções.

Na produção de conteúdos, na área digital ou na Internet, aplica-se a mesma lei do mundo físico, com algumas especificidades que merecem atenção.

Por isso, não pode utilizar imagens, áudio ou vídeo protegido por direitos de autor. Um exemplo recorrente é a utilização de músicas comerciais para produção de vídeos para o YouTube. Neste caso, existem acordos em alguns países, para que o vídeo possa ser monetizado e para obter receitas para os detentores dos direitos de autor (mas o vídeo pode vir a ser retirado na mesma). Contudo, noutras plataformas não é permitido, sendo em alguns casos os conteúdos ou as contas bloqueados.

No YouTube também se aplica a transmissões em direto (YouTube Live Events), em que, se for detetada alguma música protegida e após alguns avisos que recebe em tempo real do YouTube, a sua transmissão será suspensa. Se este procedimento for recorrente, o canal pode ser suspenso. Pode ver mais informações em: *www.youtube.com/yt/copyright/pt-PT*. A questão dos direitos de autor aplica-se igualmente ao Facebook.

Pode ser feita uma utilização razoável em determinadas circunstâncias, que variam de acordo com o país. Pode ver mais informações em: *www.youtube.com/yt/copyright/pt-PT/fair-use.html*.

Não pode publicar recursos audiovisuais de terceiros, sem o seu consentimento prévio, como filmagens de pessoas que se encontrem num determinado local. Se for um particular, terá de obter autorização escrita das respetivas pessoas (para ter como prova), no entanto, se for um jornalista com carteira profissional, está a cumprir o dever de informar (ainda que com limites) e, portanto, pode não ser necessário. Contudo, o YouTube tem uma funcionalidade que permite desfocar rostos após o envio do vídeo.

Se estiver a efetuar filmagens em circuito interno de videovigilância, é obrigatório cumprir a legislação em vigor em relação a tratamento de dados. O mesmo se aplica a outros tratamentos de dados em massa, como a recolha de e-mails e números de telemóvel. Poderá ver mais informações em: *www.cnpd.pt*.

Se o registo audiovisual ocupar a via pública, poderá haver necessidade de uma licença municipal para o efeito.

Pelo facto de o conteúdo audiovisual estar publicado na web ou nas redes sociais não deixa de ter direitos de autor.

A utilização de drones requer licença. A legislação varia de país para país, por isso é importante informar-se, de acordo com a utilização, o tipo de equipamento e o local onde vai realizar filmagens. Em Portugal, não é permitida a videovigilância com estes equipamentos e terá de ser solicitada autorização à CNPD que só é cedida em casos muito específicos.

Se comprar imagens, áudios ou vídeos, tem de manter prova da sua aquisição, ainda que compre por intermédio de terceiros ou através de soluções integradas (como *templates* e websites). A entidade detentora de direitos de autor pode pedir comprovativo de compra das imagens (mesmo passados anos) que são facilmente identificáveis na Internet.

Se desejar saber onde estão a ser utilizadas as suas imagens, basta aceder a: *https://images.google.com* ou a: *www.tineye.com*.

De acordo com o país, pode pedir o registo dos seus recursos audiovisuais à entidade competente. Em Portugal, é em: *www.spautores.pt* e nos Estados Unidos da América em: *www.copyright.gov*.

Pode minimizar a utilização dos seus conteúdos, desativando a opção de copiar texto e imagens do seu website (existem *plugins* para WordPress, por exemplo), adicionar automaticamente link para a fonte, ou adicionar metadata às suas fotografias, contendo informação do autor, do equipamento, das *keywords*, do website e dos contactos. Também pode adicionar logótipo, nome ou website em marca de água através do Adobe Lightroom ou de outras ferramentas. Ainda que todos estes métodos tenham formas de ser contornados, minimizam a cópia desautorizada de conteúdos ou quando não são atribuídos os devidos créditos.

A Licença Creative Commons (CC), muito utilizada em vários meios, e disponível para aplicar a vídeos seus no YouTube ou noutros Social Media (de que seja detentor dos direitos de autor), é uma forma importante de definir como deseja que os seus conteúdos sejam utilizados. Existem diversas variações da licença e pode escolher a mais flexível, que permite que qualquer pessoa utilize ou altere os seus conteúdos para o fim que desejar, desde que dê os devidos créditos e mantenha a licença original. Ou então, a mais restritiva, que não permite alterações, nem utilização para fins comerciais. Veja mais informações em: *www.creativecommons.org*.

A Sua Checklist Criação de Conteúdos

N	✓	TAREFAS A IMPLEMENTAR
1		Comece a escrever para a web com as técnicas corretas
2		Utilize o *storytelling*
3		Escolha o tipo de letra adequado
4		Capte fotografias 360 para gerar mais impacto e interação
5		Utilize o Photoshop para editar fotografia
6		Crie imagens animadas em GIF para despertar interesse
7		Se for relevante, crie cinemagraphs para hipnotizar os seguidores
8		Componha infografias, se tiver conteúdos para esse formato
9		Escolha cuidadosamente as cores e os ícones que vai utilizar
10		Grave áudios e *podcast* como outra forma de comunicação
11		Utilize imagens, vídeos e músicas nos seus conteúdos
12		Verifique se está a cumprir os direitos de autor

14
Produção de Vídeo

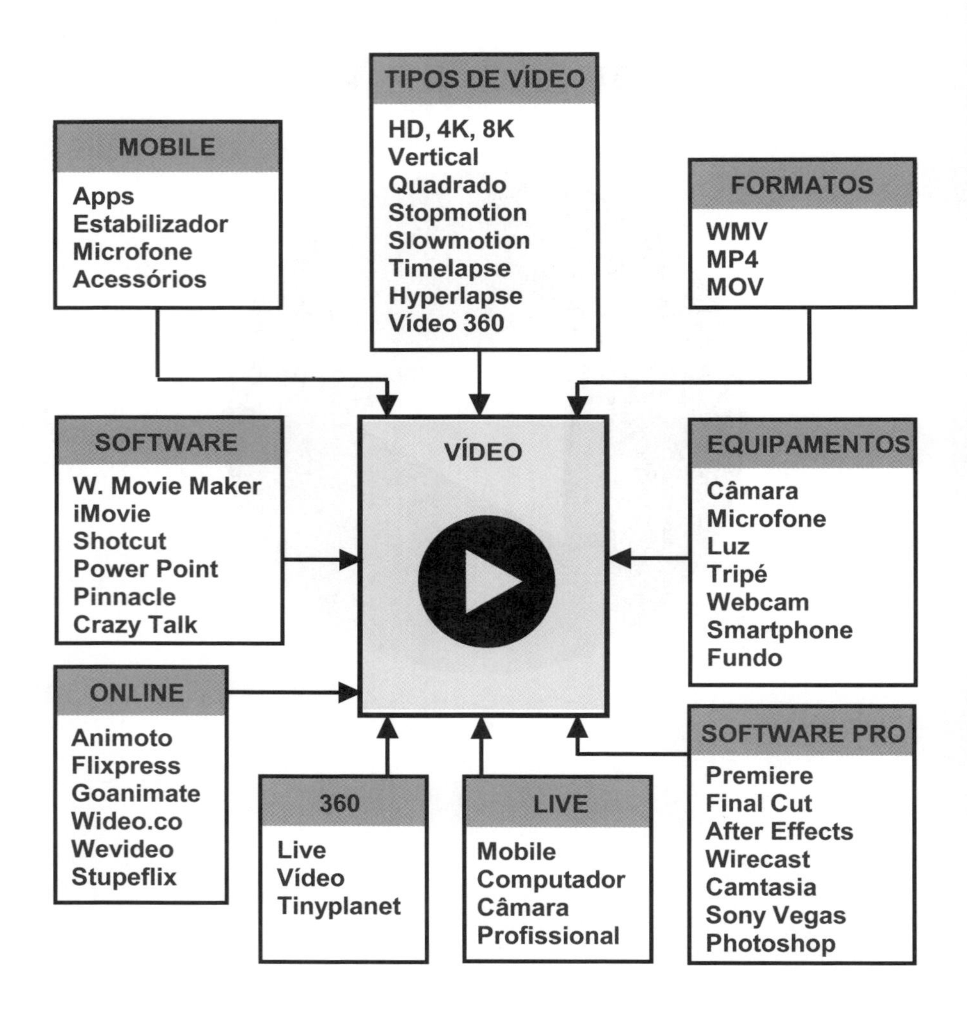
TIPOS DE VÍDEO
HD, 4K, 8K
Vertical
Quadrado
Stopmotion
Slowmotion
Timelapse
Hyperlapse
Vídeo 360
MOBILE
Apps
Estabilizador
Microfone
Acessórios
FORMATOS
WMV
MP4
MOV
SOFTWARE
W. Movie Maker
iMovie
Shotcut
Power Point
Pinnacle
Crazy Talk
VÍDEO
EQUIPAMENTOS
Câmara
Microfone
Luz
Tripé
Webcam
Smartphone
Fundo
ONLINE
Animoto
Flixpress
Goanimate
Wideo.co
Wevideo
Stupeflix
360
Live
Vídeo
Tinyplanet
LIVE
Mobile
Computador
Câmara
Profissional
SOFTWARE PRO
Premiere
Final Cut
After Effects
Wirecast
Camtasia
Sony Vegas
Photoshop

Resolução e Formatos de Vídeo

A resolução tem que ver com a dimensão em pixéis do vídeo; quanto mais resolução tiver, maior será. A qualidade também advém do sensor e da lente.

O formato pode variar muito, tendo impacto no espaço ocupado e na qualidade visualizada. Normalmente, os formatos web têm compressão para ter uma distribuição mais rápida.

Full HD

Primeiro é importante conhecer que tipos de resolução de vídeo existem. Na web, o standard ainda é o 720p, ou o HD Ready, que corresponde à resolução de 1280x720 pixéis. No entanto, o Full HD ou o 1080p correspondem a 1920x1080, que é cada vez mais utilizada. Existe também a resolução 2K (2048x1080), menos conhecida e mais utilizada em ambientes profissionais e no cinema.

Isto em oposição aos 720x576 pixéis da qualidade DVD, que, quando o vimos pela primeira vez, no início deste século, achámos uma qualidade fenomenal.

UHD, 4K e 8K

Já o 4K (4096x2160) tem 4 vezes mais qualidade do que o 2K. O UHD (3840x2160) tem 4 vezes a qualidade do Full HD.

O UHD é suportado pelo YouTube e existem diversos equipamentos que gravam e reproduzem com esta resolução: câmara de filmar para consumidores, profissionais, *smartphones*, GoPro, monitores, TV e computadores.

Mas já existe um sucessor do 4K: é o 8K (8192x4320). E nessa linha, o correspondente para consumidores será o QUHD (7680x4320). O YouTube também já suporta este formato.

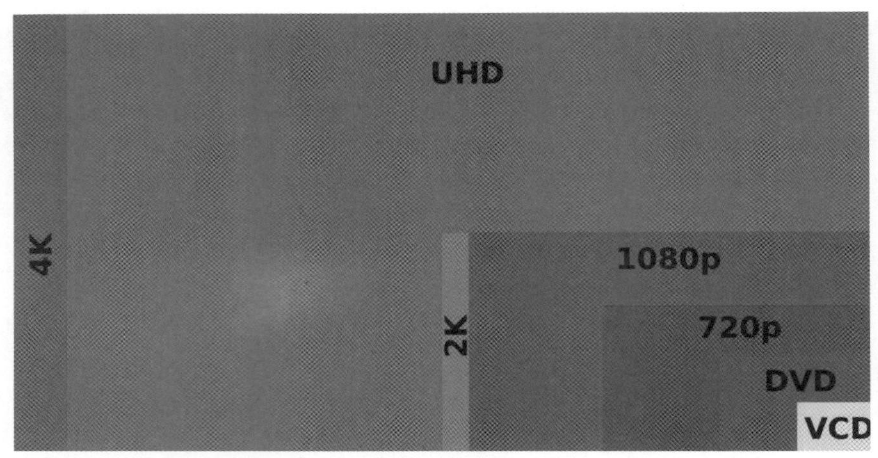

Figura 104 – Tipos de resolução de vídeo.

Formatos

Um outro pormenor são os formatos de exportação, que existem em grande número e não é garantido que reproduzam em todos os computadores.

Os mais frequentes e que normalmente funcionam em qualquer dispositivo são:

WMV – formato comprimido (ocupa pouco espaço), associado ao Microsoft Windows. É muito popular e garante que vai conseguir reproduzir o ficheiro em quase todos os dispositivos;

MP4 – formato comprimido, muito utilizado em dispositivos móveis e o ideal para a web. É dos mais utilizados, e também dá a garantia de compatibilidade com múltiplas plataformas. Um dos codecs mais populares para este formato é o H.264 e o H.265;

MOV – formato associado a soluções Apple, muito utilizado no meio profissional, devido à elevada qualidade (ocupa muito espaço) do vídeo e também devido à possibilidade de exportar com transparência (para efeitos, sobreposição de vídeos e outros fins).

Existem muitos outros formatos, mas estes são os mais conhecidos. É importante ter consciência da sua existência para saber que formato escolher quando exportar o seu vídeo.

Para garantir que consegue ver qualquer tipo de vídeo, faça download gratuito do VLC. Pode ser a sua única salvação numa apresentação, se o vídeo que levar não funcionar no computador que vai utilizar e, assim, obter uma solução para o colocar em funcionamento.

Planos e Enquadramento

No enquadramento com a câmara tenha em consideração a regra dos terços, na qual imagina duas linhas horizontais e duas verticais, separadas pela mesma distância, gerando quatro pontos de intersecção, onde colocará o motivo a dar maior importância e terá um enquadramento dinâmico. Várias câmaras permitem ativar este tipo de grelha. Tanto se aplica à fotografia como ao vídeo.

Se tiver um plano com elementos que gerem linhas verticais, passa a mensagem de poder. Se tiver linhas horizontais, passa a mensagem de estabilidade. É importante que isso não desvie a atenção, mas pode jogar com esses elementos para dar efeito de profundidade.

Se o motivo está direcionado para a direita, deve deixar um espaço adicional no enquadramento. Aplica-se o mesmo para o oposto.

O centro de interesse deve ter maior contraste. Para dar efeito de profundidade, o primeiro plano deve ser mais escuro e profundo, claro. Em relação à iluminação, deve evitar fundos luminosos e ter o motivo bem iluminado.

Se estiver a efetuar uma entrevista, deve colocar-se logo ao lado da câmara, atrás da lente, e fazer as perguntas ao entrevistado. Assim, ele ficará ligeiramente na diagonal, mas em grande plano.

Seja qual for o plano que estiver a captar, uma regra importante é nunca cortar pelas articulações.

Filmagem e Equipamentos

Se desejar criar dois planos, pode fazê-lo apenas com uma câmara. Por exemplo, alternando com slides (no formato 4:3 e vídeo ao lado), com captura de ecrã do computador ou com um vídeo a demonstrar o que está a explicar, tendo a vantagem, nestes planos, de pode falar sem ter de decorar guião. No limite, pode usar o mesmo plano e fazer um *zoom* digital na edição, movendo o motivo para um dos lados, dando a sensação de ser uma segunda câmara. Se for possível, utilize várias câmaras para uma produção mais profissional.

Veja um exemplo de um vídeo com simulação de duas câmaras de filmar, mas recorrendo apenas à edição de vídeo: *https://youtu.be/xWBnCq45PFI*.

FAÇA *ZOOM* DIGITAL NA EDIÇÃO PARA SIMULAR OUTRA CÂMARA

Na edição de vídeo aplique um corte e faça *zoom* digital para simular uma câmara. Se a filmagem foi feita em 4K, não haverá perda de qualidade. Se foi feita em Full HD, sendo para a web, não são percetíveis diferenças de qualidade.

Se for captura de ecrã, pode optar por ler primeiro o script, gravando o áudio. Depois, capturar o ecrã, fazendo-o corresponder à locução, que resulta melhor do que o inverso.

Se estiver numa sala com eco, adquira Soundboards para reduzir o efeito. Tenha o cuidado de utilizar uma roupa que contraste com o fundo, pois se for de tom idêntico não cria destaque nem profundidade. Também deve evitar roupa com riscas, pois na filmagem criará efeitos distratores. Se for necessário, utilize maquilhagem simples para reduzir brilhos na captura do vídeo.

Ao falar para a câmara, apresente as mãos fora dos bolsos e movimente naturalmente os braços. Sorria e seja espontâneo. Utilize um plano que capte o tronco, conseguindo registar os seus movimentos naturais das mãos. Não utilize muitos efeitos: utilize um fundo branco (ou outra cor) ou outro cenário simples, pois resulta melhor. Ao falar, seja simples e vá direito ao assunto. Não esteja a ler *scripts* em frente da câmara e dê entoação às palavras, fazendo-se acompanhar de uma boa dicção.

Webcam

Não é vergonha utilizar uma *webcam* para gravar vídeos, se for boa. Recomendo a Logitech C920 ou C922, sendo uma das melhores *webcams*, e por um valor inferior a 100 € fica com possibilidade de filmar e de captar som de qualidade, desde que seja perto do seu computador. Por isso, tem interesse para *webinars*, para transmissões em direto ou para gravações de vídeos.

Se puder investir um pouco mais, a Logitech 4K Pro *Webcam* é a melhor de todas: com vídeo 4K UHD, *zoom* digital, HDR e reconhecimento facial para fazer login automático no seu computador.

Figura 105 – Logitech 4K Pro Webcam. É uma das melhores soluções para vídeo.

Smartphone

Utilize um bom *smartphone* para filmagens, pois produz resultados muito bons. Vai precisar de um pequeno tripé (para obter uma imagem estável), bom som e uma boa iluminação. O microfone Smartlav, como microfone de lapela com fios, é uma boa opção para melhorar a qualidade do som. Se preferir sem fios, o Sony ECM-AW4 é uma excelente opção. Se precisar de um microfone de som ambiente com qualidade, utilize o Rode VideoMic.

Os modelos topo de gama iPhone, Samsung, Sony e LG são muito bons para fotografia e para vídeo, podendo adquirir o melhor modelo do ano anterior a um valor de saldo e ficar com um equipamento de grande qualidade.

Pode utilizar a própria aplicação nativa para filmar, é suficiente. Em alguns telefones (nomeadamente Samsung Galaxy), existe a opção de pausa do vídeo, que permite ir parando e continuando a gravação para mudar de plano ou de enquadramento, simulando várias câmaras. Se desejar uma aplicação profissional para filmagens, recomendo a melhor de todas: a FiLMiC Pro, para controlar diversos parâmetros de captura da câmara.

UTILIZE O BOTÃO DE PAUSA DO *SMARTPHONE* NA GRAVAÇÃO PARA SIMULAR VÁRIAS CÂMARAS

Utilize a opção de pausa de gravação do vídeo (disponível em alguns *smartphones*) para mudar de plano, ficando a gravação no mesmo ficheiro já editado, pronto para partilhar nas redes sociais.

Câmara Fotográfica

Atualmente, as câmaras DSLR de nível profissional estão a valores acessíveis para o público em geral. A Canon, a Nikon, a Panasonic e a Sony são as mais famosas.

Se procura uma câmara moderna, mas acessível, com monitor touch e com boa qualidade, a Canon 800D é uma boa escolha, com a lente 18-135 mm incluída. Se puder investir um pouco mais, a 80D já tem Wi-Fi, tem maior qualidade e é recomendada para vídeo. Tenha em atenção que a câmara fotográfica que comprar deve ter entrada de som.

A Panasonic tem uma excelente relação qualidade/preço. Se optar pela G7 ou GX80, consegue ficar bem equipado, sem investir muito, com vídeo 4K.

Se não puder ir por este caminho, um bom *smartphone* também é solução.

Câmara de Vídeo

Existem para todos os preços, mas não compre uma sem entrada de microfone e de auscultadores. Valores abaixo de 400 € normalmente não têm estas opções e não interessa investir, a não ser que seja para uso amador.

Convém que tenham saída de vídeo HDMI, que é normal. Algumas têm Wi-Fi e *Streaming*, mas não é essencial.

Precisará de adquirir um tripé e cartões de memória de alta velocidade de, pelo menos, 64 GB.

A escolha pode recair na JVC, na Sony, na Canon ou na Panasonic, sendo qualquer uma delas boa opção. Para youtubers, a Sony AX53 é muito interessante, pois, além de ter uma excelente qualidade de vídeo 4K, tem uma estabilização de vídeo extraordinária.

Recomendações em função do orçamento:
Baixo custo – até 500 € - Panasonic HC-V770;
Médio – abaixo de 1000 € - Panasonic VXF 990;
Alto – acima de 2000 € - JVC GY-HM200 4K.

Figura 106 – Uma escolha sensata para vídeo 4K: Panasonic VXF 990.

Para o nível profissional ou televisivo, os valores vão de 5000 € até dezenas de milhares de euros.

Drone

Tem tido uma procura enorme, sendo uma área com muitas novidades. Consegue transmitir em direto para YouTube, Facebook e Periscope, e pode ser utilizado como vídeo para edição, surpreendendo o seu público. No mundo do vídeo é quase indispensável, pois irá conseguir ângulos só possíveis com estes aparelhos. Mas para uma solução com bons resultados, para levantar voo com vídeo tem de investir mais de 1000 €.

Figura 107 – Drone DJI Spark: opção indicada para quem quer entrar no mundo dos drones.

Phantom 4: esta é uma boa opção da DJI. São equipamentos muito bons, com autonomia para cerca de 30 minutos, com uma estabilidade extraordinária em ambientes externos (para os quais foram pensados). Considere comprar também uma bolsa específica para conseguir transportá-lo mais facilmente.

Pode acoplar ao comando um *smartphone* ou um *tablet* para poder visualizar tudo o que se passa lá em cima. Apresenta informações de telemetria muito detalhadas, controlo nos parâmetros da imagem e pode gravar fotografias e vídeos diretamente no seu *smartphone* para partilhar nas redes sociais imediatamente.

Também pode circundar objetos, seguir um caminho traçado no Google Maps ou, mais extraordinário ainda, seguir uma pessoa ou um objeto em movimento. Se encontrar obstáculos, ele evita a colisão.

DJI Mavic Pro: se procura uma solução mais portátil, mas mantendo funções profissionais, esta é a solução para si. Este aparelho é dobrável, tornando-se numa opção versátil e com qualidade de imagem, herdando quase todas as funcionalidades do irmão mais velho: o Phantom 4.

DJI Spark: se quer entrar no mundo dos drones com um drone de tamanho reduzido, o Spark é para si. Foi criado a pensar em portabilidade e no público em geral. É mais fácil de pilotar, divertido e mantém quase todas as funcionalidades das versões profissionais, acrescendo opções de *selfie*. Permite pilotar apenas com *smartphone* ou controlar com gestos das mãos: é incrível!

Explore a aplicação Litchi, para poder captar fotografias 360 com o seu drone DJI ou outras funcionalidades incomuns: *www.flylitchi.com*.

Não é recomendado operar com pessoas por perto, por questões de segurança e de privacidade. Requer treino para conseguir operar com segurança. Não se esqueça de consultar a legislação em vigor sobre o uso de drones, de acordo com a região onde está. Poderá saber mais em: *www.voanaboa.pt*. Veja este plano com drone no ponto mais alto da Madeira: *https://youtu.be/qK4HvSQJ0co*.

Som

Uma regra importante: não utilize o microfone incorporado no equipamento, fica sempre amador. Uma das opções é usar um microfone externo do tipo *shotgun*. A marca Rode é muito conhecida. Tem melhor captação de áudio, mas requer que a captura seja de som relativamente próximo.

Outra opção é usar um microfone de lapela com fios – que existe a um valor muito acessível – ou usar um microfone de mão com fios.

Se for para gravar num evento ou em situações com alguma distância e com necessidade de mobilidade, será melhor usar um microfone de lapela sem fios. As minhas recomendações são: Sony UWP-D11, Sennheiser 100 ENG G3 ou RodeLink (o mais acessível). O meu preferido é a primeira opção, que utilizo regularmente, pois permite inclusivamente ligar a uma fonte de som externa (como a saída de som de um auditório) para transmitir sem fios para a câmara.

Se quer um microfone sem fios de baixo orçamento, opte pelo Sony ECM-AW4. Ficará menos discreto e terá qualidade inferior, mas funciona facilmente em qualquer dispositivo e é muito superior ao microfone embutido da câmara. Também o utilizo e não desilude. Aconselho-o para orçamentos mais limitados.

Também pode optar por um microfone de estúdio do tipo XLR Phantom Power, que pode ligar através de placa de som ao computador, na mesa de som ou através de câmara de filmar compatível (nível profissional). Ainda no âmbito de gravações junto ao computador, uma boa solução é usar um bom microfone USB, sendo um dos melhores o Blue Microphone Yeti, com vários modos de captação de som (stereo, cardioid, bidirecional e omni).

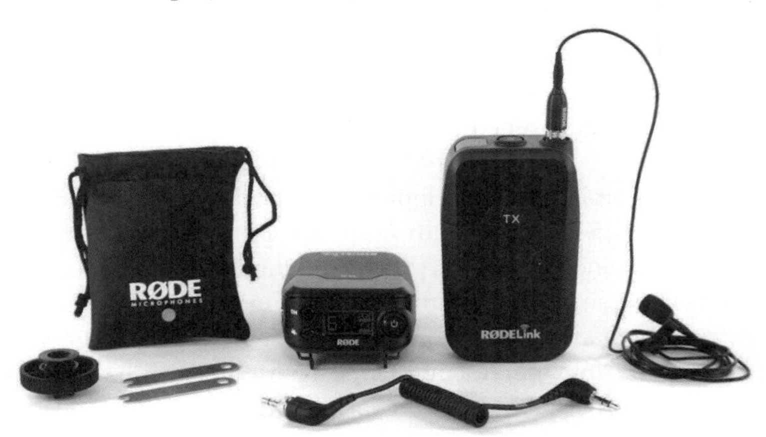

Figura 108 – Microfone de lapela sem fios RodeLink. Solução profissional e acessível.

Iluminação

Sem iluminação não há câmara que resulte. Precisará no mínimo de dois projetores, mas o ideal será ter três pontos de luz com um fundo simples.

Se possível, use luzes *daylight* para uma cor mais natural, e um refletor para espalhar melhor a luz.

Pode tentar improvisar com pontos de luz de que disponha, mas para uma solução mais definitiva recomendo o Nanguang Kit CN-600 CSA ou Fotima FTL-680.

Fundos

Opte por uma cor ou por algo simples, o branco, por exemplo. Mas, se quiser, pode adquirir fundos de papel e fixá-los na parede com fita, ou então com tripés específicos para segurar rolos de papel ou tecido. Também pode pintar uma parede da cor que pretende (mas não diga que fui eu que sugeri!).

Posicione luzes para remover as sombras. Por norma, deve colocar duas laterais e uma de fundo. É fundamental para usar no *chroma key* e para obter bons resultados na criação de cenário virtual.

Estúdio de Baixo Custo

Se quer montar um estúdio de filmagem mas o orçamento é limitado, a boa notícia é que é possível. Compre luzes daylight, pinças ou molas, casquilho com ficha, papel difusor (papel vegetal) e tripés (pode comprar quase tudo na Amazon). Coloque as luzes no casquilho com difusor de luz, colocando à frente o papel vegetal, que pode fixar com fita e segurar a um tripé com as pinças.

Posicione os projetores, para eliminar sombras, logo em frente da câmara, mas por cima, a 1,5 m um do outro, a apontar para o rosto. Posicione o 3.º projetor entre o fundo e a pessoa, para dar profundidade e eliminar sombras.

Escolha uma câmara, um microfone e um fundo simples.

Existe também a possibilidade de tornar o seu escritório ou o seu local de trabalho num miniestúdio, que sendo bem configurado resulta muito bem para conversas via Skype, Hangouts, YouTube Live Events, Facebook Live ou mesmo para gravação, com fundo verde para cenário virtual com *chroma key*. Veja a seguinte imagem, que ilustra a posição dos vários elementos.

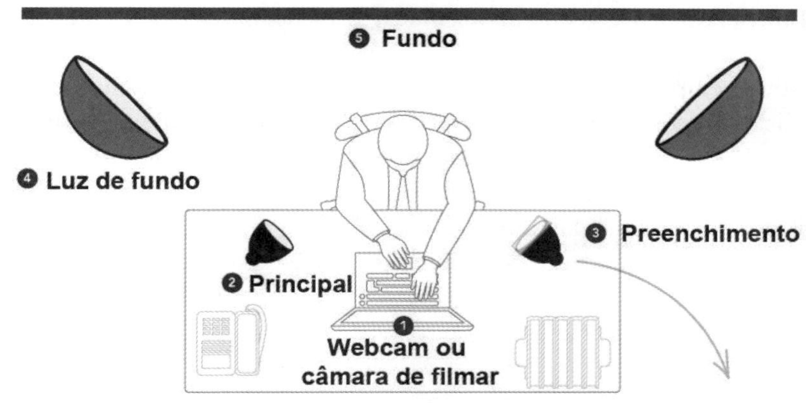

Figura 109 – Exemplo de configuração de miniestúdio para vídeo.

Anatomia de Um Guião

Não tem de utilizar necessariamente um guião. Há quem se sinta mais confortável com as ideias escritas, outros preferem o improviso. Seja como for, não é boa ideia estar a ler algo em frente da câmara e deve utilizar o guião como base de ideias. Por outro lado, não se dar ao trabalho de pelo menos alinhar tópicos pode deixá-lo perdido durante a filmagem.

Consulte uma estrutura-tipo para organizar o seu texto, adaptando-o à mensagem:

Captar atenção	Abertura (opcional)	Introdução	Apresentação do conteúdo			CTA	Fim (opcional)
Até 5s	Até 5s	Até 10s	30s a 120s			3s	Até 10s
Revelar principais benefícios ou o que esperar do vídeo	Utilize o seu *branding* com logótipo e animações	Apresente-se e introduza o tema	Identifique o problema e apresente solução	Assuntos a abordar	Conclusão	Apelar a uma ação	Logótipo, animação, outros conteúdos, ou outros extras

Figura 110 – Modelo da anatomia de um guião.

A duração de cada bloco pode variar. Por exemplo, se gravar um vídeo que explica como mudar um fundo a uma fotografia no Adobe Photoshop, precisará de mais de dois minutos para que o vídeo fique com as explicações necessárias. Nesse caso, cortar em blocos pequenos apenas para cumprir este critério não seria uma boa experiência para o utilizador.

Em cada bloco é aconselhável mudar o plano. Se estiver a gravar com várias câmaras, basta mudar de ângulo ou captar um plano mais próximo. Se estiver sempre com a mesma câmara, pode aumentar ou diminuir o *zoom* na edição (mesmo com perdas de qualidade, resulta). Melhor ainda é, no fim da gravação, captar uma grande variedade de detalhes (bastam dois segundos de cada) para usar como planos de corte e dar ritmo ao seu vídeo. O *zoom* e os planos de corte ajudam a percecionar que está a passar outra mensagem, acompanhada por mudança de timbre de voz ou expressões faciais.

Stopmotion

A técnica não é nova e existem muitos filmes de grande sucesso, como *A Fuga das Galinhas*. Mas não precisa de um estúdio sofisticado para o fazer. Com uma câmara de filmar, com uma máquina fotográfica, com um computador ou até mesmo com o seu *smartphone*, consegue criar vídeos neste formato. Basta que registe imagem a imagem e que entre cada intervalo existam pequenos movimentos. Depois, no processo de edição, junte as imagens em que cada segundo poderá ter 25 ou 30 imagens, ou defina durante quantos frames permanece o momento que registou. A ferramenta mais utilizada no meio profissional é o Dragonframe, que funciona em PC ou em MAC. Mas poderá utilizar qualquer outra ferramenta de edição de vídeo, pois a maioria permite fazer este tipo de edição, ainda que não tenha tantas funcionalidades específicas para os profissionais da área. Também é possível gravar e editar com *smartphone*.

Slowmotion

Consiste em abrandar o tempo numa filmagem. Para isso, é importante que a câmara de filmar tenha a capacidade de gravar a mais de 25 imagens por segundo. É relativamente frequente encontrarmos estas possibilidades, mesmo em *smartphones*, câmaras amadoras ou *prosumer*. A GoPro grava 240 imagens por segundo a 1080p, permitindo abrandar o tempo quase dez vezes. A JVC GC-PX100 é uma câmara pensada para situações de desporto, com valor muito acessível e que grava 600 imagens por segundo (ainda que com baixa resolução neste modo). No entanto, é possível gravar a mais de 20 000 imagens por segundo com equipamento profissional de alta velocidade, mas naturalmente para orçamentos para este nível.

Basta utilizar uma ferramenta de edição de vídeo – o Adobe Premiere por exemplo – e, na opção «Velocidade», através de um clique com o botão direito na trilha de vídeo, pode ajustar para 25 %, para abrandar 4 vezes, sem perder nenhum tipo de fluidez se a gravação for efetuada a 120 fps (imagens por segundo).

Timelapse

Consiste na captação de imagens espaçadas no tempo, que, após a sua junção, dão a sensação de uma grande aceleração no tempo. Várias câmaras de filmar e de fotografar possuem função de intervalómetro para esta configuração. A GoPro tem este modo de captação e é frequente em câmaras fotográficas DSLR. No fim, pode importar as imagens no Adobe Premiere, para que seja automaticamente convertido em vídeo.

Em alternativa, grave um vídeo, acelere depois essa gravação e terá um resultado final idêntico.

Para tornar este trabalho fácil, eis algumas ferramentas que pode utilizar: Lapse It (Android), *Timelapse* (iPhone), *Timelapse* (Windows Phone) e Chronolapse (Windows).

Hyperlapse

Este formato foi popularizado pela aplicação Hyperlapse do Instagram. Esta app utiliza o giroscópio do dispositivo móvel para determinar o ajuste que deve fazer a cada *frame* e minimizar a trepidação da imagem, sendo aplicado um *crop* ao vídeo. O resultado final é a possibilidade de acelerar (ou de abrandar) o vídeo que foi filmado – normalmente a caminhar – ficando com uma boa estabilização.

O Microsoft Hyperlapse faz uma análise mais complexa às imagens, reconstruindo um modelo 3D de movimento da câmara, para determinar a estabilização da imagem a aplicar e a supressão de cenas irrelevantes.

As duas soluções produzem bons resultados. Num mundo em que registamos vídeo em movimento, acelerá-lo, fazendo desaparecer movimentos bruscos, é um bónus bem-vindo.

O YouTube tem um filtro automático que pode ser aplicado para estabilizar vídeos tremidos. O Adobe After Effects também permite aplicar efeitos para estabilizar vídeos.

Esta técnica já foi utilizada muitos anos antes, embora com aplicação diferente. Consistia num *timelapse* em movimento, em que a câmara ia registando imagens enquanto a sua posição era alterada.

Timelapse 360

Para captar imagens a 360 graus espaçadas no tempo, pode utilizar um equipamento muito simples, no qual pode colocar a sua câmara e ir rodando lentamente. O Camalapse 4 é das opções mais económicas. Também pode optar pelo Movo Photo MTP-10, uma solução mais profissional.

Pode utilizá-lo com câmara de filmar, com câmara de fotografar ou com *smartphone*. Basta definir um intervalo temporal entre cada fotografia, que, com o efeito de rotação completo, gerará um *Timelapse* 360. Pode gerar o vídeo com o Adobe Premiere ou com uma solução específica para *timelapse* em movimento, disponível para Windows e Mac em: *www.panolapse360.com*.

Vídeo 360

O YouTube, Vimeo e o Facebook permitem a reprodução nativa de vídeos 360 e as câmaras para captar este formato são relativamente acessíveis. A Realidade Virtual utiliza vídeos 360. Portanto, estão reunidas as condições para ser um formato a receber muitos conteúdos, especialmente no mobile.

Deixou de ser muito dispendioso adquirir uma câmara 360. Com uma câmara preparada para este formato, conseguirá captar muito facilmente em todas as direções. Algumas das câmaras compatíveis são: Samsung Gear 360, Ricoh Theta V, Insta360, 360Fly, Giroptic 360 Cam, ALLie Camera, entre outras.

Pode ainda adaptar acessórios à sua câmara, para conseguir captar fotografias e vídeos próximos deste formato. Poderá saber mais em: *www.gopano.com*.

Existe uma plataforma específica para transmitir em direto no formato 360, desde que tenha um equipamento compatível. Pode ver em: *www.hugvr.com*. Naturalmente, também o pode fazer para o Facebook e para o YouTube.

Figura 111 – Samsung Gear 360 e Insta360 One. São boas opções para fotografia e vídeo 360.

O Google CardBoard, um projeto da Google, tem já inúmeros recursos para ter uma experiência de Realidade Virtual (utilizando vídeos 360). Veja alguns exemplos em: www.jauntvr.com/content.

Além disso, os conteúdos 360 permitem alimentar dispositivos de Realidade Virtual, tais como Samsung Gear VR (com acesso ao Facebook 360), Oculus Rift (com acesso ao Facebook Spaces), entre outros.

Existe um pormenor importante nos conteúdos 360: se os editar, tem de injetar metadata 360. Uma das ferramentas para o efeito é: *www.vrfix.me*, que permite fazê-lo mesmo no mobile. Ou uma solução sem custos para utilizar no seu computador: *www.github.com/google/spatial-media/releases*.

Também pode fazer vídeos 360 recorrendo a várias GoPro (ou com a GoPro fusion), através de acessórios. Consulte várias soluções de equipamento e software para atingir esses resultados em: *www.360heros.com*, também disponível para vídeos 3D 360.

Criação de Vídeo Online

Existem cada vez mais ferramentas que lhe permitem editar vídeo online sem ter conhecimentos prévios do assunto ou sem ter de instalar nenhum software. São boas soluções, se não tiver muito tempo e pretender vídeos curtos.

A Adobe tem um conjunto de ferramentas para criar imagens, páginas e vídeos. É o Spark e está disponível em: *https://spark.adobe.com*, ou através de aplicação mobile. Permite criar muito facilmente vídeos fantásticos e criativos para: promover uma ideia, comunicar uma história, um caso de sucesso, descrever algo, uma experiência ou gravar algo educativo. Merece a sua visita.

Flixpress.com: esta ferramenta é pouco conhecida, mas muito interessante. Permite-lhe criar um vídeo de apresentação, totalmente online e em poucos minutos.

Escolha a categoria de modelos gratuitos (que não têm marca de água), selecione o seu favorito e comece a editar. No fim, crie uma conta e aguarde o e-mail a notificar de que o vídeo está pronto. Pode fazer download e publicá-lo online. Os seus seguidores vão ficar impressionados.

Se desejar o plano pago, terá disponíveis modelos adicionais e ainda funcionalidades extras: upload áudio e vídeo, Full HD, personalização e objetos 3D, bibliotecas de vídeos e de áudio.

Animoto.com: uma ferramenta com alguns anos e, portanto, já conhecida, para fazer slideshows impressionantes com fotografias, com texto e com vídeos. Existem vários estilos predefinidos, mais de 1000 músicas prontas a usar e também está disponível em aplicação mobile.

Importa imagens do Adobe Lightroom ou do Aperture e das redes sociais. É grátis para vídeos de 30 segundos com qualidade web, com marca de água e não pode fazer download. Mas para remover estas restrições, já sabe o que vão pedir: versão paga.

Goanimate.com: pode aceder a uma versão de demonstração ou optar por um de vários planos pagos. Faça o seu primeiro vídeo em menos de cinco minutos, sem instalações e fácil de criar.

Existem inúmeras personagens, cenários, fundos, estilos e ações. Para contar a sua história perfeita tem ainda a funcionalidade lip-sync, que sincroniza a sua voz ou pode sintetizar a narração através de texto.

COMO POSSO CRIAR UMA HISTÓRIA ANIMADA DO MEU NEGÓCIO?

Se quer conquistar com uma boa história, recorrendo à animação de personagens em cenários já predefinidos, o Goanimate é a escolha acertada para si.

Wideo: vai gostar muito desta solução, adequada para: startups, PME, professores, estudantes e campanhas de marketing online. Com um aspeto muito profissional, oferece modelos prontos a editar para os seguintes objetivos: promover um produto, apresentação geral, apresentação de empresa ou negócio, aplicação mobile *smartphone* ou *tablet*, produto ou serviço, tutorial, apresentação de website, descrição de produto, demonstração de produto, apresentação de serviço, formação e cursos online, CV, eventos... e a lista continua. Experimente grátis em: *https://get.wideo.co*.

WeVideo: uma das soluções mais completas para editar vídeo totalmente online. Importe os conteúdos das redes sociais ou da Cloud, convidando outros colaboradores para partilhar conteúdo para o vídeo que tem em mente. Com o modo de edição storyboard ou timeline poderá editar o seu vídeo com funcionalidades poderosas. Permite uma edição muito completa, animação, efeitos, temas, títulos, músicas, captura de ecrã e *webcam*. Dá ainda a possibilidade de utilizar a técnica *Chroma Key* para cenários virtuais. Tem funcionalidades específicas para educação e para negócios. Pode abrir o projeto na aplicação mobile e continuar lá a sua obra de arte! Experimente gratuitamente em: *www.wevideo.com*.

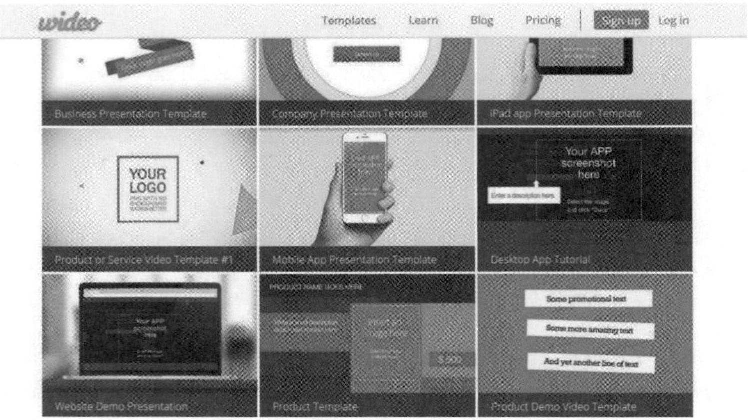

Figura 112 – Modelos de vídeos para diversos tipos de projeto, no Wideo.

Stupeflix: faça vídeos fantásticos em segundos. Escolha o tema, importe-o da Cloud ou do Social Media e já está! Mas, se quiser, personalize com: mapas do local do evento, transições, slowmotion ou um call-to-action. Aqui reina a simplicidade.Visite em: *www.stupeflix.com*.

Explore ainda mais ferramentas, como o Magisto, que cria rapidamente vídeos para redes sociais; o PawToon para animações e o Xtranormal para animações com personagens. Não se esqueça também do Google Photos, para criar vídeos profissionais automaticamente.

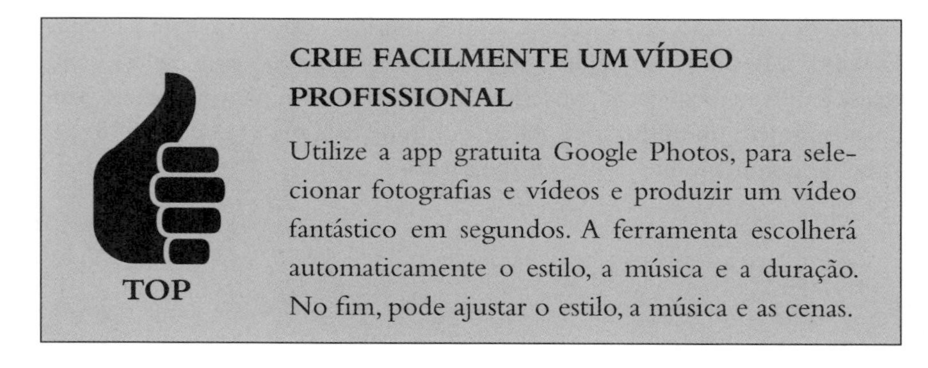

CRIE FACILMENTE UM VÍDEO PROFISSIONAL

Utilize a app gratuita Google Photos, para selecionar fotografias e vídeos e produzir um vídeo fantástico em segundos. A ferramenta escolherá automaticamente o estilo, a música e a duração. No fim, pode ajustar o estilo, a música e as cenas.

Produção de Vídeo

Duas das barreiras para a produção de vídeo é ser considerado difícil e dispendioso. Na verdade, até pode ser, mas vou apresentar várias possibilidades, das mais simples e económicas às mais profissionais e dispendiosas.

Existem muitas ferramentas. Vou indicar-lhe algumas que, certamente, já tem instaladas no seu computador; basta dar-lhes uso.

Microsoft PowerPoint

A primeira é o MS PowerPoint. Sim, leu bem! Pode parecer-lhe estranho e amador, que até é verdade, mas pode ter resultados muito bons numa ferramenta com a qual até já sabe trabalhar bem.

Esta dica apenas é válida para as versões 2010 e posteriores. O primeiro passo é aceder ao separador «Estrutura», depois em «Configurar página» mude para a opção «Apresentação no Ecrã (16:9)», para que os slides fiquem no formato panorâmico, o standard do vídeo. Depois construa o seu vídeo, considerando que cada cena é um slide, podendo determinar para as transições a duração que desejar.

Com base no guião para o seu vídeo, pense num slide para cada cena e assinale no storyboard se esse momento será filmado a falar ou se inserirá uma imagem ou um vídeo ilustrativo. Utilize imagens, vídeos e músicas grátis para compor os slides. Se preferir, pode utilizar um modelo de MS PowerPoint disponível, ou adquiri-lo no GraphicRiver.

Por exemplo, pode colocar uma imagem e uma frase, definir uma duração de 5 segundos e uma transição de *zoom* para o próximo diapositivo. Repita o processo com imagens, texto, vídeos, formas ou outro objeto disponível.

Adicione música de fundo ou locução. No fim, exporte para vídeo HD Ready, através do menu «Ficheiro». De seguida, clique em «Guardar e enviar», depois em «Criar um vídeo» e, por fim, na opção «Criar vídeo». Ficará no formato WMV, que o torna compatível com qualquer dispositivo ou para partilha na web.

O segredo é ir pelo caminho da simplicidade e do bom gosto. Tente apenas uma mensagem por slide, num formato minimalista. Após algumas experiências, ficará surpreendido com o resultado, que vai impressionar o seu público.

Windows Movie Maker

Logicamente, tinha de recomendar o Windows Movie Maker, que já vem com o seu Windows (se não vier, pode instalá-lo gratuitamente) e que permite fazer quase tudo aquilo de que precisa no âmbito da edição básica. É simples e rápido, por isso é recomendável para as exigências das redes sociais.

O que pode fazer com Windows Movie Maker:

- Importar imagens e vídeos;
- Adicionar música;
- Adicionar título, legendas e ficha técnica;
- Aplicar tema de filme automático;
- Aplicar transições e pan/zoom;
- Aplicar efeitos;
- Ajustar automaticamente música ao vídeo, em Projeto > Mistura de áudio > Ajustar à música;
- Usar ferramentas de vídeo (cortar, dividir, acelerar ou retardar);
- Usar ferramentas de música (aumentar e diminuir gradualmente, alterar o ponto de início ou de fim e o volume);
- Usar ferramentas de texto.

Para quem não quiser perder tempo e editar rapidamente um vídeo, é das soluções mais simples que existem. Experimente e verá!

iMovie

Se tem um Mac, esta opção já vem com o seu computador. De uma forma elegante e intuitiva, permite-lhe criar vídeos com aspeto profissional. Explore os modelos de trailers cinematográficos, com uma qualidade acima do normal; já tem banda sonora para criar vídeos curtos para promover os seus produtos ou serviços. Com o QuickTime, pode capturar o ecrã e criar vídeos promocionais para aplicações (se for *developer*).

Crie o seu vídeo, recorrendo a diversos modelos, preparados para brilhar. Coloque o vídeo lado a lado no mesmo ecrã (PIP), para tornar o momento mais marcante. Produza vídeos em cenário virtual com a técnica *chroma key*. Adicione a banda sonora com as músicas e os sons, ou crie a sua no GarageBand.

Edite o vídeo com funções de melhoria automática, ajustes, estabilização, efeitos, *zoom* e panorâmica para slideshow. Partilhe no iMovie Theater e veja a sua obra em todo o lado. Também está disponível a aplicação mobile para iOS. Veja mais em: *www.apple.com/mac/imovie*.

Pinnacle Studio

É fácil de aprender e simples de utilizar, com resultados profissionais. Além do mais, tem um preço acessível e está disponível em vários idiomas (português incluído). É composto por uma versatilidade de funções, que o tornam numa boa escolha para quem quer dar uns passos mais além no vídeo semiprofissional.

Permite importar todos os tipos de conteúdo (DVD, Blu-Ray, miniDV, stop motion, *webcam* e ficheiros). Tem uma biblioteca vasta de elementos e de efeitos prontos a utilizar, na qual estarão disponíveis os seus vídeos após importação.

No modo de «Edição de vídeo» tem todas as ferramentas de que precisa: para áudio, para vídeo ou para imagem. Além disso, permite adicionar muitas camadas de elementos (texto, imagem ou vídeo), como nas soluções mais profissionais de edição. Se quiser fazer um slideshow ou um vídeo rápido, utilize a função Smartmovie, para ver uma proposta com base nos conteúdos.

CRIE UM VÍDEO AUTOMATICAMENTE NO PINNACLE STUDIO

Crie um vídeo automaticamente com fotografias e vídeos, através da função Smartmovie do Pinnacle Studio.

Tem mais de 1500 efeitos e centenas de transições. Oferece modelos de montagem e de trailers já prontos a editar. Grave com fundo verde e edite com *Chroma Key*, para aparecer num cenário virtual.

É uma solução com possibilidade de estender funcionalidades com *plugins* para títulos sofisticados, tratamento de som profissional e efeitos especiais para vídeo. Também permite editar vídeo 3D, no formato 4K e em 360.

Outro grande benefício é a biblioteca de sons e de música, que permite escolher de acordo com o estilo e que, depois de definir a duração, é automaticamente gerada uma música que corresponde ao excerto de vídeo. Tem várias opções de banda sonora livre para utilizar no seu projeto.

Pode gravar em suporte físico – DVD ou Blu-Ray – com os respetivos menus de navegação, permitindo desenhar o seu ou usar modelos já disponíveis. Permite exportação para quase todos os tipos de formato: otimizado para YouTube, suporte ótico, MP4, *smartphone*, WMV, MOV, AVI e outros. O preço começa nos acessíveis 60 € e também existe versão para iPad.

Saiba mais em: *www.pinnaclesys.com/PublicSite/us/Products/studio/standard.*

Sony Vegas

Uma solução muito conhecida, que apresenta versões de entrada de gama desde 46 € até versões profissionais que podem chegar a algumas centenas de euros. No entanto, para quem está a começar, a versão mais económica – Movie Studio Platinum – é mais do que suficiente.

Além de tudo o que um editor de vídeo normalmente faz, também edita *Chroma Key*, 3D, 4K, efeitos especiais e corresponde tonalidades entre clipes para um efeito harmonizado das filmagens. Com grande controlo nas camadas de vídeos e com personalização da interface, é a ferramenta certa para quem quiser deixar ferramentas amadoras e dar o primeiro mergulho num ambiente mais profissional. Encontre mais informações em: *www.sonycreativesoftware.com/moviestudiope*.

Outras opções importantes a considerar: Cyberlink PowerDirector, Arkaos GrandVJ, Muvee (slideshow), Memories on TV (slideshow) e Crazy Talk (animação 3D de personagens).

Produção de Vídeo Profissional

Passemos agora para um patamar mais profissional, no qual poderá obter resultados a outro nível, mas vai requerer mais investimento e mais tempo da sua parte. Avance, depois de ter começado pelas ferramentas mais simples e de já ter adquirido alguma experiência.

Adobe Premiere: é uma das soluções que os profissionais utilizam para edição.

Adobe After Effects: para pós-produção e para efeitos especiais. Veja exemplo do lançamento do livro Vídeo Marketing: *https://youtu.be/tqOi-N5UAKLA*.

Fincal Cut Pro: é uma solução simples e profissional para Mac, idêntico ao Adobe Premiere. Explore também o Motion Graphics, idêntico ao Adobe After Effects.

Adobe Photoshop: se já utiliza Photoshop, é uma boa opção. Além de editor de imagem, também cria vídeos, animando a composição gráfica.

Adobe Media Encoder: serve exclusivamente para *encoding* e para conversão.

Claro que existem muito mais soluções, que ao longo do tempo pode ir explorando, porque não existe nenhum software que faça tudo o que quer. O melhor caminho é escolher uma ferramenta para o fim que pretende. Se conhecer várias, quando tiver uma ideia, saberá que ferramenta dará vida à sua epifania.

Alternativas: Sony Vegas Pro (edição profissional), Wirecast Pro (edição de vídeo em tempo real), Media Composer, Lightworks (editor robusto e multicâmara), sketchup.com, 3DS Max (3D), HitFilm (efeitos especiais), Audacity (tratamento de áudio), Edius (edição profissional), PluralEyes (edição multicâmara), DaVinci Resolve e Avid.

Cenário Virtual Com *Chroma Key*

Não é uma técnica nova, mas causa grande impacto e é relativamente fácil de executar hoje em dia.

Apenas precisa de um fundo verde (ou de outra cor, desde que não exista na roupa de quem vai ser filmado, para gerar contraste), boa iluminação e uma câmara de filmar com qualidade.

Figura 113 – Exemplo de cenário virtual criado com *chroma key* num estúdio pequeno.

Na imagem acima pode ver, do lado direito, a imagem com um fundo *chroma key* e, do lado esquerdo, a edição efetuada como indicado aqui, recorrendo a um fundo animado, a um título identificativo (*lower third*) e ainda a um vídeo embutido na TV virtual.

PRO

CRIE UM VÍDEO COM CENÁRIO VIRTUAL E SURPREENDA O SEU PÚBLICO

Crie um vídeo com cenário virtual, recorrendo ao Adobe Premiere, a um fundo verde, a uma boa iluminação e a uma câmara de filmar. O seu público vai adorar!

Algumas das soluções que permitem editar Chroma Key: Adobe Premiere, popVideo Converter, Veescope Live, iMovie, Adobe After Effects, Pinnacle Studio, Newtek Virtual Set Editor, Sony Vegas e OBS Studio.

Captura de Ecrã

Provavelmente vai precisar de capturar o ecrã do seu computador, para demonstrar ou explicar um assunto da sua especialidade.

Existem várias opções, de gratuitas a pagas, mais simples e mais complexas:

Camtasia: é a minha ferramenta preferida há muitos anos. Não é barata nem é a mais fácil, mas é de longe a melhor e a mais profissional de todas. Portanto, se quer entrar a sério neste assunto, é por aqui que deve começar.

Permite capturar o ecrã total ou zonas, com efeito de pan e de *zoom*, permite aplicar filtros e tem muitas ferramentas de edição de vídeo.

Adicione legendas e, se for necessário, existe a funcionalidade de transcrição automática, que funciona bem em inglês. Permite adicionar notas e dar destaque a áreas do vídeo.

Se pretender editar vídeos captados com ferramentas de *streaming* (Wirecast e outros), mobile e outros formatos similares, o Camtasia é a melhor solução. Se editar noutra ferramenta, o som ficará sempre desfasado da imagem.

Permite adicionar um segundo plano que aparece na captura, que deverá ser com uma boa *webcam* externa, até com efeito *chroma key*. Existem filtros de aperfeiçoamento de voz, para intensificar som ou reduzir ruídos.

Vem já com bibliotecas de vídeos genéricos introdutórios, de vídeos, de títulos e de imagens, com possibilidade para download de mais recursos no website da TechSmith.

Figura 114 – Interface de edição de vídeo do Camtasia.

Teste o software completo durante 30 dias e decida depois se o deseja adquirir. Se preferir o irmão mais novo – o Jing –, é totalmente gratuito e aconselhado para captura de imagem e de vídeos mais simples.

Mais informações em: *www.techsmith.com/camtasia.html.*

ActivePresenter: é provavelmente a solução gratuita mais próxima do Camtasia. Permite gravar vídeo, editar, adicionar voz, legendas, chamadas, notas, gráficos, interação e *quiz*. Faça download em: *www.atomisystems.com.*

Screen-O-Matic: uma aplicação com opção gratuita muito simples de utilizar e não precisa de instalar software.

A gravação gratuita permite gravar até 15 minutos, mas terá marca de água no canto, o que é aceitável. Se for necessário, também pode capturar *webcam*, além do ecrã. Publique a gravação online com a possibilidade de download disponível.

O Plano Pro, de 15$/ano, permite remover a marca de água e gravar até duas horas. Pode conter password, disponibiliza um editor, acrescenta a funcionalidade de script, de obter screen shot, de gestão de áudio, de gravar apenas com *webcam*, de desenhar e de *zoom*. Experimente em: *www.screen-o--matic.com.*

Camstudio: é totalmente grátis, permite captura de ecrã, *webcam*, áudio e adicionar notas. Pode não ser tão intuitivo como as outras opções, mas é grátis. Saiba mais em: *www.camstudio.org.*

Windows Media Encoder: é uma solução gratuita da Microsoft, que funciona em ambiente Windows e que lhe permite capturar o ecrã.

Para quem já está habituado ao software da Microsoft, não vai ter grandes dificuldades. Pode fazer download em: *www.microsoft.com/pt-pt/download/details.aspx?id=98.*

ScreenFlow: do mesmo fornecedor do Wirecast, tem uma solução de captura de ecrã paga exclusiva para Mac. Prima pela simplicidade e contém inúmeros filtros e ferramentas de edição e possibilidades de *chroma key*. Saiba mais em: *www.telestream.net/screenflow.*

Produção de Vídeo Mobile

Usar um *smartphone* para filmagens, em muitos casos, é a melhor solução, pois permite partilhar rapidamente online. Tem ainda a possibilidade de usar planos atrativos com tripés específicos ou mesmo debaixo de água, com o acessório adequado.

Existem vários modelos que têm muito boa qualidade de imagem e de vídeo, especialmente nos modelos topo de gama. Eis algumas propostas interessantes dos modelos de topo das seguintes marcas: Samsung Galaxy, HTC, LG, Sony e Panasonic. O iPhone tem a particularidade de ter uma grande diversidade de aplicações e de acessórios existentes.

Aplicações para Criação de Vídeo

Existem cada vez mais aplicações para criação de vídeo nos dispositivos móveis, que, para uma produção rápida para redes sociais, conquista resultados imediatos. Com algum conhecimento e arte, o aspeto profissional também pode ser atingido com as soluções que vou apresentar.

Apps iOS e Android

WeVideo: é um dos editores de vídeo mais utilizados em aplicação móvel e na versão web. Com um formato storyboard atrativo, permite-lhe adicionar facilmente os recursos na sua aplicação, podendo guardar na Cloud e continuar o projeto no computador. Conte a sua história com fotografias e com vídeos, tendo total controlo criativo. Edite, aplique estilos, narre com sobreposição de voz, insira música, títulos e textos. Coloque a sua produção no mundo online, nos canais que desejar.

FiLMiC Pro: é a melhor aplicação para capturar vídeo, com muitos prémios e com o reconhecimento da comunidade de videografia. Permite a utilização profissional do *zoom* de forma suave, variável e programada.

Tem controlo de ganho de áudio para obter som otimizado. Pode definir as imagens por segundo, que podem ir até uns impressionantes 240 fps em dispositivos recentes, bom para câmara lenta. Tem controlo manual para foco, exposição, ISO, abertura, cor e temperatura, para que nada passe em branco. Utilize também o FiLMiC Remote para controlar remotamente a aplicação. Saiba mais em: *www.filmicpro.com*.

Adobe Premiere Clip: para quem utilize Adobe Premiere é uma excelente aplicação: mas para quem não o use, também é! A aplicação é grátis, basta criar uma conta no Adobe Creative Cloud, para poder armazenar os seus projetos. A edição dispensa indicações, pois é muito simples e mesmo quem nunca editou vídeo vai conseguir resultados. Adicione vídeos gravados à timeline ou grave imediatamente mais alguns. Corte, ajuste a exposição e utilize outros controlos. Controle o volume manual ou deixe que a aplicação equalize automaticamente o som em todo o vídeo para ficar perfeito. Permite ainda ajustar a velocidade, podendo aplicar o efeito de câmara lenta.

Apps Android

Power Director: a CyberLink é muito reputada, devido ao software que também tem para computadores já há muitos anos. Agora, no *smartphone* e no *tablet*, pode editar vídeos facilmente, mas de forma profissional, através da típica timeline. Tem a possibilidade de gravar projetos para mais tarde continuar. Adicione imagens, vídeos, efeitos, transições, texto e música.

PicPac: é umas das melhores aplicações para stopmotion. Permite extrair imagens de vídeos, para selecionar os momentos a reter e criar o efeito desejado. Mas também permite fazer *Timelapse* e *Hyperlapse*. Uma particularidade interessante é o facto de obter imagem apenas batendo palmas (ou emitindo qualquer outro som). É muito prático porque vai ter de captar muitos frames e tem o trabalho facilitado. Uma solução muito profissional para o mobile. Saiba mais em: *www.picpac.tv.*

lgCameraPro: é a aplicação que simula o que as câmaras DSLR profissionais oferecem, com a versão grátis satisfatória e a versão paga para ficar sem limites. Permite todo o tipo de controlo na fotografia, e no vídeo consegue controlar a resolução, encoder, formato, bitrate e *framerate*.

Apps iOS

iMovie: tal como a versão para computador Mac, esta versão mobile impressiona. Crie trailers promocionais, através de modelos disponíveis que pode editar facilmente. Crie um filme fantástico através de vários temas disponíveis que, após a sua personalização, refletem a história que quer mostrar. Melhore o vídeo com slowmotion, velocidade, PIP (*Picture-in-Picture*) e efeito de ecrã dividido. No fim, pode exportá-lo para todo o ecossistema Apple, incluindo a gravação do projeto para continuar no computador.

Pinnacle Studio: para uma edição de vídeo avançada, esta aplicação com edição em formato timeline faz lembrar a ferramenta com o mesmo nome com versão para PC, onde pode continuar o projeto que começou no mobile. É muito simples de aprender e produz resultados impressionantes. Utilize modelos para criação de animações ou montagens 3D. Crie títulos profissionais com total controlo do texto. Crie cenas PIP para a sua história ser mais cativante. Utilize o áudio que já vem incorporado ou importe o seu, no qual pode controlar os níveis e o efeito de desvanecimento para um final em beleza. A importação e a exportação de conteúdos estão amplamente integradas com todos os serviços Cloud importantes, o que é muito prático.

Veescope Live: se deseja criar vídeos em cenários virtuais, com esta aplicação essa missão vai ser muito simples. Aponte o iPhone ou o iPad para um fundo verde onde quer filmar a pessoa. Depois basta subtrair o fundo na aplicação, com um toque, e escolher o fundo virtual que quer adicionar. Exporte e está feito!

VÍDEOS ATRAVÉS DE APP COM CENÁRIOS VIRTUAIS RECORRENDO À TÉCNICA CHROMA KEY

Crie facilmente vídeos com cenários virtuais, recorrendo à técnica *Chroma Key*. Apenas precisa de um iPhone ou de um iPad, com a aplicação Veescope Live e um fundo verde. Escolha o fundo e produza em tempo real o seu vídeo atrativo com um fundo virtual.

Microfone

Existem inúmeras soluções para captar áudio com qualidade profissional no seu dispositivo mobile. Não há necessidade de ficar com áudio amador, pois estão disponíveis soluções simples e de baixo custo, até soluções que preenchem requisitos mais avançados.

Se for necessário estender o tamanho do cabo do seu microfone, deve utilizar um cabo com Jack 3,5 m TRRS. Para *smartphone* é diferente do normal TRS, porque inclui o áudio dos auscultadores e do microfone.

Audio-Technica ATR-3350iS: é um dos microfones de lapela mais populares, de baixo custo. Um fio de 6 m é mais do que suficiente para que consiga fazer filmagens com áudio de qualidade. Tem um protetor para o microfone, para ser utilizado em ambientes externos ventosos, e um adaptador para iOS e Android. Funciona com uma pequena pilha, mas, apesar de durar muito, convém estar atento, porque um dia terá o seu fim. Custa cerca de 25 €. Existe um microfone idêntico que também é uma opção: BOYA BY-M1.

SmartLav: da reputada marca Rode, este microfone foi pensado para *smartphones* e vem com aplicação pronta a gravar. É perfeito para realizar *podcasts*, entrevistas, vídeos, áudio para sincronizar com vídeo ou outras situações profissionais. O preço faz justiça à excelente qualidade. Saiba mais em: *www.smartlav.com*.

iRig Mic: é um microfone de mão que pode ligar ao seu *smartphone*. Interessa para músicos, para jornalistas ou para outros profissionais que desejem captar áudio de forma convencional. Vem com um adaptador, que permite ligar auriculares, e com as habituais aplicações da IKMultimedia.

Rode VideoMic: é um microfone que fica acoplado diretamente no *smartphone* para captar som ambiente com mais qualidade, podendo escolher se o quer apontar para a frente ou para trás. É muito bom para transmissões em direto.

Tripé e Estabilizador

Um bom tripé para vídeo é um investimento elevado. E tem características diferentes de um tripé de fotografia. É importante que consiga fazer movimentos de planos de forma suave, com uma cabeça fluida. Se optar por marcas como a Manfrotto ou a Benro, ficará muito bem servido, sem gastar uma fortuna. Tem uma vantagem: um bom tripé é um investimento para a vida.

Também é uma boa opção um *selfie stick*, pois permite-lhe realizar filmagens com mais estabilidade e gravar um vídeo sentado ou de pé. Existem versões com Bluetooth para poder comandar a distância a câmara do *smartphone*. É um acessório com grande utilidade no vídeo, além das triviais *selfies*.

Pode ainda utilizar um pequeno tripé, para usar autonomamente ou acoplar a um *selfie stick*: uma solução muito prática e portátil. Recomendo o Manfrotto MKPIXICLAMP.

Pode não ter um tripé, mas querer uma forma alternativa de estabilizar a imagem enquanto caminha, por exemplo. Com soluções simples consegue uma mobilidade extrema.

Figura 115 – Estabilizador de vídeo DJI Osmo Mobile, para *smartphone*.

DJI Osmo Mobile: é um estabilizador motorizado portátil para poder gravar ou transmitir em direto com planos suaves, mesmo que esteja em movimento com o seu *smartphone*. É bom para também captar planos mais altos ou incomuns, vislumbrando um outro ponto de vista com este gimbal. Além disso, pode selecionar uma pessoa ou um objeto, para que o aparelho o siga automaticamente. Tem interesse para uma formação ou para um seminário, para poder ser utilizado sem operador.

Iluminação

Sem uma boa luz, não há câmara que consiga gravar. Especialmente com *smartphones* é importante uma boa iluminação. Se não a tiver de origem natural ou não a consiga controlar, existem soluções muito acessíveis e portáteis para obter melhores resultados.

The Pocket Spotlight: é um pequeno projetor de leds, que encaixa perfeitamente no seu smartphone através de um adaptador para suporte na entrada de áudio. Mas não consome a sua bateria; tem carga interna para 1h, carregável via USB. Uma solução simples, de baixo custo, que resulta para situações mais comuns. Também funciona na sua câmara de filmar ou fotográfica, pois resulta para tirar boas fotografias. Mais informação em: *www.photojojo.com*.

Neewer: é um sistema de leds maior, mais adequado para câmaras DSLR ou para câmaras de filmar, mas pode colocá-lo num tripé ou outro suporte, para servir como luz ambiente para melhores filmagens, com o seu *smartphone*. Este modelo é muito acessível, mas existem outros mais profissionais, como o Litepanels.

Lentes

Uma limitação do mobile é a ausência de um bom *zoom* ótico e a possibilidade de mudar de lentes em função da captação que deseja fazer. Mas existem lentes para muitos modelos e para diversos objetivos. Por isso consegue-se mitigar esta particularidade.

Convém alertar que, apesar de as lentes para *smartphones* e *tablets* serem um bom investimento, são construídas para modelos específicos. Por isso, se mudar de *smartphone*, é provável que as lentes deixem de ser compatíveis.

Photojo iPhone and Android Lens Series: é uma excelente solução para qualquer dispositivo. A lente acopla magneticamente ao seu *smartphone* ou até a um computador portátil. Basta colar um adesivo metálico, para depois aplicar ou retirar a lente quando desejar. Estão disponíveis lentes individuais por um preço muito acessível, ou packs já com bolsa. É muito prático! Saiba mais em: *www.photojojo.com*.

Olloclip: não são as mais baratas, mas têm muito mais qualidade, devido ao material de construção, e apresentam uma imagem nítida em toda a lente. Com packs de 4 lentes fisheye, wide-angle, 10x macro e 15x macro, torna este conjunto polivalente. Está disponível para as várias versões do iPhone e do Samsung Galaxy.

Schneider iPro Lens: são, provavelmente, as melhores lentes, mas também as mais caras. Se o preço não é problema, obtenha toda a qualidade. São soluções para iPhone e para Samsung Galaxy. Saiba mais em: *www.iprolens.com*.

Transmissões em Direto

Existem cada vez mais meios para o fazer e conquistar mais audiências. Uma grande vantagem deste formato é interagir em tempo real com a audiência e conseguir captar mais a sua atenção e aumentar o tempo médio de permanência com os seus conteúdos, devido ao imediatismo do formato. Pode optar por gravar, ou não, mas os utilizadores nunca têm a certeza se terão acesso à gravação (é uma pergunta recorrente, quando estão a ver o direto).

Por isso, não se fique pelo vídeo e avance para o live *streaming*, pois consegue fazê-lo sem nenhum tipo de custo ou com orçamento aceitável, mesmo em soluções mais profissionais.

Vários Social Media disponibilizam a possibilidade de transmitir em direto: YouTube, Facebook, Instagram, Twitter, Tumblr, Vimeo e outros.

Software

Algumas das soluções de software disponíveis são: Wirecast Pro, Vmix e OBS Studio (grátis). O meu preferido é o Wirecast Pro, mas compreendo que nem todos os negócios precisem de suportar esse investimento num primeiro momento. Por isso, pode avançar com o OBS Studio, se quiser transmitir de forma profissional para o YouTube ou para o Facebook (ou outras plataformas).

Wirecast Pro

O Wirecast tem várias versões disponíveis, mas a Pro tem funcionalidades incríveis. Tem a possibilidade de poder ter várias camadas de recursos. Permite colocar, por exemplo, uma camada com o logótipo da sua empresa em marca de água, sempre sobreposta no vídeo. Permite também ativar ou desativar títulos (*lower thirds*) de identificação do interveniente, podendo utilizar um assistente para criar um título atrativo. Se preferir, pode adicionar camadas de nível inferior, que pode ser um cenário virtual ou uma música de fundo.

Para cada recurso tem inúmeras opções de parametrização, com especial destaque para a interface refinada e para a facilidade de utilização.

Uma das melhores funcionalidades desta ferramenta é a possibilidade de definir uma *hashtag* para o seu evento, por exemplo #mktdigital360, e aparecer na transmissão. Sempre que alguém *tweetar* algo pode, após a sua aprovação, fazer que esse *tweet* apareça em tempo real (e depois na gravação), dando enquadramento ao comentário e abrindo a possibilidade de interação com o público presencial e online. Também permite captar os comentários no Facebook (ou de outro Social Media) e mostrar diretamente no vídeo.

Se desejar adicionar mais interação, poderá convidar até sete pessoas (via browser ou *smartphone*) para estarem remotamente em direto consigo – útil para *webinars* ou formação. Antes de começar o direto, ative um contador para que os espectadores saibam quanto tempo falta para começar.

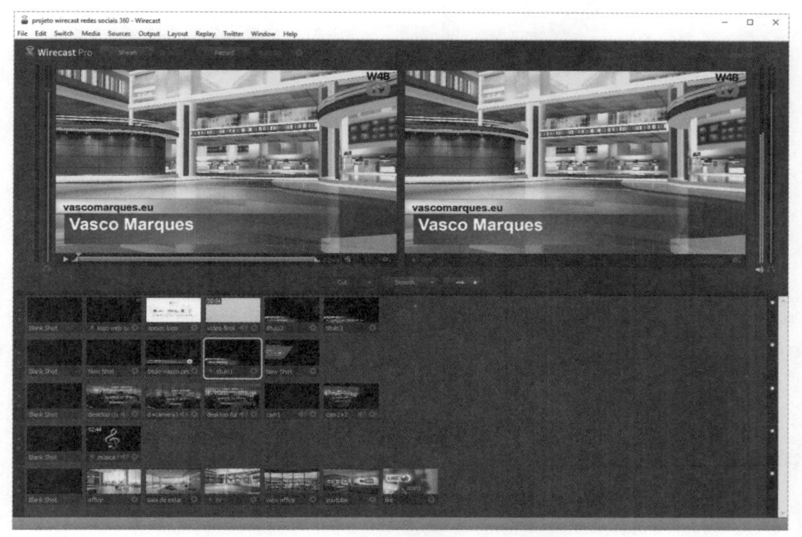

Figura 116 – Configuração de transmissão em direto com o Wirecast Pro.

Pode fazer transmissão simultaneamente para o Facebook, o YouTube e outras plataformas, sendo uma vantagem realmente diferenciadora. Naturalmente, além das transmissões, deve gravar localmente.

Software de Transmissão Gratuito

Existe ainda outra solução, totalmente gratuita, embora não tão atrativa graficamente, mas que resulta muito bem: é o OBS Studio, que poderá descarregar em: *www.obsproject.com*. Depois de o instalar, pode adicionar várias cenas e diversas fontes para cada uma delas – que podem ser imagens, vídeos, câmaras de filmar, captura de ambiente de trabalho, texto/títulos e outras fontes –, permitindo criar planos compostos com sobreposição de vários recursos e várias fontes. Também é possível utilizar a técnica *chroma key* com cenário virtual.

Permite fazer transmissão em direto e gravação ao mesmo tempo, para depois publicar o ficheiro noutros Social Media.

É a melhor opção grátis sem marca de água e recomendo que experimente.

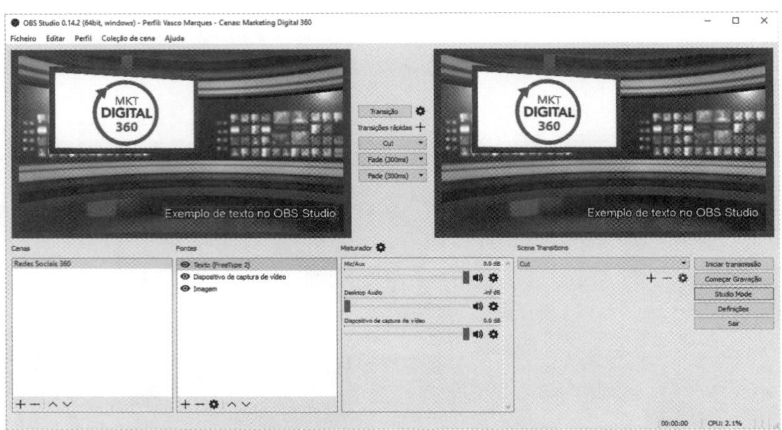

Figura 117 – Exemplo de configuração no OBS Studio para transmissão em direto.

Câmara de Filmar

A JVC GY-HM200E é uma das câmaras de filmar mais acessíveis, que permite a transmissão em direto sem recurso a nenhum equipamento adicional ou computador, bastando apenas uma boa ligação à Internet, que pode ser acedida de diversas maneiras. É uma excelente câmara e já filma em 4K com saída HDMI e SDI, com dimensões relativamente portáteis. Tem sido alvo de excelentes análises por profissionais do setor, por isso, se puder investir cerca de 3000 €, será uma excelente opção.

Parece muito para quem vai transmitir apenas alguns eventos, mas parece pouco para quem precisa de uma solução prática e de boa qualidade de filmagem. De qualquer modo, pode utilizar qualquer outra câmara de filmar que tenha uma entrada de áudio para microfone e que tenha boa qualidade de imagem, pois pode ligá-la a um sistema de *streaming* externo ou a uma placa de captura para computador. Por exemplo, a Panasonic VXF 990 já é para um orçamento mais moderado.

Streaming Direto da Câmara

O Teradek VidiU permite ligar a qualquer câmara de filmar com saída HDMI e transmitir em direto para o YouTube, o Facebook (ou qualquer outra plataforma). Basta que tenha um router 4G por perto, Pen 4G, Wi-Fi ou cabo de rede. Também permite transmitir a partir de várias fontes de vídeo sem fios para a aplicação Live:Air, de modo a poder gerir uma transmissão multicâmara sem fios através de um iPad.

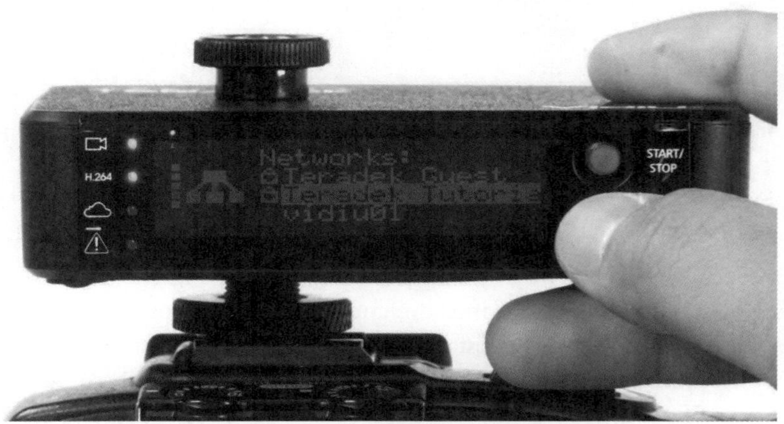

Figura 118 – Teradek VidiU é uma solução muito versátil para transmitir em direto.

Aplicação Mobile

A aplicação Live:Air permite obter *feed* de vídeo de equipamentos Teradek, ou mesmo através do mobile, com a aplicação Live: Air Remote.

Torna possível a transmissão em direto através de um *smartphone* ou de um *tablet*, apenas com a própria câmara do respetivo equipamento.

Mas não se fica por aqui! Possibilita controlar várias câmaras móveis no seu iPad. Além de comutar várias câmaras sem fios, pode adicionar vídeos que estão no seu equipamento, imagens, títulos e outras sobreposições de elementos gráficos. Possibilita controlo de origens de áudio e de outras parametrizações profissionais. Existe uma opção grátis com várias limitações e com marca de água, que serve apenas para experimentar, para depois evoluir para a versão paga que custa 99 dólares. Não é barato, mas, se este caminho lhe agrada, vá em frente!

Switcher Multicâmara

Este tipo de equipamento permite ligar várias câmaras através de cabo HDMI ou SDI para poder comutar o sinal de câmara.

Figura 119 – O ATEM Television Studio HD é um switcher versátil para transmissões em direto.

O ATEM TV Studio da Blackmagic é uma excelente solução e muito utilizada por Web TV. Permite ligar várias câmaras HDMI ou SDI, para poder comutar facilmente planos diretamente no painel ou com o software que vem incluído. Por isso, esta é normalmente uma solução para quem pretende montar o seu estúdio portátil de TV, assemelhando-se, no fim, a uma pequena régie. Cerca de 900 € são suficientes para começar a elevar as suas transmissões a um nível mais profissional.

Se precisar de um switcher totalmente sem fios, o SlingStudio é a solução para si. Precisará de um orçamento mais folgado para adquirir essa mobilidade. Pode ver mais em: *www.myslingstudio.com/store*.

Placas de Captura

Se quiser ligar uma câmara de filmar a um computador, precisará de uma placa de captura HDMI ou SDI. Recomendo da Blackmagic (existe para portátil, computador fixo, PC e Mac): é uma boa opção, a bom preço.

Este tipo de placa permite ligar a saída HDMI de qualquer câmara a uma entrada do computador USB3 ou Thunderbolt, para poder obter o sinal de vídeo. Não adianta tentar ligar à saída HDMI que tem no seu portátil ou no computador fixo, pois é apenas saída, não é entrada. Não vai resultar – acredite em mim!

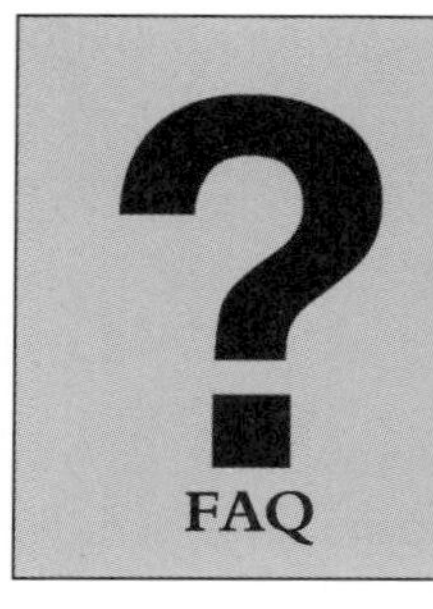

COMO CAPTURAR O SINAL DE VÍDEO DE UMA CÂMARA DE FILMAR?

Será necessário adquirir uma placa de captura de vídeo HDMI, pois o seu computador apenas tem saída HDMI para ligar a um monitor externo.

Transmissão Mobile e Drones

Também pode transmitir em direto com o seu *smartphone*, utilizando a respetiva aplicação Social Media para o efeito. Se tiver um *smartphone* com uma boa câmara, ajuda muito. Utilize ainda um *selfie sticker* para estabilizar o vídeo e um estabilizador motorizado (gimbal) para dar um aspeto mais profissional.

Se quiser voar mais alto, existem drones que permitem transmitir em direto, utilizando o seu *smartphone*. É o caso do DJI Phantom, do Mavic Pro ou do Spark.

Legendas

Pode colocar legendas em texto no YouTube ou no Facebook através do formato compatível. Pode não ser necessariamente para traduções, mas para uma transcrição, dando a possibilidade de receber a mensagem a quem estiver a ver o vídeo com o som desativado. Faz sentido, por exemplo, no Facebook, já que isso acontece por defeito no autoplay.

Existem várias ferramentas para a criação de legendas: Camtasia (também faz automaticamente), Aegishub, HTML5 Video Caption Maker, Subtitle Workshop e Subs Factory. A forma mais simples é legendar através do YouTube, podendo utilizar o mesmo ficheiro também no Facebook.

Se desejar ver um vídeo no seu computador com o respetivo ficheiro de legendas, pode utilizar, por exemplo, o VLC, ativando as legendas ou indicando onde está localizado o ficheiro.

Mas se desejar, também pode legendar um vídeo diretamente, para que, independentemente de onde seja carregado, apareça sempre o texto em rodapé. O Virtualdub é uma das soluções para incorporar as legendas no ficheiro de vídeo, de modo que fiquem sempre visíveis, independentemente do dispositivo ou do meio onde é reproduzido.

Armazenamento e Distribuição

Depois da produção do vídeo, terá de o armazenar em algum local. Como os ficheiros originais de edição são sempre de grandes dimensões, terá de definir procedimentos redundantes para não perder o material.

Em princípio, vai distribuir o trabalho produzido online nos Social Media; será o primeiro passo. No entanto, deve guardar o ficheiro num serviço Cloud, ou localmente, se precisar de, no futuro, publicar noutro local. Aliás, não se esqueça de guardar os projetos e todos os ficheiros originais numa pasta, que poderá ficar num disco rígido externo. Poderá apagá-lo ao fim de um ano, se não vir nenhuma utilidade ou possibilidade de voltar a editar. Recomendo que faça *backup* no Google Photos, que lhe permite armazenar vídeos sem limites.

Algumas ferramentas que pode utilizar:

- Google Drive;
- Google Photos;
- Dropbox;
- iCloud;
- Onedrive;
- Adobe Creative Cloud.

Soluções de Produção de Vídeo

	Valor em €	Gravação auditório	Vídeo genérico	*Webinar* em direto	Cenário Virtual	Live 4 câmaras	Live 1 câmara	Live mobile	Gravação mobile	Web TV	Gravação 4K	*Podcast*	Tutoriais de cursos
COMPUTADOR													
Macbook Pro	2850			○		●	○			●	○		
Portátil Windows	1500	○		○		●				●			
Compu. fixo (Mac/PC)	1000			●	●					●	○		●
CÂMARAS DE FILMAR, FOTOGRAFIA, AÇÃO E *WEBCAM*													
Panasonic AC 90	1900	●				●	●			●			
Panasonic VXF 990	750		●	○	●	●	○			○		○	●
JVC GY-HM 200	3000					●	○			○	●		
GoPro	400	○				●		○		○			
Logitech C920	90			●		○	○			○		○	○
Canon 80D	1400	○	○				○			●			
Panasonic G7	800					○				○	○		
MOBILE													
App Live:air	99	○						●					
Selfie Stick ou tripé	20			○				○	●	○			○
Smartphone/tablet	600	○		○				●	●				
MICROFONES													
Sony UWP-D11	750	●	○		●	●				●	●		
Sony ECM 4	200							○	○		○		
Rode Link	390			○			●			○	○		○
Zoom H4N ou H6	300	○								○	○	○	
BOYA BY-M1	20		●					○	●				○
Rode Smartlav	65		○	○				○	○			○	○
Blue Microphone Yeti	100			○								●	●
TRIPÉS, FUNDOS E ILUMINAÇÃO													
Benro KH-25N	160	●	●		●	●	●			●	●		●
Projetores de luz	250		●	○	●					●	○		●
Fundo verde	70		○		●		○	○		○			
OUTROS EQUIPAMENTOS													
Router 4G	180					●	●			○			
Teradek VidiU	800					○	○	○		○			
ATEM TV Studio HD	900	○				●	○			○			
Cabos vídeo e áudio	50	●	○			●	●			●		●	○
Placa de vídeo	250					●	●			●			●
Software	300	○	●		●	●	●		○	●	○	●	●
TP-300 Datavideo	350		○		○					○			
Investimento desde €		**2860**	**1480**	**90**	**2280**	**13090**	**3050**	**99**	**40**	**7910**	**3910**	**150**	**1810**

Legenda: ● Equipamento essencial | ○ Equipamento facultativo ou extra

A Sua Checklist Produção de Vídeo

N	✓	TAREFAS A IMPLEMENTAR
1		Escolha o equipamento de filmagem adequado
2		Analise os formatos de vídeo com mais interesse
3		Produza vídeo com ferramentas simples
4		Produza vídeo com o seu *smartphone*
5		Crie vídeos com meios mais avançados, se aplicável
6		Grave vídeos no formato 360, para obter mais interatividade
7		Faça transmissões em direto

15
SEO – Otimização Para Motores de Pesquisa

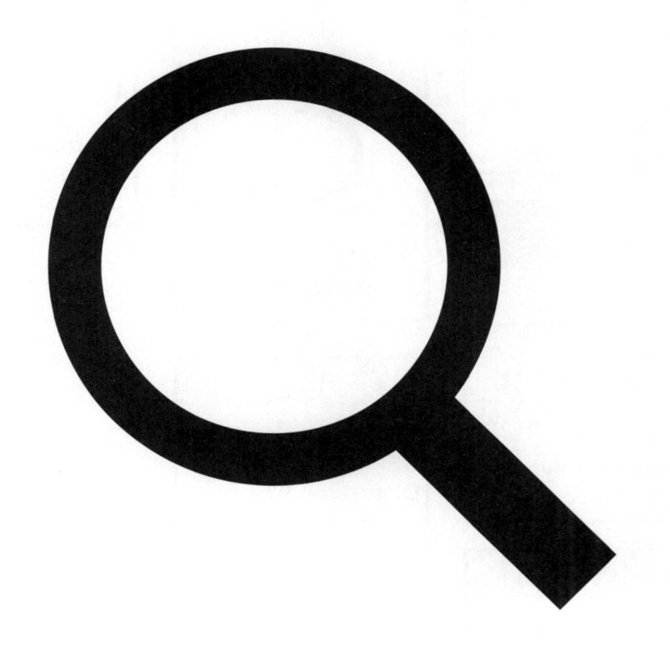

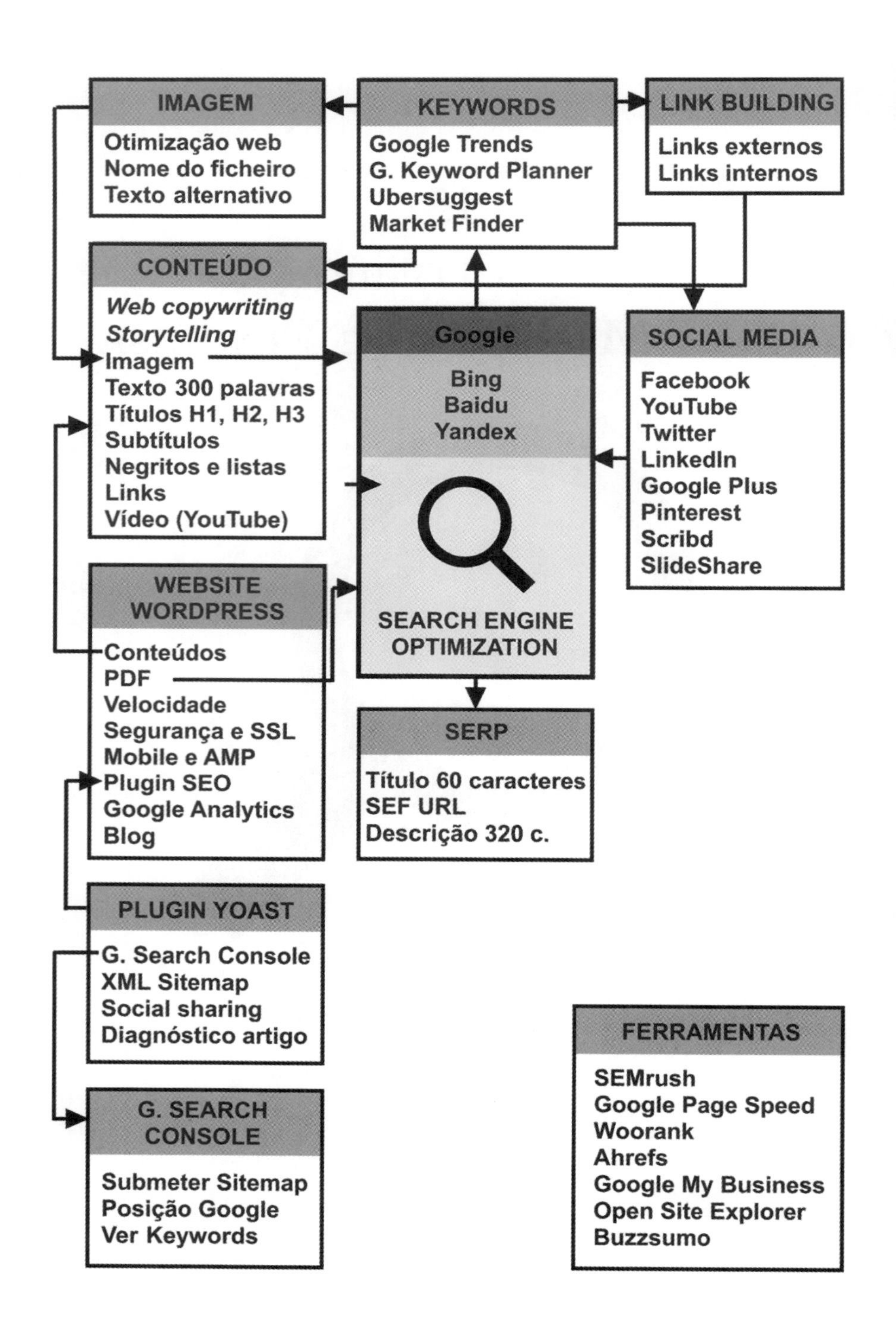
IMAGEM
Otimização web
Nome do ficheiro
Texto alternativo
KEYWORDS
Google Trends
G. Keyword Planner
Ubersuggest
Market Finder
LINK BUILDING
Links externos
Links internos
CONTEÚDO
Web copywriting
Storytelling
Imagem
Texto 300 palavras
Títulos H1, H2, H3
Subtítulos
Negritos e listas
Links
Vídeo (YouTube)
Google
Bing
Baidu
Yandex
SEARCH ENGINE OPTIMIZATION
SOCIAL MEDIA
Facebook
YouTube
Twitter
LinkedIn
Google Plus
Pinterest
Scribd
SlideShare
WEBSITE WORDPRESS
Conteúdos
PDF
Velocidade
Segurança e SSL
Mobile e AMP
Plugin SEO
Google Analytics
Blog
SERP
Título 60 caracteres
SEF URL
Descrição 320 c.
PLUGIN YOAST
G. Search Console
XML Sitemap
Social sharing
Diagnóstico artigo
G. SEARCH CONSOLE
Submeter Sitemap
Posição Google
Ver Keywords
FERRAMENTAS
SEMrush
Google Page Speed
Woorank
Ahrefs
Google My Business
Open Site Explorer
Buzzsumo

O Que É o SEO?

O *Search Engine Optimization*, que significa otimização para motores de pesquisa, apesar de ser tão antigo quanto a presença na web, está em constante evolução, como um ser vivo, pois os algoritmos de otimização mudam frequentemente – tal como os hábitos de pesquisa dos utilizadores. O objetivo é otimizar para captar visitas legítimas, considerando a relevância e a semântica das palavras-chave.

Faça um diagnóstico preliminar em: *www.woorank.com* e compare a sua pontuação com a da concorrência. Assim, já terá uma perceção inicial do que está a fazer bem e do que precisa de melhorar.

Através do Google Analytics, pode saber a origem de tráfego orgânico e o comportamento dos utilizadores no website (conversões, vendas, páginas vistas), analisando, desta forma, o impacto no seu negócio.

Por vezes, existe a fixação em otimizar para motores de pesquisa. Pense antes na otimização para as pessoas: o que o Google tenta fazer. Se o seu website proporcionar uma boa experiência e se tiver bons conteúdos, de que os seus utilizadores gostem, esse é um bom SEO!

Tenha em consideração que leva tempo a executar uma boa estratégia de SEO, utilizando as *keywords* certas e criando conteúdo original de qualidade. Obter referências de links com qualidade não é tarefa fácil. No entanto, os resultados são consistentes e sustentáveis.

Apesar de o Google dominar na maioria dos países, existem outros motores de pesquisa onde também deve considerar submeter o seu website:

- Google – *www.google.com/webmasters/tools*;
- Bing – *www.bing.com/toolbox/webmaster*;
- Yandex – *https://webmaster.yandex.com*;
- Baidu – *http://zhanzhang.baidu.com*.

Conteúdos

Conteúdos autênticos, únicos e de qualidade atraem grandes volumes de visitas orgânicas. Aposte em técnicas de copywriting para conjugar as palavras-chave certas, cativando também o utilizador com uma forma de comunicar adequada e agradável. A isso, junte ainda um layout do website bem desenhado.

O blog resulta muito bem, especialmente para quem tiver um website mais institucional. Por exemplo, se tem uma loja online de roupa, crie um blog que fale sobre tendências, dicas de beleza, de saúde, moda e outros assuntos que interessem ao seu público-alvo. Desta forma, conseguirá atrair mais tráfego, captando a atenção para os produtos que deseja vender. Atualize-o frequentemente.

Publique entrevistas em texto, mas utilize também o vídeo para atrair mais visitas e para ter um conteúdo que não é copiável.

Descubra aquilo de que os utilizadores estão a gostar mais nos websites concorrentes e o que estão a partilhar nas redes sociais com o: *www.buzzsumo.com*.

Com uma web social, não poderia deixar de ser importante o Facebook, o YouTube, o Google Plus, o Twitter, o Pinterest, o LinkedIn e outros Social Media. Aposte numa presença ativa e diversificada nas redes sociais que fazem mais sentido para o seu negócio.

Analise os conteúdos mais vistos no Facebook, no YouTube e noutros Social Media, e faça um artigo no seu website.

Search Engine Marketing

O *Search Engine Marketing* inclui o *Search Engine Optimization* (otimização para motores de pesquisa) e o *Search Engine Advertising* (publicidade nos motores de pesquisa, como o Google AdWords). Os dois são importantes. Investir em publicidade sem primeiro otimizar resultará numa campanha mais fraca e com menos eficiência. Focar-se apenas em SEO não vai proporcionar todos os resultados que procura.

Imagine que amanhã irá ter uma promoção sazonal de um produto. Como poderá chegar rapidamente ao público-alvo que pesquisa ativamente no Google ou que está a visitar websites ligados a esse setor? Através de anúncios, claro!

Neste quadro pode consultar as características principais de cada um:

SEARCH ENGINE MARKETING	
SEARCH ENGINE OPTIMIZATION	SEARCH ENGINE ADVERTISING
Investimento reduzido	Mais fácil
Credível	Mede ROI com exatidão
Escalável	*Banners* na Rede Display
Maior ROI a longo prazo	Resultados imediatos
Sustentável	Menos técnico
Relevante	Mais caro a longo prazo
Mais difícil e trabalhoso	Mas... são anúncios!

Figura 120 – *Search Engine Optimization* vs. *Search Engine Marketing*.

Os SERP são os *Search Engine Results Page*. Ou seja, são os resultados que aparecem no motor de pesquisa onde está a publicidade em primeiro e, depois, os resultados orgânicos não pagos.

A SEMrush é das ferramentas mais populares nos profissionais de Search Engine Marketing, por ser muito completa e eficiente.

Algumas das principais vantagens da ferramenta são:

- Faz auditoria técnica de SEO e ao website;
- Faz monitorização de posição;
- Apresenta ideias para ganhar mais tráfego orgânico;
- Fornece inteligência competitiva;
- Executa análise e auditoria de *backlinks*;
- Faz análise de estratégia de anúncios;
- Faz análise da concorrência;
- Faz análise de redes sociais.

Experimente esta ferramenta em: *https://pt.semrush.com*.

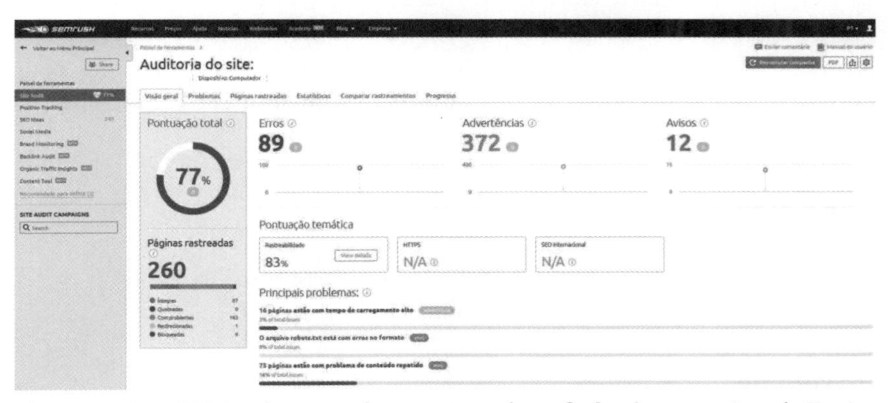

Figura 121 – SEMrush, uma ferramenta de referência para *Search Engine Marketing*.

Keywords

As palavras-chave são o principal pilar do SEO, porque tudo funciona em torno delas: para pesquisar, para escrever nos vídeos e nas imagens, na pesquisa por voz (mobile, Alexa, Google home e outros). Enfim, tudo se apoia em palavras! É também um pilar fundamental aos anúncios nos motores de pesquisa Google para poder fazer uma boa seleção de palavras, para as quais deseja mostrar anúncios. Uma palavra-chave (keyword ou expressão de pesquisa) pode ser constituída por uma palavra, simplesmente, ou por várias. Normalmente, os utilizadores pesquisam com duas a três palavras.

Por isso, invista algum tempo em construir uma boa lista de palavras-chave específicas e em as atualizar regularmente. Para começar a criar, considere as seguintes orientações:

- Defina os seus serviços e produtos;
- Defina *keywords* específicas e *keywords* genéricas;
- Escreva todas as potenciais *keywords*;
- Descarte aquelas que não tenham volume suficiente (teste no Google Keyword Tool);
- Opte por áreas de menor concorrência: *longtail*;
- Direcione para o seu público;
- Analise a concorrência;
- Defina as que são mais efetivas e relevantes para o website.

Nas palavras-chave existem três fatores fundamentais: relevância, volume e concorrência. A situação perfeita na escolha seria uma palavra-chave altamente relevante, com muito volume de pesquisa, mas com pouca concorrência. Tente descobrir as que constituem o melhor cenário possível na combinação destes três fatores.

Relevância

- A palavra-chave está relacionada com o anúncio?
- O texto da *landing page* tem relação com o assunto?
- Está relacionada com o seu produto ou serviço?

Volume

- Analise se o seu volume de pesquisas é minimamente aceitável;
- Consulte, no Planeador de Palavras-Chave, as pesquisas mensais (média): *https://adwords.google.com/ko/KeywordPlanner*;
- Compare *keywords* no Google Trends: *www.google.com/trends*.

Concorrência

- Pesquise se existem conteúdos ou produtos similares;
- Analise-a na coluna «Concorrência» do Planeador de Palavras-Chave;
- Conjugue várias *longtails* (nicho) para ter menos concorrência.

CRIE UMA BOA LISTA DE *KEYWORDS*

Invista algum tempo em criar uma boa lista de expressões de pesquisa que sejam importantes para o seu negócio. A utilidade desse ficheiro irá muito além do SEO, pois tudo no Marketing Digital funciona com palavras.

Ferramentas de *Keywords*

Como já percebeu, a recolha de boas palavras-chave é o segredo! Por isso, vou apresentar algumas ferramentas muito úteis. As essenciais são: Google Trends; Planeador de Palavras-chave do Google e Ubersuggest. Depois de utilizar estas, sentindo necessidade de ferramentas mais avançadas, passe à lista seguinte.

Google Trends: esta ferramenta pode ser utilizada para anúncios e para SEO, mas também para muito mais do que isso: para obter ideias para domínios e para nomes de produtos, para prever sazonalidade, para escolher nomes de empresas e outros estudos. Lembre-se, esta informação reflete o que o mundo inteiro está a pesquisar no Google, sendo, portanto, o seu interesse direto relacionado com um produto ou com um conteúdo. Esta informação é valiosíssima. Aceda a: *www.google.pt/trends*. Quando analisa as palavras-chave, pode consultar também as pesquisas relacionadas e as tendências – importante para SEO.

Principais funcionalidades:

- Analisa dados ao longo do tempo;
- Filtra por país e por região;
- Permite selecionar determinado período;
- Filtra por categorias de interesses;
- Compara várias palavras-chave: singular, plural, mal escrito, outros;
- Apresenta tendências a subir e relacionadas.

Planeador de Palavras-Chave do Google: integrada no Google AdWords, esta ferramenta poderosa é também muito útil para SEO pela informação disponibilizada. E pode ter muitos mais utilizações, pois tudo se baseia em palavras-chave. Aceda em: *www.google.com/sktool*. Se ainda não tiver uma conta Google AdWords, é possível criá-la, avançando dados de faturação e método de pagamento, para poder utilizá-la apenas para este fim: *http://g.co/etoaw*.

Algumas funcionalidades:

- Ver por país e por idioma;
- Ver nível de competição;
- Aplicar vários filtros;
- Ver tipo de correspondência: mudar para exata, no caso do SEO;
- Ver ideias de grupos de anúncios e de palavras-chave;
- Ver volume de pesquisa: média de pesquisas mensais;
- Selecionar e fazer download do ficheiro .CSV para MS Excel.

Ubsersuggest.org: aqui escolha o país e digite a palavra-chave genérica que pretende para gerar uma lista de todas as variações possíveis, baseando-se no Google Suggest. Quando começa a escrever uma keyword na caixa de pesquisa Google, surgem sugestões. Essas palavras são as mais prováveis de utilizar e com um volume de pesquisa considerável, por isso são importantes para SEO. A grande vantagem de utilizar o Ubersuggest é que exporta em ficheiro .CSV todos as *keywords*, em vez de o fazer manualmente no motor de pesquisa Google. Aceda em: *www.ubersuggest.org*.

Google Global Market Finder: para encontrar oportunidades nos vários países e idiomas, obtendo informação concorrencial (bom para internacionalização). Aceda em: *https://translate.google.com/globalmarketfinder*.

Mais ferramentas para *keywords*:

- Bing *Webmaster* Tools – *www.bing.com/toolbox/keywords*;
- Google Search Console – *www.google.com/webmasters/tools/search-analytics*;
- WooRank – *www.woorank.com*;
- Keywordtool.io – *www.keywordtool.io*;
- SEMrush – *www.semrush.com*;
- KeywordSpy – *www.keywordspy.com*;
- Spyfu – *www.spyfu.com*;
- KeywordDiscovery – *www.keyworddiscovery.com/search.html*;
- Mergewords – *www.mergewords.com*;
- Kwfinder – *www.kwfinder.com*.

Analise a Concorrência

Se utilizar no Google o comando «allintitle: curso marketing digital», terá os resultados de todas as páginas que têm a palavra-chave «curso marketing digital» no seu título. Assim, desta forma, descobrirá concorrentes que irão aparecer nos resultados desta pesquisa.

Pode analisar as suas páginas, os seus conteúdos e outros fatores, de modo a superar o trabalho realizado e aumentar as probabilidades de aparecer primeiro.

Para analisar o que a concorrência está a publicar nas páginas do Facebook, digite no Google «curso marketing digital site:facebook.com inurl:/posts», onde, neste caso, serão listados todos os *posts* que referem «curso marketing digital».

A Moz, uma empresa de referência em serviços e ferramentas SEO, tem muitas ferramentas importantes neste âmbito. Uma delas permite analisar o grau de dificuldade para determinada palavra-chave e para a sua concorrência. Assim, consegue fazer melhores escolhas pelo caminho menos sinuoso. Consulte várias ferramentas de SEO gratuitas em: *www.moz.com/free-seo-tools*.

MS Excel para Controlo

Precisará de criar uma folha de cálculo e de começar a listar todas as páginas do seu website. Na execução deste documento deve ter em consideração os seguintes aspetos: não repetir título, criar novos SEF (*Search Engine Friendly*) URL para novos assuntos, não forçar títulos quando não representam o conteúdo, não exceder o tamanho visível nos resultados, manter uma boa organização de conteúdos e adaptá-los constantemente a novas necessidades de conteúdos. Este método permite-lhe também trabalhar em equipa e analisar o histórico para o ajudar a construir o futuro de conteúdos.

Otimizar Website com *Keywords*

Todos os artigos do seu website devem ser submetidos a uma análise de saúde de SEO. Se o fizer de forma manual, considere as seguintes premissas:

- Ter um título único até cerca de 60 caracteres (ou 600 píxeis) com palavras-chave relevantes. Definir subtítulos H1, H2, H3 e H4;
- Criar uma descrição única (*metatag*) até cerca de 150 caracteres (ou 920 píxeis);

- Criar link SEF – Search Engine Friendly. Significa que deve ser um link com palavras, em vez de códigos estranhos;
- Escolher bons subtítulos;
- A palavra-chave que pretender focar deve ter uma densidade até 2,5% do texto;
- Criar ligações para outros conteúdos no seu website e para links externos, quando relevante;
- Ter nome do ficheiro, texto alternativo e legenda das imagens com palavras-chave.

No entanto, no caso do WordPress, o *plugin* gratuito SEO by Yoast faz esta avaliação de forma automática em todos os artigos. Na gestão dos artigos, pode ver um sinal verde ou um sinal vermelho (e outras cores) que representa a saúde do conteúdo. Se entrar nos separadores do *plugin* (em cada artigo ou em cada página), pode analisar todos os detalhes do que precisa melhorar.

Avaliar *Keywords*

É possível avaliar as palavras-chave. Ao fazer campanhas Google AdWords e medir o seu ROI, estabelece um valor dessa palavra-chave para o seu negócio.

Analise o comportamento no Google Analytics do SEF URL (endereço único), para saber a origem de visitas orgânicas e os resultados que gerou no seu website, podendo também analisar o fluxo de visitantes.

No entanto, é importante adaptar as palavras-chave ao longo do tempo, porque os interesses vão mudando, os temas centrais e os assuntos relacionados também. Por isso, deve testar novas palavras-chave ao longo do tempo.

Registe também o número de resultados para cada palavra-chave quando pesquisar no Google. É um bom indicador comparativo da concorrência que tem em relação à oferta de conteúdos.

O objetivo será aparecer na primeira página para cada palavra-chave que tenha definido. Para testar de forma isenta – no Google Chrome –, carregue em CTRL+Shift+N, para navegar de forma anónima e não haver influência nos resultados de pesquisa, do histórico, de *cookies* e do seu login Google.

Deve definir objetivos no Google Analytics e medir o seu valor. Por exemplo, pode definir que cada pessoa que se inscreva na lista de e-mails valha 0,5 €, com base no potencial de conversões em vendas de um produto. Então, todo o tráfego orgânico que converte esse objetivo tem um determinado valor mensal. Pode também fazer para outros objetivos: páginas vistas, comprar produto, partilhar nas redes sociais e outras ações.

Link Building

É outro pilar importante do SEO, que aliás foi a fundação para a relevância de resultados nos primórdios do Google, no final da década de 1990.

Portanto, considera-se que um link seja igual a um voto, sendo que o peso deste voto traduz a credibilidade de quem o está a referir. Convém que seja de um website com autoridade e também que exista relevância com o conteúdo onde está o link.

O *anchor text* é o texto que contém link para outra página. É recomendável uma palavra-chave relevante. É suposto que a quantidade de links aumente com o tempo e de forma consistente. Se aumentar de repente, sem sentido, significa que, em princípio, comprou links ou que utilizou outra técnica menos natural, podendo ser penalizado por práticas que forcem *link building*.

Links internos: estão presentes na navegação do website, no menu, nos blocos laterais, no *footer* e nos artigos.

Quando escreve um artigo, é uma boa prática criar ligações com assuntos que sejam abordados noutras páginas. Deve apostar nestas ligações internas, porque ajuda a reter o utilizador e a canalizar autoridade para outras páginas.

Links externos: obter links de páginas externas ao seu domínio é muito importante. A melhor forma é criar conteúdos que despertem interesse, fazendo que naturalmente outros websites liguem para o seu. Pode também fazer chegar conteúdos de qualidade a quem puder referenciar: universidades, blogs da especialidade, *opinion makers*, ou pesquisar na web para descobrir a quem poderá ter interesse.

Não é uma boa prática pagar para obter links noutros websites ou fazer troca de links sem relevância.

Ideias de oportunidades para obter links:

- Analisar *backlinks* de outros websites, podendo utilizar a ferramenta: *www.opensiteexplorer.org* e filtrar apenas links externos;
- Usufruir do *Guest blogging* – escrever para outros blogs, ligando-os ao seu website;
- Obter ligações de organizações sem fins lucrativos, causas e escolas. Têm normalmente boa influência e credibilidade;
- Usar websites de perguntas e respostas;

- Aceder ao Google Alerts para detetar menções à marca, ao produto e ao serviço, podendo intervir nessas referências com links;
- Partilhar conteúdo educativo, formativo e valioso, sendo referido, naturalmente, por outros websites.

Ferramentas Link-Building

Existem imensas ferramentas que o ajudam a construir links. Deixo sugestões de algumas das mais conhecidas:

- SemRush – permite fazer uma análise muito completa de SEO;
- Similarweb – identifica o tráfego estimado de um website;
- *www.alexa.com/topsites/countries/PT* – permite saber quais são os websites mais visitados do mundo, por país e por categoria. Os mais visitados serão excelentes ideias para serem ligados ao seu.
- *http://tools.buzzstream.com/link-building* – dá acesso a uma série de ferramentas gratuitas para encontrar oportunidades de links, para pesquisa e para automatizar tarefas;
- *www.ahrefs.com* – fornece uma análise detalhada e clara sobre os links para o seu website, a sua proveniência e a consistência da evolução ao longo do tempo, visível num gráfico de consulta fácil;
- *www.opensiteexplorer.org* – obtém uma pontuação da autoridade do domínio, links internos e externos e pode compará-lo com outros websites para aprender com o processo;
- *www.removeem.com/ratios.php* – permite obter um relatório de otimização do *anchor text* e saber o que deve corrigir;
- *http://pt.majesticseo.com* – mede os *backlinks* externos, domínios de referência, IP de referência e outros indicadores;
- *www.followerwonk.com* – pesquisando um tema, tem uma listagem de contas Twitter, relacionadas com o número de *tweets*, segundo seguidores, idade e autoridade social. É uma boa forma de encontrar opinion makers;
- Google Analytics – no tráfego de referência pode saber que websites estão a ligar para o seu, perceber a razão e reforçar a relação;
- Google Search Console – pode aceder a tráfego de pesquisa > links para o seu website, para conhecer os conteúdos que têm mais links, como os dados estão ligados e quem está a criar mais ligações;
- *www.raventools.com* – se precisar de uma ferramenta que acompanhe todas as métricas e se puder investir, tem aqui uma possível solução.

WordPress

Apesar de já estar bem preparado para SEO, existem alguns procedimentos a executar.

Antes de mais, aceda a Opções > Ligações permanentes > Nome do artigo, e valide esta opção para ativar os SEF URL. Assim, os links passam a conter o nome do artigo, sendo muito mais atrativo nos resultados de pesquisa do Google.

Plugin SEO

Recomendo que instale o *plugin* grátis: WordPress SEO by Yoast. Depois, pode executar o assistente para ajudar nas definições iniciais.

De seguida, aceda a «Ferramentas de Webmaster» para ligar ao Google Search Console, ao Bing *Webmaster* Tools e ao Yandex, para poder ter acesso a funcionalidades mais avançadas e ativar a opção de páginas de definições avançadas. Assim, terá mais controlo em diversas opções.

Aceda ao separador «Redes sociais» e preencha todos os campos necessários para ter mais informação analítica. Personalize imagem e descrição para o Facebook e para o Google Plus, controlando a forma como quer que seja visto determinado artigo quando é partilhado nestas redes. Ative também a integração com Twitter e Pinterest.

Aceda a «Sitemaps XML» para obter o link e o submeter no Google Search Console.

Em «Títulos e Metas» defina o título e a metadescrição do website, por defeito.

Integração do Plugin SEO com Artigos

Depois, surgirá, por baixo de todos os artigos, uma pré-visualização sobre a maneira como vai aparecer o resultado no Google e como definir a keyword principal que se pretende posicionar. Tem a possibilidade de poder alterar o título e a descrição que aparecem nos resultados de pesquisa.

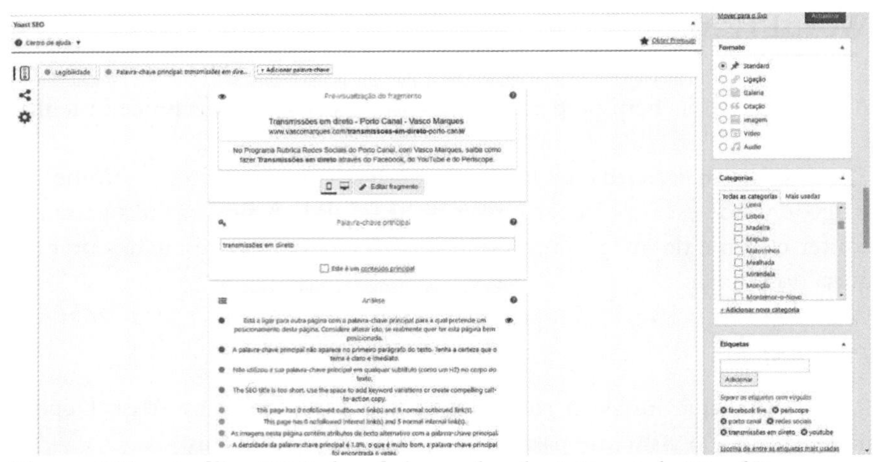

Figura 122 – Análise SEO da página pelo *plugin* Yoast do WordPress.

Terá uma avaliação sobre o que está bem e o que pode mudar, em função do seu artigo e da palavra-chave foco definida. Poderá consultar facilmente a análise da página com detalhes de orientações alinhadas com as boas práticas do SEO. Assim, conseguirá posicionar melhor esse artigo e ir aprendendo com o processo, com este acompanhamento automático, mas personalizado.

Será feita uma análise para ver se cumpre as boas práticas de SEO num artigo:

- A palavra-chave principal deve constar do primeiro parágrafo do texto, no URL, no título, em algum subtítulo e na metadescrição;
- O comprimento do título deve ser adequado;
- Boa densidade de utilização da palavra ao longo de todo o texto;
- A descrição deve ter menos de 320 caracteres;
- Ter imagens com texto alternativo;
- Ter no mínimo 300 palavras.

Será feita também uma análise em relação à legibilidade:

- O número de palavras depois de cada um dos subtítulos não deve ultrapassar o máximo recomendado de 300 palavras;
- Ter em atenção o tamanho dos parágrafos;
- Ver a percentagem de frases que tem mais de 20 palavras (o máximo recomendado é de 25%).

Na opção de «Redes sociais» consegue controlar o título, a descrição e a imagem que aparece quando alguém partilha o respetivo artigo no Facebook.

Velocidade

Se o seu website não for rápido, tudo o que fizer online fica comprometido. Faça o teste em: *http://developers.google.com/speed/pagespeed/insights.*

Obterá duas pontuações: telemóveis, que deve estar acima de 65; computadores, que deve estar acima de 75.

Recebe dois tipos de mensagem: otimizações possíveis e otimizações encontradas.

Os resultados podem ser influenciados pela hora do dia em que fez o teste ou por um grande volume de tráfego anormal (que também pode fazer baixar a pontuação) e pelo serviço de alojamento (que pode não ser capaz). Teste a velocidade global do website pelo menos mensalmente.

Se preferir, instale a extensão para Google Chrome e analise mais facilmente a velocidade do website que está a visitar: *https://developers.google.com/speed/pagespeed/insights_extensions.*

Faça também uma análise mais detalhada com outras ferramentas: *www.gtmetrix.com*, *www.webpagetest.org* e *https://tools.pingdom.com.*

Deve, depois, implementar as sugestões para melhorar o website, que podem variar muito, mas normalmente são: otimizar imagens, colocar em cache, melhorar a tecnologia utilizada e ajustar parâmetros no servidor do alojamento.

Em alguns casos mais específicos, pode justificar-se utilizar um serviço CDN (*Content Delivery Network*) para distribuir conteúdos pelo mundo, de forma redundante, com servidores próximos do local do visitante. Com um custo relativamente baixo, consegue aumentar consideravelmente o desempenho. Pode optar pelo Cloudflare, MaxCDN ou MOG Technologies.

Para melhorar ainda mais a velocidade, deve instalar, no WordPress, o *plugin* W3 Total Cache (colocar dados em cache) e o WP Smush.it (otimizar imagens).

Aceda a Google Analytics > comportamento > velocidade do site, para verificar a velocidade de cada página. Visite as que tiverem pior pontuação e perceba se existem conteúdos a originar essa métrica negativa.

Google Search Console

O Google Search Console é uma ferramenta gratuita que, apesar de ter um carácter técnico, é fundamental para o seu website. Permite obter *feedback* do Google em relação a vários aspetos de otimização e de indexação. É fundamental também para diagnóstico e para resolução de problemas (*malware*, indexação, rastreamento, rank, velocidade e robots.txt). São fornecidos os dados que o Google considera relevantes para o *webmaster*. Esta informação deve ser integrada no Google Analytics.

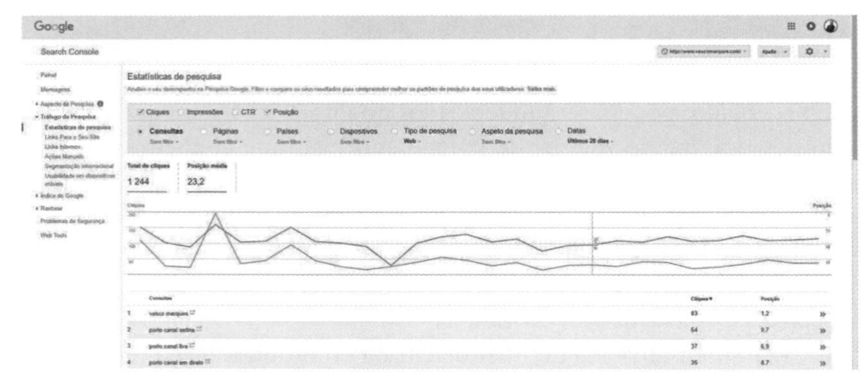

Figura 123 – Interface de gestão do Google Search Console.

Adicionar Website

Antes de mais, é necessário adicionar o seu website. Para isso, aceda a: *www.google.com/webmasters* e clique no botão «Adicionar uma propriedade» e insira o seu website (ou aplicação). De seguida, será necessário validá-lo: carregue o ficheiro que for fornecido; insira o código numa página ou utilize outros métodos alternativos disponíveis na plataforma. Se já tiver adicionado código do Google Analytics ao website, existe a possibilidade de o validar facilmente, desde que a conta Google seja a mesma. Depois de o validar, se clicar em «Gerir website», pode adicionar ou remover acesso de utilizadores ou eliminar a conta.

Funcionalidades

Depois de criar a conta, estão disponíveis as principais categorias de navegação: Painel, Mensagens, Aspeto da Pesquisa, Tráfego da Pesquisa, Índice do Google, Rastrear, Problemas de Segurança e Web Tools.

Quando acede ao painel de controlo, tem acesso à informação essencial: novas mensagens, estado atual do website, estatísticas de pesquisa e sitemaps.

Fique também atento às mensagens. Sempre que o Google detetar algum problema com o seu website, será notificado. Por exemplo, se existirem dificuldades de indexação e se o website for atacado com software malicioso.

Sitemaps

O sitemap é um ficheiro muito importante para dar a conhecer ao Google a estrutura do seu website e notificá-lo sempre que é atualizado. Assim, é-lhe enviado, de uma forma estruturada, o seu conteúdo e as respetivas atualizações.

Se estiver a usar o WordPress, basta utilizar o *plugin* WordPress SEO by Yoast: *www.wordpress.org/plugins/wordpress-seo*, sendo que qualquer um destes permitirá gerar um ficheiro XML. Depois de pronto, deve ter um formato deste género: *www.vascomarques.com/sitemap_index.xml*, que deve submeter em «Adicionar sitemap».

A partir desse momento, o Google vai indexar todas as páginas do seu website, tarefa que, normalmente, fica concluída em poucas horas.

Adicione o seu sitemap a partir do painel inicial, clicando em *sitemaps* e depois no botão para o adicionar. Algum tempo após a submissão, analise se tudo correu dentro da normalidade.

Aspeto da Pesquisa

Em «Dados Estruturados», pode consultar os resultados que estão a surgir com esta característica, que permite dar um pouco mais de destaque ao resultado quando tem dados com essa relevância.

Se não tiver esta funcionalidade nativa no seu website, pode clicar em «Marcador de Dados» e escolher o tipo de dados que tem o seu website: aplicações de software, artigos, críticas de livros, empresas locais, episódios de TV, eventos, filmes, produtos e restaurantes.

A opção «Cartões Ricos» é uma forma de fornecer dados sobre eventos, produtos e oportunidades no seu website. É possível apresentar os dados dos Cartões Ricos numa variedade de formatos em diferentes dispositivos.

Na opção seguinte, «Melhorias HTML», terá um conjunto de sugestões para melhorar o seu website, proporcionando uma melhor experiência ao utilizador e aperfeiçoando o desempenho do website.

No fim, consulte problemas nas páginas aceleradas para dispositivos móveis (AMP), para que sejam publicadas com destaque para os utilizadores mobile.

Tráfego de Pesquisa

Em «Estatísticas de Pesquisa» pode ver as consultas efetuadas no Google, por palavra-chave, que impressões tiveram, quantos cliques para o seu website e qual é a sua posição no Google para cada um destes critérios. Ative a opção

«Cliques» e «Posição» para saber quantos cliques obteve e a posição para cada pesquisa. Também pode fazer o mesmo para os URL das suas páginas.

PASSE PARA A PRIMEIRA PÁGINA DO GOOGLE

Em «estatísticas de pesquisa» analise que páginas aparecem entre a posição 10 e 20, para as poder melhorar, aumentando as probabilidades de subir de posição, passando para a primeira página. Não é garantido, mas é uma boa prática fazer esta otimização.

Aceda a «Links para o seu website» para ver que outros sites estão a ligar para o seu. A isto chama-se *backlinks* e são muito importantes para aumentar a relevância do seu website perante o Google e também porque trazem tráfego qualificado para o seu website. É bom saber quem o está a fazer, para deduzir o motivo. Se a origem do link for um artigo num blog já com comentários, pode juntar-se à conversa, criando interação com a comunidade.

Os «Links internos» mostram, por outro lado, os links para dentro do seu próprio website. É uma prática recomendada, especialmente quando adiciona um link a uma palavra-chave relevante nos textos dos artigos, para o utilizador saber mais sobre o assunto em causa.

Na «Segmentação Internacional» poderá configurar o país principal e verificar se o seu website utiliza etiquetas *hreflang*.

Em «Usabilidade em dispositivos móveis» poderá analisar se existe algum problema com a utilização de dispositivos móveis.

Índice do Google

O «Estado do Índice» mostra o total de páginas indexadas ao longo do tempo e as eventuais páginas bloqueadas.

Em «Recursos bloqueados» pode consultar recursos de websites que estão bloqueados para o Googlebot.

Se for ao separador «Remover URL», pode ver ou inserir um pedido para deixarem de ser indexados determinados links do seu website. Por exemplo, algum link com informação duplicada ou irrelevante, ou que não quer que seja conhecido pelos utilizadores (mesmo que não requeira login para entrar).

Rastrear

Nos «Erros de rastreamento», pode consultar os vários tipos de erro que o seu website está a devolver ao Google, que normalmente existem, especialmente em websites já com alguns anos de vida. O que tem de fazer é ver as páginas que não estão a abrir e ver como pode resolver isso. No limite, pode redirecionar esse link antigo para um novo, ação que poderá solicitar ao seu fornecedor de alojamento ou ao responsável do website.

Se quiser visualizar a atividade do Googlebot no seu website, aceda a «Estatísticas de Rastreio» para analisar quantas páginas estão a ser rastreadas por dia, o tamanho e o tempo que demorou a abrir. Podem ser bons indicadores, se algo estiver a funcionar incorretamente.

Em «Obter como Google», pode inserir um link específico que deseje rastrear (Computador e Mobile) e que, por alguma razão, não esteja no sitemaps (*landing page* por exemplo) ou que o Google ainda não tenha indexado.

Aceda a «Teste ao ficheiro robots.txt» para ver se está tudo bem com este ficheiro e, se quiser bloquear conteúdo que não pretenda que seja acedido pelo Google ou por outros motores de pesquisa, é aqui que o faz. Pode testar URL para saber se está a ser rastreado pelo Google, ou não. Como é um assunto mais técnico, pode falar com o responsável do seu website ou com o fornecedor de alojamento.

Em «Sitemaps», pode consultar gráficos do volume indexado das páginas web e das imagens do seu website. Se existir algum problema com o seu sitemap, ficará a sabê-lo aqui. Também pode adicionar mais *sitemaps*, se for necessário e de acordo com o projeto.

Problemas de Segurança

Com o passar do tempo, se não tiverem uma manutenção adequada e se não forem feitas as atualizações, os websites começam a ser explorados por falhas de segurança e podem receber os mais variados tipos de ataque, comprometendo o posicionamento no Google, a credibilidade, os dados e o retorno do investimento.

Só se conseguirá solucionar mitigando a falha de segurança e revertendo o processo do ataque (repondo um *backup*, por exemplo). Posteriormente, aceda às mensagens do Google Search Console para validar que já solucionou o problema, a fim de o seu website poder voltar a aparecer nas pesquisas.

Teste se o seu website é considerado seguro pela Google em: *https://transparencyreport.google.com/safe-browsing*. Conheça as recomendações dadas pela Google se o seu website for atacado em: *https://developers.google.com/webmasters/hacked*.

Web Tools

Consulte o relatório de experiências de anúncios, de modo a saber como é a experiência e se viola as Better Ads Standards.

Nas ferramentas de teste pode testar ou marcar com a ferramenta de dados estruturados. Também pode validar dados estruturados para e-mail.

No separador «Outros Recursos» estão disponíveis mais ferramentas:

- Google My Business – certifique-se de que a sua empresa tem um aspeto otimizado na pesquisa Google, no Google Maps e no Google+ em: *https://www.google.com/business*;
- Google Merchant Center – carregue produtos para o Google Shopping e outros serviços Google em: *www.google.com/merchants*;
- Google PageSpeed Insights – teste a velocidade do seu website em: *https://developers.google.com/speed/pagespeed/insights*;
- Pesquisa personalizada – coloque uma caixa de pesquisa Google dentro do seu website em: *www.google.com/cse*.

Google My Business

É uma ferramenta que permite gerir a presença do seu negócio no motor de pesquisa Google e no Google Maps.

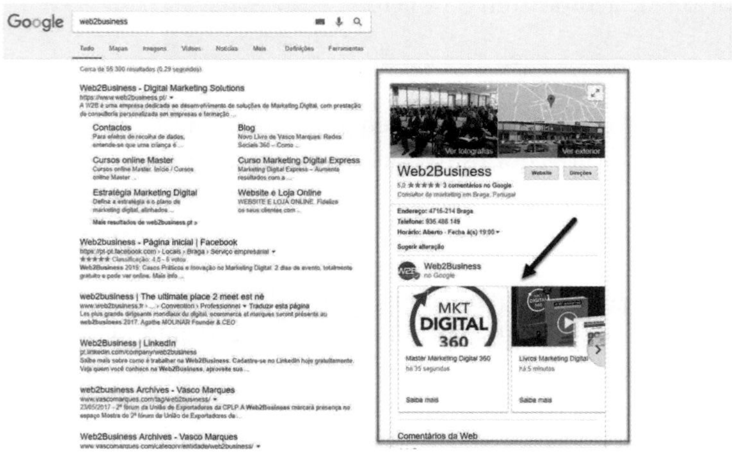

Figura 124 – Ficha da empresa no Google com publicações em destaque.

O primeiro passo é aceder a: *https://business.google.com* e adicionar o seu negócio. Depois, será necessário validar a morada, que normalmente é através do envio de um código por correio, para depois o inserir e completar o registo.

Depois disso, adicione a informação essencial sobre o seu negócio: fotografias, descrição, horário, serviços, telefone e outras informações relevantes. Pode responder aos comentários que os clientes fazem à sua empresa e saber estatísticas sobre cliques para o seu website e para chamadas telefónicas.

Para ter sempre o gestor do seu negócio à mão, instale a aplicação mobile. Ao entrar na sua conta, tem a possibilidade de adicionar várias contas empresariais, por exemplo, para negócios diferentes. Ao entrar na conta empresarial, pode adicionar várias localizações, se tiver várias lojas.

Entre no painel de controlo e veja as informações na página inicial: se está validado, informações essenciais, publicações, estatísticas, Google Analytics, comentários e YouTube.

Do lado esquerdo, poderá navegar no menu com diversas ações úteis:

- **Publicações** – permite adicionar publicações com texto, imagem, evento e botão. Estes *posts* aparecem nos resultados de pesquisa na ficha da empresa. Consulte o número de visualizações que vai obtendo;
- **Informações** – para editar as informações essenciais;
- **Estatísticas** – para consultar métricas sobre como e onde os clientes pesquisam a sua empresa, quantas ações realizadas para visitar o website, solicitar direções e ligar para a empresa;
- **Comentários** – permite ver e responder a comentários de clientes;
- **Fotos** – para adicionar mais fotografias nas categorias: descrição geral, do proprietário, do cliente, 360, interior, exterior, no trabalho, equipa e identidade. Consulte as visualizações ou apague o que não desejar;
- **Website** – permite criar um minissite que contém todas as informações e que é atualizado automaticamente. Veja um exemplo em: *http://web2business.business.site*;
- **Utilizadores** – adicione novos utilizadores com níveis de permissões.

Além disso, tem depois opções para criar um anúncio através do Google AdWords, adicionar nova localização, ver todas as localizações, alternar entre contas e aceder às definições.

A Sua Checklist SEO

N	✓	TAREFAS A IMPLEMENTAR
1		Efetue diagnóstico inicial e defina um plano de ação
2		Crie uma lista de *keywords* relevantes para o seu negócio
3		Produza conteúdos atrativos e partilhe-os nas redes sociais
4		Crie links internos e externos nos seus conteúdos
5		Otimize os conteúdos
6		Otimize velocidade do website
7		Submeta o sitemap do website no Google Search Console
8		Valide o seu negócio no Google My Business

16
Google Adwords

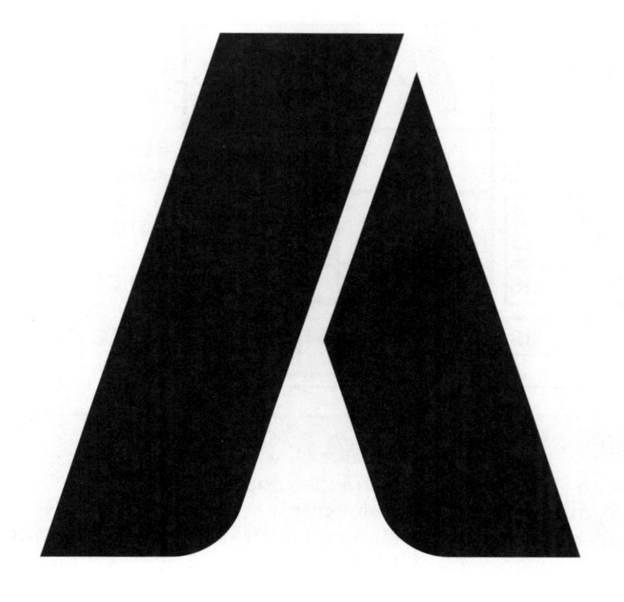

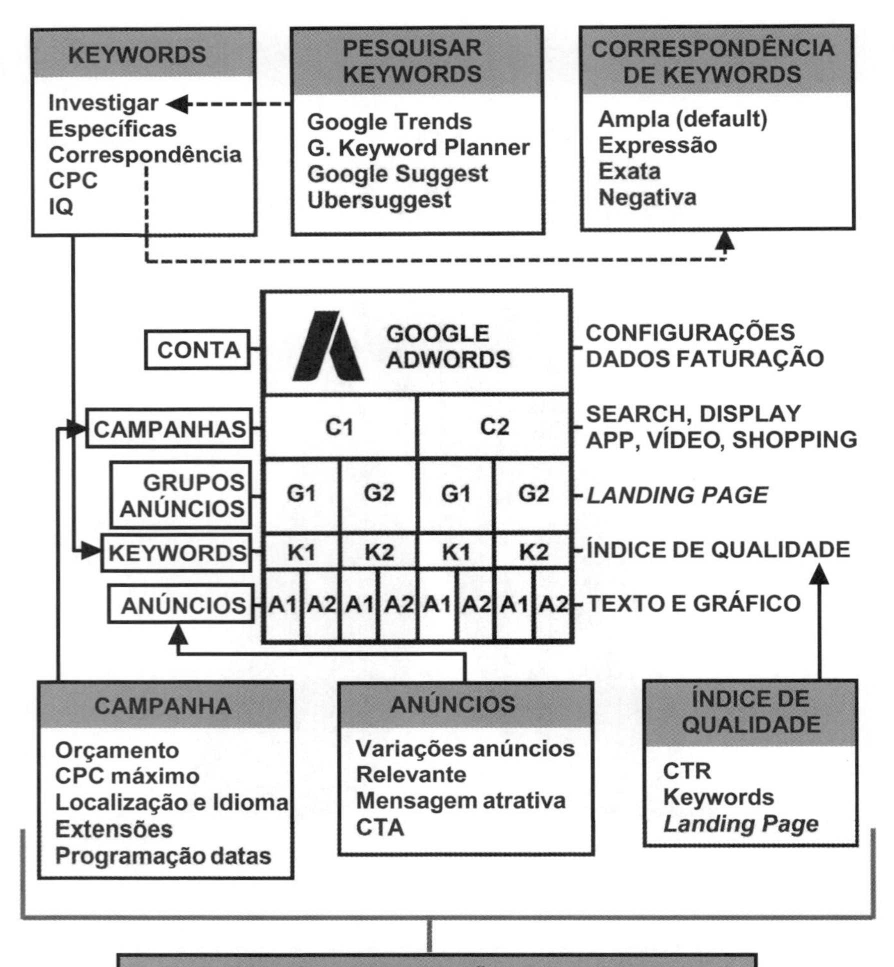
KEYWORDS
Investigar
Específicas
Correspondência
CPC
IQ
PESQUISAR KEYWORDS
Google Trends
G. Keyword Planner
Google Suggest
Ubersuggest
CORRESPONDÊNCIA DE KEYWORDS
Ampla (default)
Expressão
Exata
Negativa
CONTA
GOOGLE ADWORDS
CONFIGURAÇÕES
DADOS FATURAÇÃO
CAMPANHAS
C1
C2
SEARCH, DISPLAY
APP, VÍDEO, SHOPPING
GRUPOS ANÚNCIOS
G1
G2
G1
G2
LANDING PAGE
KEYWORDS
K1
K2
K1
K2
ÍNDICE DE QUALIDADE
ANÚNCIOS
A1
A2
A1
A2
A1
A2
A1
A2
TEXTO E GRÁFICO
CAMPANHA
Orçamento
CPC máximo
Localização e Idioma
Extensões
Programação datas
ANÚNCIOS
Variações anúncios
Relevante
Mensagem atrativa
CTA
ÍNDICE DE QUALIDADE
CTR
Keywords
Landing Page
OTIMIZAÇÃO
Ferramenta diagnóstico
Analisar métricas (CTR, conversões,...)
Analisar termos pesquisa e desempenho dos anúncios
Relatórios
Código de conversão
Remarketing
Inserção keywords e contagem decrescente
Google Analytics

O Potencial do Google AdWords

O Google AdWords permite fazer publicidade no motor de pesquisa Google, direcionada para utilizadores que estão ativamente à procura de alguma informação, produto ou serviço. Permite criar anúncios em texto, em vídeo, shopping, para aplicações e anúncios visuais para a Rede de Display, da qual fazem parte milhões de websites, com publicidade (Google AdSense). Se for uma campanha realmente bem feita e com relevância, conseguirá captar potenciais clientes no motor de pesquisa (já identificaram a sua necessidade) e em websites com *banners* onde pode segmentar (despertar a necessidade).

Antes de começar a fazer publicidade online, convém definir os seus objetivos (compra, tráfego, notoriedade da marca, contactos, subscrição ou outros), como pode atingi-los (tipo de publicidade, *landing page* e website) e medir (Google Analytics e outros). Defina também o seu público-alvo para perceber o seu comportamento, de que tipo de informação precisa, como converter, critérios demográficos e geográficos. De acordo com estas definições, deve adaptar o texto do anúncio e a linguagem, criar *landing page* com layout apelativo e com informação relevante, avaliar a concorrência, definir o seu orçamento e escolher onde fazer publicidade: rede de pesquisa, display e outras plataformas de publicidade.

É fundamental ter um website bem otimizado e, se possível, com técnicas de SEO já implementadas para obter melhores resultados. Através do Google Analytics, já consegue ter uma ideia da informação agregada dos perfis dos visitantes, que produtos são mais vistos, o tempo de permanência, as páginas de entrada e de saída, os funis de vendas e outros fatores. Estes dados poderão ajudar, na fase inicial, a decidir os produtos em que deve apostar mais, para fazer anúncios.

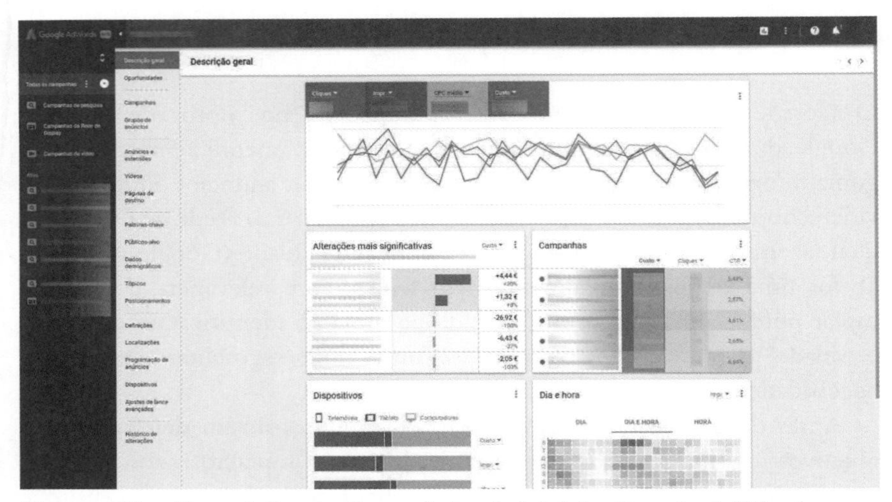

Figura 125 – Descrição geral na página inicial do Google AdWords.

Vantagens do Google AdWords:

- O utilizador sabe o que quer pesquisar no Google;
- Responde a uma intenção ou a uma pergunta (de compra ou de procura de informação);
- Dá possibilidade de anunciar com *banners* na Rede de Display;
- Apresenta grande diversidade de formatos de *banners*;
- Permite criar extensões de anúncios (aumenta a visibilidade): *sitelinks*, chamada, localização e outras;
- O Índice de Qualidade premeia quem trabalha melhor no Marketing Digital;
- Está otimizado para mobile e para geolocalização;
- Alcança públicos-alvo por interesses (histórico) e por segmentação;
- Permite utilizar técnicas de *remarketing* para aumentar as vendas;
- A taxa de cliques é potencialmente superior em relação a outras plataformas;
- Permite medir o retorno do investimento com exatidão.

É fundamental efetuar diagnóstico ao seu website para verificar se está preparado para anúncios com eficiência, nomeadamente, velocidade através da ferramenta Google Page Speed Insights.

Utilize também a aplicação mobile Google AdWords para ir acompanhando em qualquer lado o desempenho das suas campanhas.

Definições dos Principais Termos

É importante estar familiarizado com alguns termos utilizados no âmbito do Google AdWords (extensíveis a outras plataformas de publicidade):

- **Keyword** – é uma expressão que pode ser constituída por uma ou várias palavras. Também é designada por expressão de pesquisa ou palavra-chave;
- **Impressões** – é o número de vezes que um anúncio foi apresentado;
- **Cliques** – é o número de vezes que um anúncio foi clicado;
- **Conversões** – acontece sempre que alguém interage com um anúncio e executa a ação desejada previamente definida;
- **CPC** – é o custo por clique que paga por cada clique no anúncio;
- **CPC Máximo** – é o custo por clique mais elevado que está disposto a pagar por um clique no anúncio:
- **CPC Otimizado** – é o custo por clique para maximizar conversões:
- **CPC Médio** – é o valor médio cobrado por um clique no anúncio;
- **CTR** – taxa de cliques (*Click-through rate*) – é o número de cliques num anúncio a dividir pelo número de impressões;
- **CPM** – é o custo por mil impressões de anúncios (*Cost per thousand*, o M é a numeração romana para 1000);
- **CPA médio** – é o valor médio cobrado por uma conversão do anúncio. É calculado ao dividir o custo total de conversões pelo número total de conversões;
- **ROAS** – representa o valor obtido por cada unidade monetária investida em anúncios (*Return On Advertising Spending*) – orientação tática;
- **ROI** – é o retorno do investimento (*Return On Investment*) que pode ser determinado pelo valor das conversões, subtraído dos seus custos – orientação estratégica;
- **SERP** – são os resultados no motor de pesquisa (*Search Engine Result Pages*);
- **IQ** – o Índice de Qualidade é uma estimativa da eficácia dos anúncios, relevância das palavras-chave e qualidade da *landing page*.

Estrutura de Conta

Para ficar mais claro, o Google AdWords tem a seguinte estrutura hierárquica: Conta > Campanha > Grupo de anúncios > Palavras-chave > Anúncios.

- **Conta:** está associada a um endereço de e-mail, a uma palavra-passe e a informações de faturação;
- **Campanha:** tem o seu próprio orçamento e definições que determinam localização, idioma, agendamento, extensões e outros parâmetros (até 10 000 campanhas por conta);
- **Grupo de anúncios:** contêm conjuntos de anúncios semelhantes e *keywords* que os acionam (até 20 000 grupos de anúncios). No mesmo grupo de anúncios, a *landing page* tem de ser igual;
- **Palavras-chave:** quando um utilizador pesquisa por determinada palavra-chave, ativa a apresentação de anúncios relevantes;
- **Anúncios:** mensagem em formato de texto ou visual, que pode aparecer no motor de pesquisa ou em websites parceiros.

A conta está organizada da seguinte forma:

Conta
E-mail e palavra-passe únicos Informações de faturação

Campanha	Campanha
Orçamento Definições	Orçamento Definições

Grupo de anúncios	Grupo de anúncios	Grupo de anúncios	Grupo de anúncios
Anúncios Palavras-chave	Anúncios Palavras-chave	Anúncios Palavras-chave	Anúncios Palavras-chave

Figura 126 – Estrutura de conta Google AdWords.

Navegação no Google AdWords

Do lado esquerdo, pode navegar por vários separadores ao longo de todas as principais funcionalidades inerentes às campanhas, aos anúncios e às palavras-chave:

- **Descrição geral** – veja indicadores e gráficos com o desempenho de toda a sua conta;
- **Oportunidades** – consulte oportunidades que o vão ajudar a melhorar o desempenho em: palavras-chave, anúncios, grupos de anúncios e campanhas;

- **Campanhas** – veja todas as suas campanhas. Se clicar numa delas, passará a ver informações a partir desse momento, especificamente da campanha que selecionou;
- **Grupos de anúncios** – contém todos os seus grupos de anúncios. Se clicar num deles, visualizará as palavras-chave associadas;
- **Anúncios e extensões** – consulte todos os seus anúncios e as respetivas extensões de anúncios;
- **Vídeo (exclusivo para campanhas de vídeo)** – consulte os anúncios em vídeo;
- **Páginas de destino** – veja todas as suas *landing pages*;
- **Palavras-chave** – consulte todas as suas palavras-chave, associadas a grupos de anúncios e às respetivas campanhas;
- **Públicos-alvo** – consulte os seus públicos-alvo;
- **Dados demográficos** – consulte os dados demográficos das suas campanhas;
- **Tópicos (exclusivo de campanhas de Vídeo e da Rede de Display)** – veja que tópicos foram selecionados para as suas campanhas;
- **Posicionamentos** – verifique em que websites os seus anúncios estão a ser mostrados;
- **Definições** – veja ou edite as definições da sua campanha;
- **Localizações** – consulte as localizações segmentadas para as suas campanhas;
- **Programação de anúncios** – analise que programação temporal de anúncios configurou para cada campanha;
- **Dispositivos** – veja em que dispositivos os seus anúncios estão a aparecer (computador ou mobile);
- **Ajustes de lance avançados** – consulte configurações de lance avançadas;
- **Histórico de alterações** – veja todo o histórico de alterações nas campanhas.

Ao clicar na zona mais à esquerda, no tipo ou no nome de campanhas, o que passa a ver, mais à direita, em cada uma das opções apresentadas anteriormente, é filtrado pela sua seleção.

Quando visualizar as tabelas de qualquer uma das opções anteriores, tem a possibilidade de as personalizar de três formas:

- Filtro – filtra os dados apresentados na tabela;
- Segmento – segmenta a tabela por uma dimensão, como o tempo;
- Colunas – mostra ou oculta colunas na tabela.

O ícone dos três pontos, ao lado das opções de personalização, permite-lhe fazer o seguinte: mostrar ou ocultar campanhas em pausa ou removidas, transferir ou enviar por e-mail os dados da tabela e colar todos os itens copiados anteriormente.

Existem vários atalhos que podem ajudá-lo a navegar rapidamente na sua conta:

- Tecla «G» e em seguida a tecla «O» para aceder às descrições gerais;
- Tecla «G» e em seguida a tecla «C» para aceder às campanhas;
- Tecla «G» e em seguida a tecla «A» para aceder aos anúncios;
- Tecla «G» e em seguida a tecla «T» para introduzir pesquisa.

Experimente também a lista completa de atalhos com a tecla «?» em qualquer parte da conta Google AdWords.

Ferramentas, Faturação e Definições

Na parte superior (ícone três pontos), tem acesso a ferramentas, a faturação e a definições:

- **Configurar** – para faturação e pagamentos, dados da empresa, acesso à conta, contas associadas e preferências;
- **Medição** – para conversões, Google Analytics e atribuição de pesquisa;
- **Ações em massa** – para todas as ações em massa, regras, *scripts* e carregamentos;
- **Biblioteca partilhada** – aceda a administrador de públicos-alvo, estratégias de lance de portefólio, lista de palavras-chave negativas, orçamentos partilhados, listas de exclusão de posicionamento, exclusões de posicionamento de conta;
- **Planeamento** – aceda à ferramenta de planeador de palavras-chave e de pré-visualização de anúncios de diagnóstico.

Relatórios

A opção seguinte – de relatórios ativos – permite-lhe aceder a relatórios que já tenha guardado. Mas também a relatórios predefinidos, que lhe dão informação detalhada muito importante sobre: campanha, grupo de anúncios, palavra-chave, termos de pesquisa, URL final, pago e orgânico, detalhes de chamada, cliques gratuitos e posicionamentos automáticos. Mostra também informação sobre: hora, conversões, etiquetas, localização geográfica, extensões, tópico e público-alvo.

Campanhas

Deve criar uma nova campanha quando o tipo de produto ou de serviço é totalmente diferente, marcas diferentes, produtos ou serviços sazonais, localização geográfica com exigências diferentes (envio, logística, legislação, custos ou disponibilidade), funcionalidades do produto muito distintas e público-alvo diferente.

Existem vários tipos de campanha com possibilidade de utilizar objetivos nas campanhas de pesquisa e display:

- **Rede de Pesquisa** – alcance clientes interessados no seu produto ou no seu serviço com anúncios de texto no motor de pesquisa Google. Possibilidade de seleção de objetivos:
  - Visita ao website;
  - Manifestação de interesse no website;
  - Comprar no seu website;
  - Ligação para a empresa.

- **Rede de Display** – apresente diferentes tipos de anúncio visual em websites que aceitem *banners* do Google. Possibilidade de seleção de objetivos:
  - Criar notoriedade;
  - Interação com o conteúdo;
  - Visita ao website;
  - Manifestação de interesse no website;
  - Comprar no website;
  - Ligação para a empresa;
  - Visita à empresa.

- **Shopping** – promova os seus produtos com anúncios visuais do Shopping no motor de pesquisa Google. Requer que, primeiro, crie uma conta no Google Merchant Center.
- **Vídeo** – alcance visitantes no YouTube e em websites relevantes e interaja com eles.
- **Aplicação Universal** – aumente as instalações de apps iOS ou Android na rede Google.

Figura 127 – Criação de uma campanha para a Rede de Pesquisa.

À medida que for configurando a sua campanha, o assistente irá conduzi-lo por várias etapas. Conheça a anatomia de uma campanha:

- Tipo;
- Objetivos;
- Definições opcionais: URL;
- Nome;
- Redes (parceiros de pesquisa e Rede de Display);
- Localizações;
- Idiomas;
- Lances;
- Orçamento diário;
- Datas de início e de conclusão;
- Extensões de sitelink;
- Extensões de texto;
- Extensões de chamada;
- Definições adicionais: extensões de fragmentos estruturados, de comentários, de aplicação, de mensagem, de promoção, rotação de anúncios, programação de anúncios, opções de localização, opções de URL da campanha, anúncios de pesquisa dinâmicos.

Palavras-Chave

Quando cria um anúncio, tem ao seu dispor uma ferramenta para o ajudar a gerar palavras-chave e deve escolher as mais relevantes. Mas não fique por aqui. Deixo algumas ideias para conseguir criar mais:

- Quais são as *keywords* dos seus produtos e serviços?
- Como descreve o seu negócio?
- Como pesquisaria o seu produto?
- Pergunte a algumas pessoas como o pesquisariam;
- Utilize o Google Trends, o Ubersuggest e a Keyword Tool do AdWords;

As técnicas de pesquisa de palavras-chave para SEO devem ser igualmente aplicadas para a construção da lista de *keywords* para anúncios.

Considere que o funil de pesquisa influencia a procura de palavras-chave adequadas e o texto dos anúncios para apontar o caminho certo ao consumidor. Por isso, os tipos de *keyword*, anúncio e *landing page* devem estar adaptados, se o cliente estiver mais ou menos próximo da fase de conversão.

Estágio do funil	Exemplo B2C Palavras-chave (viagens)
Atividade relacionada	férias
Suspeita de problema	ideias férias
Problema identificado	férias Europa
Procura de soluções alternativas	férias Europa sugestões
Espaço para solução encontrado	férias Paris
Complicar a situação	férias Paris crianças
Pesquisar uma solução específica	paris passagem avião
Pesquisar uma marca específica	tap bilhetes
Conversão iminente	tap bilhetes leilão
Após conversão	seguro viagem

Figura 128 – Funil de pesquisa de palavras-chave.

Se as palavras-chave são importantíssimas para ativar o anúncio – e até mesmo determinantes para o preço que vai pagar –, justifica-se que invista algum tempo a trabalhar melhor a lista.

Eis algumas orientações:

- **Categorizar as palavras-chave** (long tail) no maior número de grupos de anúncios possível;

- **Escolher palavras-chave longas ou compostas**, em vez de palavras-chave mais genéricas. São menos competitivas e, portanto, é mais fácil obter um bom posicionamento do anúncio por um CPC (custo por clique) mais baixo;
- **Utilizar os métodos de correspondência** («ampla», «por expressão», «exata») de forma a aumentar o tráfego;
- **Utilizar correspondência negativa** para filtrar o tráfego indesejado;
- **Utilizar palavras-chave com referências geográficas** (Porto, Lisboa e outras) para aumentar relevância.

Tipo de correspondência	Sinalizadores de correspondência	Pesquisa efetuada no Google
Ampla	curso marketing digital	cursos web marketing
De expressão	«curso marketing digital»	curso marketing digital online
Exata	[curso marketing digital]	curso marketing digital

Como se depreende, a ampla é a mais abrangente e recomendada para quem está a iniciar, mas requer acompanhamento para monitorizar palavras-chave indesejadas que poderão ativar os anúncios. Deve adicionar palavras-chave negativas, sempre que possam ser escritas com a pesquisa e não tenha interesse para si aquela variação. Por exemplo, em «Curso online marketing digital grátis» seria de adicionar a palavra «grátis» como negativa, para não aparecer para essa pesquisa, mas para todas as outras relacionadas.

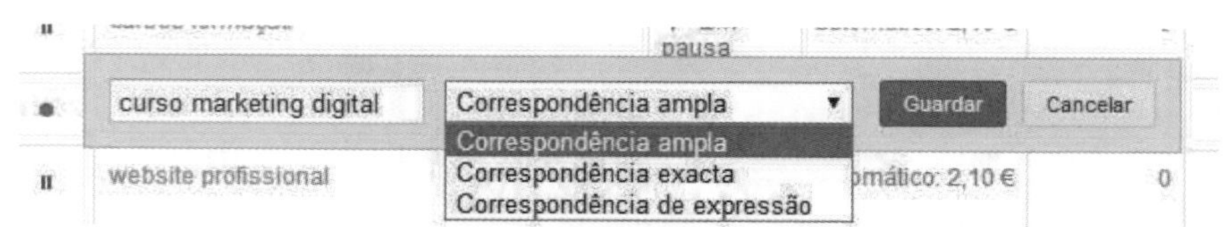

Figura 129 – Tipos de correspondência de palavras-chave no Google AdWords.

A correspondência de expressão permite que possa ter variações próximas da expressão de pesquisa. A correspondência exata é para ativar apenas quando o termo de pesquisa for exatamente aquele.

Inserção de palavras-chave

Talvez não tenha reparado, mas, por vezes, quando pesquisa, a expressão que utilizou aparece exatamente igual no título ou no texto do anúncio. Em alguns casos não é coincidência; é uma técnica avançada, utilizada para aumentar a taxa de cliques e conseguir essa expressão em negrito, obtendo mais conversões na campanha. Se for bem feito e relevante, resulta muito bem. É recomendado para utilizadores mais avançados.

Aqui ficam algumas dicas:

- A sintaxe a usar no anúncio é {keyword: texto por defeito}. Em «texto por defeito» coloque a expressão a aparecer por defeito;
- Se a palavra-chave que ativa o anúncio fizer ultrapassar o número máximo de caracteres, será utilizado o texto por defeito, definido no anúncio;
- Esse elemento deve ser colocado na parte do anúncio em que deverá surgir a palavra-chave que o ativou;
- Pode usar capitalização para que o início das palavras fique em maiúsculo.

Exemplo:
Título: Compre {keyword: Marketing Digital};
URL de visualização: www.mktdigital360.net;
Linha de descrição 1: Livro Marketing Digital 360;
Linha de descrição 2: Obtenha mais resultados online.

Possibilidades de capitalização de *keywords*:
keyword – não altera a palavra-chave. Ex: marketing digital;
Keyword – capitaliza a primeira letra da primeira palavra da palavra-chave. Ex: Marketing digital;
KeyWord – capitaliza a primeira letra de cada palavra da palavra-chave. Ex: Marketing Digital;
KEYWord – capitaliza a primeira palavra e a primeira letra das palavras seguintes. Ex: MARKETING Digital;
KeyWORD – capitaliza a primeira letra da primeira palavra e todas as letras das restantes palavras. Ex: Marketing DIGITAL;
KEYWORD – capitaliza todas as letras da palavra-chave. Ex: MARKETING DIGITAL.

No entanto, tenha precaução com o uso da capitalização. Deve seguir as regras da escrita, de outro modo, se tentar capitalizar algo que não devia, o anúncio será bloqueado. Pode fazer sentido em siglas, acrónimos e outras palavras similares.

Para inserir palavra-chave dinâmica no processo de criação ou de edição do anúncio de texto, introduza o carácter «{» no título ou descrição (Shift+ALT+8 no Mac; ALT Gr+7 no PC). Esta opção dar-lhe-á acesso também à possibilidade de adicionar um contador decrescente, para poder criar pressão com uma promoção que está a terminar. Como é dinâmico, não precisa de estar sempre a alterar o anúncio para o tempo que falta para terminar a promoção.

Índice de Qualidade

Quem não tem experiência neste assunto acha que quem paga mais aparece em primeiro lugar. Mas não é assim, necessariamente. Existe um Índice de Qualidade (IQ) que determina precisamente a relevância das palavras-chave que escolheu, o desempenho do anúncio e a qualidade da *landing page*. Um bom IQ das suas campanhas resulta num melhor posicionamento dos anúncios e num Custo Por Clique (CPC) potencialmente mais baixo, que é o que pretendemos.

Assim, o posicionamento do anúncio é igual ao valor máximo que está disposto a pagar por clique, a multiplicar pelo índice de qualidade.

A posição no Google é representada desta forma:

AdRank = CPC Máximo x IQ(CTR+Keywords+LandingPage)

CTR: as pessoas acham o seu anúncio relevante e clicam frequentemente?

Relevância: as suas palavras-chave estão muito ou pouco relacionadas com o que as pessoas pesquisaram?

Página de destino: a sua *landing page* tem conteúdo relevante e é rápida a abrir?

Por isso, deve ativar a coluna referente ao IQ. Aceda ao separador palavras-chave > colunas > atributos > adicionar índice de qualidade. Veja qual é a pontuação e defina um limite razoável para o qual deseja trabalhar (o ideal é acima de 7), podendo dispensar as palavras-chave que não atingirem o seu limite, se não forem muito importantes. O seu orçamento mensal torna-se mais eficiente. Também é possível aceder ao histórico do índice de qualidade.

Anúncios

Uma boa parte do sucesso da publicidade é o texto (ou imagem) do anúncio. Além de ter de ser criativo e diferenciador, pode seguir estas técnicas para alcançar melhores resultados:

- Focar o anúncio nos benefícios e nas funcionalidades dos produtos ou serviços. Idealmente, os benefícios devem constar da primeira linha;
- Utilizar sempre um *call-to-action* na segunda linha da descrição. Inclua palavras-chave importantes no título e na descrição do anúncio, pois ajuda a melhorar o Índice de Qualidade e as *keywords* surgirão em negrito;
- Utilizar um título chamativo;
- Criar pelo menos 3 variações de anúncio para testar e comparar qual dos três obtém melhores resultados. Aguardar por cerca de 50 cliques para retirar conclusões. Depois, coloque em pausa os que têm piores resultados e substitua-os por anúncios melhores.

Extensões de anúncio

Além de criar um anúncio normal, pode e deve criar extensões de anúncio, que não paga mais por isso (até fará descer o preço, se for bem feito), para aumentar as potencialidades do anúncio no motor de pesquisa. Existem diversos tipos e destaco aqui os mais comuns.

Vantagens da extensão *Sitelinks*:

- Permite escolher texto do botão e página de destino;
- Fica com mais espaço e maior visibilidade;
- Proporciona maior relevância e mais informação.

Vantagens da extensão Localização (Google My Business):

- Visualiza a distância até à empresa;
- Obtém direções de como chegar;
- Tem maior visibilidade nos resultados com o mapa;
- Mostra a morada mais próxima, no caso de ter várias localizações.

Vantagens da extensão Chamada:

- O utilizador pode escolher entre telefonar ou aceder ao website;
- Pode ligar imediatamente com um clique;
- Está otimizado para pesquisa mobile.

Anúncios Visuais

A Rede de Display são todos os websites nos quais existem *banners* de publicidade do Google. Os anúncios que aparecem no motor de pesquisa não são display, mas Search.

Os tipos de anúncio disponíveis são:

- **Anúncio adaptável** – permite criar um anúncio com texto e imagens, que se adapta a qualquer dispositivo;
- **Anúncio gráfico** – cria automaticamente uma série de anúncios visuais, com base na sua *landing page*. Se desejar, pode optar por carregar um anúncio que tenha criado previamente com o formato ajustado;
- **Galeria de anúncios** – permite criar anúncios dinâmicos, anúncios de tipo caixa de luz (*lightbox*), anúncios de vídeo, anúncios de uso geral e anúncios do Gmail;
- **Anúncio de conteúdo digital de aplicações** – permite fazer anúncios para promover a instalação da sua aplicação móvel.

ESCOLHA EM QUE WEBSITES QUER QUE OS SEUS ANÚNCIOS APAREÇAM

Para um maior controlo do posicionamento da sua marca, poderá escolher em que tipos de website ou em que websites deseja que os seus anúncios apareçam. Se sabe que o público de um website de notícias ou blog é o cliente ideal, já sabe para onde apontar.

O processo de criação de uma campanha de Display é muito semelhante ao de criar uma campanha Search. Existem algumas variações, nomeadamente a forma como o anúncio é ativado para aparecer nos respetivos websites.

Uma das grandes vantagens de colocar *banners* em websites com anúncios é a possibilidade de segmentação acrescida. Ora veja:

- **Palavra-Chave da Rede de Display** – para apresentar anúncios em websites relacionados com as palavras-chave que selecionou;

- **Interesses e *remarketing*** – para apresentar anúncios a pessoas, com base nos respetivos interesses;
- **Tópicos** – para páginas com assuntos específicos;
- **Posicionamentos** – para escolher websites por assuntos, ou escolher os websites em que quer aparecer;
- **Dados demográficos** – para definir a segmentação, com base em informação demográfica do público-alvo desejado.

Remarketing

Quando os utilizadores abandonam o seu website sem comprar nenhum produto (ou sem haver conversão), as campanhas de *remarketing* ajudam-no a chegar novamente a esses utilizadores enquanto eles navegam por outros websites, apresentando-lhes mensagens com ofertas que visam encorajar o regresso ao website e a conclusão da compra. Permite apresentar anúncios relevantes para utilizadores que visitaram previamente o seu website.

Uma lista de *remarketing* é uma coleção de *cookies* de utilizadores que visitaram o seu website. Ao criar uma campanha de *remarketing* é a esta lista que irá segmentar os seus anúncios. Só começará a ser povoada, à medida que os visitantes forem chegando ao seu website, mas pode criar quantas desejar.

As listas de *remarketing* e o código a colocar nas páginas do website são preparados previamente na opção de ferramentas, na Biblioteca Partilhada.

Google Shopping

Com o Google Shopping, poderá fazer campanhas com anúncios visuais que aparecem no topo do motor de pesquisa e na rede de parceiros Google. Quando alguém pesquisa um produto, irão aparecer em primeiro lugar vários anúncios com fotografia, com título, com preço e com loja em formato carrossel para fazer facilmente *scroll* horizontal e ver todas as ofertas. Antes de clicar, o potencial cliente já saberá o preço e a loja, estando assim alinhadas as expectativas com o seu desejo.

No entanto, existem alguns requisitos importantes a cumprir para ter acesso a este tipo de campanha:

- Ter uma loja online;
- Ter a conta Google AdWords e Google Merchant Center ligadas;
- Criar um *feed* de produtos no Google Merchant Center;

- Proporcionar pagamento e checkout seguros;
- Ter os contactos completos e morada física;
- Os métodos de pagamento serem claramente apresentados;
- Ter os termos e condições;
- Apresentar a política de reembolso e de devolução;
- As imagens não podem ter texto ou marca de água e devem ter pelo menos 800x800 pixéis;
- A *landing page* tem de estar em total sintonia com os anúncios: título, descrição, preço, disponibilidade, variações de produto, idioma e localização geográfica;
- Mostrar de forma clara e coerente os requisitos de envio e de entrega;
- O preço tem de incluir impostos. Pode conter descontos e pode ser vendido a granel, desde que esteja claramente definida a quantidade mínima.

Além das campanhas de anúncios de texto, o Google Shopping é um excelente complemento, reforçando a sua posição no maior motor de pesquisa.

Ao submeter o *feed* de produtos no Google Merchant Center, tem ainda a possibilidade de criar anúncios dinâmicos para as seguintes categorias: educação, emprego, hotéis, imobiliário, ofertas locais, viagens e produtos dinâmicos. Este tipo de campanha permite que os anúncios sejam criados automaticamente com base no *feed* de produtos, gerando assim uma infinidade de propostas, de acordo com os interesses do público-alvo.

Crie conta Merchant Center em: *www.google.com/retail/merchant-center*.

Landing Pages

Quando alguém clica num anúncio, é direcionado para uma página de destino específica com informação relacionada.

Sendo um elemento influenciador do Índice de Qualidade e também com impacto direto nas suas vendas, deve estar bem otimizado.

Eis algumas regras a seguir:

- Cada página de destino deve ter apenas um único objetivo;
- Utilizar cabeçalhos chamativos, claros e diretos. Dispomos apenas de três segundos para chamar a atenção do visitante;

- Otimizar a página de destino com uma densidade adequada de palavras-chave. Utilize palavras-chave no título da página e nas metatags para aumentar o Índice de Qualidade;
- A informação relativa ao *call-to-action* deve estar disponível na área visível imediatamente a seguir ao clique;
- Utilizar testemunhos;
- Indicar claramente os benefícios, as vantagens e as funcionalidades dos produtos ou serviços;
- Inserir imagens de produtos com descrições curtas;
- Não utilizar um tipo de letra difícil de ler;
- Fazer testes e atualizações regulares;
- Otimizar para mobile;
- Não utilizar a página inicial de um website como página de destino;
- Deve abrir rapidamente.

Veja um exemplo de uma página de destino preparada para receber visitas de anúncios. Com um aspeto simples e atrativo, pede os dados do utilizador para enviar oferta. Mostra um vídeo de apresentação que incentiva a preencher o formulário: *www.marketingdigital360.eu*.

Controlo de Resultados

A grande vantagem do digital é a possibilidade de conseguir monitorizar resultados para ajustar comportamentos.

Conheça algumas técnicas de controlo:

- Meça o ROI (Retorno do Investimento) das campanhas e das palavras-chave;
- Saiba qual é a taxa de conversão, utilizando o código de conversão (informação de *cookies* armazenada, dos últimos 30 dias) para determinar as compras, a inscrição num formulário e outros objetivos;
- Acompanhe os relatórios, faça download do ficheiro CSV (Excel) ou configure para receber no seu e-mail um PDF periodicamente, ou para os outros colaboradores. Fica depois disponível também no menu superior de relatórios;
- Analise as principais páginas de entrada e de saída do seu website no Google Analytics;

- Utilize o Google Analytics para perceber o comportamento dos visitantes e melhorar métricas de e-commerce ou ações. Pode associar valores a tipo de vendas ou a tipo de ações realizadas no seu website.

RECEBA RELATÓRIOS EM PDF

De acordo com os painéis que tenham mais interesse para si, programe relatórios automáticos. Por exemplo, dos painéis, das campanhas, dos anúncios e das palavras-chave. Aceda ao ícone três pontos e, na opção de transferir, configure a opção de programação para receber no seu e-mail.

Conversion tracking

A Ferramenta de Conversões permite ao anunciante perceber o que acontece, depois de o utilizador clicar no seu anúncio:

- Comprou algum produto?
- Preencheu um formulário?
- Consultou a informação desejada numa determinada página?

Desta forma, poderá saber as palavras-chave que funcionam para o seu negócio, contribuindo para investir de uma forma mais acertada e aumentar o ROI, podendo associar valor a cada tipo de conversão. Aceda ao menu superior de ferramentas e configure na opção de conversões.

Simulação de custos da campanha:

Orçamento	CPC	IQ	Impressões	CTR	Cliques	*Leads*	Conversões	CPA
500 €	1 €	7	10 000	5 %	500	100 (20 %)	20 (20 %)	25 €

Pode construir facilmente no MS Excel um quadro deste género. Introduza as variáveis que para si são fundamentais controlar, deixando as restantes para preencher com o que for fornecido pela campanha. Depois só tem de ajustar em função dos objetivos. Por exemplo, pode inserir valores para: orçamento, conversões desejadas e *leads* esperados.

Otimização

Depois de ter criado campanhas e anúncios, o seu trabalho ainda não acabou. É preciso fazer melhorias constantemente.

Vai aprender muita coisa neste processo, por isso, pelo menos semanalmente, deve rever os seguintes aspetos:

- Analisar o Índice de Qualidade das palavras-chave;
- Ajustar definições da campanha, se necessário;
- Adicionar novas palavras-chave;
- Acompanhar termos de pesquisa e adicionar os que forem irrelevantes para as palavras-chave negativas;
- Melhorar o texto do anúncio;
- Criar novos anúncios;
- Melhorar *landing pages*;
- Acompanhar CTR das palavras-chave e dos anúncios.

Dimensões

No menu superior, aceda à opção de relatórios predefinidos para ter acesso a informações adicionais, para o ajudar a responder a várias questões, tais como:

- Qual é o dia da semana em que temos mais conversões?
- A que horas temos mais cliques?
- Qual é a *landing page* que gera mais receita?
- Em que países temos mais impressões?
- Quais são as *keywords* com maior procura?

Ao aceder ao separador «Dimensões» da sua campanha e escolher a opção «Termos de pesquisa», encontrará uma lista das palavras que efetivamente ativaram o seu anúncio. Visto que, quando escolhemos as palavras-chave, por defeito, ficam no modo «correspondência ampla», o Google tenta fazer correspondências semânticas, o que, apesar de ter muitas vantagens, nem sempre chama os clientes certos, dando origem, por vezes, a cliques que podem não ser dos utilizadores que mais interessam.

Monitorize-as semanalmente e coloque em pausa aquelas que forem irrelevantes. Assim, conseguirá melhores resultados com o mesmo orçamento.

Para ir mais longe, existe uma ferramenta mais avançada, útil para quem investe bastante em anúncios Google, que pode descarregar em: *http://www.google.com/intl/pt-PT/adwordseditor* e funciona em Windows e Mac.

O Google AdWords é uma ferramenta muito poderosa para anunciar no Google. Sem dúvida, resulta muito bem, se for bem feito. É fundamental dedicar tempo a este assunto e alocar *budget* ajustado.

Crie Uma Campanha Google AdWords

Crie uma conta em: *https://adwords.google.com* e crie a sua campanha. Se tiver criado uma conta há menos de 14 dias, poderá receber um *voucher* com crédito do Google, ou solicitar a um Parceiro Google que lho forneça. Se preferir criar uma conta que não obrigue a inserir método de pagamento nem dados de faturação, faça-o através deste link: *http://g.co/etoaw*, podendo, mais tarde, tratar dessa informação e agora poder praticar à vontade.

Se tiver criado uma conta de testes sem dados de faturação, não clique em nenhuma opção para os configurar, se surgir no fim da criação da campanha.

Siga agora o guia com um exemplo para criar a sua campanha. Deve alterar os parâmetros que considerar ajustáveis à sua realidade:

1. Aceda ao separador «Campanhas» e clique no botão azul para adicionar nova campanha. Escolha o tipo de campanha «Rede de pesquisa» e escolha o objetivo «Visita ao website»;
2. Introduza o URL da *landing page* (crie uma página específica para o objetivo que pretende) do produto ou do serviço que deseja vender;
3. Atribua um nome à sua campanha, por exemplo, «Marketing Digital 360». Deixe selecionada a opção «Incluir parceiros de pesquisa da Google» e na opção de «Adicionar Rede de Display» selecione não;
4. Em «Localizações», segmente para pessoas que vivem na região do Porto e de Lisboa, cidade de Braga e exclua Póvoa de Varzim (escreva o nome da cidade e clique na opção excluir que aparece ao lado do nome). É possível segmentar por: país, território, região, cidade e código postal. Clique em pesquisa avançada para ver no mapa a seleção;
5. Em «Idiomas» escolha português;
6. Em «Lances» escolha a opção «CPC Manual» e «Ativar o CPC otimizado»;
7. O orçamento diário é de 10 €;
8. A data de conclusão é: um mês após a data de início;
9. Adicione extensão de anúncios *sitelinks* e de chamada (se tiver o seu negócio no Google My Business, adicione extensão de localização);
10. Clique no botão «Guardar e continuar»;

11. Defina o nome do grupo de anúncios «Master Marketing Digital» e defina o lance predefinido para 0,5 €;
12. Adicione pelo menos 20 palavras-chave relevantes e específicas. Valide algumas das sugestões que surgem com base no URL da *landing page*. Para ter mais sugestões, adicione o nome de produto e de serviço: curso de marketing digital. Utilize ferramentas de palavras-chave (Google Keyword Tool, Google Trends, Google Search Console e Ubersuggest). Se necessário, adicione mais grupos de anúncios;
13. No passo seguinte, adicione um anúncio novo. Introduza o URL final (link da *landing page*), títulos um e dois (até 30 caracteres) e uma descrição (até 80 caracteres);
    Exemplo de anúncio:
    - ✓ URL final: www.marketingdigital360.eu
    - ✓ Título 1: Master Marketing Digital 360
    - ✓ Título 2: Curso online com certificação
    - ✓ Descrição: Programa de especialização profissional, prático e orientado para resultados
14. Adicione mais duas variações de anúncios (pode duplicar e fazer pequenas alterações ou criar um novo anúncio) para ficar com pelo menos 3 anúncios, para ter mais probabilidades de sucesso e para poder comparar resultados;
15. Para testar se está a aparecer no Google, aceda à opção de «Ferramentas», no topo, e depois em «Pré-visualização de anúncios e de diagnóstico» (se tiver conta ativa e com orçamento, deverá aparecer);
16. Passados alguns dias, analise o desempenho dos anúncios e das palavras-chave. Se for necessário, coloque anúncios em pausa, adicione novas palavras-chave ou adicione palavras-chave negativas.

Parabéns, concluiu a sua campanha!

A Sua Checklist Google AdWords

N	✓	TAREFAS A IMPLEMENTAR
1		Crie uma conta Google AdWords
2		Defina uma nova campanha
3		Crie pelo menos três anúncios com extensões
4		Escolha palavras-chave relevantes
5		Adicione palavras-chave negativas
6		Se necessário, crie anúncios gráficos, shopping, vídeo e de apps
7		Utilize técnicas de *remarketing*
8		Construa *landing pages* eficientes
9		Controle os resultados com o código de conversão
10		Otimize regularmente e considere o Índice de Qualidade

17
Google Analytics

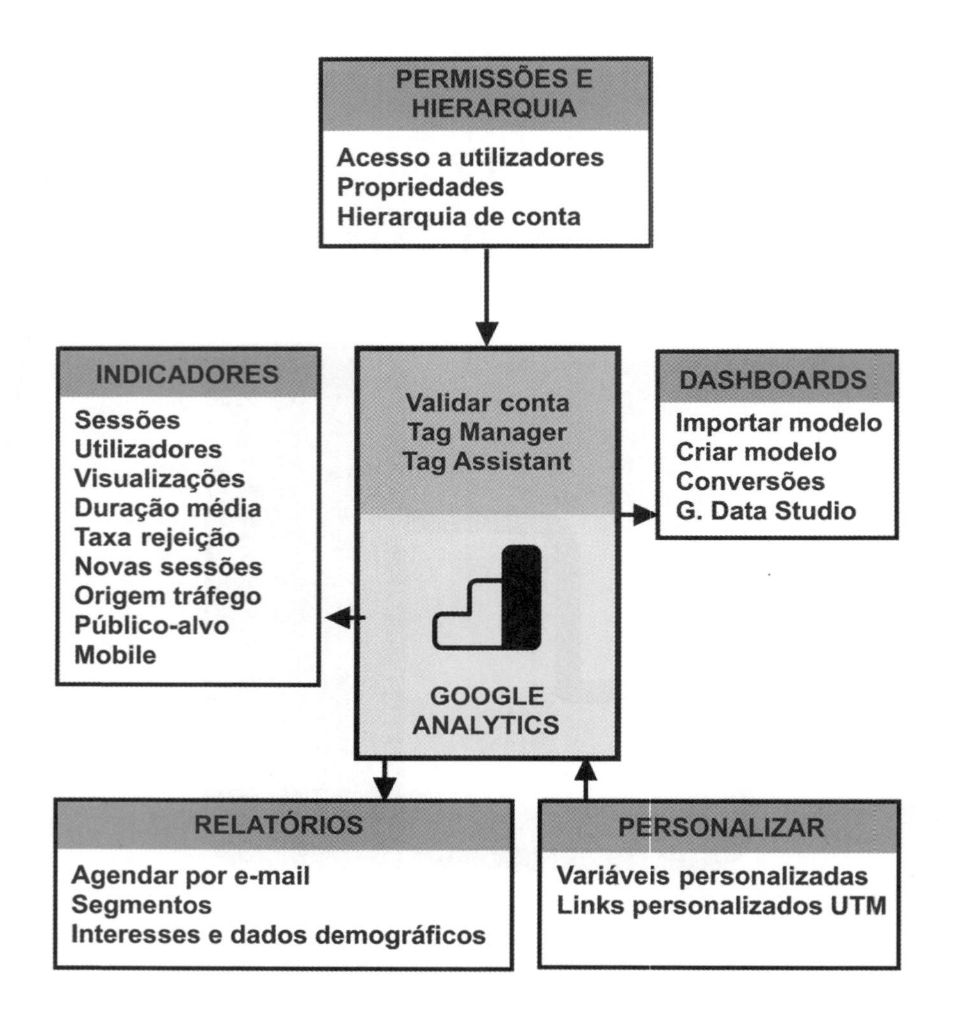

FERRAMENTAS EXTRAS
Data Studio
Optimize
Analytics 360
Surveys
App Mobile

Para Que Serve o Google Analytics?

É a ferramenta mais popular de análise de dados do website, da loja online, do blog, de aplicações mobile e de outras plataformas.

Permite obter relatórios, analisar interesse nos conteúdos mais atrativos, ver interação nas redes sociais, analisar o comportamento em todos os dispositivos, acompanhar conversões (objetivos e vendas), as ações mais realizadas e medir o retorno do investimento (ROI) dos anúncios Google AdWords e outras ações realizadas.

Pode ser utilizado em diversos CMS muito populares, como o WordPress, o Joomla e o Drupal. Mas também pode ser utilizado em outras soluções proprietárias e pagas, que podem até não ser necessariamente o típico website.

Para utilizações mais avançadas, o Google Analytics também pode ser integrado (via API) com outras aplicações e ferramentas proprietárias da empresa, por exemplo, numa solução de CRM.

Quem já utiliza esta ferramenta normalmente analisa apenas os dados essenciais. No entanto, é possível ir mais longe.

As métricas-base que deve observar são:

- **Sessões** – somatório de interações do utilizador num dado período de tempo. Podem ser: páginas vistas; eventos; interações ou transações;
- **Utilizadores** – total de visitantes únicos (um utilizador pode gerar várias sessões);
- **Visualizações de página** – total de páginas vistas;
- **Páginas por sessão** – quantas páginas vê cada utilizador em média;
- **Duração média da sessão** – quanto tempo visita o website em média;
- **Taxa de rejeição** – a percentagem de utilizadores que abandona o website sem tomar nenhuma ação;
- **Percentagem de novas sessões** – total de novas visitas ao website;
- **Origem do tráfego** – de onde vêm as visitas: links, Google, redes sociais, direto, e-mail, publicidade e outros;
- **Público-alvo** – idioma, localização e outras informações do público;
- **Mobile** – utilização de *smartphones* e *tablets*;
- **Social** – comportamento do público de origem das redes sociais e os links mais partilhados;
- **Páginas mais vistas** – quais são as páginas do website que têm mais visitas;

- **Página de entrada e saída** – quais são as principais páginas de entrada e de abandono no website;
- **Velocidade website** – velocidade do website ao longo do tempo. Tem grande impacto na taxa de rejeição.

Esta ferramenta também permite ajudar a saber:
- O valor médio de vendas para lojas online;
- A taxa de conversão para lojas online;
- O aumento da lista de subscritores da lista de e-mail;
- O aumento do alcance da marca e dos objetivos atingidos;
- O comportamento de quem compra mais, em relação ao que navega mas não compra;
- O canal digital com mais retorno para o negócio ou para o objetivo;
- O custo de cada instalação de uma aplicação móvel por canal digital;
- Criar um modelo de atribuição e perceber qual é o canal que traz mais resultados, para reajustar investimento.

Além da utilização normal desta ferramenta, o Google Analytics também tem soluções para necessidades mais específicas. Possibilita a utilização de ferramentas adicionais: BigQuery, API, Usage Trends, Speadsheet Add-On, Request Composer, Query Explorer, Polymer Elements, Hit Builder, Enhanced E-commerce, Autotrack, Account Explorer e Dimensions & Metrics Explorer. Saiba mais em: *https://ga-dev-tools.appspot.com*.

Se tiver necessidades peculiares, ou se precisar de ajuda, pode procurar empresas especializadas no diretório Google Analytics Partners.

Encontre mais informações no blog oficial: *https://analytics.googleblog.com* e no suporte: *https://support.google.com/analytics*. Para adquirir mais conhecimentos aceda a: *https://analytics.google.com/analytics/academy*.

Crie a Sua Conta

O primeiro passo é criar uma conta e associá-la ao seu website para que os dados comecem a ser recolhidos a partir desse momento.

Como associar o Google Analytics no seu website:
1. Crie a sua conta gratuita em: *www.google.com/analytics*;
2. Faça login, clique em «Administração» e depois em «Criar nova conta»;
3. Escolha a opção «Website» como plataforma que deseja acompanhar;

4. Preencha com o nome da conta, com o link do seu website e com a categoria;
5. Depois de clicar em «Obter ID de acompanhamento», obterá o código para inserir no website. No entanto, se está a utilizar o WordPress, ative-o com um *plugin* do Google Analytics;
6. Depois de instalado e validado, para ter a certeza de que tudo ficou bem, abra o seu website e, noutra janela, o Google Analytics, na opção «Em tempo real», pois, se estiver tudo bem, deverá detetar a sua visita.

Ainda na administração da conta, pode gerir os utilizadores que têm acesso, podendo adicionar novos com as permissões adequadas. É útil para dar acesso ao seu cliente ou a outras pessoas do departamento, a quem lhes interessa poder consultar todos os dados.

O ideal é que o acesso ao Google Analytics seja feito com uma conta Google associada ao negócio (e a outros serviços Google), com todas as permissões de acesso. Pode ter até 100 contas de analítica com o mesmo login (mas pode criar mais contas Google Analytics com outro login).

Se desejar ver as estatísticas-base sobrepostas a cada página do website, instale a extensão para o Google Chrome: Page Analytics. Assim, poderá saber onde os utilizadores estão a clicar, quais são as páginas vistas, qual é o tempo médio na página, qual é a taxa de rejeição e acompanhar os utilizadores ativos e os visitantes em tempo real.

No entanto, também é possível utilizar uma conta de demonstração em: *https://analytics.google.com/analytics/web/demoAccount*, para poder explorar esta ferramenta enquanto não a tem no seu website ou para testes. Os dados desta conta de Google Analytics são reais e têm origem na loja online de *merchandising* da Google: *https://shop.googlemerchandisestore.com*. Poderá ver todos os dados, incluindo informação típica de uma loja online, como transações efetuadas na loja, em função das variáveis do público-alvo. Também poderá ver informação da integração com Google AdWords e com o Google Search Console. Permite adicionar filtros, dimensões e vistas de relatório. Compare intervalos de datas da aquisição, comportamento e conversões. Crie *dashboards* personalizados, relatórios e modelos de atribuição. Pode ainda importar modelos de *dashboards* da galeria pública. Explore à vontade, são dados reais e com fins de experimentação, com permissão de visualização.

Hierarquia da Conta

Quando cria uma conta Google Analytics, faz login com o seu utilizador. No entanto, é possível adicionar mais utilizadores, que podem ter permissões de acordo com o desejado.

Dentro de uma conta pode haver várias propriedades, que podem ser atribuídas a um website, a uma aplicação mobile e a dispositivos.

Dentro de cada propriedade pode ter várias vistas: idioma, subdomínio e outras.

Página Inicial

Quando entra no Google Analytics, acede imediatamente a um painel, no qual são apresentadas visualmente as principais informações.

No canto superior direito, pode consultar notificações, para o manter informado sobre sugestões e dicas importantes para o correto funcionamento e otimização do Google Analytics. Nomeadamente: posicionamento de links, estado do ID de acompanhamento, configuração de objetivos e outros.

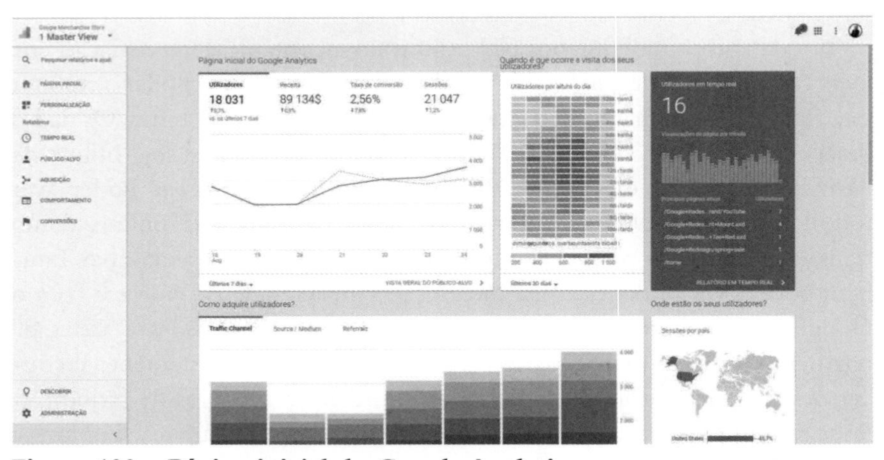

Figura 130 – Página inicial do Google Analytics.

O primeiro gráfico apresenta a evolução das sessões, dos visitantes únicos, da taxa de rejeição e a duração da visita (pode ser configurado para mostrar outras informações). De seguida, pode consultar quais são os dias e os horários em que existe mais atividade, juntamente com informação de tráfego em tempo real. É muito importante saber também qual é a origem do tráfego: pesquisas Google, redes sociais, acesso direto, referências e outras. Veja também quais são os países que estão a gerar mais tráfego para o seu website. Surge depois informação sobre a tendência dos utilizadores ativos ao longo do tempo, a retenção de utilizadores e a utilização por dispositivos (computador, telemóvel ou *tablet*). Por fim, veja também quais são as páginas mais vistas. Fica, assim, com um panorama resumido e visual sobre o desempenho do seu website.

Personalização

É onde pode consultar facilmente os indicadores mais importantes, através de painéis de controlo, de relatórios personalizados, de relatórios guardados e de alertas personalizados. Permite criar um novo painel e personalizá-lo, escolhendo os inúmeros elementos disponíveis, ou importar modelos já prontos, preparados para todos os tipos de cenário: painel de controlo das principais métricas, painéis para utilizadores iniciantes, tráfego Social Media, análise de SEO, utilizadores muito interessados, vendas online e muito mais.

Os alertas personalizados são gerados com base em condições definidas por si. Pode defini-las, como condição, para quando uma métrica (como uma taxa de conversão) de um segmento (como o tráfego do AdWords) se desvia do intervalo esperado.

Alguns exemplos de utilização:

- Veja as alterações mais recentes na receita e na taxa de conversão;
- Acompanhe as alterações mais importantes, semana após semana;
- Faça a gestão de campanhas com alertas personalizados.

Modelos de Relatórios

Uma particularidade muito útil é a possibilidade de poder importar modelos de relatórios prontos a utilizar, ou criar o seu. Com base na necessidade da maioria das empresas, apresento, para situações normais, uma proposta de modelo que criámos para facilitar a consulta das métricas principais. Poderá aplicar este modelo gratuito através deste link: *www.bit.ly/analyticsmkt360.*

Em Tempo Real

Os relatórios em Tempo Real mostram o número de pessoas que estão no momento no website, as respetivas localizações geográficas, as origens do tráfego, os conteúdos, os eventos e as conversões à medida que ocorrem.

Alguns exemplos de utilização:

- Analise as conversões da campanha (e-mail marketing, anúncios e outras) que acabou de lançar;
- Confirme se o novo artigo que acabou de publicar está a ser visitado;
- Veja se as publicações nas redes sociais estão a gerar interesse.

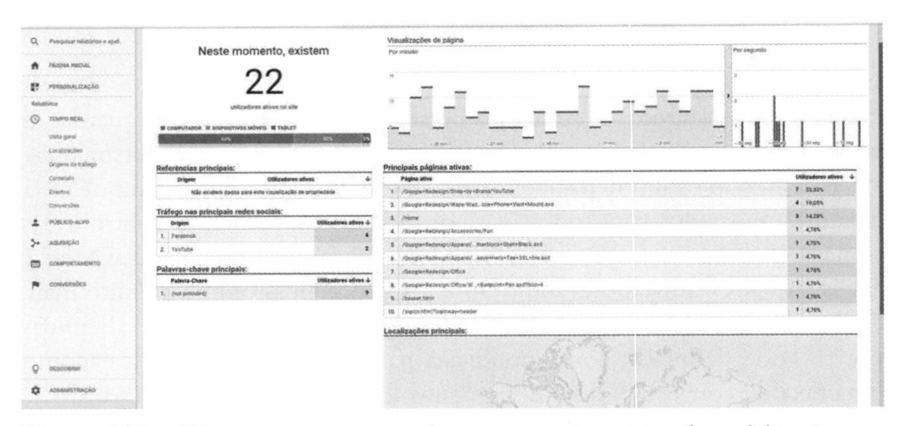

Figura 131 – Vista em tempo real e comportamento dos visitantes no seu website.

Público-Alvo

Quando entra no Público-alvo, surge a informação «Descrição Geral» para visualizar a informação essencial, surgindo um gráfico com a evolução das visitas ao longo do tempo. Terá acesso a indicadores como: sessões, utilizadores, visualizações de página, páginas/sessão, duração média da sessão, taxa de rejeição e percentagem de novas visitas.

Mais abaixo, pode consultar os dados demográficos: idioma, país e cidade. Em «Sistema» pode ver a percentagem por: navegador, sistema operativo e fornecedor de serviços. E em «Google Mobile» consegue saber: sistema operativo, fornecedor de serviços e resolução de ecrã.

São os seus indicadores essenciais, que pode, por exemplo, registar num MS Excel, integrado com outros indicadores de Marketing Digital, e acompanhar regularmente a evolução.

No canto superior direito, personalize o intervalo temporal para esta vista, afetando todas as métricas que está a visualizar. Ou ative a opção comparar, junto do intervalo de tempo, para obter os dados comparativos do período imediatamente anterior.

Ainda em público-alvo estão disponíveis mais opções:

Utilizadores ativos – apresenta o número de utilizadores ativos que existem no último dia, 7 dias, 14 dias ou 30 dias;

Valor do cliente – o relatório de valor do cliente (LTV) permite saber o valor dos utilizadores, de acordo com o comportamento ou a fonte de tráfego. Tem interesse para saber o valor do cliente que veio de pesquisas Google, e-mail, publicidade ou redes sociais;

Análise da coorte – esta função estatística permite observar comportamentos semelhantes ao longo do tempo para que, de acordo com microtendências do seu público, possa atuar, a fim de maximizar resultados;

Explorador de utilizadores – permite ver comportamentos agregados dos utilizadores por «client ID», identificador de cookie. Por exemplo: quantas sessões, duração média, taxa de rejeições e transações;

Dados demográficos – pode saber a idade e o sexo dos visitantes, mas é necessário ativar esta recolha de dados e informar de que o está a fazer na política de privacidade do website;

Interesses – para saber mais sobre as categorias de afinidade, os segmentos no mercado e outras categorias. É necessário ativar esta opção;

Geográfico – informação sobre o idioma e a localização;

Comportamento – saiba mais sobre o visitante: se é novo vs. retorno, frequência, carácter, recente e interação;

Tecnologia – navegador de Internet, sistema operativo e rede;

Dispositivos móveis – informação sobre a utilização de *smartphone* e de *tablet* e o tipo de modelo utilizado;

Personalizado – informação sobre variáveis personalizadas;

Testes de referência – compara métricas com valores de referência em relação a: fontes de tráfego, localização e tipos de dispositivo. É importante configurar corretamente a propriedade do website;

Fluxo de utilizadores – mostra visualmente o comportamento dos visitantes ao longo das várias páginas de entrada e de saída do website.

Em quase todos os relatórios que está a visualizar, pode utilizar a função de partilhar, disponível na parte superior. Permite configurá-la para enviar um relatório semanal em PDF para um conjunto de pessoas que tenha interesse. Basta definir: os destinatários, o assunto, o tipo de anexo, a periodicidade e a duração, juntando um texto personalizado no corpo do e-mail. Recomendo que faça isto, mesmo que seja só para si mesmo. Deste modo, vai consultando os relatórios, que vão refletir o trabalho desenvolvido no Marketing Digital.

Também pode exportá-lo diretamente para PDF, em vez de o enviar por e-mail, podendo personalizar o que pretende, para fazer download imediato do relatório.

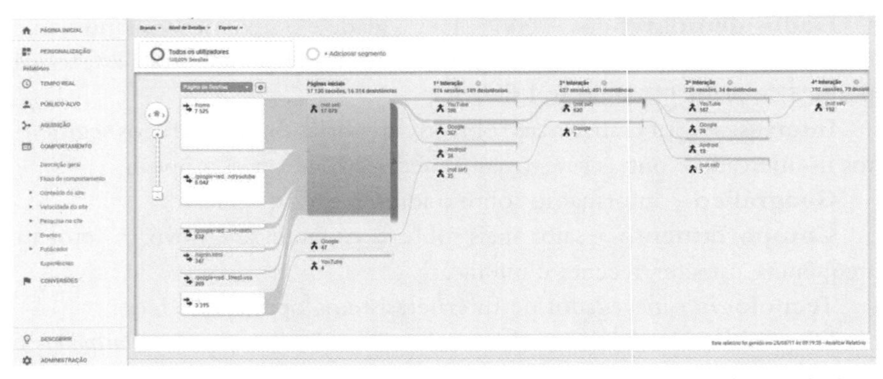

Figura 132 – Fluxo de visitantes no website, visto pelo Google Analytics.

Variáveis Personalizadas

Permite, por exemplo, medir o sucesso de um autor a colaborar com artigos para o seu blog, sabendo o que lhe está associado, relativamente a: sessões, cliques, páginas vistas, novas visitas e taxa de rejeição. Para obter estes dados, a forma mais fácil, se usar o WordPress, é com o *plugin* gratuito «Google Analytics for WordPress». Depois de instalado e ativado, poderá obter os dados no Google Analytics, em Público-Alvo > Personalizado > Variáveis Personalizadas. Consulte: o tipo de *post*, o autor, as tags, a data, as categorias, os downloads e outras informações.

Relatórios de Interesses e Dados Demográficos

Serve para identificar as categorias que geram mais ROI, caso esteja devidamente configurado para e-commerce. Pode consultar os seguintes dados: Receita, Transações, Média de compra, Taxa de conversão e Valor por visita. Esta informação também é válida para analisar as categorias de interesse que geram mais ROI e reforçam publicidade na Rede Display do Google AdWords.

As secções «Dados Demográficos» e «Interesses» incluem relatórios de Descrição Geral, com Relatórios, Idade, Sexo e Categorias de interesse.

Pode segmentar os dados restantes do Google Analytics através destas mesmas características para compreender as diferenças de comportamento entre visitantes.

Trata-se dos mesmos dados demográficos e das mesmas categorias de interesse utilizados para segmentar anúncios na Rede de Display do Google AdWords. Utilize estas informações acerca dos seus visitantes para refinar a sua estratégia publicitária.

Aquisição

Utilize esta secção para analisar e comparar as origens de tráfego, que podem vir da pesquisa, de referências de outros websites, do e-mail marketing, das redes sociais, de campanhas de publicidade e de outros meios.

Quando avaliar as origens de tráfego comparativamente, tenha em consideração o nível de envolvimento dos utilizadores com o seu website, conteúdo e conversões. No caso de comércio eletrónico, analise Transações, Produtos, Receita e Taxa de conversão.

Estas reflexões são importantes, porque, apesar de poder ter mais visitas, por exemplo do Facebook, não quer dizer que lhe traga mais resultados que os das pesquisas no Google. Identifique as origens de tráfego que apresentam as métricas com mais interesse.

É nesta secção que deve associar ao Google Search Console e ao Google AdWords, para poder integrá-los com os dados das respetivas contas.

No separador «Campanhas», poderá consultar a origem de tráfego por palavras-chave pagas ou orgânicas, campanhas personalizadas e análise de custos (tem de importar dados).

Links Personalizados para Campanhas

No separador «Campanhas» é possível acompanhar fontes de tráfego personalizadas, através da criação de URL específicos, para conseguir determinar fontes de tráfego com muita exatidão.

Para isso, tem apenas de seguir uma estrutura de link do tipo:

- **Website URL** – link direto para a página que deseja apontar;
- **Campaign source** – qual o tipo de tráfego;
- **Campaign medium** – qual o meio digital;
- **Campaign name** – qual o nome da campanha;
- **Campaign term** – a palavra-chave associada;
- **Campaign content** – o nome do conteúdo ou do anúncio.

Exemplo de um link personalizado, com cinco UTM: *www.vascomarques.com?utm_source=newsletter&utm_medium=email&utm_campaign=campanha1&utm_term=mktdigital360&utm_content=promo1*

Embora possa utilizar o URL acima como modelo e alterá-lo, vou facilitar-lhe a vida, indicando o link direto de um assistente para o ajudar a criar facilmente este tipo de link: *https://ga-dev-tools.appspot.com/campaign-url-builder.*

Comportamento

Utilize esta secção para explorar o modo como as pessoas se comportam e como interagem com o conteúdo, para analisar a velocidade do website e para a pesquisa e eventos.

Comece por analisar o fluxo de comportamento, representado por um mapa visual, para saber o percurso do utilizador, por onde está a sair e que páginas vê a seguir.

No «Conteúdo do site», descubra quais são as páginas mais vistas e as principais páginas de entrada e de saída.

Em «Velocidade do Site» verifique a rapidez de carregamento das páginas. É muito importante para melhorar a experiência do utilizador, com impacto nas métricas.

Em «Pesquisa no site», pode verificar que termos de pesquisa estão a ser utilizados na caixa de pesquisa do website e que páginas estão a aparecer nos resultados. É importante saber esta informação para perceber se o utilizador está a pesquisar por um serviço que ainda não está disponível, ou por um artigo no blog que ainda não existe.

Nos «Eventos» consegue saber que ações estão a ser desencadeadas, em que páginas e qual é o fluxo. É necessário instalar um código de acompanhamento de eventos no website para ver mais dados.

O «Publicador» serve para pode associar-se a uma conta Google AdSense, se tiver um website com anúncios, para rendibilizar as visitas.

Em «Experiências» pode fazer testes A/B para determinar o impacto que possam ter os ajustes que efetuar, recorrendo ao Google Optimize.

Alguns exemplos de utilização:

- Identifique as páginas de destino que têm de ser melhoradas;
- Identifique o conteúdo mais popular;
- Veja as páginas que geram mais retorno.

Conversões

A opção de objetivos é uma forma versátil de avaliar se o seu website ou a sua aplicação cumpre as metas definidas. Pode configurar objetivos individuais, como: visitas a uma página, submissões em formulários, duração mínima da visita e montante específico da compra.

Para consultar as conversões de objetivos, será necessário configurar primeiro os objetivos. Ao entrar nesta secção, aparece um botão para os configurar. Basta seguir o guia e adicionar os que desejar: página de destino, duração da visita, páginas vistas, evento ou objetivo inteligente.

Pode medir conversões ou taxas de conclusão para cada objetivo configurado. Combine objetivos e funis, para analisar as ações do utilizador que conduzem a um objetivo. Se definir um valor monetário para um objetivo, consegue obter um relatório com o valor das conversões.

Exemplos de utilização:

- Páginas «Obrigado por registar»;
- Ratings;
- Cliques em botões;

- Compra concluída;
- Visualização de determinada informação;
- Formulário submetido;
- Página «Transferência concluída».

Além de poder medir conversões de objetivos, também é aplicável a comércio eletrónico e a funis multicanal, desde que devidamente configurado.

ATIVE OBJETIVOS E QUANTIFIQUE VALOR

Defina quais são os seus objetivos no website, alinhados com a sua estratégia, e defina um valor. Assim, gerará um relatório no seu website, com retorno das ações realizadas.

Segmentos

Se reparar, em cima de quase todos os gráficos, existe uma opção designada: «Adicionar segmento», que permite isolar e analisar partes específicas do seu tráfego. Clique num segmento para o aplicar aos dados do relatório. Pode aplicar vários segmentos, para comparar os respetivos dados em todos os relatórios.

Vamos supor que está a ver um gráfico de visitas orgânicas do Google e quer saber quem efetuou uma compra no seu website por esta via, basta escolher o segmento «Efetuou uma compra» na vista atual.

Mas esta funcionalidade ganha uma dimensão ainda mais importante, com a possibilidade de importar da galeria pública Google modelos já criados para todo o tipo de cenários possíveis. Também pode criar o seu e partilhá-lo.

Alguns exemplos de modelos disponíveis: painel de controlo das principais métricas, painéis obrigatórios para utilizadores iniciantes, tráfego Social Media, análise de SEO, utilizadores muito interessados, vendas online e outros.

Depois de o instalar, os dados são moldados instantaneamente, em função da opção escolhida. Impressionante, não?

Aplicação Mobile

A aplicação mobile Google Analytics é simples, mas eficaz, permitindo visualizar dados do Google Analytics num ecrã de um *tablet* ou de um *smartphone*.

Mesmo o separador no qual vê os utilizadores em tempo real no website é muito fluido e atrativo. Mas pode ver também um gráfico com os dias e os horários em que recebe mais visitas, de forma atrativa, bem como quase toda a informação disponível na interface do computador, embora com limitações de configuração e de personalização.

Google Tag Manager

É uma ferramenta para poder agregar vários códigos de controlo e de conversões, analítica e *remarketing*, tanto de serviços do Google como de terceiros. Aumenta o desempenho do website pela otimização e pela validação de carregamento dos códigos. Permite adicionar vários tags, *triggers* e *variables*.

Por exemplo, pode adicionar *tags* do Google Analytics, do Google AdWords, do Google Optimize, do LinkedIn, do Hotjar, do Facebok Pixel, do Twitter e de outros. O normal seria adicionar o código para cada um dos serviços, resultando num carregamento mais moroso e mais difícil de validação de normal funcionamento. Com o Google Tag Manager pode adicionar e gerir tudo num só local, só com um pequeno pedaço de código a colocar na sua página.

Saiba mais em: *https://tagmanager.google.com*.

Google Tag Assistant

É um *plugin* gratuito para o Google Chrome que permite diagnosticar se o Google Analytics foi bem instalado no website. Mas, além disso, permite identificar outros *tags* associados e se estão devidamente ativados. Também permite gravar uma simulação de comportamento, que poderá fazer desenrolar no seu website para acompanhar *feedback* de todo o processo.

Se for necessária uma ferramenta mais específica e técnica, o Google Analytics Debugger permite ajudar no diagnóstico de problemas ou obter mais informações técnicas do Google Analytics.

Google Data Studio

Uma ferramenta incrível para criar *dashboards* simples e atrativos, recorrendo a informação que já tem disponível. Os dados podem ser obtidos importando de várias fontes: carregar ficheiro, Google AdWords, Attribution 360, BigQuery, CloudSQL, DCM, DFP, Google Analytics, folhas de cálculo Google, MySQL, PostgreSQL, Google Search Console e YouTube Analytics. Ou seja, pode importar dados diretamente de qualquer serviço Google e integrá-los com outras plataformas ou fazer upload de ficheiro com dados. E com tudo isto, pode desenhar o *dashboard* que pretender, para ter um painel de controlo à medida das suas necessidades, para acompanhar as métricas que fazem mais sentido.

As utilizações são múltiplas, mesmo para criar *dashboards* de informação fora do ecossistema Google. Alguns exemplos de utilização: ROI da loja online, desempenho de campanhas de publicidade, retorno do investimento de marketing digital, resultados de anúncios do Facebook comparativamente aos do Google e outras opções. Saiba mais em: *https://datastudio.google.com.*

Complementarmente, utilize o Usage Trends em: *https://ga-dev-tools.appspot.com/usage-trends.* É uma ferramenta muito pouco conhecida, mas permite identificar tendências de comportamentos ao longo do tempo, valiosíssimas para perceber o utilizador e para saber quais são os ajustes a efetuar à sua estratégia.

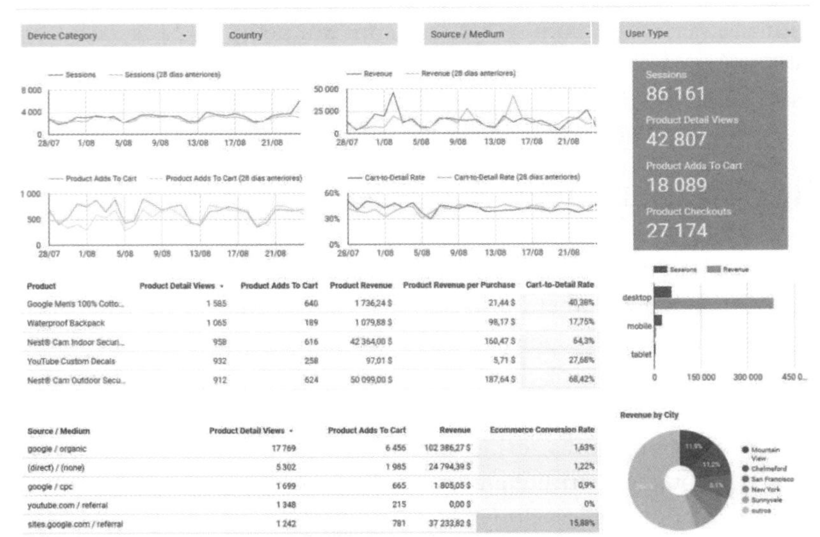

Figura 133 – Exemplo de modelo de *dashboard*, no Google Data Studio.

Google Optimize

O Google Optimize é uma ferramenta gratuita da Google que permite fazer testes A/B ou variações de testes mais avançados (*multivariate test* e *redirect test*). Pode alterar, por exemplo, uma mensagem no checkout, a cor do botão de compra, o tamanho do texto num formulário, a home page ou as imagens numa página. Depois de aplicar os ajustes, a ferramenta determinará qual foi a experiência que gerou melhores resultados na experiência do utilizador como teste vencedor. Assim, poderá otimizar o seu website, blog, loja ou *landing page*, para aumentar eficiência e obter mais resultados.

Depois de abrir a ferramenta, poderá configurar objetivos (primários e secundários) e variações a aplicar em função dos testes que deseje realizar no intervalo de datas desejado. Após instalar, adicionalmente, uma extensão do Google Chrome, conseguirá aplicar regras e alterações visuais à sua página.

Além disso, o Google Optimize está integrado com o Google Analytics, beneficiando, deste modo, dos dados analíticos para ajudar a identificar os aspetos do website que precisam de ser melhorados com este processo. Os relatórios das experiências ficam também disponíveis no Google Analytics, no separador «Experiências», dentro da categoria «Comportamento».

Saiba mais em: *https://optimize.google.com.*

Google Surveys

O Google Surveys é um serviço de inquérito que permite obter respostas de pessoas reais com base em algumas questões (até dez), para obter informação de interesse para profissionais ou para empresas. Por exemplo, se quiser saber se um novo produto teria interesse para um determinado público-alvo, esta pode ser a ferramenta certa para aferir. Tem interesse para prospeção de mercado, para lançamento de novos produtos e para ajustes em serviços.

A empresa que faz o inquérito terá um custo para poder lançar o formulário para o público com as características que definiu. Quem detém websites ou aplicações terá a possibilidade de poder inserir esses formulários. Como contrapartida, o utilizador poderá ter acesso a conteúdo exclusivo fornecido pelo proprietário do website. O detentor do website recebe depois parte do respetivo valor da Google, que intermediou o processo.

Assim, os profissionais de marketing conseguem obter um relatório detalhado das respostas ao inquérito, com amostra significativa; os detentores do website ou das aplicações recebem uma pequena remuneração por terem proporcionado essa oportunidade; o público que respondeu conseguiu aceder à informação valiosa que desejava.

Em função da audiência, do número e do tipo de questões e da amostra mínima para respostas ao inquérito, terá um orçamento em tempo real, podendo alterar os parâmetros para ir ao encontro do orçamento estipulado, se tiver essa restrição. O valor é acessível, comparado com outros métodos de inquérito. Está disponível em alguns países. Saiba mais em: *https://surveys.google.com*.

Google Analytics 360 Suite

Para grandes organizações – e com necessidades específicas – existe uma solução abrangente e completa. Esta *suite* integra as versões mais avançadas do: Google Analytics, Google Tag Manager, Google Optimize, Google Surveys e Google Data Studio. Inclui ainda o Google Attribution 360 e o Google Audience Center, DMP, que não existem na versão gratuita. Como deve estar a calcular, esta é uma solução paga.

Permite obter dados através dos vários pontos de contacto entre o utilizador e a marca, decorrente do complexo Customer Journey, que atualmente acontece devido à variedade de dispositivos e de meios de comunicação. Os dados recolhidos com esta plataforma vão ajudar a transformar números em informação, para afinar a estratégia de marketing em função do impacto obtido em cada canal.

A Sua Checklist Google Analytics

N	✓	TAREFAS A IMPLEMENTAR
1		Crie conta Google Analytics
2		Adicione código ao website ou instale *plugin* WordPress
3		Valide se o Google Analytics ficou devidamente instalado (Tag Assistant ou veja visitas em tempo real)
4		Dê acesso a outras contas de utilizadores, se for necessário
5		Ative o relatório de interesses e de dados demográficos
6		Consulte as principais métricas após alguns dias de ativação
7		Configure relatório semanal em PDF para enviar automaticamente por e-mail
8		Importe um modelo da galeria ou crie o seu relatório
9		Configure variáveis personalizadas no WordPress, se for necessário
10		Crie links personalizados para medir campanhas
11		Instale aplicação mobile
12		Analise e interprete regularmente os dados
13		Se for necessário, utilize o Google Tag Manager
14		Crie *dashboards* atrativos no Google Data Studio
15		Faça testes A/B com o Google Optimize
16		Explore funcionalidades mais avançadas

18
Ferramentas de Produtividade

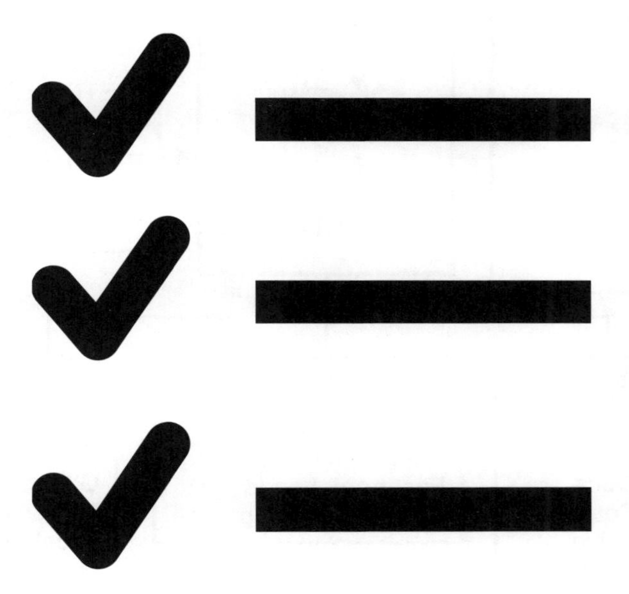

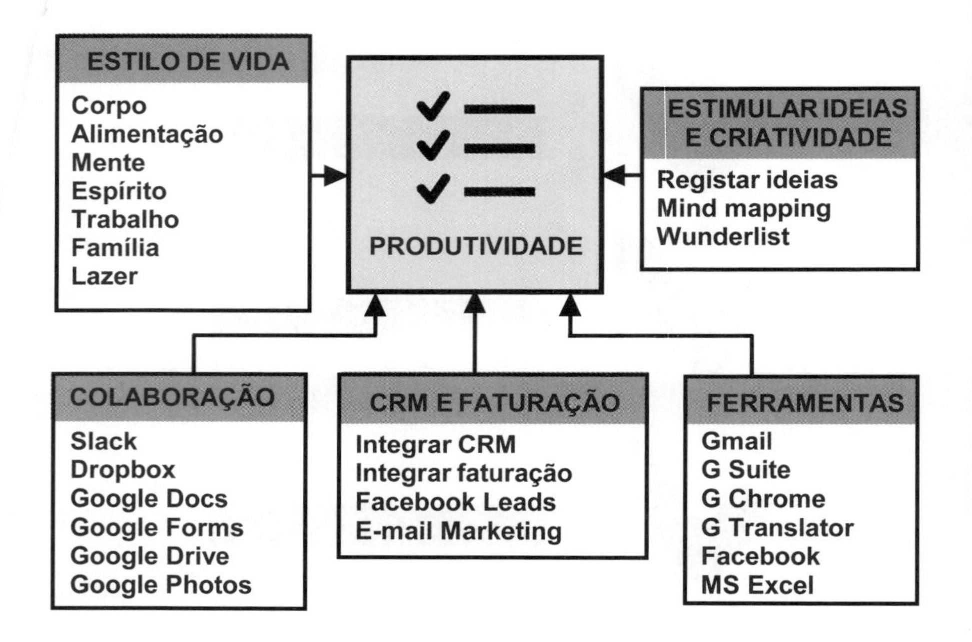
ESTILO DE VIDA
Corpo
Alimentação
Mente
Espírito
Trabalho
Família
Lazer
PRODUTIVIDADE
ESTIMULAR IDEIAS E CRIATIVIDADE
Registar ideias
Mind mapping
Wunderlist
COLABORAÇÃO
Slack
Dropbox
Google Docs
Google Forms
Google Drive
Google Photos
CRM E FATURAÇÃO
Integrar CRM
Integrar faturação
Facebook Leads
E-mail Marketing
FERRAMENTAS
Gmail
G Suite
G Chrome
G Translator
Facebook
MS Excel

Estilo de Vida e Método de Trabalho

É importante utilizar a tecnologia a seu favor para se tornar mais produtivo. Por outro lado, independentemente da tecnologia, pode utilizar metodologias de trabalho e gestão de tempo que lhe vão trazer mais momentos livres.

Antes de mais, é fundamental ter um estilo de vida equilibrado, saudável e que o faça sentir preenchido e feliz. Alguém desanimado, com falta de descanso, com uma alimentação desregrada ou que não se sinta realizado será muito menos produtivo.

Cada um terá de descobrir o que lhe dá mais equilíbrio. Para uns, viajar alimenta-lhes a alma, para outros, o maior prazer é estar no seu cantinho. E estes antagonismos acontecem em muitas esferas da vida, por isso cabe a si ir-se descobrindo para que, com o bom senso que a maturidade vai desvendando, escolha cada vez mais as opções sensatas e acertadas.

Seja como for, vou arriscar apresentar os procedimentos que considero que me tornam mais produtivo e que me poupam energia:

- Procuro sempre ter uma visão espiritual da vida. Se tivermos uma visão estritamente material, acabamos por nos sentir vazios. Quando vemos os acontecimentos diários por um prisma espiritual, tudo faz mais sentido;
- Tento não deixar situações emocionais pendentes, por exemplo, falar com alguém de um assunto que me incomoda ou esclarecer mal-entendidos;
- Tento sempre ver as dificuldades como oportunidades de aprendizagem. Tudo o que nos acontece na vida que aparentemente é um contratempo, normalmente, é um degrau para nos fazer crescer;
- Descanso o suficiente sempre que possível. Normalmente, 6 a 7 horas chegam, por vezes preciso de mais, outras vezes fico bem com menos. Mas conheço o padrão e o que faz variar o tempo de sono;
- Quando preciso, descanso ao longo do dia. Especialmente se estiver num ritmo mais exigente, repouso 15 minutos para recuperar energia;
- Em fases mais intensas, o dia de trabalho começa às 6h. Tento alocar as tarefas mais exigentes a nível intelectual de manhã. Curiosamente, já tive um padrão inverso (muito produtivo até de madrugada), mas ao longo da vida também vamos mudando e temos de nos adaptar;
- Alimento-me o melhor possível. Se estou em casa, as opções são mais fáceis. Se estou fora, procuro o que for mais saudável. A comida vegetariana é a minha primeira opção (se for de qualidade). Depois vem o

peixe ou as carnes mais saudáveis. Diversificar penso que é o melhor para o corpo;

- Faço atividade física sempre que possível. Gosto de fazer caminhadas diariamente, durante 30 a 60 minutos. Gosto de fazer ioga uma a duas vezes por semana;
- Escrevo todas as ideias que me venham à mente. Utilizo o que tenho à mão: app no *smartphone*, caderno ou Google docs. A mente fica assim liberta, e estando escrito pode ser trabalhado mais tarde;
- Evito reuniões. Normalmente, são improdutivas e o assunto poderia ser resolvido com um e-mail ou com um telefonema. Se tiver de ser, que seja. Mas normalmente, é uma perda de tempo e de energia;
- Evito deslocar-me, mas quando o faço tento otimizar ao máximo as viagens. Não gosto de perder energia e tempo com deslocações;
- Evito utilizar o telefone, que, normalmente, é improdutivo. Prefiro o e-mail ou o instant messaging;
- Na empresa delego tudo o que for possível; não tenho a pretensão de querer fazer tudo. Mas gosto de estar a par de tudo;
- O meu local de trabalho não tem ruídos nem música. Tenho sempre uma caneta e um bloco e também três monitores ligados a um PC capaz de executar qualquer tarefa;
- Procuro ambientes positivos e construtivos. Fujo de conversas desinteressantes ou que foquem aspetos negativos seja do que for. Se é para perder tempo a falar de coisas sem interesse, não contem comigo;
- Gosto de estar com as pessoas que são autênticas, positivas, divertidas, produtivas, que gostem de descobrir coisas novas e que sejam humildes.

Em viagem gosto de usar Mac, mas no trabalho diário prefiro PC. No *tablet* prefiro iPad e no *smartphone* prefiro Android. Cada um dos mundos tem as suas vantagens de produtividade. O meu meio de transporte preferido é o comboio alfa pendular, que me permite fazer o que quiser sem desperdício de tempo. Antes da viagem, organizo tarefas que posso fazer enquanto viajo e ordeno-as por prioridade. Se for de avião, organizo tarefas que não exijam Internet; se for de comboio, já posso utilizar Internet quando for necessário. É raro descansar enquanto viajo. Normalmente, aproveito para trabalhar, pois estou mais livre de distrações.

Penso que não existem fórmulas, mas métodos que se encaixam melhor nuns do que noutros. O importante é ir experimentando novas formas e, mesmo que sejam muito diferentes daquilo a que esteja habituado, podem resultar.

Atreva-se a experimentar e a descobrir novas formas de trabalhar. É sempre possível melhorar a sua produtividade.

Ideias e Criatividade

Todos temos muitas ideias e todos somos muito criativos! O que acontece é que nem sempre utilizamos o melhor método para recolher e para estimular o fluxo de ideias.

Embora cada um deva procurar as técnicas e os métodos que melhor resultem, existem algumas orientações que talvez o possam ajudar.

A regra mais importante é registar todas as suas ideias. Onde vai fazer isso é uma questão de analisar a forma mais fluida ou prática para a ocasião certa.

Onde registar ideias:

E-mail – envie um e-mail para si mesmo, com ideias ou tarefas para determinado projeto. Tem a vantagem de que depois irá consultá-lo e ficará com um registo facilmente pesquisável (use o assunto certo), e até pode fazê-lo através do *smartphone* com muita facilidade;

MindMapping – utilize técnicas de mapeamento mental (existem vários livros sobre o assunto), que tanto podem ser no formato desenhado manualmente, como via software: Mindmeister (web), Mindmanager (software) ou outro. Estas técnicas adaptam-se ao funcionamento do cérebro, estimulando ideias em vez de as interromper;

Quadro – um vulgar quadro branco ajuda muito. Pode estar no seu escritório para registar e para organizar ideias alocadas a projetos. Muitas empresas o usam, por mais digitais que sejam;

Caderno – o caderno resulta sempre. Não avaria, não fica sem bateria, pode ser organizado temporalmente e até pode destacar uma folha e levá-la consigo. O formato A5 é o meu preferido, por ser facilmente transportável e ainda assim poder escrever muito. Também porque uma folha com esse tamanho normalmente me chega para um dia de trabalho (notas, tarefas urgentes e ideias soltas);

Google Docs – está acessível a partir de qualquer computador ou dispositivo e permite colaborar com mais pessoas com facilidade, podendo, se for necessário, importar depois no MS Word para uma formatação mais avançada. É das soluções mais simples e mais eficazes para produzir textos mais compostos;

Voz – grave notas de voz com o clássico gravador ou com aplicações mobile. Todos os *smartphones* trazem um gravador de voz;

Apps mobile – existe um sem-fim de aplicações para o efeito. Desde o Evernote, o Wunderlist, o Microsoft To-do, o Trello, etc. Pode explorá-las na categoria de produtividade da loja de aplicações. As minhas preferidas são a Wunderlist e a Microsoft To-do.

Outras ferramentas que lhe podem ser muito úteis:

Zapier – simplifica a automação entre web apps;

IFTTT – automatiza tarefas entre inúmeros serviços;

Google Calendar – é a agenda da Google online. É útil para agenda pessoal, para agenda profissional e para integrar com agenda pública de eventos no seu website;

LogMeIn – para obter assistência remota através de acesso ao seu computador;

GetPocket – serviços para guardar e gerir websites favoritos;

Doodle – para conciliar disponibilidade de várias pessoas para marcar reuniões ou eventos;

Waze – um dos melhores serviços de GPS, com informação em tempo real.

Pode até usar todas estas ferramentas, definindo um fluxo de trabalho para o qual vai usar cada uma destas sugestões de acordo com as circunstâncias e depois canalizar toda a informação para algo centralizado, que poderá ser o Google Drive/Docs. Comece a explorar cada uma das ferramentas e verá que o seu dia será muito mais produtivo. A criatividade também irá manifestar-se!

Para organizar o meu fluxo de trabalho utilizo: o caderno de argolas A5 e uma esferográfica muito fluida, a app Wunderlist para registar rapidamente tarefas, o Slack para tarefas colaborativas e o Google Docs para desenvolver ideias ou projetos mais consistentes. Só uso o MS Word se precisar de uma formatação mais cuidada, ou para apresentação de propostas ou similar.

Pense especialmente em ideias e em projetos de que goste, em que o entusiasmo o faça vibrar. Mesmo que o objetivo não seja o lucro, será por aqui que as ideias irão florir mais rapidamente – o que adoramos fazer fica bem feito.

Ferramenta de Colaboração

É importante definir uma ferramenta de colaboração para a sua organização. Quer trabalhem todos no mesmo espaço físico, ou remotamente, aumenta muito a produtividade não tratar tudo por e-mail.

Uma possível hipótese seria utilizar grupos secretos no Facebook e utilizar o Messenger para comunicar. Mas tem um grande problema: acabará por se distrair com outros conteúdos e o mais provável é que seja improdutivo.

Existem inúmeras soluções: Workplace by Facebook, Slack, Trello, Google Keep, Yammer, Basecamp, MS Sharepoint, Bitrix24 e tantas outras.

Workplace By Facebook

O Workplace by Facebook utiliza a mesma plataforma que todos conhecem, mas adaptada ao mundo do trabalho e totalmente independente. A grande vantagem é que não precisa de perder tempo a explicar à sua equipa como funciona, visto ser muito similar ao Facebook, e os colaboradores vão conseguir utilizá-la rapidamente. A plataforma é bastante segura e apresenta como principais características: *feed* de notícias, grupos, diretos, mensagens instantâneas (chat, chamada de voz e de vídeo), bots para automatizar tarefas, integração com outras ferramentas (Dropbox, Google Drive, Box, Google Suite, etc.), relatórios, pesquisa, trabalhar em várias empresas e vários departamentos. Existe um plano gratuito e, também, um plano pago com mais funcionalidades e a um valor muito acessível.

Slack

O Slack é uma ferramenta muito simples, mas muito poderosa. Funciona por canais (tipo salas de chat, como no tempo do IRC – *Internet Relay Chat*) e pode ser criada para um projeto, assunto, equipa ou qualquer outro tema. Todos os colaboradores veem o respetivo conteúdo, mas, se for necessário, é possível criar canais privados com permissões.

Pode enviar mensagens pessoais apenas para um colaborador ou para um grupo de colaboradores, não ficando associado a um canal. Permite também efetuar chamadas de vídeo ou partilhar ambiente de trabalho.

Para partilhar um ficheiro, basta arrastá-lo para o local desejado, ou partilhar o link do ficheiro do Dropbox ou do Google Drive. E a melhor parte é que o conteúdo do ficheiro fica indexado, o que significa que aparece nas pesquisas que efetuar no Slack.

A pesquisa é muito eficiente: permite aplicar filtros ou procurar em todos os canais conversas com pessoas ou no interior de ficheiros partilhados.

Integre-o com outras ferramentas que já utiliza: Google Drive, Twitter, Google Hangouts, Dropbox, etc.

Naturalmente, tanto funciona no computador como em app mobile. Tem um plano grátis muito generoso. Esta é a ferramenta que utilizo todos os dias para trabalhar em equipa.

Google Drive

Algumas das possibilidades de armazenamento na cloud são: Dropbox, Google Drive, iCloud e Microsoft OneDrive. São as mais populares, mas existem outras.

O Google Drive é uma ferramenta muito útil para *backup* de ficheiros. Permite partilhar facilmente com outros utilizadores, gerir permissões, integrar com aplicações, com Google Photos e utilizar a ferramenta Google *Backup* and Sync para poder fazer *backup* e sincronizar ficheiros do seu computador. No caso de contas empresariais, será o Drive File Stream.

Provavelmente usa o Dropbox para armazenar e para sincronizar ficheiros no seu computador e para aceder, a partir de qualquer dispositivo, em qualquer lado. E faz muito bem. No entanto, a Google apresenta uma solução muito boa com várias vantagens.

Para aceder ao seu plano grátis, visite: *https://drive.google.com* e faça login com a sua conta Google. Se aceder a definições, pode mudar para o plano de 1 TB por um valor muito baixo, ou até mesmo para planos superiores.

Pode carregar ficheiros diretamente do browser, ou arrastá-los para a pasta que ficou criada no seu computador após transferir a app Google *Backup* and Sync.

Além disso, se desejar, pode fazer download de todos os ficheiros de uma só vez. Basta selecionar todos os ficheiros desejados, fazer clique no lado direito e guardar!

Em projetos de *e-learning* ou similares, permite alojar vídeo e incorporá-lo em qualquer plataforma com o motor de reprodução do YouTube, mas em formato *white label*. Ou seja, apenas existe o player, mas sem nenhum *branding* do YouTube ou do Google, dando um aspeto muito profissional.

Nas definições, em «gerir aplicações», pode adicionar novas aplicações estendendo as funcionalidades, que são muitas. Existem aplicações para juntar PDF, para desenhar, para criar diagramas, para *mindmapping* e para uma infinidade de ferramentas de produtividade. Explore e encontrará muitas com interesse, e perceberá que o Google Drive é muito mais do que um simples espaço de armazenamento.

Google Drive & Sync

Para fazer *backup* de tudo o que está no seu computador, pode fazer download gratuito do Google Drive & Sync. Está integrado com o Google Photos, permitindo sincronizar as fotografias e os vídeos para este serviço. Assim, as pastas que selecionar estarão sempre sincronizadas com a cloud para que tenha sempre os seus dados a salvo, no caso de acontecer algo inesperado.

Se utilizar o Google Suite, poderá beneficiar do sistema Drive File Stream, que consiste em poder utilizar e editar os ficheiros do Drive sem ter de os descarregar, isto é, sem ocuparem espaço no seu computador.

Google Photos

Se tem um dispositivo Android, provavelmente já tem esta app instalada. Se tem iOS, poderá instalá-la gratuitamente. A grande vantagem é poder fazer *backup* ilimitado de todas as fotografias e vídeos que estejam no seu computador, discos externos, cartões de memória, *smartphones* e *tablets*. Sim, leu bem: grátis e ilimitado para fotografias e vídeos! Só por isso já é uma ferramenta incrível. Mas faz ainda muito mais do que isso: cria vídeos e animações automáticas, histórias, permite pesquisar por qualquer termo e consegue reconhecer o conteúdo da fotografia, identifica pessoas e muito mais.

Além disso, pode selecionar um conjunto de fotografias e de vídeos, e criar um vídeo profissional para a seleção que efetuou – os resultados são incríveis, experimente!

Google Docs

No Google Drive está integrado o famoso Google Docs, que lhe permite criar documentos de texto, apresentações, folhas de cálculo, formulários e desenhos.

Pode partilhar cada ficheiro que criar no Google Docs, dando permissões a terceiros (público, acesso através do link ou privado) para o ver, editar ou comentar.

É possível ver comentários dos vários colaboradores a quem concedeu acesso em tempo real.

Não é um substituto do Microsoft Office (que também tem versão online), mas, para a maioria das tarefas, é suficiente, disponibilizando ferramentas de formatação essencial. E a sua simplicidade e omnipresença é muito prática.

Um Google Docs faz milagres, se precisar de iniciar algum projeto com colaboração de várias pessoas, como: escrever um livro, definir uma estratégia, trabalhar em equipa ou trabalhar uma ideia.

Partilhe com qualquer pessoa, edite em tempo real, converse e comente no seu documento.

Todas as suas alterações são guardadas automaticamente à medida que escreve. Também pode usar o histórico de revisões para ver versões anteriores do mesmo documento, ordenadas por data e por quem efetuou a alteração.

Abra, edite e guarde ficheiros do MS Word. Tem ainda a possibilidade de converter ficheiros do MS Word em Google Docs e vice-versa.

Melhore ainda mais a sua experiência através de suplementos. Estão disponíveis funcionalidades adicionais, tais como: conversor MS Word, impressão em série, índice, tradução, reconhecimento de voz, wordcloud (imagem com palavras) e muitas mais.

Com a aplicação mobile, tem a possibilidade de começar um documento no computador e depois continuar a trabalhar no projeto enquanto está na fila do supermercado e concluir enquanto está no restaurante à espera do almoço. Quando chegar ao computador, basta rever e aplicar a formatação necessária, tarefa facilitada com o rato e o teclado.

Google Forms

Mais uma vez, a simplicidade do Google tornou esta ferramenta muito popular, que lhe permite, em poucos minutos, ter um formulário pronto a utilizar para: abrir inscrições num evento, pedidos de informações, inquéritos de satisfação, estudos, sondagem e qualquer outra utilização em que necessite de fazer perguntas e estruturar dados, representados por gráficos.

Adicione vários campos ao formulário, possibilitando assumir vários tipos:

- Resposta curta;
- Parágrafo;
- Escolha múltipla;
- Caixas de verificação;

- Lista pendente;
- Carregar ficheiro;
- Escala linear;
- Grelha de escolha múltipla;
- Grelha de caixas de verificação;
- Data e hora.

Também pode adicionar imagens e vídeos no próprio formulário. É útil quando tem um *flyer* ou quando tem um vídeo de apresentação.

Permite dividi-lo por várias páginas – se forem muitas perguntas – e mostrar uma barra de progressão. Não faça formulários que exijam mais de dois minutos a responder, ninguém merece isso!

Escolha um entre os diversos temas gráficos disponíveis e, na falta de um atrativo, escolha o mais simples possível: o branco.

Pode partilhar o link direto (deve encurtar o link com bit.ly) do formulário nas redes sociais, no website, por e-mail ou noutro meio. Também pode obter o código para o incorporar diretamente no seu website.

A partir do momento em que o publica, fica aberta a possibilidade de lhe ser respondido. As respostas quantitativas ficam logo representadas por gráficos, disponíveis na folha de cálculo que ficou associada, à medida que as respostas vão chegando. Pode visualizá-los no menu «Respostas» do formulário. Depois, pode fechar as respostas quando desejar, encerrando a possibilidade de mais envios.

Esta folha de cálculo com as respostas, que fica associada ao seu formulário, apresenta características muito úteis que aumentam a produtividade. Além de lhe dar uma visão global da quantidade de respostas que vai obtendo, dá-lhe a possibilidade de acrescentar colunas com mais informação e formatar a folha de cálculo para um controlo mais eficiente. Outra vantagem é ter a possibilidade de exportar estes dados.

Configure a mensagem de confirmação que aparece no fim, em que pode, por exemplo, convidar a segui-lo nas diversas redes sociais, bastando colocar os respetivos links.

Em vez de criar um formulário, pode fazer um Quiz, no qual existirá um conjunto de perguntas com possibilidades de respostas e, no fim, será apresentada a pontuação. É importante para *e-learning* ou para outro tipo de situações.

É possível ativar a opção de receber notificação por e-mail para novas respostas.

Defina quais são os campos obrigatórios, a descrição complementar sobre o campo e a validação do campo com determinadas regras.

Através dos suplementos, é possível estender as funcionalidades desta ferramenta para, por exemplo: configurar um e-mail de resposta automática, definir limites automáticos de receção de repostas e outras opções mais avançadas.

Também é possível adicionar código personalizado para poder adicionar as funcionalidades que desejar.

Aceda a *Google.com/forms* e experimente criar o seu formulário!

Gmail

Provavelmente, utiliza-o para aceder à sua conta de e-mail da Google, ou mesmo para aceder a qualquer outra conta de e-mail, mesmo que associada à sua empresa. Está acessível com o mesmo login e fica centralizado e acessível em qualquer lado.

É muito simples, de fácil acesso, e a pesquisa de e-mails é provavelmente a melhor, o que não surpreende vindo da Google.

Temas: em Definições > Temas escolha um entre os vários temas disponíveis. Configure separadores da caixa de entrada: principal, social, promoções, atualizações, fóruns e mensagens com estrela. Defina secções de caixa de entrada: importantes e não lidas, marcado com estrela, não lidas, determinadas contas e outros.

Enviar e-mail: componha o seu e-mail através do botão no canto superior esquerdo, adicione destinatários, assunto e corpo da mensagem.

Mas também pode enviá-lo em CC (com conhecimento) e em BCC (com conhecimento oculto), útil para envolver outras pessoas no assunto. Estas opções estão do lado direito do campo do destinatário. Escolha a correção ortográfica do seu idioma.

DESCUBRA QUEM ABRIU OS E-MAILS QUE ENVIOU

O Hubspot tracking permite notificar o destinatário, sempre que abrir um email enviado por si. Tem interesse para aquele e-mail importante que enviou para um cliente.

Pode ter interesse instalar uma extensão que permita saber quem abriu os seus e-mails. É útil para saber se o cliente recebeu a proposta que enviou, para poder fazer o devido seguimento. A ferramenta gratuita a utilizar é o Hubspot e-mail tracking: *www.hubspot.com/products/sales/email-tracking.*

Formatar: para formatar o texto do e-mail basta selecioná-lo e aplicar formatação essencial, disponível na parte de baixo. Tem a possibilidade de adicionar links ao texto e poder escolher para onde apontam.

Conversas: ocorre uma conversa depois de terem sido trocados pelos intervenientes pelo menos dois e-mails. Mas pode recuperar um determinado momento da conversa e responder a partir daí, retomando a conversação nesse ponto.

Pode ver detalhes da conversa e e-mails no ícone «triângulo». Também pode editar o assunto nessa zona, que gera uma nova conversa. No fim do e-mail aparece «...» e, se clicar, consegue ver a conversa que vai junto do e-mail a que está a responder.

Pode ainda reencaminhar, responder, responder a todos e mesmo adicionar mais e-mails à conversa.

Defina o comportamento das conversas em Definições > Geral > Conversas. Se ignorar as conversas, pode sempre recuperar os e-mails na categoria «Todo o correio».

Anexos: pode anexar ficheiros ao e-mail, claro. E com o razoável limite de 25 Mb, que não é nada mau. Mas, se quiser anexar ficheiros até 10 Gb (o Wetransfer só permite 2 Gb e é limitado no tempo), basta que os anexe através do Google Drive, mesmo com a conta gratuita. Muito oportuna, esta integração entre as duas ferramentas e a possibilidade de anexar ficheiros com capacidade muito superior ao que poderá precisar.

Basta clicar no ícone «clipe», em baixo, no e-mail, e pode escolher se deseja anexar diretamente o ficheiro ou enviá-lo pelo Google Drive. E podem ser vários ficheiros de uma só vez.

Rascunhos: sempre que fechar o browser ou um e-mail sem enviar, não se preocupe, pois é gerado um rascunho automaticamente, para que possa retomá-lo posteriormente e enviar o seu e-mail. Espreite de vez em quando a secção de rascunhos, pois pode acabar por acumular muitos sem necessidade.

Correio enviado: pode consultar todos os e-mails que enviou através do Gmail. E se quiser retomar a conversa a partir daí, basta clicar e responder.

É também um bom controlo de gestão de e-mails, para saber o que realmente já foi enviado e se precisar de voltar de novo ao assunto.

Lixo: sempre que apaga um e-mail, ele é enviado para esta caixa de lixo, que é apagado irreversivelmente após 30 dias. Mas se antes desse período quiser recuperar algum e-mail, é simples – pode até selecionar várias mensagens. Visite-o de vez em quando, para eliminar a possibilidade de ter apagado sem querer alguma mensagem importante.

Spam: é um pouco mais suja do que a caixa anterior, pois vão lá parar as mensagens com publicidade não solicitada, que também são apagadas automaticamente a cada 30 dias. Mas convém verificar, porque pode receber algum e-mail nesta categoria inadvertidamente, que poderá, nesse caso, marcar como não spam para que o processo não se repita.

Ou o inverso: na caixa de entrada assinale como spam algum e-mail que o seja e não tenha ido para a respetiva categoria.

Marcadores: os marcadores são formas de organizar e-mails – uma espécie de pastas. Pode criar novos marcadores, subcategorias, gerir e atribuir cores.

Aceda a Definições > Marcadores para os gerir e configurar.

Pode associar vários marcadores a um e-mail. Crie, por exemplo, os seguintes tipos de marcador: responder, urgente, projeto X ou empresa.

Mover e-mails: apesar de os receber, em princípio, na caixa de entrada, pode mover e-mails para marcadores, spam, lixo. Move-os fisicamente, saindo da caixa de entrada para o local de destino.

Marcar: se o marcar, assinala-o graficamente, mas permanece na caixa de entrada. Se preferir, pode optar por lhe associar um símbolo em vez de um marcador com texto. Basta clicar para o marcar e fica na secção estrelas. Em Opções adicione mais tipos: seguimento, pessoal, profissional. Em Opções > Geral > Estrelas pode gerir os marcadores.

Arquivo: selecione várias mensagens e adicione-as ao arquivo, se não as quiser apagar mas se também não for relevante estarem na caixa de entrada. Fica depois disponível em «Todo o correio», acessível mais abaixo, no menu de navegação do lado esquerdo.

Filtros – regras: se aceder ao menu superior e clicar em Mais > Criar filtro, filtra-os de acordo com os critérios definidos. Também é possível selecionar vários e-mails e aplicar o filtro. Aceda a Definições > Filtros para criar, ver todos ou apagar.

Comandos de pesquisa: provavelmente desconhece que, na caixa de pesquisa, pode aplicar comandos de pesquisa para mais facilmente encontrar o e-mail ou a conversa que procura. E não tem muitos segundos disponíveis para o fazer, porque é urgente. Então, apresento-lhe uma lista de comandos (só funciona em inglês) que lhe pode ser útil:

From:To: Subject – preencher com o remetente, o destinatário e o assunto;
Label – definir o marcador;
Has: attachment – mostra todos os e-mails com anexo;
Is: spam, unread, read – mostra todos os e-mails spam. Escolha se quer ver os lidos ou os que estão por ler;
Has: yellow-star, purple-questions – ver e-mails marcados com a estrela e o símbolo roxo;
Before: 2020/12/31 – ver todos os e-mails antes da data definida;
OR AND – pode usar operadores E e OU em todos os comandos, cumulativamente.

Google Suite

É uma suíte de ferramentas Google pagas que, se gostar da versão gratuita, é um bom investimento.

As ferramentas incluídas são: Gmail, Calendar, Docs, Drive, Hangouts e ferramentas administrativas (Admin console, permissões, gerir dispositivos remotamente, relatórios e auditoria e suporte Google).

Passa a ter possibilidade de criar e gerir e-mails da empresa que chegam em tempo real (no Gmail, se configurar e-mail da empresa, tem um *delay* de 30 minutos, o que é considerável), segurança adicional, 1TB de espaço no Google Drive, gestão de dispositivos móveis, apoio técnico, controlos de administração avançados e uma migração fácil de dados.

Google Chrome

É o explorador de Internet (browser) mais utilizado, o mais simples e o mais rápido. Aconselho a utilização do Google Chrome, por ser o mais universal e por existirem funcionalidades de diversas plataformas (Facebook por exemplo) que só funcionam neste browser.

Modo Anónimo

Pode navegar no modo anónimo. Tem interesse para que a sua conta Google, os *cookies*, ou o histórico de navegação não interfiram nos resultados de pesquisa quando está a analisar a sua posição no Google. Para isso, basta pressionar CTRL+Shift+N e aparecerá um ícone de «detetive» na aba, que lhe indica que conseguiu entrar neste modo com sucesso.

Extensões

Existem milhares de aplicações e de extensões disponíveis para o Chrome.

Sugiro as seguintes:

Chrome Remote Desktop – para aceder remotamente a outro computador;

Evernote – para recolher notas, elementos web, texto, imagem e tudo aquilo de que precisar de tomar nota;

Bit.ly – para ter sempre à mão. É o melhor encurtador de links, que, certamente, vai precisar de usar muitas vezes;

Pagespeed insights – para medir a velocidade da página que está a ver;

Google Analytics – para acompanhar rapidamente as métricas dos seus websites;

Webrank SEO – é uma das melhores extensões para quem quiser otimizar para motores de pesquisa;

Google Calendar – para ter a sua agenda sempre à mão;

Checker Plus for Gmail – permite visualizar novos e-mails, receber notificações no seu desktop e ler ou excluir e-mails sem necessidade de abrir o Gmail;

Tabs outlier – para ver o número de separadores abertos e poder consultá-los lateralmente. Além disso, restaura sempre todas as abas para o caso de acontecer algo inesperado.

Instale também a extensão do Marketing Digital 360 em: *www.bit.ly/chromemktdigital360* e a aplicação gratuita: *www.bit.ly/appchromemktdigital360* para o Google Chrome.

Pode pesquisar mais extensões na web store do Google Chrome em: *https://chrome.google.com/webstore/category/extensions.*

Configurações Extras

Existem muito mais configurações e funcionalidades que pode explorar nesta ferramenta fantástica.

Alinho mais algumas:

- Fixe separadores das páginas abertas: clique direito, fixar separador;
- Sincronize, em Definições, configurações do Google Chrome em todos os computadores com login Google;
- Clique na estrela, na barra de endereço, para adicionar aos favoritos e para ficar disponível na barra inferior;
- Ative e configure o preenchimento automático de formulários em Definições > Definições avançadas > Gerir definições de preenchimento automático;

- Carregue na tecla Shift + Esc para ver a lista de processos do Google Chrome e para fechar os websites que estiverem a consumir mais recursos. No gestor de tarefas do computador não consegue fazer isso;
- Carregue na tecla F12 e aceda à consola de *webmaster*, onde pode ver informação técnica do website ou mesmo emular outros dispositivos.

Atalhos

Existem muitos atalhos para o Google Chrome. Atalhando caminho, veja estes que vão dar-lhe muito jeito:

Ctrl + 9: ir para o último separador, ou para outro de acordo com o número;

Ctrl + H: ver histórico;

Ctrl + J: ver janela de downloads;

Ctrl + K: mover o cursor para a barra de endereços;

Ctrl + T: abrir novo separador.

Motor de Pesquisa Google

Além da pesquisa que faz no dia a dia, há muito mais do que isso na simples caixa com fundo branco.

Utilize estes comandos para tornar a pesquisa mais eficiente:
define: expressão – para obter definição da expressão;
cache: site.com – para visualizar uma página em memória do Google;
link: site.com – para ver os websites que estão a ligar para o seu website;
related: site.com – para ver websites relacionados;
site: site.com – para listar todas as páginas do website;
info: site.com – para ver informações do website;
intitle: expressão – para listar todas as páginas com a expressão no título;
allintext: expressão – para listar páginas com a expressão de pesquisa no texto;
inurl: expressão – para listar páginas com a expressão de pesquisa no endereço (link).

Operadores na pesquisa – OR (um dos termos), + (vários termos), - (excluir termos), ~ (termos similares), * (criar máscara para partes da expressão).

Filetype – doc | pdf | xls | ppt – permite obter resultados de ficheiros com essa terminação.

Por exemplo, se digitar: «marketing digital filetype:pdf site:marketing digital360.net», obterá a lista de PDF sobre Marketing Digital apenas nesse website. Experimente!

Pode também fazer conversões, utilizá-la como calculadora, fazer câmbios, bem como outras operações. Por exemplo, se escrever «100 € in dollars», obtém logo a conversão à cotação atual. Ou se escrever «3^2+5/1», terá o resultado da operação diretamente no Google. Para conversões de unidades, por exemplo: «10 km in miles», obterá o valor em milhas.

Google Translator

É uma ferramenta extremamente útil para traduzir textos instantaneamente, páginas Web, bem como ficheiros, em mais de 50 idiomas. É simples e intuitiva, podendo optar por escrever diretamente o texto ou colá-lo a partir de um documento que tenha criado, digitar o endereço de um website ou adotar a opção «traduza um documento», que carrega diretamente o ficheiro.

O Google Tradutor está disponível em: *https://translate.google.com*. Para fazer a tradução dos conteúdos basta que defina o seu idioma, cole o texto no espaço disponibilizado, defina o idioma pretendido e clique em «Traduzir». Surgirá, do lado direito do monitor, o texto traduzido, que pode ser colado no MS Word posteriormente.

No local onde surge o texto traduzido surgem as seguintes opções:

- Guardar no meu guia de conversação;
- Selecionar tudo;
- Melhorar esta tradução;
- Ouvir;
- Classificar esta tradução.

Este serviço gratuito poderá ser utilizado como base de tradução para diversas línguas (que deve ser melhorada manualmente), por exemplo, os artigos do seu blog ou o script do seu vídeo, tornando os seus conteúdos acessíveis a mais pessoas.

UTILIZE A APP GOOGLE TRANSLATOR PARA TRADUÇÃO DE UM ELEMENTO VISUAL

Traduza qualquer sinalética ou *flyer* através da aplicação Google Translator.

A aplicação mobile é ainda mais impressionante, dando a possibilidade de utilizar a câmara para ver em tempo real traduções de qualquer elemento visual. Por exemplo, imagine que está na China e não percebe nada do que está escrito na sinalética; com esta app consegue ver a tradução diretamente na câmara. Permite-lhe também escrever manualmente com o dedo ou traduzir uma conversa que esteja a ter com alguém. Pode ainda descarregar pacotes de idiomas para funcionar offline.

Google Alerts

O Google Alerts é particularmente bom, pois permite monitorizar a sua presença na web ou até fazer *benchmarking*, bastando, para isso, criar alertas e receber automaticamente informação sobre a sua empresa, por exemplo, no seu e-mail ou através de *feed* rss (conforme configurar o seu alerta).

Pode criar e configurar os seus alertas em: *https://www.google.pt/alerts*.

Na configuração de um alerta, surgirão as seguintes opções:

- **Frequência** – para novas ocorrências, no máximo uma vez por dia ou uma vez por semana;
- **Origens** – para automático, notícias, blogs, web, vídeo, livros, discussões e finanças;
- **Idioma** – para qualquer idioma. Selecionar um idioma na listagem apresentada;
- **Região** – para qualquer região. Selecionar um país na listagem apresentada;
- **Quantos** – só para os melhores resultados ou para todos os resultados;
- **Entregar por** – e-mail, *Feed* rss.

Por outro lado, pode configurar alertas para receber informação sobre um determinado tema do seu interesse e, assim, acompanhar toda a informação publicada na web sobre esse mesmo tema.

Produtividade no Facebook

Parece estranho, mas é verdade: pode aumentar a sua produtividade no Facebook.

Pode começar pelas páginas, acedendo àquelas em que tem mesmo muito interesse e ativar a opção de ver primeiro no feed de notícias, podendo ativar também as notificações. Assim passará a ver a informação mais relevante.

Nas publicações, ao clicar no canto superior direito, entre outras opções, surge a possibilidade de ativar notificações para a publicação, ocultar e guardar publicação. Isto pode ser bastante útil se, por exemplo, quiser acompanhar essa publicação, ocultar se não for relevante, ou guardar, idêntico ao gestor de favoritos do browser, para visualizar mais tarde.

Sobre os vídeos, mesmo sendo alguns muito divertidos, é melhor desativar a sua reprodução automática no computador e no mobile, para evitar que a sua atenção fique demasiado presa a vídeos que talvez não sejam importantes para a sua atividade profissional.

Outra opção importante é ver o *feed* de páginas de que a sua página é fã. Deve primeiro tornar-se fã de páginas como página e, depois, na página, terá acesso a essa opção, que será um link deste género: *https://www.facebook.com/vascomarques.net/pages_feed/* (basta substituir o username da página pela sua).

Além disso, pode ainda agendar publicações, utilizar bots, utilizar o RescueTime para monitorizar tempo e utilizar a app de gestão de páginas do Facebook.

Converter Ficheiros

Este problema é comum: recebe um ficheiro num determinado formato e não tem a ferramenta certa para o abrir. Já lhe deve ter acontecido.

Existe uma solução que já uso há vários anos: o Zamzar, que suporta mais de 1200 tipos de conversão em vídeo, áudio, música, ebook, imagem e outros.

Já me aconteceu ter um ficheiro de vídeo que nenhum software profissional conseguia abrir, devido à incompatibilidade de codecs. A única solução possível foi mesmo convertê-lo no Zamzar para, posteriormente, o conseguir editar. E já me aconteceu mais vezes noutros tipos de formato.

Também permite converter diretamente de um URL onde esteja o ficheiro ou através do link do vídeo YouTube para download ou para conversão.

Depois de inserir o ficheiro, basta selecionar para que formato deseja convertê-lo e definir o e-mail em que quer receber o link para download. Passados poucos minutos estará pronto. A versão gratuita permite converter ficheiros até 100 MB, mais do que suficiente para a maioria dos casos.

Exemplos de formatos que suporta: PDF, Word, Excel, PowerPoint, Photoshop, FLAC, MP3, MP4, WAV, MKV, WMA, JPG, XPS, FLV, MOV, OGG, PNG, TIFF e muitos mais. São apenas alguns exemplos.

Basta aceder a: *www.zamzar.com*.

Outra situação que, por vezes, ocorre é não conseguir reproduzir um vídeo ou até mesmo um áudio com o seu software de reprodução base (player), como o famoso Windows Media Player ou Quick Time. Aqui a solução não passa necessariamente pela conversão do ficheiro. Pode tentar o VLC Media Player, porque consegue reproduzir diversos formatos e possui inúmeras funcionalidades.

Por exemplo, se copiou um vídeo em que o ficheiro tenha ficado danificado ou esteja incompleto, o VLC tem a capacidade de o reproduzir mesmo assim. O VLC Media Player é um software gratuito e basta aceder a: *www.videolan.org/vlc* para o obter.

Se precisar de juntar PDF, poderá usar esta ferramenta: *www.pdfmerge.com*. Se precisar de ir mais longe e editar PDF, utilize o: *www.pdfescape.com*.

Software de Faturação

Existem várias soluções de faturação, por isso é importante saber se precisa de uma solução simples, apenas para emitir faturas, ou algo mais completo, com funções adicionais.

Seja como for, é essencial ter estas funcionalidades:
- Emissão de faturas de forma simples;
- Comunicação mensal automática do SAFT;
- Integração com a sua loja online (WooCommerce, Shopify ou outro);
- Emissão de referências multibanco, se não tiver esta opção na loja online;
- Lembretes de SMS para pagamento de fatura, se não tiver um CRM ou similar;
- Informação visual da sua faturação mensal, trimestral e anual, com comparação do período homólogo;
- Exportação e importação de dados;
- Fatura certificada em formato eletrónico.

Posto isto, existem várias opções a considerar, quase todas elas com opções gratuitas:
- Invoicexpress;
- Keyinvoice;
- Jasmin Sofware (Primavera);
- Sage;
- Fact.

Analise as funcionalidades de que necessita, eventuais integrações com o fluxo de informação da sua organização e avance pela opção mais indicada.

CRM

Um CRM (*Customer Relationship Management*) é fundamental como ferramenta para gestão da relação com o cliente, para lhe permitir fazer acompanhamento de propostas comerciais ou de informação complementar que tenha impacto nas vendas e na satisfação do cliente.

Muitas empresas não utilizam este tipo de ferramenta. Provavelmente utilizam o próprio e-mail para ir gerindo a informação do cliente. Em alguns casos utilizam o Google Docs ou o MS Excel para gerir mais informação, no entanto, é limitado como ferramenta de CRM.

Por que motivo deve implementar um CRM?

- Melhora conversões e tem impacto no aumento de vendas;
- Permite organizar contactos de uma forma simples e eficiente;
- Qualifica contactos de acordo com comportamentos, para ser alocado à fase do funil de vendas em que se encontra;
- Personaliza campanhas em função do perfil e do histórico do cliente;
- Faz gestão de tarefas alocadas aos seus clientes, permitindo facilmente saber qual é o passo a dar para cada um dos contactos;
- Faz gestão de informação e de permissões para cada colaborador, em função da sua missão;
- Cria um registo do histórico de alterações;
- Anexa ficheiros ou imagens à ficha do cliente para saber, por exemplo, a proposta que lhe foi apresentada ou para uma fotografia que um cliente enviou de uma dificuldade que está a ter com o seu produto;
- Cria relatórios para facilitar *feedback* de desempenho.

Existem inúmeras soluções e não têm de ser necessariamente pagas. Algumas delas são:

- Insightly;
- Prosperworks;
- Hubspot CRM;
- Zoho CRM;
- Sugar CRM;
- Salesforce;
- Capsule;
- Microsoff CRM;
- Streak;

- Bitrix24;
- WordPress CRM;
- Primavera;
- Leme.

É injusto e difícil dizer qual é o melhor, porque isso depende de fatores como: dimensão da organização, necessidades específicas, atividade comercial e orçamento disponível para a ferramenta.

No entanto, vou deixar uma sugestão que estará alinhada para a maioria dos negócios: Insightly.

Gosto muito do Insightly por ser fácil de utilizar, integra com o Gmail ou com o Google Suite (embora também funcione autonomamente sem integração) e é grátis para dois utilizadores. A integração com o leitor de e-mail do Google é um fator muito importante, pois mal receba o email pode alocá-lo ao CRM, que vai importar alguns dados automaticamente e mostrar perfis das redes sociais desse potencial cliente. Permite gerir tarefas, gerar relatórios e torna o processo simples e fluido, sem ter de alocar mais tempo para CRM.

Se estes argumentos não são os mais importantes para si, aconselho-o a procurar um profissional especializado para o ajudar a escolher a sua solução.

MS Excel

É amado por uns e odiado por outros. O certo é que é uma ferramenta essencial em todas as atividades profissionais, especialmente em profissionais de marketing digital. Não é substituído por um Google Docs, e a versão mais robusta e completa funciona em PC (no Mac tem limitações).

É importante para criar:

- Painéis de controlo de métricas (*dashboards*);
- Planeamento;
- Vendas;
- Controlo financeiro;
- Calcular o retorno do investimento;
- Desempenho;
- Informação de clientes;
- Base de dados.

Algumas funcionalidades a considerar:

- Macros e Add-ins – para poder criar a ferramenta que desejar, recorrendo a programação VBA. Veja o exemplo de uma ferramenta que criámos com *dashboard* para marketing digital: *www.marketingdigital360.net/blog/add-in-ms-excel-mkt-digital-360*;
- Correlação linear, dispersão e previsão;
- Solver;
- Atingir objetivo;
- Suplementos;
- UDF – *User Defined Functions*;
- Formatação condicional;
- Tabelas e gráficos;
- Validação de dados.

Além das fórmulas básicas, ficam aqui mais algumas importantes para utilizar:

- SE – para criar condições que fazem desencadear ações ou outras fórmulas;
- SOMA.SE – soma valores, apenas se determinada condição for satisfeita;
- PROCV – procura um determinado valor numa tabela, na posição solicitada;
- CONTAR.SE – conta o número de ocorrências, de acordo com determinadas condições.

Deixo aqui algumas direções, mas com a possibilidade de as aprofundar em cada uma das áreas, para que possa controlar bem os dados e transformá-los em informação que terá impacto nas táticas e influência na estratégia: do micro ao macro!

A Sua Checklist Ferramentas de Produtividade

N	✓	TAREFAS A IMPLEMENTAR
1		Melhore o seu estilo de vida e método de trabalho
2		Estimule ideias e criatividade
3		Utilize ferramentas de colaboração
4		Utilize ferramenta de *backup* na cloud Google Drive
5		Faça *backup* ilimitado de fotografias com Google Photos
6		Utilize o Google Docs, Google Forms e Google Suite
7		Utilize o Gmail e o Chrome de forma eficiente
8		Descubra truques de pesquisa no Google
9		Utilize o Google Translator da forma mais eficiente
10		Monitorize citações na web com o Google Alerts
11		Seja mais produtivo no Facebook
12		Utilize um CRM ajustado à sua atividade
13		Escolha o software de faturação mais indicado para si
14		Utilize o MS Excel para alavancar a sua produtividade

Clique aqui para Continuar

A sua viagem pelo universo digital não terminou. Está agora mais bem preparado para definir percursos mais ambiciosos e continuar a busca por melhores resultados online.

Tal como numa espiral crescente, serão necessários mais ciclos para ir aprofundando e evoluindo cada vez mais neste mundo digital que está em constante mudança.

Encare-o como o começo da viagem, tendo em mente que será necessária uma atitude de constante adaptação a novos desafios que, munido de conhecimento e experiência, lhe vão permitir tomar escolhas mais acertadas, sem ficar isento do erro inevitável, que também trará conhecimento. No entanto, a ideia não é errar muito para aprender. Mas o pouco que errar arquive-o como aprendizagem inesquecível.

Este manual, com uma abordagem 360, é fruto de muitos anos de experiência. Por isso, acredito que lhe fará ganhar muito tempo, proporcionando mais probabilidades de poder implementar uma estratégia assertiva. Aproveite essa vantagem para diversificar ainda mais e aprofundar o que puder em cada uma das áreas.

Faça-me chegar a sua opinião acerca desta obra e o impacto que teve no seu negócio em: *www.facebook.com/marketingdigital360net* e fique a par das novidades em: *www.mktdigital360.net.*

Vamo-nos vendo online!